LA VILLE DES PRODIGES

DU MÊME AUTEUR

Le Mystère de la crypte ensorcelée
Seuil, 1982 ; coll. « Points Roman », 1988

Le Labyrinthe aux olives
Seuil, 1985

La Vérité sur l'affaire Savolta
Flammarion, 1987

EDUARDO MENDOZA

LA VILLE DES PRODIGES

roman

TRADUIT DE L'ESPAGNOL
PAR OLIVIER ROLIN

PUBLIÉ AVEC LE CONCOURS
DU CENTRE NATIONAL DES LETTRES

ÉDITIONS DU SEUIL
*27, rue Jacob, Paris VIe*

Titre original : *La Ciudad de los prodigios.*
Éditeur original : Editorial Seix Barral, Barcelone.
ISBN original : 84-322-0545-1.

ISBN 2-02-010295-1.

Lorsque l'esprit impur sort de l'homme, il erre par des lieux arides, en quête de repos ; et, n'en trouvant pas, il dit : Je retournerai à ma demeure, d'où je suis parti. Et en arrivant il la trouve balayée et en ordre. Alors il va et prend sept autres esprits pires que lui ; ils entrent et s'établissent là, et la dernière condition de cet homme en vient à être pire que la première.

Luc, 11,24-26.

Chapitre 1

1

L'année où Onofre Bouvila arriva à Barcelone, la ville était en pleine fièvre de rénovation. Cette ville est située dans la cuvette que ménagent les montagnes de la chaîne côtière lorsqu'elles se retirent un peu vers l'intérieur, entre Malgrat et Garraf, formant ainsi une espèce d'amphithéâtre. Le climat y est doux et sans contraste marqué : les ciels sont ordinairement clairs et lumineux ; les rares nuages, blancs ; la pression atmosphérique est stable ; la pluie, inhabituelle, mais parfois traîtreusement torrentielle. Bien que sujette à controverses, l'opinion dominante attribue aux Phéniciens la première et la seconde fondation de Barcelone. Au moins savons-nous qu'elle entre dans l'histoire comme colonie de Carthage, alliée de Sidon et de Tyr. Il est prouvé que les éléphants d'Hannibal, en route pour les Alpes où le froid et le relief les décimeraient, s'arrêtèrent pour boire et s'ébattre sur les rives du Besós et du Llobregat. Les premiers Barcelonais demeurèrent frappés d'émerveillement à la vue de ces animaux. Tu as vu ces défenses, ces oreilles, cette trompe (*proboscis*), se disaient-ils mutuellement. De cet étonnement partagé et des commentaires ultérieurs qui circulèrent encore bien des années, naquit l'identité de Barcelone en tant que noyau urbain, qui allait ensuite se perdre, et que les Barcelonais du XIXe siècle allaient se donner tant de mal pour recouvrer. Aux Phéniciens succédèrent les Grecs et les Layétans. Le passage des premiers laissa des résidus artisanaux, aux seconds nous sommes redevables de deux traits distinctifs de la race, selon les ethnologues : la tendance qu'ont les Catalans à pencher la tête à gauche quand ils font mine d'écouter, et la propension des hommes à émettre de larges poils par leurs orifices nasaux. Les Layétans, dont nous connaissons peu de chose, se nourrissaient principalement d'un dérivé lacté, mentionné certaines fois sous le nom de *suero*, d'autres fois sous celui de *limonada,* et qui ne différait pas sensiblement de l'actuel yogourt. En fin de compte, ce sont les Romains qui donnent à Barcelone son caractère de ville, la modelant de façon définitive : cette façon, qu'il serait superflu de détailler, marquera son évolution postérieure. Tout indique pourtant que les Romains éprouvaient un hautain mépris pour Barcelone. La ville ne semblait les intéresser ni pour des motifs stratégiques ni en raison d'affinités d'un autre ordre. En l'an 63 avant J.-C., un certain Mucius Alexandrinus, préteur, écrit à son beau-père et protecteur, à Rome, pour se lamenter d'avoir été nommé à Barcelone alors qu'il briguait un poste dans la fastueuse Bilbilis Augusta, l'actuelle Calatayud. Ataulf, roitelet goth, s'en empare, et gothe elle demeure jusqu'à ce que les Sarrasins la conquièrent sans lutte en 717 de notre ère. Conformément à leurs habitudes, les Mores se bornent à transformer en mosquée la cathédrale (non celle que nous admirons aujourd'hui mais une autre, plus ancienne, bâtie sur un autre site, lieu de nombreux martyres et conversions), et c'est tout. Les Français la rendent à la foi en 785, et juste deux siècles plus tard, en 985, elle retourne à l'islam du fait d'Almanzor ou Al-Mansũr, le Pieux, l'Impitoyable, Celui-qui-n'a-que-trois-dents. Conquêtes et reconquêtes ont une influence sur la taille et la complexité de ses remparts. Les corsets de bastions et de murailles concentriques rendent ses rues de plus en plus sinueuses, ce qui attire les juifs cabalistes de Gérone, qui ouvrent des succursales de leur secte et creusent des galeries conduisant à des sanhédrins secrets et à des piscines probatiques que mettraient au jour, au XXe siècle, les travaux du métro. On peut encore lire, sur les linteaux de pierre de la vieille ville, des griffonnages qui sont des signes pour les initiés, des formules pour atteindre l'impensable, etc. Et puis, la ville connaît des années de splendeur et des siècles obscurs.

— Vous serez très bien ici, vous verrez. Les chambres ne sont pas grandes, mais elles sont très bien aérées, et, quant à la propreté, on ne saurait exiger mieux. La chère est simple mais nourrissante, assura le propriétaire de la pension.

Cette pension, à laquelle se rendit Onofre Bouvila dès son arrivée à Barcelone, était située carrero del Xup. Cette venelle, dont le nom pourrait se traduire par « passage de la Citerne », commençait en une pente douce qui s'accentuait bientôt jusqu'à former deux marches suivies d'un palier qui venait mourir, quelques mètres plus loin, contre un mur élevé sur les restes d'une ancienne muraille, peut-être romaine. De ce mur coulait constamment un liquide épais et noir qui, au fil des siècles, avait érodé, poli et bruni les marches de la ruelle, les rendant extrêmement glissantes. Au bas de la pente, l'écoulement courait dans une rigole parallèle au bord du trottoir avant de disparaître, avec des gargouillements intermittents, dans une bouche qui s'ouvrait à l'angle de la calle de la Manga (anciennement de la Pera[1]), unique voie d'accès à la venelle du Xup. Cette rue, à tous égards sinistre et laide, pouvait s'enorgueillir (même si d'autres coins du quartier lui disputaient cet honneur douteux) d'avoir été le théâtre d'un cruel événement : l'exécution, sur la muraille romaine, de sainte Leocricia. La sainte, probablement antérieure à l'autre Leocricia, celle de Cordoue, figure dans les hagiographies tantôt sous le nom de Leocricia, tantôt sous ceux de Leocracia ou Locatis. Elle était originaire de Barcelone ou de ses environs, et fille d'un cardeur de laine ; toute jeune, elle se convertit au christianisme. Son père la maria, sans son consentement, avec un certain Tiburtius, ou Tiburtinus, questeur de son état. Animée par sa foi, Leocracia distribua aux pauvres les biens de son mari et émancipa ses esclaves. Le mari, dont elle n'avait pas demandé l'avis, en conçut de la colère. Par ces motifs, et pour n'avoir pas abjuré sa religion, elle fut décapitée en ce lieu. La légende ajoute que sa tête roula le long de la pente et ne cessa de rouler, tournant les coins des rues, traversant les croisements, semant la terreur parmi les passants, qu'elle n'eût atteint la mer où un dauphin, ou quelque autre grand poisson, l'emmena. Sa fête se célèbre le 27 janvier. A la fin du siècle dernier, il y avait, donc, une pension sur le palier en haut de la ruelle. C'était un établissement de condition fort modeste, quoique ses propriétaires ne fussent pas dépourvus de prétention. L'entrée était exiguë : y tenait seulement un comptoir de bois clair, avec une écritoire de laiton et un cahier ouvert en permanence pour que chacun eût loisir de vérifier que tout était en règle en parcourant des yeux, à la lumière agonisante d'une chandelle, la liste de sobriquets et de pseudonymes qui constituait le registre des entrées ; et encore le recoin d'un barbier, un porte-parapluies de faïence et une effigie de saint Christophe, patron des voyageurs avant d'être, aujourd'hui, celui des automobilistes. Derrière le comptoir se tenait assise, à toute heure du jour, la señora Agata. C'était une dame obèse, demi-chauve et d'aspect éteint ; elle eût passé pour morte si ses douleurs, qui l'obligeaient à tenir les pieds immergés dans une bassine d'eau tiède, ne l'eussent fait s'exclamer, de temps en temps : « Delfina, la cuvette ! » Quand l'eau refroidissait, elle reprenait vie pour dire ces mots. Alors, sa fille versait

1. Rue de la Mangue (anciennement de la Poire).

dans la cuvette l'eau fumante d'une casserole. Le trafic de casseroles menaçait à la longue de faire déborder la cuvette et d'inonder l'entrée. Le danger, toutefois, ne paraissait pas inquiéter le propriétaire de la pension, qui répondait pour tous au nom de señor Braulio. C'est avec lui qu'Onofre Bouvila eut ce premier entretien.

— En vérité, continua le señor Braulio, si cette pension était mieux située, elle pourrait passer pour un petit hôtel assez élégant.

Le señor Braulio, mari de la señora Agata et père de Delfina, était un homme d'une taille avantageuse, aux traits réguliers, doté d'une certaine distinction affectée. Dans la pension, il déléguait toutes ses fonctions à sa femme et à sa fille, consacrant la majeure partie de la journée à lire la presse quotidienne et à commenter les nouvelles avec les hôtes à demeure. Les nouveautés l'éblouissaient, et, comme l'époque était généreuse en inventions, les *oh!* et les *ah!* lui sortaient constamment de la bouche. De temps en temps, et comme si quelqu'un l'en eût instamment prié, il jetait le journal et s'exclamait : « Je vais voir quel temps il fait. » Il sortait dans la rue et scrutait le ciel. Puis il rentrait, et annonçait : « Dégagé », ou bien : « Nuageux, frisquet », etc. On ne lui connaissait pas d'autre activité.

— C'est ce quartier minable qui nous oblige à pratiquer des prix très en dessous de la catégorie de l'établissement », se plaignit-il. Puis, levant un doigt d'avertissement : « Cela ne nous empêche pas d'être très attentifs au choix de notre clientèle.

Ce commentaire dissimule-t-il une critique voilée de mon apparence ? se demanda Onofre Bouvila en entendant les paroles du señor Braulio. Bien que l'attitude cordiale de l'hôtelier parût démentir ce soupçon, la susceptibilité d'Onofre Bouvila était amplement justifiée : même compte tenu de son âge tendre, on remarquait au premier regard sa petite taille ; en revanche, il était large d'épaules. Il avait une peau olivâtre, des traits rabougris et grossiers, le poil noir et bouclé. Ses vêtements étaient rapiécés, fripés et plutôt sales : tout indiquait qu'il avait voyagé pendant plusieurs jours avec les mêmes sur le dos, et qu'il n'en possédait pas d'autres, ou peut-être juste un peu de linge de rechange dans le baluchon qu'il avait, en entrant, posé sur le comptoir, et vers lequel à présent il jetait constamment de furtifs coups d'œil. Le señor Braulio, alors, se sentait soulagé, tandis que, lorsque le regard du jeune homme revenait se fixer sur lui, il sentait l'inquiétude poindre. Il y a quelque chose dans ses yeux, se dit l'hôtelier, qui me porte sur les nerfs. Bah, pensa-t-il après, c'est comme toujours : la faim, le désarroi, la peur. Il avait vu arriver beaucoup de gens dans la même situation : la ville ne cessait de grandir. Un de plus, se dit-il, une pauvre petite sardine que la baleine va avaler sans s'en rendre compte. L'inquiétude du señor Braulio se mua en sympathie. C'est encore presque un enfant, il est désespéré, se dit-il.

— Et puis-je vous demander, señor Bouvila, le motif de votre présence à Barcelone ?

Il escomptait que cette formule alambiquée produirait sur le jeune homme une forte impression. Celui-ci, en effet, demeura muet quelques instants : il n'avait même pas bien compris la question.

— Je cherche une place, répondit-il d'un air contraint.

Et, derechef, il fixa sur l'aubergiste son regard incisif, craignant que sa réponse ne pût entraîner quelque conséquence qui lui fût préjudiciable. Mais, déjà, le señor Braulio pensait à autre chose.

— Ah, très bien, se contenta-t-il de dire, éjectant d'une pichenette une poussière qui salissait l'épaulette de son paletot.

En son for intérieur, Onofre Bouvila lui fut reconnaissant de cette indifférence. Ses origines lui paraissaient honteuses, et pour rien au monde il n'aurait voulu révéler la raison qui l'avait poussé à tout plaquer pour venir à Barcelone.

Onofre Bouvila n'était pas né, ainsi qu'on l'a prétendu plus tard, dans la Catalogne prospère, claire, joyeuse et quelque peu vulgaire que baigne la mer, mais dans la Catalogne agreste, sombre et brutale, qui s'étend au sud-ouest de la cordillère des Pyrénées, couvre les deux versants de la sierra del Cadí et s'aplanit là où le Segre, qui l'arrose en son cours supérieur et y reçoit ses principaux affluents, conflue avec le Noguera Pallaresa et entame la dernière étape de son cours pour aller mourir dans l'Èbre à Mequinenza. Les rivières des basses terres ont un cours rapide et de fortes crues annuelles, au printemps ; lorsque les eaux se retirent, les terres inondées se transforment en marécages insalubres mais fertiles, infestés de serpents et riches en gibier. Ce sont des régions d'épais brouillards et de bois touffus, propices aux superstitions. Personne ne se serait risqué, à certaines époques de l'année, à pénétrer dans ces brumes ténébreuses : ces jours-là, on pouvait entendre des cloches résonner là où il n'y avait ni église ni ermitage, des voix et des rires entre les arbres, et apercevoir, parfois, des vaches mortes danser la sardane : celui qui voyait et entendait ces choses en restait fou. Les montagnes entourant ces vallées étaient escarpées et couvertes de neige presque toute l'année. Les maisons, là-haut, étaient construites sur des pilotis de bois, l'organisation sociale était tribale et les hommes rudes et sauvages, les peaux de bêtes fournissaient encore une partie de leur accoutrement. Ils ne descendaient dans les vallées qu'à la fonte des neiges, pour chercher une femme quand on fêtait les vendanges ou qu'on tuait le cochon. Dans ces occasions, ils jouaient de la flûte d'os et exécutaient une danse imitant les bonds du mouton. Ils mangeaient sans trêve du pain et du fromage et buvaient un vin coupé d'eau et d'huile. Au sommet des monts vivaient quelques êtres encore plus frustes : jamais ils ne descendaient dans les vallées, et leur unique occupation semble avoir été la pratique d'une espèce de lutte gréco-romaine. Les gens d'en bas étaient plus civilisés : ils vivaient de la vigne, de l'olivier, du maïs (pour les bêtes), de quelques vergers, d'élevage et de miel. Dans cette région, on a recensé, au début du siècle, vingt-cinq mille types différents d'abeilles, dont subsistent seulement aujourd'hui cinq à six mille. Ils chassaient le daim, le sanglier, le lapin alpestre et la perdrix ; et aussi le renard, la belette et le blaireau, pour se défendre de leurs constantes incursions. Dans les ruisseaux, ils pêchaient la truite « à la mouche », art dans lequel ils excellaient. Ils mangeaient bien : dans leur alimentation ne manquaient la viande ni le poisson, les céréales, les légumes, ni les fruits ; en conséquence, ils formaient une race grande, forte et énergique, très résistante à la fatigue, mais à la digestion difficile et au caractère aboulique. Ces caractéristiques physiques n'avaient pas été sans conséquence sur l'histoire de la Catalogne : une des raisons que le gouvernement central opposait aux prétentions indépendantistes du pays était que cela abaisserait la taille moyenne des Espagnols. Dans son rapport à don Carlos III, récemment débarqué de Naples, R. de P. Piñuela appelle la Catalogne « le tabouret de l'Espagne ». Ils disposaient aussi de bois en abondance, de liège et de quelques richesses minérales. Ils vivaient dans des fermes dispersées par la vallée, sans autre lien entre elles que celui de la paroisse ou *rectoría.* D'où la coutume de donner le nom de la paroisse pour celui du lieu de naissance ; par exemple, Pere Llebre, de Sant Roc ; Joaquim Colibróquil, de la Mare de Deu del Roser, etc. Moyennant quoi, une grande responsabilité reposait sur les épaules des recteurs. C'étaient eux qui assuraient l'unité spirituelle, culturelle et même idiomatique de la région. Leur incombait aussi la mission cruciale de maintenir la paix dans les vallées et entre une vallée et sa voisine, d'éviter les explosions de violence, les vengeances interminables et sanglantes. Cette situation favorisa l'éclosion d'un type de recteurs que chantèrent ensuite les poètes : hommes sagaces et modérés, capables d'affronter les climats les plus rigoureux et de cheminer sur des distances prodigieuses, portant d'une main le ciboire et de l'autre l'escopette. C'est probablement aussi grâce à eux que la région avait été presque complètement épargnée par les guerres carlistes[1]. Jusqu'à la fin du conflit, des bandes carlistes avaient utilisé la zone comme refuge, quartiers d'hiver et base de ravitaillement. La population les laissait faire. De temps en temps apparaissait un cadavre à demi enterré dans les sillons ou les buissons, une balle dans la nuque ou dans la poitrine. Chacun feignait de ne pas le remarquer. Parfois, il ne s'agissait pas d'un carliste, mais de la victime d'un conflit personnel maquillé en fortune de guerre. De source sûre, on sait seulement qu'Onofre Bouvila fut baptisé le jour de la fête de saint Restituto et de sainte Léocadie (le 9 décembre) de l'an 1874 ou 1876, qu'il reçut l'ondoiement des mains de dom Serafí Dalmau, prêtre, et que ses parents étaient Joan Bouvila et Marina Mont. On ignore, en revanche, pourquoi on lui donna le nom d'Onofre au lieu de celui du saint du jour. Sur l'acte de baptême, d'où sont extraits ces renseignements, il figure comme originaire de la paroisse de San Clemente et premier né de la famille Bouvila.

— Magnifique, magnifique, vous serez ici comme un véritable roi, disait le señor Braulio tout en tirant de sa poche une clef rouillée et en désignant d'un geste emphatique le couloir obscur et malodorant de la pension. Les chambres, comme vous verrez... Ah, bon sang !

Cette exclamation était due au fait que la porte dans la serrure de laquelle il se disposait à introduire la clef venait d'être brusquement ouverte de l'intérieur de la pièce. La silhouette de Delfina se découpa dans l'encadrement, contre la lumière du balcon.

— Voici ma fille Delfina, dit le señor Braulio dès qu'il fut remis de son émotion ; elle était sans aucun doute en train d'arranger la chambre pour que vous y soyez bien. N'est-ce pas, Delfina ? » Et, comme Delfina ne répondait pas, il ajouta, s'adressant de nouveau à Onofre Bouvila : « Comme sa pauvre mère, mon épouse, a une santé quelque peu fragile, tout le travail de la pension retomberait sur mes épaules s'il n'y avait l'aide de Delfina, une véritable perle.

Onofre avait déjà aperçu Delfina un moment auparavant, dans l'entrée, pendant qu'elle courait remplir d'eau chaude la cuvette de la señora Agata. Mais c'est à peine s'il avait fait attention à elle. Maintenant, l'observant plus attentivement, il la trouva véritablement repoussante. Delfina avait à peu près le même âge qu'Onofre Bouvila ; elle était sèche et sans grâce, avec des dents saillantes, une peau

1. Les carlistes, partisans traditionalistes de don Carlos, frère de Ferdinand VII, écarté de la succession au profit de sa nièce Isabelle II, se soulevèrent en 1834-1840, puis en 1873-1879, principalement au Pays basque, en Navarre et en Catalogne.

crevassée et des yeux fuyants, présentant la particularité d'avoir des pupilles jaunes. Onofre se rendit vite compte de ce que c'était en réalité Delfina qui s'appuyait tout le travail de la pension. Renfrognée, sale, échevelée, dépenaillée, elle courait à toute heure, nu-pieds, de la cuisine aux chambres et des chambres à la cuisine et à la salle à manger, transportant seaux, balais et serpillières. En outre, elle s'occupait de sa mère, dont les sollicitations étaient continuelles étant donné son impotence, et servait à table le petit déjeuner, le déjeuner et le dîner. Le matin de très bonne heure, elle allait faire les courses avec deux cabas d'osier qu'elle traînait avec difficulté au retour. Jamais elle n'adressait la parole aux pensionnaires : lesquels, à leur tour, feignaient d'ignorer sa présence. Non contente d'être d'un commerce fort rude, elle trimbalait en permanence, attaché à ses pas, un chat noir qui ne tolérait que la présence de sa maîtresse ; les autres, il les traitait à coups de dent et de griffe. Ce chat s'appelait Belzébuth. Les meubles et les murs de la pension portaient les marques de sa férocité. Onofre Bouvila, cependant, se souciait peu de tout cela pour le moment. Il venait de pénétrer dans la chambre qui lui avait été assignée, et contemplait pour la première fois cet étroit et austère réduit. C'est ma chambre, pensait-il avec un soupçon d'émotion, on peut dire que me voilà maintenant un homme indépendant : un vrai Barcelonais. Il était encore sous l'empire de la découverte, il éprouvait, comme tous les nouveaux arrivants, la fascination de la grande ville. Il avait toujours vécu à la campagne, n'ayant visité qu'une fois une localité de quelque importance. Et il conservait un triste souvenir de cette visite. La localité en question s'appelait Bassora et était située à dix-huit kilomètres de San Clemente ou Sant Climent, sa paroisse natale. Quand elle reçut la visite d'Onofre Bouvila, Bassora venait de connaître une notable mutation. Centre agricole avant tout voué à l'élevage, elle s'était transformée en cité industrielle. D'après les statistiques, il y avait, en 1878, trente-six installations industrielles à Bassora : vingt et une dans la branche textile (coton, soie, laine, tissus imprimés, tapis, etc.), onze entreprises chimiques (phosphates et acétates, chlorures, colorants et savons), trois sidérurgiques et une fabrique travaillant le bois. Une voie ferrée reliait Bassora à Barcelone, d'où partaient les produits que Bassora exportait outre-mer. Il existait encore un service régulier de diligence, mais les gens préféraient en général le chemin de fer. Plusieurs rues étaient éclairées au gaz, on comptait quatre hôtels ou auberges, quatre écoles, trois casinos et un théâtre. Entre cette ville et Sant Climent courait un chemin empierré et raboteux, coupant les montagnes à travers une gorge ou défilé que la neige bloquait habituellement pendant l'hiver. Une carriole faisait l'aller et retour quand les conditions atmosphériques le permettaient, sans aucun horaire, périodicité ni préavis, distribuant aux fermes outils, fournitures de toutes sortes et courrier, s'il s'en trouvait, et enlevant les excédents occasionnels de la production agricole. Ils étaient ensuite confiés par le recteur de Sant Climent à un autre curé, à Bassora, un ami à lui qui se chargeait de les commercialiser, de retourner le produit de la vente, généralement en espèces, et de remettre des comptes que personne ne demandait, ne comprenait ni ne se préoccupait de vérifier. Le postillon s'appelait, ou était appelé, l'oncle Tonet. Quand il arrivait à Sant Climent, il passait la nuit sur le sol d'une taverne adossée à un des murs latéraux de l'église. Avant de se coucher, il racontait ce qu'il avait vu et entendu dire à Bassora, bien que peu ajoutassent foi à ses récits : il avait la réputation d'être un ivrogne et un baratineur. Et puis, personne ne voyait en quoi le monceau de prodiges que narrait le postillon pouvait bien concerner le cours de la vie dans la vallée.

Maintenant, pourtant, Bassora elle-même lui paraissait quelque peu insignifiante quand il la comparait mentalement à cette Barcelone où il venait d'arriver, et dont il ne savait encore rien. Cette manière de voir, à bien des égards ingénue, n'était pourtant pas totalement injustifiée : d'après le recensement de 1887, ce que nous appelons aujourd'hui la « zone métropolitaine », c'est-à-dire la ville et ses agglomérations limitrophes, comptait 416 000 habitants, chiffre qui allait augmentant au rythme de 12 000 par an. A l'intérieur de ce total donné par le recensement (et que certains contestent), le chiffre correspondant à la population de Barcelone proprement dite, de ce qui était à l'époque la commune de Barcelone, s'élevait à 272 000. Le reste se distribuait entre les faubourgs et villages extérieurs à l'ancien périmètre des remparts ; au long du XIXe siècle, c'est là que s'étaient développées les activités industrielles les plus importantes. Durant tout le siècle, Barcelone n'avait cessé d'être à l'avant-garde du progrès. C'est en 1818 que s'était ouvert, entre Barcelone et Reus, le premier service régulier de diligences d'Espagne. En 1826 avait été réalisée, cour de la Lonja[1], la première expérience d'éclairage au gaz. En 1836 avait eu lieu, avec l'installation de la première machine à vapeur, la première tentative de mécanisation industrielle. Le premier chemin de fer espagnol, sur le trajet Barcelone-Mataró, datait de 1848. De même, la première centrale électrique d'Espagne avait été édifiée à Barcelone en 1873. Un

1. La Lonja del Mar : la Bourse.

abîme séparait à cet égard Barcelone du reste de la Péninsule, et l'impression que la ville donnait au nouvel arrivant était inoubliable. Mais l'effort requis pour ce développement avait été immense. A cette époque, telle la femelle d'une espèce étrange qui vînt de mettre bas une nombreuse portée, Barcelone gisait exsangue et éventrée ; des lézardes suintaient des flux pestilentiels, des effluves puants rendaient irrespirable l'air des rues et des habitations. Dans la population régnaient la fatigue et le pessimisme. Il n'y avait que des simples d'esprit comme le señor Braulio pour voir la vie en rose.

— A Barcelone, ce ne sont pas les occasions qui manquent pour qui a de l'imagination et l'envie d'en profiter, dit-il cette nuit-là, dans la salle à manger de la pension, à Onofre Bouvila occupé à laper la soupe incolore et aigre que lui avait servie Delfina, et vous avez l'air honnête, éveillé et travailleur. Je ne nourris aucun doute sur le tour hautement satisfaisant que les choses vont prendre pour vous. Pensez, jeune homme, qu'il n'y a jamais eu dans l'histoire de l'humanité une époque comme celle-ci : l'électricité, le téléphone, le sous-marin. Faut-il que je continue à énumérer des prodiges ? Dieu seul sait où nous allons nous arrêter. A propos, cela vous dérangerait-il de payer d'avance ? Madame, que vous connaissez, est très tatillonne sur la question des comptes. La pauvre est si malade, n'est-ce pas ?

Onofre Bouvila remit tout ce qu'il possédait à la señora Agata. Cela lui faisait une semaine payée, mais il n'avait plus un sou en poche. Le lendemain matin, à la pointe du jour, il se jeta dans la rue à la recherche d'un emploi.

2

Bien que ce fût déjà un lieu commun, à la fin du XIXe siècle, de dire que Barcelone vivait « dos tourné à la mer », la réalité quotidienne ne corroborait pas cette affirmation. Barcelone avait toujours été et demeurait à l'époque une ville portuaire : elle avait vécu de la mer et pour la mer ; elle se nourrissait de la mer et lui confiait le fruit de ses travaux ; c'est à la mer qu'allaient les pas qui foulaient les rues de Barcelone, c'est par la mer qu'elle communiquait avec le reste du monde ; de la mer venaient l'air et le climat, les senteurs pas toujours exquises, l'humidité et le sel qui corrodaient les murs ; le bruit de la mer berçait les siestes des Barcelonais, les sirènes des bateaux scandaient l'écoulement du temps, et le cri des mouettes, triste et aigre, rappelait que la douceur de l'ombre que les arbres ménageaient sur les avenues n'était qu'illusion ; la mer peuplait les ruelles de personnages tordus, à la langue étrange et la démarche incertaine, au passé obscur, prompts à jouer du couteau, du pistolet ou du bâton ; la mer cachait ceux qui se dérobaient au bras de la Justice, ceux qui fuyaient en laissant derrière eux des cris déchirants dans la nuit, des crimes impunis ; la couleur des maisons et des places de Barcelone était le blanc aveuglant de la mer des beaux jours, le gris opaque des jours de tempête. Tout cela, naturellement, ne pouvait manquer de séduire Onofre Bouvila, homme de l'intérieur. La première chose qu'il fit, ce matin-là, fut d'aller au port chercher un emploi de docker.

Le développement économique de Barcelone avait commencé à la fin du XVIIIe siècle et devait se poursuivre jusqu'à la seconde décennie du XXe, mais il n'avait pas été constant. Aux périodes de croissance succédaient des périodes de récession. Le flux migratoire ne cessait pas pour autant, mais la demande diminuait ; trouver du travail dans ces circonstances s'avérait d'une difficulté quasi insurmontable. En dépit de ce qu'avait dit, la nuit précédente, le señor Braulio, lorsque Onofre Bouvila se mit à battre les rues en quête d'un gagne-pain, Barcelone traversait depuis plusieurs années une de ces phases de récession.

Un cordon de policiers lui interdit l'entrée des quais. Il demanda ce qui se passait, on lui répondit que des cas de choléra s'étaient déclarés chez les travailleurs portuaires, transmis sans doute par l'intermédiaire d'un bateau arrivant de lointains rivages. Jetant un coup d'œil par-dessus l'épaule d'un agent, il put apercevoir un tableau tragique : plusieurs dockers, ayant laissé choir leur fardeau, vomissaient sur les dalles de la darse ; d'autres, au pied des grues, évacuaient un liquide ocre et fluide. Une fois la crise passée, ils retournaient au travail, secoués de convulsions, pour ne pas perdre leur journée. Les bien portants se détournaient du passage des contaminés ; ils les menaçaient avec des chaînes et des gaffes lorsqu'ils prétendaient s'approcher d'eux. Une poignée de femmes tentaient de rompre le cordon sanitaire pour porter secours à leurs maris ou amis ; la police les repoussait sans égards. Onofre Bouvila poursuivit son chemin ; il allait longeant la mer en direction de la Barceloneta. A cette époque, la grande majorité des bateaux étaient encore des voiliers. Les installations portuaires étaient également très archaïques : les quais ne permettant pas l'accostage de flanc, les bateaux devaient venir à quai par la poupe. Cela rendait très difficiles les opérations de chargement et de déchargement, qui devaient s'effectuer au moyen de chaloupes et de gabarres, dont un essaim sillonnait à toute heure les eaux du port, embarquant et débarquant les marchandises. Le long des quais et des rues voisines pullulaient les vieux marins à gueule tannée ; ils étaient habituellement vêtus d'un pantalon retroussé jusqu'au genou, d'une blouse à rayures horizontales et d'un bonnet phrygien. Ils fumaient des pipes d'os, buvaient de l'eau-de-vie et mangeaient de la viande boucanée et une espèce de biscuits qu'ils laissaient sécher pendant des semaines ; ils suçaient aussi, avec avidité, des citrons ; ils étaient laconiques avec les gens, mais parlaient tout seuls sans trêve ; ils fuyaient le contact humain et se montraient querelleurs, mais ils aimaient aller accompagnés d'un chien, d'un perroquet, d'une tortue ou de quelque autre bestiole à laquelle ils prodiguaient caresses et attentions. En vérité, leur destin était tragique : embarqués tout enfants comme mousses, ils n'étaient revenus qu'avec la vieillesse dans leur pays natal, auquel ne les unissaient plus que les liens de la mémoire. Le permanent vagabondage les avait retenus de fonder une famille ou de nouer des amitiés durables. Maintenant, de retour, ils se sentaient étrangers. Mais, à la différence du véritable étranger, qui peut tant bien que mal se faire aux coutumes du pays d'accueil, eux étaient encombrés de souvenirs déformés par le passage de tant d'années, de tant d'heures d'inaction perdues à forger chimères et projets ; à présent, confrontés à une réalité différente, ces souvenirs idéalisés les empêchaient de s'adapter. Certains, justement pour éviter ces désillusions, préféraient finir leurs jours dans un port étranger, loin de leur patrie. C'était le cas d'un loup de mer presque centenaire, du nom de Sturm, d'origine inconnue, qui s'était rendu célèbre, ces années-là, à la Barceloneta où il vivait. Il parlait une langue incompréhensible à tous, y compris aux professeurs de la faculté de philosophie et lettres, à qui ses voisins avaient en vain présenté le vétéran. Pour tout capital, il possédait une liasse de billets qu'aucune banque de Barcelone ne voulait lui changer. Comme cette liasse était épaisse, il passait pour riche et on lui faisait crédit dans les bars et les boutiques du quartier. On disait de lui qu'il n'était pas chrétien, qu'il adorait le soleil, et qu'il hébergeait dans sa chambre un phoque ou un lamantin.

La Barceloneta était un faubourg de pêcheurs qui avait poussé, au cours du XVIIIe siècle, à l'extérieur des murailles de Barcelone. Par la suite, il avait été intégré à la ville et soumis à un processus accéléré d'industrialisation. A cette époque, c'est à la Barceloneta que se trouvaient les grands chantiers navals. Passant par là, Onofre Bouvila tomba sur un groupe de femmes courtaudes et vives triant du poisson au milieu des éclats de rire. Encouragé par ces démonstrations de bonne humeur, il se dirigea vers elles pour en tirer quelque renseignement. Peut-être sauront-elles m'indiquer où trouver du travail, se dit-il ; des femmes seront plus amicales envers un jeune homme comme moi. Il se rendit vite compte de ce que leur apparente bonne humeur était due, en réalité, à un dérangement nerveux qui les faisait rire compulsivement, sans rime ni raison. Au fond d'elles-mêmes, elles étaient remplies d'amertume et bouillantes de colère : pour un rien, elles brandissaient des couteaux et se jetaient homards ou crabes à la tête. Ce que voyant, il prit la fuite. Il n'eut pas plus de chance quand il essaya de s'enrôler à bord d'un des bateaux que ne frappait pas la quarantaine. Tandis qu'il s'approchait, les marins accoudés au bastingage le dissuadèrent d'aller plus loin. « Ne monte pas à bord si tu ne veux pas mourir, gamin », lui dirent-ils. Ils lui apprirent qu'ils étaient eux-mêmes atteints du scorbut. En parlant, ils montraient leurs gencives ensanglantées. A la gare, les portefaix, que les rhumatismes empêchaient presque de marcher, lui dirent que seuls les membres de certaines associations pouvaient aspirer avec quelque chance de succès à cet emploi d'esclave. Et ainsi de suite. A la tombée de la nuit, il revint épuisé à la pension. Cependant qu'il dévorait la maigre chère, le señor Braulio, qui papillonnait de table en table, se préoccupa du résultat de ses démarches. Onofre lui raconta qu'il n'avait pas eu de chance. L'individu qui faisait le barbier dans l'entrée écoutait la conversation, et ne se priva pas d'y intervenir :

— On voit tout de suite que tu viens de la cambrousse, dit-il à Onofre Bouvila. Va au marché aux légumes, peut-être trouveras-tu quelque chose là.

Négligeant ce que ce conseil comportait de sarcasme, il remercia tout en allongeant un coup de pied au chat de Delfina qui avait enfoncé ses griffes dans son mollet. La soubrette lui lança un regard de haine auquel il répondit par un autre plein de dédain. Quoiqu'il ne voulût pas l'avouer, les déconvenues de cette journée avaient jeté le trouble dans son esprit. Je n'avais pas imaginé que les choses pussent être aussi foutrement compliquées, se dit-il. Bah, peu importe, continua-t-il en son for intérieur, demain je reviendrai à la charge ; à force de patience, j'arriverai. N'importe quoi plutôt que de devoir retourner chez moi. Cette perspective était ce qui l'angoissait le plus.

Suivant les conseils du barbier, le jour suivant il se rendit au

Borne[1] : ainsi se nommait le marché central des fruits et légumes. Visite inutile, pourtant, comme celles qui suivirent. Ainsi passèrent des heures et des jours : sans aucun résultat tangible ni espoir d'en obtenir. Sous le soleil ou sous la pluie, il parcourut la ville à pied de bout en bout. Au long de cette pérégrination, il ne négligea aucune sonnette qu'il pût tirer. Il essaya de décrocher des emplois dont il ignorait jusqu'alors l'existence : cigarier, fromager, scaphandrier, marbrier, puisatier, etc. Dans la majorité des cas, il n'y avait pas d'embauche ; dans d'autres, on exigeait de l'expérience. Dans une pâtisserie, on lui demanda s'il savait faire des oublies ; dans un chantier naval, s'il savait calfater. Il se voyait à chaque fois obligé de répondre que non. Il découvrit bientôt des choses qu'il n'avait jamais soupçonnées auparavant : de tous les boulots, le plus reposant était celui de domestique. A cette époque, 16186 personnes s'y consacraient à Barcelone. Les autres emplois connaissaient des conditions terribles : les journées étaient très longues ; les travailleurs devaient se lever tous les jours à quatre ou cinq heures du matin pour être ponctuels à l'embauche. Les salaires étaient très bas. Les enfants travaillaient à partir de cinq ans dans le bâtiment, dans les transports, même dans les cimetières, où ils assistaient les fossoyeurs. Dans certains endroits, on le reçut avec amabilité ; dans d'autres, avec une hostilité ouverte. Dans une laiterie, une vache fut à deux doigts de l'encorner, des charbonniers excitèrent un mâtin contre lui. Partout, il fut le témoin de la misère et de la maladie. Des quartiers entiers étaient frappés de typhus, de variole, d'érésipèle ou de scarlatine. Il rencontra des cas de choléra, de cyanose, de goutte, de nécrose, de tétanos, de paralysie, d'apoplexie, d'épilepsie et de croup. La malnutrition et le rachitisme s'acharnaient sur les enfants, la tuberculose sur les adultes, la syphilis sur tous. Comme toutes les autres villes, Barcelone avait été visitée périodiquement par les fléaux les plus terribles. En 1834, le choléra avait laissé 3521 morts derrière lui ; vingt ans plus tard, en 1854, la même maladie avait fauché 5640 personnes. En 1870, la fièvre jaune, venant des Antilles espagnoles, s'était abattue sur la Barceloneta. Le quartier entier avait été évacué, le quai de la Riba brûlé. Dans ces circonstances se répandait d'abord la panique, puis l'abattement. On organisait des processions, des cérémonies publiques d'expiation. Tous accouraient à ces prières collectives, y compris ceux qui, quelques mois auparavant, avaient participé, à la faveur d'une émeute, au sac d'un couvent, ou

1. El Born, le tournoi en catalan, est l'ancien marché du quartier populaire de Santa María.

avaient été à l'origine de ces actes de barbarie. Les plus repentants étaient précisément ceux qui avaient mis le plus de fureur à appliquer la torche à la chasuble d'un pauvre prêtre, avaient joué au bilboquet avec les Saintes Images ou fait mitonner, ça se disait, des pot-au-feu de reliques. Puis les épidémies refluaient et s'éloignaient, mais jamais absolument : il subsistait toujours des poches où la maladie paraissait prendre ses aises, enfoncer ses racines. Ainsi, à une épidémie en succédait une autre sans que la première ait complètement disparu, elles se donnaient la main. Les médecins devaient abandonner l'arrière-garde d'un mal pour combattre l'avant-garde du suivant, leur travail ne connaissait jamais de fin. D'où la prolifération des charlatans et des guérisseurs, marchands de simples et mages en tout genre. Sur toutes les places, des hommes et des femmes prêchaient des doctrines confuses, annonçant le règne de l'Antéchrist, le jour du Jugement, la venue d'un messie extravagant bizarrement intéressé par l'argent d'autrui. Certains, de bonne foi, proposaient des moyens préventifs ou curatifs inutiles, quand ils n'étaient pas nuisibles, comme de proférer des cris les nuits de pleine lune, de s'attacher des grelots aux chevilles ou de se graver sur la peau du thorax des signes zodiacaux ou des roues de sainte Catherine. Les gens, terrifiés et démunis devant les ravages de la maladie, achetaient les talismans qu'on leur proposait, avalaient sans broncher potions et philtres, ou les faisaient ingurgiter à leurs enfants, croyant agir pour leur bien. La municipalité faisait poser des scellés sur les maisons des morts, mais la pénurie de logements était telle qu'il s'en trouvait bientôt pour préférer les risques de contagion à la vie à la belle étoile : ceux-là contractaient aussitôt la maladie et mouraient sans exception. Certaines fois, pourtant, les choses ne se passaient pas ainsi. Les cas d'abnégation, comme il s'en manifeste toujours dans les circonstances extrêmes, ne manquaient pas non plus. On racontait, par exemple, cette histoire d'une religieuse déjà avancée en âge, du nom de Társila, quelque peu moustachue, et qui, dès qu'elle apprenait que telle ou telle personne gisait atteinte d'un mal incurable, accourait, portant un accordéon. Et ainsi en usa-t-elle pendant des décennies, côtoyant les toux les plus abominables sans jamais contracter la moindre maladie.

La nuit où le terme vint à échéance, le señor Braulio chapitra Onofre :

— Les paiements, comme vous le savez, s'effectuent par avance, lui dit-il. Vous devez nous verser votre semaine.

Onofre soupira.

— Je n'ai pas encore trouvé de travail, señor Braulio, dit-il. Accordez-moi un délai d'une semaine et je vous paierai tout ce que je vous dois dès que je toucherai ma première journée.

— Ne croyez pas que je ne me rende pas compte de votre situation, señor Bouvila, répondit le tenancier, mais vous devez aussi vous rendre compte de la nôtre : non seulement cela nous coûte très cher de vous donner à manger tous les jours, mais en plus nous perdons ce que nous paierait un autre pensionnaire si votre chambre était libre. C'est douloureux, je le sais, mais je vais être dans l'obligation de vous demander de partir demain à la première heure. Croyez que je regrette de devoir procéder ainsi, parce que je vous ai pris en affection.

Ce soir-là, il ne dîna pratiquement pas. La fatigue accumulée durant le jour le fit s'endormir à peine couché, mais, au bout d'une heure, il se réveilla brusquement. Alors commencèrent à l'assaillir les idées les plus sombres. Pour s'en libérer, il se leva et sortit sur le balcon ; il y respira vivement l'air humide et saumâtre qui portait les senteurs de poisson et de coaltar du port. Dans cette direction, on voyait aussi la lueur fantasmagorique des becs de gaz reflétés dans le brouillard. Le reste de la ville était plongé dans l'obscurité absolue. Au bout d'un moment, transpercé de froid jusqu'aux os, il décida de retourner au lit. Une fois couché, il alluma le bout de chandelle qu'il y avait sur la table de nuit et sortit de sous l'oreiller une feuille de papier jauni, soigneusement pliée. Il la déplia avec précaution et lut à la lueur tremblante de la bougie ce qui y était écrit. Au fur et à mesure qu'il lisait ce que sans doute il connaissait de mémoire, ses lèvres se crispaient, ses sourcils se fronçaient, ses yeux prenaient une expression ambiguë, mélange de rancœur et de tristesse.

Au printemps de 1876 ou de 1877, son père avait émigré à Cuba. Onofre Bouvila avait alors un an et demi ; il était encore enfant unique. Son père était un beau parleur, un homme enjoué, bon chasseur, quelque peu lunatique, au dire de ceux qui l'avaient connu avant qu'il se lançât dans cette aventure. Sa mère venait des montagnes, elle était descendue dans la vallée pour contracter mariage avec Joan Bouvila ; elle était grande, sèche, silencieuse, de gestes nerveux et de façons tant soit peu brusques, quoique retenues ; avant de blanchir, elle avait des cheveux châtains, et aussi des yeux gris-bleu, comme ceux d'Onofre qui, au demeurant, ressemblait physiquement à son père. Avant le XVIIIe siècle, les Catalans étaient rarement passés en Amérique, et toujours comme fonctionnaires de la Couronne ; à partir du XVIIIe, cependant, beaucoup émigrèrent à Cuba. L'argent que ces émigrants envoyaient de la colonie avait produit une accumulation imprévue de capital. C'est avec ce capital qu'avait débuté le processus d'industrialisation, et pris son essor l'économie de la Catalogne, qui languissait depuis l'époque des rois catholiques, Ferdinand et Isabelle. Certains, en plus d'envoyer de l'argent, finissaient par revenir; ces Indiens enrichis construisaient dans leurs villages d'extravagantes demeures. Les plus pittoresques ramenaient avec eux des esclaves noires ou métisses avec lesquelles ils poursuivaient évidemment des relations intimes. Cela n'allait pas sans causer du scandale et, sous la pression des parents et des voisins, ils se résignaient à marier ces esclaves avec des métayers hébétés. De ces unions naissaient des enfants café au lait, mal dans leur peau, qui finissaient habituellement par entrer en religion. On les envoyait alors dans les missions de l'autre bout du monde : aux îles Mariannes ou Carolines, qui dépendaient encore des sièges archiépiscopaux de Cadix ou de Séville. Puis ce flux migratoire avait décru. Il s'en trouvait encore pour continuer à traverser l'océan en quête de fortune, mais c'étaient des cas individuels : fils cadet réduit à la misère par un système héréditaire en vertu duquel le patrimoine familial revenait à un seul fils (le *hereu*), propriétaire terrien ruiné par le phylloxéra, etc. Joan Bouvila ne faisait partie d'aucune de ces catégories : personne n'avait compris, alors, ni appris par la suite la raison qui l'avait poussé à émigrer. Certains incriminèrent l'ambition, d'autres la mésentente conjugale. Quelqu'un fabriqua cette histoire : que, peu de temps après s'être marié, Joan Bouvila avait découvert un horrible secret concernant sa femme, que les nuits dans la maison résonnaient de cris et de coups affreux, que ce charivari tenait l'enfant continuellement éveillé, qu'on l'entendait pleurer jusqu'à l'aube, quand s'arrêtait le vacarme. Il semble que rien de tout cela ne soit vrai. Quand Joan Bouvila fut parti, le recteur de Sant Climent continua à recevoir à l'église son épouse Marina Mont; il lui administrait les sacrements comme aux autres paroissiens et la traitait avec une déférence particulière. Cela mit fin aux rumeurs malveillantes.

Peu après son départ, Joan Bouvila écrivit une lettre à sa femme. Cette lettre, expédiée des Açores où le bateau avait fait escale, fut acheminée à la paroisse par la carriole de l'oncle Tonet. Le recteur dut en donner lecture, elle ne savait pas lire. Pour réduire définitivement au silence les mauvaises langues, il la lut en chaire un dimanche, avant le sermon : *Quand j'aurai du travail, un toit et un peu de blé, je vous ferai venir,* disait la lettre. *La traversée est bonne, aujourd'hui nous avons vu des requins. Ils suivent dangereusement le bateau, en bandes, dans l'attente qu'un passager tombe à l'eau; alors, ils le dévorent en une bouchée : ils le broient entièrement avec leur triple rang de dents ; celui qu'ils parviennent à attraper et à dévorer, ils n'en rejettent rien à la mer.* A dater de ce jour, il n'avait plus jamais écrit.

Onofre Bouvila replia la lettre avec beaucoup de soin, la glissa sous l'oreiller, souffla la chandelle et ferma les yeux. Cette fois, il s'endormit profondément, insensible à la dureté du matelas et aux féroces attaques des punaises et des puces. Peu avant le point du jour, cependant, il fut réveillé par un poids sur l'abdomen, un grognement et la sensation désagréable que quelqu'un l'observait. La chambre était illuminée par une bougie, non pas celle qu'il avait éteinte quelques heures auparavant, mais une autre, que portait une personne qu'il ne put identifier sur le moment, autre chose focalisant son attention. Sur la couverture se tenait Belzébuth, le chat sauvage de Delfina. Il avait le dos arqué, la queue hérissée, les griffes sorties. Onofre, en revanche, avait les bras coincés sous les draps, et il n'osait pas les sortir pour se protéger le visage : il craignait que le moindre mouvement n'excite le fauve. De son front et de ses lèvres gouttait la sueur.

— N'aie pas peur, il ne t'attaquera pas, susurra une voix, mais, si tu essaies de me faire quelque chose, il t'arrachera les yeux. » Onofre reconnut la voix de Delfina, mais ne quitta pas le chat du regard ni ne prononça un mot. « Je sais que tu n'as pas trouvé de travail », continua Delfina avec un léger accent de satisfaction, soit que l'échec d'Onofre vînt confirmer ses prédictions, soit qu'elle prît plaisir aux ennuis du prochain. « Ils croient tous que je ne me rends compte de rien, mais j'entends tout. On me traite comme un meuble, une chose inutile, on ne me salue même pas quand on me croise dans le couloir. Pauvres types ! Je suis sûre que leur plus grande joie serait de me mener au lit... tu vois ce que je veux dire. Ah, mais qu'ils essayent, et Belzébuth les écorchera vifs. C'est pour cela qu'ils préfèrent feindre de ne pas me voir.

Entendant son nom, le chat émit un feulement perfide. Delfina laissa échapper un rire fanfaron, et Onofre comprit que la soubrette était toquée. Il ne me manquait que ça, pensa-t-il. Où tout cela va-t-il s'arrêter ? Seigneur, pourvu que je ne me retrouve pas aveugle.

— Tu n'as pas l'air comme eux », continua la soubrette entre ses dents, passant sans transition du rire à la gravité, « peut-être parce que tu es encore un gosse. Bah, tu ne tarderas pas à t'abîmer. Demain, tu dormiras dans la rue. Tu devras dormir un œil toujours ouvert. Tu te lèveras gelé et affamé, et tu n'auras rien à manger ; tu te battras pour farfouiller dans les poubelles. Tu prieras pour qu'il ne pleuve pas et que le printemps arrive bientôt. Et comme ça tu changeras : tu deviendras, petit à petit, une canaille, comme tout le monde. Alors, tu ne dis rien ? Tu peux parler sans élever la voix. Mais ne fais aucun geste.

— Qu'es-tu venue faire ? s'enhardit à demander Onofre, aspirant ses mots. Que veux-tu de moi ?

— Ils croient que je ne suis bonne qu'à laver par terre et à faire la vaisselle, reprit Delfina avec de nouveau son sourire dédaigneux, mais je ne suis pas n'importe qui. Je peux t'aider si je le veux.

— Et que dois-je faire ? demanda Onofre, sentant la sueur couler le long de son dos.

Delfina fit un pas vers le lit. Onofre se raidit, mais elle s'arrêta là. Au bout d'un moment, elle dit :

— Écoute ce que je vais te raconter. J'ai un fiancé. Personne ne le sait, même pas mes parents. Je ne le dirai jamais et un jour, le plus imprévisible, je m'enfuirai avec lui. Ils me chercheront partout, mais nous serons déjà loin. Nous ne nous marierons jamais, mais nous vivrons toujours ensemble, et on ne me reverra pas ici. Si tu révèles mon secret, je dirai à Belzébuth de te déchirer le visage, tu as compris ? conclut la soubrette.

Onofre jura sur Dieu et la mémoire de sa mère qu'il ne trahirait rien. Satisfaite, Delfina continua aussitôt :

— Écoute, mon fiancé appartient à un groupe ; ce groupe est formé d'hommes généreux et vaillants, décidés à en finir avec l'injustice et la misère qui nous entourent. » Elle fit une pause pour voir l'effet produit par ses paroles sur Onofre Bouvila, et, comme celui-ci ne réagissait pas, elle ajouta : « Tu as entendu parler de l'anarchisme ? » Onofre fit non de la tête. « Et Bakounine, tu sais qui c'est ?

Onofre répondit de nouveau par la négative et elle, au lieu de se mettre en colère, comme il le craignait, haussa les épaules.

— C'est normal, dit-elle enfin. Ce sont des idées neuves ; très peu de gens les connaissent. Mais ne t'inquiète pas : bientôt, tout le monde les connaîtra : les choses vont changer.

« Dans les années 1860, les groupes libertaires italiens, qui avaient fleuri au cours de la lutte pour l'unité italienne, décidèrent d'envoyer dans les autres pays des gens pour propager leurs doctrines et faire des prosélytes. L'homme qui fut envoyé en Espagne, où les idées anarchistes étaient déjà connues et jouissaient d'une grande influence, s'appelait Foscarini. Or, à quelques kilomètres de Nice, la police espagnole, de mèche avec la police française, arrêta le train dans lequel voyageait Foscarini et y monta. “ Haut les mains, firent les policiers en menaçant les voyageurs de leurs carabines, lequel d'entre vous est

Foscarini ? " Tous les passagers levèrent la main d'un seul mouvement, " C'est moi Foscarini, c'est moi Foscarini ", disaient-ils : pour eux, il ne pouvait y avoir d'honneur plus grand que d'être pris pour l'apôtre. Le seul qui ne disait rien était Foscarini lui-même. D'interminables années de clandestinité lui avaient appris à dissimuler en de semblables occasions ; pour l'heure, il regardait par la fenêtre et sifflait gaiement, comme si l'affaire ne le concernait en rien. Les policiers purent ainsi l'identifier sans difficulté. Ils le traînèrent hors du train, ne lui laissèrent que ses sous-vêtements, et l'attachèrent avec une corde en travers de la voie, la tête sur un rail et les pieds sur l'autre. " Quand l'express de neuf heures passera, il te coupera en rondelles ", lui dirent-ils. " Tu finiras ta vie comme un saucisson, Foscarini ", disaient-ils avec une diabolique goguenardise. Un des policiers passa les habits qu'ils lui avaient ôtés et monta dans le train. Le voyant entrer dans le wagon, les passagers crurent que c'était Foscarini, qu'il avait roulé ses ravisseurs, et ils éclatèrent en acclamations. Le faux Foscarini souriait tout en notant les noms des plus ardents à l'acclamer. Arrivé en Espagne, il se mit à prêcher la violence aveugle pour créer un climat de tension, dresser les gens contre les travailleurs et justifier les mesures répressives terribles que prenait le gouvernement. En réalité, c'était un *agent provocateur* *, dit Delfina.

« Presque au même moment débarqua à Barcelone un personnage diamétralement opposé aux deux Foscarini, le vrai comme le faux. Il s'appelait Conrad De Weerd, et avait été un chroniqueur sportif jouissant d'une certaine réputation aux États-Unis, d'où il arrivait. Il descendait d'une famille riche et plus ou moins aristocratique de Caroline du Sud qui avait perdu toute sa fortune, y compris les terres et les esclaves, pendant la guerre de Sécession. A Baltimore, New York, Boston et Philadelphie, De Weerd avait essayé de se consacrer au journalisme, carrière pour laquelle il ressentait de l'inclination, mais sa qualité de sudiste avait fermé toutes les portes devant lui, sauf celles des rubriques sportives. Il avait connu personnellement les personnalités les plus importantes de son temps, comme Jake Kilrain et John L. Sullivan, mais dans l'ensemble sa vie de chroniqueur l'avait fait fréquenter les secteurs les plus misérables. Au milieu du siècle passé, le sport n'était guère autre chose qu'un prétexte à faire des paris et lâcher la bride aux plus bas instincts. De Weerd couvrit des combats de coqs, de chiens, de rats, des combats mixtes, taureaux contre chiens, chiens

* Les expressions en italique suivies d'un astérisque sont en français dans le texte original.

contre rats, rats contre porcs, etc. De même dut-il assister à des matches de boxe épuisants et sanguinaires, qui pouvaient durer jusqu'à quatre-vingt-cinq rounds, et se terminaient normalement à coups de pistolet. En définitive, il parvint à la conclusion que la nature humaine était brutale et impitoyable par essence, et que seule l'éducation civique pouvait transformer l'individu en un être un tant soit peu tolérable. Animé de cette conviction, il abandonna le monde des sports et se consacra à la fondation d'associations ouvrières avec l'argent que lui prodiguaient des prêteurs juifs de tendances libérales. Le but de ces associations était l'enseignement mutuel et la pratique des arts, spécialement de la musique ; il voulait regrouper les ouvriers en grandes chorales. Ainsi cesseraient-ils de s'intéresser aux combats de rats, pensait-il. De Weerd vécut toujours pauvrement ; tout ce qu'il gagnait, il le dépensait à entretenir les chœurs qu'il fondait. Peu à peu, les gangsters s'infiltrèrent dans les chorales, qu'ils transformèrent en groupes de pression. Pour se débarrasser de De Weerd, ils l'envoyèrent faire du prosélytisme en Europe. Ayant appris l'existence des Chœurs de Clavé [1], il débarqua à Barcelone le jour de l'Ascension de 1876. Là, il tomba sur les sectateurs enragés du Foscarini illégitime, qui en tenaient pour le massacre indiscriminé des enfants à la sortie des écoles. Cela ne laissa pas de l'impressionner très fâcheusement.

« Dans le même ordre d'idées, continuait Delfina, une autre personnalité intéressante est celle de Remedios Ortega Lombrices, alias *la Tagarnina.* Cette syndicaliste intrépide travaillait à la fabrique de tabacs de Séville. Orpheline de père et de mère, elle avait dû, dès l'âge de dix ans, s'occuper de ses huit frères cadets. Deux étaient morts de maladie, elle avait tiré les autres d'affaire à force d'efforts, et il lui restait encore assez d'énergie pour élever onze enfants nés de sept pères différents. Cependant qu'elle tordait et roulait les cigares, elle avait acquis de solides notions des théories économiques et sociales par la méthode suivante : étant donné que chaque cigarière devait rouler un nombre donné d'unités dans la journée, elles avaient décidé de se répartir entre elles toutes la production de l'une de leurs camarades qui, ainsi libérée, pouvait leur lire des livres à haute voix. Ainsi connaissaient-elles Marx, Adam Smith, Bakounine, Zola et beaucoup d'autres. Sa position était plus militante que celle de De Weerd, moins individualiste que celle des Italiens. Elle ne prêchait pas la destruction des usines, ce qui à son avis eût plongé le pays dans la misère la plus absolue, mais leur occupation et leur collectivisation. Bien sûr, chaque

1. Association culturelle ouvrière, de tendance catalaniste.

leader avait ses troupes, mais il fallait noter que les différentes factions s'étaient toujours respectées mutuellement, pour profondes que fussent leurs divergences théoriques. A tout moment, elles s'étaient montrées disposées à coopérer et à se prêter assistance, et jamais elles ne s'étaient affrontées entre elles. Dès l'origine, leur ennemi acharné avait été le socialisme sous toutes ses formes, bien que parfois il ne fût pas facile de distinguer une doctrine de l'autre, concluait Delfina.

Au fur et à mesure qu'elle parlait, déroulant le fil de cet exposé naïf, bourré de contradictions et d'incongruités, ses pupilles jaunes s'allumaient d'une lueur démente qui exerçait sur Onofre non une attraction, mais une fascination, oui, sans qu'il eût pu dire pourquoi. La soubrette portait haut la bougie, comme un phare, sans prêter attention aux gouttes de cire qui tombaient par terre. Cette pauvre lumière, la chemise de drap grossier qui couvrait ses formes émaciées lui donnaient une allure de Minerve prolétarienne. En fin de compte, le chat marqua des signes d'impatience, et Delfina mit un terme à son discours.

— Du reste, si tu fais ce que je te dis, tu progresseras dans la compréhension, lui dit-elle.

Onofre lui demanda en quoi consistait ce qu'il devait faire.

— L'essentiel, répondit-elle, est de faire connaître l'idée, sonner la trompette qui réveillera les masses endormies. Tu es nouveau à Barcelone, conclut la soubrette, personne ne te connaît, tu es jeune et parais innocent. Tu peux collaborer à la cause et, au passage, gagner quelque argent ; pas beaucoup, nous sommes très pauvres : juste le nécessaire pour continuer à payer la pension. Tu vois que nous ne sommes pas si songe-creux que certains le prétendent : nous comprenons qu'il faut vivre. Bon, que réponds-tu ?

— Quand est-ce que je commence ? dit Onofre.

Quoiqu'il ne considérât pas les choses avec un enthousiasme excessif, l'intervention de Delfina lui ménageait évidemment un répit dans ses tribulations.

— Demain matin, tu te présenteras au numéro 4 de la calle del Musgo[1], dit Delfina en baissant beaucoup la voix. Tu demanderas Pablo. Ce n'est pas lui mon fiancé, mais il est déjà au courant de ton existence. Il t'attend. Lui te dira ce que tu dois faire. Sois très prudent, assure-toi que personne ne te suit ; souviens-toi que la police veille. En ce qui concerne mon père et la semaine d'avance, ne te préoccupe pas. Je m'en chargerai. Belzébuth, on s'en va.

1. Rue de la Mousse.

Sans rien ajouter, elle souffla la bougie et la chambre demeura dans l'obscurité. Onofre sentit que s'envolait le poids du chat, il entendit le choc amorti des quatre pattes contre les dalles. Puis il vit briller près de la porte les yeux de cet animal terrible. Finalement, la porte se ferma discrètement.

3

Interrogeant les uns et les autres, il apprit que l'adresse que Delfina lui avait donnée se trouvait à Pueblo Nuevo, relativement près de Barcelone. Un tramway attelé à des mules faisait le trajet, mais le billet coûtait vingt centimes et, comme Onofre ne les avait pas, il dut marcher en suivant les rails. La calle del Musgo était une voie lugubre et isolée adossée au mur d'un cimetière civil réservé aux suicidés. La rue était pleine de chiens fuyants, à poil rare et museau pointu, qui, la nuit, fouillaient entre les tombes du cimetière à la recherche de nourriture. Il avait plu la nuit précédente, et le ciel était couvert : la pression était basse, l'air humide et poisseux. Cela n'affectait pas Onofre Bouvila, qui était de bonne humeur : le matin même, à l'heure du petit déjeuner, le señor Braulio l'avait accosté pour lui dire : « Cette nuit, nous avons parlé, ma femme et moi, et d'un commun accord, comme nous le faisons toujours nous avons décidé de vous octroyer une semaine de crédit. » Le señor Braulio s'était gratté l'oreille, qui arborait une couleur enflammée de petit œillet. « Les temps sont durs, et vous êtes bien jeune pour aller sans secours par le vaste monde de Dieu, avait-il ajouté. Nous ne doutons pas que vous trouviez bientôt cet emploi que vous cherchez avec tant d'acharnement, et nous sommes convaincus que votre honnêteté et votre persévérance finiront à la longue par vous ménager un avenir respectable », conclut-il avec emphase. Onofre avait remercié tout en regardant Delfina du coin de l'œil ; la soubrette traversait justement la salle à manger, portant un seau d'eau sale mais, qu'elle feignît ou non, elle ne parut pas l'apercevoir. A la porte du 4, il appela, et un individu de constitution chétive, au front bombé, aux lèvres fines, réticentes, lui ouvrit sans délai.

— Je suis Onofre Bouvila et je cherche un certain Pablo, dit-il.

— C'est moi Pablo, répondit l'autre. Entre.

Il pénétra dans un magasin apparemment abandonné. Il y avait de la moissure aux murs, des giclures de pétrole, quelques caisses et pelotes de ficelle au sol. D'une de ces caisses, Pablo sortit un paquet.

— Voici les brochures que tu dois distribuer, dit-il en le tendant à Onofre. Tu es familiarisé avec l'Idée ?

Onofre remarqua que Pablo, comme Delfina, disait « l'Idée » comme s'il n'y en eût pas d'autre : cela l'amusa. Il devina aussi qu'avec des gens comme Pablo la sincérité était la meilleure stratégie, et il répondit que non. Pablo fit une grimace de colère.

— Lis attentivement une de ces brochures, dit-il ; je n'ai pas le temps de t'enseigner, et les brochures expliquent tout avec beaucoup de clarté. Il convient que tu te mettes au courant au cas où quelqu'un te demanderait une explication, tu comprends ? » Onofre dit que oui. « On t'a déjà dit où tu dois faire la distribution ? », demanda l'apôtre. Onofre répondit à nouveau que non. « Ah, ça non plus ? soupira Pablo, donnant à entendre par ce soupir que tout le fardeau de la révolution reposait sur ses épaules. Bien, je te le dirai, continua-t-il. Tu sais où l'on construit l'Exposition universelle ? » Onofre, une fois encore, dit que non. « Mais, mon garçon, fit l'apôtre scandalisé, de quelle planète viens-tu ?

Sans cesser de bougonner, il lui indiqua le moyen de se rendre en ce lieu et le mit à la porte. Avant qu'il ait pu refermer, Onofre lui demanda :

— Quand j'en aurai terminé avec les brochures, qu'est-ce que je dois faire ?

L'apôtre sourit pour la première fois.

— Venir en rechercher », répondit-il d'une voix presque douce. Il lui dit qu'il devait passer au magasin le matin entre cinq et six ; jamais à une autre heure. « Si nous nous rencontrons quelque part, tu feras comme si nous ne nous connaissions pas, continua-t-il aussitôt. Ne donne cette adresse à personne, et ne parle jamais de moi ni de la personne qui t'a envoyé, même si on te tue, ajouta-t-il avec solennité. Si quelqu'un te demande comment tu t'appelles, réponds Gaston : ce sera ton nom de guerre. Et maintenant, va-t'en : plus brèves seront nos rencontres, mieux ça vaudra.

Onofre s'éloigna de ce lieu macabre. Arrivant à une placette, il s'assit sur un banc, défit le paquet et se mit à lire une des brochures. Des gamins couraient sur la place, d'un atelier de serrurerie invisible mais proche parvenait un carillon de marteaux rabâcheurs. C'est pourquoi il ne put bien se concentrer. C'est à peine s'il savait lire : il avait besoin de silence et de temps pour comprendre ce qu'il lisait. Qui plus est, la moitié des phrases qu'il avait sous les yeux lui étaient incompréhensibles. La prose était si embrouillée que, même en revenant plusieurs fois de suite sur le texte, il ne parvenait pas à comprendre de quoi il parlait. Et c'est pour ce galimatias que je vais risquer ma vie ? se dit-il. Il referma le paquet et se dirigea vers le lieu que Pablo lui avait indiqué. Tout en marchant, il contemplait avec des yeux de paysan ces hectares qui, quelques années auparavant, avaient été des vergers. A présent, rattrapés par l'avance du progrès industriel, ils attendaient un destin incertain, friches noires et empuanties, empoisonnées par les ruisseaux putrides que déversaient les usines du voisinage. Ces ruisseaux, bus par la terre assoiffée, formaient un limon qui collait aux espadrilles et entravait la marche.

A un moment donné, il dut confondre la voie du chemin de fer avec celle du tramway et se perdit. Comme il ne voyait aucun être vivant qu'il pût interroger, il grimpa sur un monticule ; de là, il espérait apercevoir son but ou, tout au moins, déterminer l'endroit où il se trouvait. La position du soleil, un calcul approximatif de l'heure et ses connaissances lui permirent de situer les quatre points cardinaux. Maintenant, je sais où je suis, pensa-t-il. Les nuages s'étaient déchirés vers l'est, laissant filtrer les rayons du soleil ; la mer qui les réfléchissait lançait des étincelles, flamboyant comme de l'argent. Tournant le dos à la mer, il découvrit la silhouette de la ville, trouble à travers l'atmosphère chargée ; il découvrit les clochers et les tours des églises et des couvents et les cheminées des usines. Une locomotive haut le pied manœuvrait dans le voisinage, en direction d'une voie de garage. La colonne de fumée qu'elle lâchait ne montait pas au-delà de quelques mètres de hauteur ; là, l'air humide et dense repoussait la fumée vers le sol. Seul le bruit de la locomotive rompait le silence. Il continua à marcher. Quand il voyait un monticule, il y grimpait et scrutait l'horizon. A la fin, il découvrit, au-delà de la voie ferrée vers laquelle il avait vu manœuvrer la locomotive, une esplanade où fourmillaient hommes, bêtes et tombereaux. On y distinguait des édifices en construction. Onofre Bouvila pensa qu'il devait s'agir là du lieu qu'il cherchait. Ou bien, on saura m'y renseigner, se dit-il. Il descendit du tertre sur lequel il s'était juché et se dirigea vers le chantier, le paquet de brochures sous le bras.

La Citadelle, dont survit encore le honteux souvenir, dont le nom demeure synonyme d'oppression, surgit et disparut de la façon suivante : en 1701, la Catalogne, jalouse de ses libertés, qu'elle voyait menacées, embrassa la cause de l'archiduc d'Autriche dans la guerre de

Succession[1]. La défaite de ce parti et l'accession de la maison de Bourbon au trône d'Espagne entraînèrent le sévère châtiment de la Catalogne. La guerre avait été longue et féroce, mais ses suites furent pires encore. Les armées bourboniennes pillèrent la Catalogne ; assurées de la connivence de leurs chefs, elles donnèrent libre cours à leur haine. Puis vint la répression officielle : les Catalans furent exécutés par centaines ; pour l'exemple et l'outrage, leurs têtes embrochées sur des piques furent exposées dans les endroits les plus fréquentés de la principauté. Des milliers de prisonniers furent envoyés aux travaux forcés dans des lieux éloignés de la Péninsule, et même en Amérique ; tous moururent les fers aux pieds, sans avoir revu leur patrie chérie. Les jeunes femmes servirent à la distraction de la soldatesque ; ce qui provoqua une pénurie de femmes à marier qui dure encore en Catalogne. Beaucoup de terres de culture furent dévastées et semées de sel pour les rendre stériles ; les arbres fruitiers furent arrachés. On essaya d'exterminer le bétail, et particulièrement la vache pyrénéenne, si appréciée ; cette extermination ne put être menée à bonne fin parce que quelques bêtes fuirent dans les montagnes où elles survécurent à l'état sauvage jusqu'au cœur du XIXe siècle ; ce n'est qu'ainsi qu'elles purent échapper aux charges féroces de la cavalerie, aux décharges de l'artillerie et aux baïonnettes de l'infanterie. Les châteaux furent rasés et leurs pierres utilisées pour ceindre de murailles certains villages qu'on transforma ainsi, virtuellement, en colonies pénitentiaires. Les monuments et statues qui ornaient les boulevards et les places furent broyés, réduits en poudre. Les murs des palais et des édifices publics furent recouverts de chaux, et sur ce revêtement on peignit des figures obscènes, on grava des phrases de défi ou d'insulte. Les écoles furent transformées en étables et vice versa ; l'université de Barcelone, où avaient étudié et enseigné des figures illustres, fut fermée ; l'édifice qui l'abritait fut démonté pierre à pierre ; ces pierres servirent à obstruer les aqueducs, canaux et rigoles qui ravitaillaient en eau la ville et les vergers des environs. Le port de Barcelone fut semé d'écueils ; on lâcha dans la mer des requins spécialement amenés en citernes des Antilles pour infester les eaux de la Méditerranée. Par chance, cette mesure échoua : ceux que le climat ou l'ingestion de mollusques ne tuèrent pas, émigrèrent vers d'autres latitudes par le détroit de Gibraltar, déjà à l'époque aux mains des Anglais. On rendit

1. La guerre de Succession d'Espagne éclate en 1700, après la mort sans héritier de Charles II. Après le traité d'Utrecht, en 1713, le duc d'Anjou, petit-fils de Louis XIV, accède au trône.

compte de toutes ces mesures au roi. « Peut-être, dit-il, la leçon ne suffit-elle pas aux Catalans. » Philippe V, duc d'Anjou, était un monarque éclairé. Un écrivain français l'a qualifié de *roi fou, brave et dévot**. Il se maria avec une Italienne, Isabelle Farnèse, et mourut dément. Il n'était pas sanguinaire, mais des conseillers malintentionnés lui avaient dit pis que pendre des Catalans, de même que des Siciliens et des Napolitains, des créoles d'outre-mer, des Canariens, des Philippins et des Indochinois, tous sujets de la couronne d'Espagne. C'est pourquoi il fit construire à Barcelone une fortification gigantesque, abritant une armée d'occupation prête à sortir écraser n'importe quel soulèvement. Cette fortification fut appelée, dès l'origine, « la Citadelle ». Le gouverneur y vivait complètement isolé de la population : en tout point, on avait imité le système colonial le plus rigide. Sur l'esplanade de la Citadelle, on pendait les accusés de sédition ; c'est là que les corps sans vie des patriotes exécutés étaient abandonnés en pâture aux vautours. A l'ombre des bastions, les Barcelonais menaient une vie servile, pleurant de nostalgie et de rage. Une fois ou deux, ils tentèrent de prendre d'assaut la forteresse, mais ils furent repoussés sans difficulté ; ils durent abandonner le terrain, jonché de victimes. Les défenseurs se moquaient des assaillants : des créneaux, ils pissaient sur les morts et les blessés. La contrepartie de ce plaisir inique était qu'ils ne pouvaient quitter l'enceinte ni se mêler à la population civile, qui les haïssait ; toute distraction leur était interdite : ils étaient prisonniers de la situation. Les soldats, privés de la compagnie des femmes, s'adonnaient à la sodomie et négligeaient l'hygiène personnelle : la Citadelle devint le foyer de maladies de toutes sortes. Ceux qui regardaient les choses avec sérénité demandaient aux monarques successifs de mettre fin à ce symbole d'hostilité et d'infamie. Il ne se trouvait que quelques fanatiques pour défendre la nécessité de sa permanence. Les rois disaient oui à tout, et puis ils faisaient traîner les choses ; ainsi ont coutume d'en user ceux qui font ostentation du pouvoir absolu. Au milieu du XIXe siècle, la Citadelle avait perdu une grande partie de son efficacité ; les progrès de l'art de la guerre l'avaient rendue inutile : elle n'avait plus de raison d'être. En 1848, à l'occasion d'un soulèvement populaire, le général Espartero avait estimé plus expéditif de bombarder Barcelone depuis la colline de Montjuich. Au bout d'un siècle et demi d'existence, on finit par détruire les murailles de la Citadelle. Le terrain et les édifices qu'elle occupait furent donnés à la ville, comme pour effacer tant de douleur accumulée. Certains de ces édifices furent justement rasés ; d'autres demeurent encore debout. Sur l'emplacement de l'enceinte, on décida de tracer un parc public pour l'agrément de tous. C'était un contraste émouvant de voir s'enraciner les arbres et éclore les fleurs sur cette esplanade où avaient été commises tant d'atrocités, où, peu de temps auparavant, s'était élevé le gibet. On créa aussi en ce lieu un lac et une fontaine colossale qui reçut pour nom « la Cascade ». Ce parc s'appela et continue à s'appeler « le parc de la Citadelle ». En 1887, quand Onofre Bouvila y mit le pied, on était en train d'y édifier ce qui allait être l'enceinte de l'Exposition universelle. C'était le début ou la mi-mai de cette année-là. Pour lors, les travaux étaient bien avancés. La troupe d'ouvriers affectés au chantier avait atteint ses effectifs maximaux, soit quatre mille cinq cents hommes. Ce chiffre était exorbitant, sans précédent à l'époque. Il fallait y ajouter un autre chiffre, indéterminé mais également grand, de mules et de baudets. Il y avait encore des grues, des machines à vapeur, des engins et des chariots. La poussière recouvrait tout, le bruit était assourdissant et la confusion absolue.

Don Francisco de Paula Rius y Taulet était *alcalde* de Barcelone pour la seconde fois. Il frisait la cinquantaine, était d'un naturel renfrogné, montrait une calvitie imaginative et des favoris si larges qu'ils couvraient les revers de sa redingote. Les chroniqueurs disaient qu'il avait un air patricien. Il était très attaché au prestige de sa ville et de sa propre gestion. En ces jours étouffants de l'été 1886, il se trouvait confronté à un dilemme ardu. Quelques mois auparavant, il avait reçu la visite d'un nommé Eugenio Serrano de Casanova.

— J'ai quelque chose d'important à communiquer à Vot' Excellence, lui avait-il dit.

Don Eugenio Serrano de Casanova était un Galicien établi en Catalogne, où l'avait amené, tout jeune, sa fervente militance pour la cause carliste. Plus tard, les années avaient attiédi sa ferveur, mais non son énergie : c'était un homme entreprenant et voyageur. Au cours de ses voyages, il avait eu l'occasion de visiter les Expositions universelles d'Anvers, Paris et Vienne ; ces concours le plongèrent dans l'émerveillement. Comme il n'était pas homme à laisser les idées se faner, il fit ses plans et demanda à l'*ayuntamiento*[1] l'autorisation d'organiser à Barcelone ce qu'il avait vu faire dans d'autres villes. La municipalité lui céda le parc de la Citadelle. S'il veut se fourrer dans ce guêpier, qu'il s'y fourre, ça le regarde, estimèrent les autorités compétentes : attitude aussi négligente que risquée. En réalité, personne ne mesurait ce que supposait l'organisation d'une Exposition universelle. Ces Expositions

1. La municipalité. L'*alcalde* est le maire.

étaient un phénomène neuf, dont on avait connaissance uniquement à travers la presse. Quoique la notion d'Exposition universelle, l'idée même du concours, fût née en France, c'est à Londres que s'ouvrit la première, en 1851 ; Paris eut la sienne en 1855. A Paris, l'organisation laissa beaucoup à désirer : l'enceinte ouvrit ses portes avec quinze jours de retard sur la date prévue, et beaucoup des pièces exposées n'avaient pas encore été déballées le jour de l'inauguration. Parmi les illustres personnalités qui la visitèrent figurait la reine Victoria, alors à l'apogée de son règne. « *Pas mal, pas mal* * », allait-elle murmurant avec une légère moue, satisfaite sans doute des marques d'incompétence que donnaient les Français. Elle allait suivie d'un cipaye qui mesurait plus de deux mètres de haut, sans compter le turban, et portait sur un coussin de soie cramoisie le Koh-i-Noor, à l'époque le plus gros diamant du monde ; c'était comme si, par ce geste, la reine Victoria voulait signifier : Un seul des objets qui m'appartiennent vaut plus que tout ce qui est exposé ici ; vanité déplacée, puisque le véritable enjeu était de rivaliser en idées et en progrès. Ensuite, il y eut encore les rencontres d'Anvers, de Vienne, de Philadelphie et de Liverpool. Londres avait organisé sa seconde exposition en 1862 et Paris la sienne en 1867 lorsque, à Barcelone, Serrano de Casanova lança sa proposition.

L'énergie qu'il avait à revendre ne lui tenait pas lieu pour autant de capital. Barcelone traversait une importante crise financière, et les demandes du valeureux promoteur ne rencontrèrent pas d'écho. L'argent initial s'épuisa, on dut abandonner le projet. Serrano de Casanova s'en fut trouver l'*alcalde* Rius y Taulet. Sur un ton suave, comme s'il s'agissait d'un secret, il lui dit :

— Je dois notifier à Vot' Excellence une nouvelle particulièrement grave ; j'ai décidé de capituler, non sans une profonde tristesse.

Les travaux de viabilité du parc avaient déjà commencé ; l'événement, entre autres choses, avait été l'objet d'une abondante publicité.

— Foudre et tonnerre ! s'exclama Rius y Taulet.

Il fit tinter avec insistance une cloche d'or et de cristal qui ornait son bureau de la mairie, et au premier qui se présenta (un appariteur) il ordonna sans le regarder de prendre toutes dispositions nécessaires pour convoquer immédiatement en conseil les personnalités barcelonaises : évêque, gouverneur, capitaine général, président de la députation, recteur de l'université, président de l'Ateneo, etc. L'appariteur s'évanouit dans le bureau, l'*alcalde* dut le réanimer lui-même en l'éventant avec son mouchoir. Lorsque enfin eurent été réunies les autorités, il y eut plus de bavardages que de volonté d'agir ; chacun était disposé à donner son opinion, mais personne à s'engager ni à engager l'institution qu'il représentait ; et moins encore à offrir un soutien financier à l'entreprise échevelée de Serrano de Casanova. A la fin, Rius y Taulet frappa le bureau avec un sous-main de cuir et brisa net tout ce papotage.

— Sacré nom de Dieu ! cria-t-il à pleins poumons.

Le vibrant exorde s'entendit sur la place San Jaime, tomba dans le domaine public et figure aujourd'hui, parmi d'autres sentences célèbres, gravé sur un côté du monument à l'*alcalde* infatigable. L'évêque ne put faire moins que de se signer. Un *alcalde* n'est pas un homme avec qui on plaisante. En moins d'une heure, il obtint de tous les présents leur accord et la promesse de collaboration dont il avait besoin pour poursuivre le projet.

Abandonner maintenant serait un déshonneur pour Barcelone, leur dit-il, un aveu d'impuissance.

Ils convinrent de poursuivre le projet sous la tutelle d'un Conseil de direction. On créa aussi un conseil de patronage regroupant les autorités civiles et militaires, des présidents d'association, des banquiers et des figures du monde de l'entreprise. Ainsi, tout le monde se trouvait impliqué dans cette tâche, qui devait être collective pour être possible. On établit un conseil technique formé d'architectes et d'ingénieurs. Avec le temps proliférèrent conseils et comités (comités de liaison avec les entreprises nationales, comités de liaison avec les exposants étrangers potentiels, comités chargés d'organiser des concours et de décerner des prix, etc.), ce qui ne laissait pas d'engendrer confusion et frictions. Tous tombaient d'accord pour qualifier cette organisation de « très moderne ».

Il s'en fallait que l'opinion publique fût aussi unanime quant à la viabilité du projet. *D'ailleurs,* note un quotidien de l'époque, *l'agglomération n'offre pas assez d'attractions pour rendre agréable à l'étranger un séjour de quelques jours.* Tous pensaient que Barcelone ferait triste figure s'il s'agissait de rivaliser avec Paris ou Londres. Personne ne songeait à ce qu'offraient dans ces années-là des villes comme Anvers ou Liverpool, qui avaient organisé leurs rencontres sans se livrer à de tels *mea culpa.* Ou bien on l'envisageait, mais on disait : Que les autres se couvrent de ridicule s'ils en ont envie ; nous autres, non. *En dehors de la douceur de son climat, de l'excellence de sa situation, de ses antiques monuments et de quelques traits, peu nombreux, dus à l'initiative des particuliers, Barcelone n'est pas à la hauteur des autres agglomérations européennes d'importance comparable,* dit une lettre publiée dans un quotidien d'alors. *Tout ce qui relève de l'administration,* continue la lettre, *est de qualité médiocre. La police urbaine est en général détestable; la sécurité laisse beaucoup, énormément à désirer; un grand nombre de services nécessaires dans une agglomération de 250 000 habitants font défaut ou sont mal organisés; l'étroitesse des rues et l'absence de grandes places dans l'ancien périmètre urbain comme dans le nouveau contrarient la fluidité de la circulation; nos promenades ne sont ni belles ni variées, et nous manquons de musées, bibliothèques, hôpitaux, hospices, prisons, etc., dignes d'être visités.* Cette lettre, qui se poursuivait sur de nombreuses pages, disait, entre autres choses : *Nous avons dépensé beaucoup dans le parc de la Citadelle, pourtant ses dimensions sont mesquines; il y manque un vaste bois et une longue promenade, et une chose comme le lac est éminemment ridicule.* Ce disant, l'auteur pensait sûrement aux parcs célèbres de l'époque : le bois de Boulogne et Hyde Park. La lettre ajoute à ces invectives : *Rachitisme de la conception et enflure de la vanité caractérisent souvent les agissements de notre administration locale. Barcelone, depuis quelques années, devient une ville sale. Combien sont répugnantes, d'ordinaire, les façades des maisons quelque peu anciennes!* Des lettres semblables étaient fréquentes dans la presse locale d'alors. D'autres exprimaient leurs réserves avec plus de concision, comme un quotidien du 22 septembre 1866 qui plaçait ce chapeau en tête de son éditorial : « D'un point de vue commercial, l'Exposition est-elle un bienfait ou un fléau? » Malgré tout, l'opposition à la manifestation en général fut faible. La majorité des citoyens était apparemment disposée à affronter les risques de l'aventure; les autres savaient par expérience que ce que les autorités décidaient se réalisait toujours; plusieurs siècles d'absolutisme avaient appris aux gens à ne pas gâcher l'encre ni le talent.

Et puis, un facteur très important influençait encore l'opinion publique : que la première Exposition universelle d'Espagne s'ouvrît à Barcelone et non à Madrid. Ce fait avait déjà été commenté par les périodiques de la capitale. Ces mêmes périodiques étaient arrivés à la conclusion triste mais indiscutable qu'il devait en être ainsi. *Les communications entre Barcelone et le reste du monde, aussi bien par mer que par terre, la rendent plus que toute autre cité de la Péninsule susceptible d'attirer les étrangers,* dirent-ils. Et ils s'estimèrent heureux avec ça, comme si l'élection de Barcelone comme lieu de la rencontre avait été de leur fait. Ces arguments, cependant, ne convainquirent pas le gouvernement. C'est votre affaire, à vous de payer, dirent-ils. A cette époque, l'économie du pays était aussi centralisée que tout le reste. La richesse de la Catalogne, comme de n'importe quelle autre partie du royaume, allait directement emplir les coffres de Madrid. Les municipalités subvenaient à leurs besoins moyennant le recouvrement de contributions locales, mais, pour toute dépense extraordinaire, elles devaient frapper à la porte du gouvernement dans l'attente d'une subvention, d'un crédit ou, comme dans le cas présent, d'une rebuffade. Cette situation suscitait parmi les Catalans un sentiment de solidarité qui faisait taire les critiques.

— D'une main, commenta Rius y Taulet, ils vous font une bonne manière ; et de l'autre ils vous mettent des bâtons dans les roues.

Sur ce point, il n'y avait pas de désaccord.

— Avec Madrid, ça tournera mal, mais sans Madrid nous n'irons nulle part », estima Manuel Girona. C'était un financier de renom ; pour lors, il assumait également la présidence de l'Ateneo. Il avait la réputation de ne jamais perdre son sang-froid : « Gardons pour d'autres occasions les débordements émotionnels, et affrontons la réalité, proposa-t-il. Il faut s'entendre avec Madrid ; ce sera une humiliation, mais la cause le mérite bien.

Sur ces mots, on conclut la discussion et on leva la réunion, qui s'était tenue un mercredi au restaurant Las Siete Puertas[1].

Le dimanche suivant, après avoir entendu chanter la messe, les délégués du conseil partirent pour la capitale. Ils voyageaient dans une voiture spécialement mise à leur disposition par l'*ayuntamiento* ; cette voiture arborait sur chaque portière des moulures avec l'emblème de la cité comtale. Dans d'énormes serviettes de crocodile, ils transportaient la documentation relative au projet et, dans divers coffres amarrés par des cordes à l'arrière de la voiture, de grandes quantités de linge, car ils prévoyaient une longue absence. Et il en fut ainsi : à peine arrivés à Madrid, ils s'installèrent dans un hôtel. Le lendemain matin, ils se présentèrent au ministère des Travaux publics. Leur arrivée causa une grande sensation : ils portaient les habits et les capes qui avaient appartenu en son temps à Joan Fiveller[2], le légendaire protecteur de la ville, et qu'ils avaient amenés de Barcelone. Au fil des siècles, la laine de ces vêtements s'était convertie en bourre et les soies en une espèce de toile d'araignée. Au passage des délégués, qui portaient leurs serviettes à deux mains, comme s'il se fût agi d'offrandes, les tapis du ministère se couvraient d'une poudre sombre. Ces deux délégués se nommaient respectivement Guitarrí et Guitarró, deux noms qui

1. Les Sept Portes.
2. Défenseur, au XVe siècle, des libertés catalanes face à l'absolutisme monarchique.

paraîtraient inventés pour l'occasion s'ils n'étaient réels. On les conduisit dans un salon au plafond à caissons immensément haut, où il y avait seulement deux chaises de style Renaissance, assez inconfortables, et un tableau de trois mètres de haut sur neuf de long, dû à l'atelier de Zurbarán, qui représentait un vieil ermite à la peau céruléenne, couvert de scrofules et entouré de tibias et de têtes de morts. Là, on les fit attendre plus de trois heures, au terme desquelles une porte dérobée s'ouvrit sur le côté, par laquelle apparut un individu au visage bouffi, aux favoris en tranchant de hache, qui portait une casaque couverte de galons. Aussitôt, les deux délégués se levèrent. L'un d'eux réussit à chuchoter à l'oreille de son compagnon : « Seigneur ! Je tremble rien qu'à le voir ! » La longueur de l'attente avait débilité leur système nerveux. Tous deux firent une profonde révérence. Le nouvel arrivant, qui n'était pas le ministre, mais un huissier, leur fit sèchement savoir que, monsieur le ministre ne pouvant les recevoir ce jour, ils voudraient bien avoir la bonté de se présenter de nouveau au ministère le jour suivant à la même heure. La confusion provoquée par le superbe uniforme de l'huissier fut la première d'une longue série : les délégués du conseil se mouvaient dans un milieu qui leur était étranger ; ils ne savaient quelle attitude adopter dans cette ville de tavernes et de couvents, de vendeurs ambulants, de rufians, de mauvaises langues, d'ulcéreux et de mendiants, au milieu de laquelle existait un monde plus étrange encore, fait de clinquant et de cérémonies, de menaces et de prébendes, peuplé de généraux intrigants, de ducs combinards, de curés miraculeux, de favoris, toreros, nains et gobe-mouches de cour, qui se moquaient d'eux, de leur accent catalan et de leur syntaxe particulière. Trois mois s'écoulèrent en vaines allées et venues de l'hôtel au ministère et, lorsqu'ils eurent dépensé tout leur viatique, ils écrivirent à Barcelone pour rendre compte et solliciter des instructions. Par retour de courrier leur parvint un paquet envoyé par Rius y Taulet lui-même et qui contenait de l'argent, une reproduction en plâtre de la Vierge de Montserrat et un message qui disait : *Courage, un des deux devra céder et Dieu m'est témoin que ce ne sera pas nous.* C'est à peine si les pauvres délégués sortaient de leur hôtel où le personnel, désormais habitué à leur présence et convaincu qu'il ne fallait pas attendre d'eux des marques exagérées de libéralité, ne se préoccupait ni de leur changer serviettes et draps ni de promener le plumeau sur le mobilier clairsemé et déglingué. Pour économiser, les deux émissaires, au prix de grandes malcommodités, partageaient la même chambre et s'y préparaient déjeuner et dîner avec l'eau chaude de la baignoire. Néanmoins, ce qui les faisait le plus souffrir était les visites matinales au ministère. L'essaim de parasites et d'escrocs qui semblait habiter les corridors et les antichambres avait composé en leur honneur quelques couplets blessants qu'ils entendaient murmurer partout sur leur passage. Les plus habitués au ministère leur réservaient des plaisanteries plus vexantes encore, comme de placer des seaux d'eau au-dessus des portes qu'ils devaient pousser, de tendre des câbles sur le sol pour les faire trébucher ou d'approcher des chandelles enflammées des basques de leurs costumes pour les faire roussir. Certains jours, en entrant dans la salle d'attente, ils trouvaient les deux chaises occupées par d'autres pétitionnaires plus matinaux et qui, rompus à ce genre de situations et endurcis par toute une vie de pied de grue, de flatteries, suppliques, démarches et désillusions, feignaient de ne pas remarquer leur présence et, durant les trois heures rituelles, ne leur cédaient pas le siège fût-ce pour une minute. Le ministre continuait à ne pas les recevoir. Tous les jours, après l'attente dans cette salle dont ils connaissaient désormais les moindres détails sur le bout du doigt, la porte dérobée s'ouvrait, l'huissier entrait et leur tendait sur un plateau une note hâtive par laquelle le ministre leur signifiait qu'il n'avait pu, ce jour-là, les recevoir comme il l'eût souhaité. La désinvolture avec laquelle il usait ici et là d'expressions et de vocables argotiques rendait souvent ces billets inintelligibles, ce qui angoissait encore plus les délégués ; ils partaient en se demandant s'ils avaient bien ou mal interprété les indications du ministre, dont ils cherchaient à lire les changements d'humeur à travers les plus légers indices. Certaines fois, après avoir beaucoup hésité et discuté entre eux, ils répondaient à ces notes par d'autres. A cette fin, ils s'étaient fait imprimer, dans un établissement spécialisé de la calle Mayor, des cartes sur l'en-tête desquelles figurait, par erreur ou à dessein, l'écu de Valence au lieu de celui de Barcelone qu'ils avaient demandé. Corriger l'erreur eût exigé un mois de délai, ce qui fait qu'ils durent se résigner. Sur ces cartes, ils écrivirent : *Nous nous rendons parfaitement compte de ce que V.E., que Dieu tienne en sa longue garde, est extrêmement occupée, mais nous nous permettons d'insister, avec le respect qui lui est dû, compte tenu de l'importance de la mission qui nous a été confiée,* etc. A quoi le ministre répondait, le jour suivant, avec des expressions comme « *être à la bourre* » (pour « avoir peu de temps »), « *ne pas débander* » (pour « être accablé de travail »), « *avoir le feu au cul* » (pour « aller à toute vitesse »), « *aller se faire mettre* » (ce qui était une invitation à patienter), « *péter à s'en faire tomber le froc* » (de sens douteux), etc. Et il terminait par une formule comme : « *jusqu'au trognon* », ou des choses du genre. *Peut-être V.E. disposerait-elle de plus de temps,* finirent par répliquer les délégués, *si V.E. n'en gâchait tant à faire de l'esprit.* La nuit, ils écrivaient à leur famille, à Barcelone, des lettres empreintes de peine et de nostalgie. Quelquefois, une larme irrépressible avait fait une tache sur l'encre.

Pendant ce temps, à Barcelone, le Conseil de direction de l'Exposition universelle, présidé par Rius y Taulet, ne chômait pas. Mettons Madrid devant le fait accompli, telle semblait être la consigne. Les projets des édifices, monuments, installations et dépendances qui devaient s'élever dans l'enceinte de l'Exposition furent commandés, présentés et approuvés, et les travaux débutèrent à un rythme que les fonds disponibles ne permettraient pas de soutenir longtemps. Quand tout le parc de la Citadelle fut sens dessus dessous, l'*ayuntamiento* invita les correspondants de presse à le visiter. Pour stimuler leur intérêt, on les régala d'un banquet dont le menu atteste la vocation cosmopolite des amphitryons : *Potage : bisque d'écrevisses à l'américaine. Relèves : loup à la genevoise. Entrées : poulardes du Mans à la Toulouse, tranches de filet à la Godard. Légumes : petits pois au beurre. Rôts : jeunes perdreaux en croustade, galantine de dinde truffée. Entremets : biscuits Martin décorés. Ananas et gâteaux. Dessert assorti. Vins : porto, château d'yquem, bordeaux et champagne Ch. Mumm* *. Dans les discours qui conclurent le banquet, on proclama définitivement la date de l'inauguration (au printemps de 1887) ; des comptes rendus élogieux de la manifestation parurent dans de nombreuses publications. On fit également des affiches publicitaires qu'on plaça dans les gares de l'Europe entière ; on envoya des invitations aux corporations et entreprises espagnoles et étrangères, les incitant à participer à la rencontre, et on convoqua, comme il était d'usage à l'époque, différents concours littéraires. La réponse des futurs participants fut tiède, mais pas nulle. A la fin de 1886 sont déjà mentionnés dans la presse les premières concessions de services. *Le service des water-closets et lavabos a été adjugé, aux conditions générales déjà connues, au señor Fraxedas y Florit. Cet intelligent concessionnaire se propose d'installer dans les établissements en question un service complet de toilettes, avec des salons équipés de tous les accessoires appropriés, linge, savons et articles de parfumerie. On y trouvera aussi une salle spécialement destinée au nettoyage des chaussures, et un nombre raisonnable de coursiers à la disposition du public et des exposants pour délivrer à domicile les effets achetés dans l'enceinte de l'Exposition. Nous félicitons le señor Fraxedas y Florit d'avoir compris le caractère lucratif de l'affaire et eu la sagesse d'éviter qu'elle ne tombe* *dans des mains étrangères.* Le ministre des Travaux publics finit par céder. C'était un homme corpulent, d'aspect féroce, presque inhumain. Dans son dos on l'appelait « l'Africain ». Il n'était jamais allé en Afrique ni n'entretenait le moindre rapport avec ce continent, c'était son allure et son humeur qui lui avaient valu ce qualificatif. Il ne s'offusqua pas lorsqu'il apprit l'existence de ce sobriquet. Loin de se vexer, il prit l'habitude de porter un anneau accroché au nez. Il reçut les deux délégués du conseil avec une extrême froideur, mais le temps, sans qu'ils en eussent conscience, avait joué en leur faveur ; le ministre resta désarmé en leur présence. Les innombrables heures d'attente, les angoisses et les vexations subies les avaient prématurément vieillis ; à force de partager la même vie jour et nuit, ils avaient fini par ressembler l'un à l'autre, et tous deux au saint ermite du tableau de l'atelier de Zurbarán dans la contemplation duquel ils avaient passé des mois. En leur présence, le ministre se sentit subitement épuisé, tout le poids du pouvoir immense dont il faisait étalage tomba sur ses épaules. Ce qui aurait dû être un affrontement titanesque se mua en une conversation fatiguée, pleine de mélancolie.

4

Le périmètre du parc de la Citadelle avait été entouré d'une palissade qui protégeait les travaux de l'Exposition de l'ingérence des curieux. Cette clôture, cependant, présentait de nombreuses ouvertures ; d'ailleurs, le va-et-vient continu et tumultueux par les portes de la palissade, les gens qui entraient et sortaient, sans organisation ni contrôle d'aucun type, permettaient de passer cet obstacle sans problème. Onofre Bouvila se fourra cinq brochures entre la blouse et la poitrine, cacha les autres entre deux blocs de granit, le long du mur contigu à la voie ferrée, et se faufila dans l'enceinte. Alors seulement, à la vue de ce pandémonium, il perçut clairement la difficulté extraordinaire de sa tâche. En dehors d'aider sa mère aux travaux des champs, il n'avait jamais fait aucun métier, et n'avait pas idée de la difficulté que peut comporter le commerce direct avec ses semblables. Allons, pensa-t-il, moi qui donnais le maïs aux poules, me voilà propagateur clandestin de la révolution. Bah, peu importe, qui peut faire une chose peut faire l'autre, se dit-il ensuite. Réconforté par cette idée, il s'approcha d'un groupe de charpentiers qui clouaient des planches sur la charpente de ce qui serait un pavillon. Pour se faire remarquer d'eux, il émit diverses exclamations : « Eh ! Eh ! Là ! Holà ! Que Dieu nous garde ! », etc. Finalement, un des charpentiers remarqua sa présence du coin de l'œil ; d'un léger mouvement de sourcils, il lui demanda ce qu'il voulait.

— J'ai sur moi quelques brochures très intéressantes ! cria Onofre, en sortant une et la montrant au charpentier.

— Que dis-tu ? cria à son tour le charpentier.

Le bruit des coups de marteau qu'il donnait ne lui laissait rien entendre sur le moment, s'il ne l'avait pas rendu définitivement sourd. Onofre voulut répéter sa phrase, mais il ne put : un chariot tiré par trois mules l'obligea à reculer vivement. Le muletier fit claquer le fouet en l'air cependant que, talons enfoncés dans le sol, corps jeté en arrière, il tiraillait les brides.

— Place, place ! hurlait-il.

Sur la plate-forme du chariot s'entassaient des gravats qui, dans les cahots, répandaient des nuages blanchâtres. Les roues du chariot sautaient sur les pierres et les fondrières, émettant des bruits métalliques profonds comme des coups de gong.

— Dia, dia, la mule, ho ! cria le charretier.

Onofre Bouvila choisit de s'en aller. L'espace de quelques instants, il soupesa l'idée de jeter les brochures dans une décharge et de dire ensuite à Pablo qu'il les avait toutes distribuées, mais il y renonça vite : il craignait que les anarchistes ne l'eussent à l'œil, au moins les premiers jours.

— Qu'est-ce que tu fous ici, gamin ? lui demanda un maçon vers lequel il s'était dirigé.

Il faisait partie d'un groupe de plusieurs maçons qui observaient une pause dans leur travail. L'un d'eux faisait le guet. S'il voyait venir le contremaître, il émettait un sifflement. A ce bruit, les autres retournaient précipitamment au travail. Cette coutume avait été à l'origine d'une chanson populaire.

— C'est au cas où ces messieurs voudraient faire la révolution, répondit Onofre, lui remettant une brochure.

Le maçon en fit une boulette et la jeta sur un tas de gravats.

— Écoute, gamin, ici on ne sait même pas lire, dit-il à Onofre. De toute façon, qu'est-ce que tu as à dire, toi, sur la révolution ? C'est une affaire très sérieuse. Allez, ajouta-t-il, mieux vaut que tu t'en ailles avant que le contremaître arrive et t'aperçoive.

Alarmé par le maçon, il consacra du temps à explorer minutieusement le terrain. Il apprit vite à reconnaître les contremaîtres. Il s'aperçut également que les contremaîtres étaient plus enclins à donner des ordres et à s'assurer de leur exécution qu'à surveiller d'éventuelles déviations idéologiques de la part de leurs subordonnés. Il n'empêche, il faudra y aller mollo, se dit-il. Chaque contremaître s'occupait d'un secteur ou d'une partie d'un chantier ; il y en avait beaucoup, et chacun avait sa manière personnelle d'être et d'agir. Dans l'enceinte allaient et venaient des personnages revêtus de cache-poussière ; ils portaient casquette et lorgnons et inspectaient la marche des travaux, prenaient des mesures à l'aide de repères et de théodolites, consultaient des plans et donnaient des instructions aux contremaîtres, qui les écoutaient avec attention et donnaient des marques immédiates de ce qu'ils avaient tout compris. Ne vous en faites pas, semblaient-ils vouloir dire par leurs révérences, ça se fera exactement comme vous avez dit, jusqu'au détail le plus infime. Ces messieurs si importants étaient les architectes, leurs assistants et collaborateurs. A force d'allées et venues, ils essayaient de coordonner ce qui se faisait là. En dehors de cette connexion sporadique, chaque groupe d'ouvriers paraissait agir pour son propre compte, indifférent à la présence des autres. Certains montaient des échafaudages que d'autres démontaient ; certains ouvraient des tranchées que d'autres comblaient ; certains empilaient des briques cependant que d'autres abattaient des cloisons ; tout cela au milieu des ordres, contrordres, cris, coups de sifflet, hennissements, braiments, ronflements de chaudières, grondements de roues, grincements de fers, fracas de pierres, claquements de planches et tintements d'outils, comme si tous les fous du pays s'étaient donné rendez-vous dans ce lieu pour lâcher la bride à leur vésanie. Les travaux de l'Exposition avaient pris à cette époque un rythme que rien ni personne ne pouvait plus arrêter. Les moyens techniques ne manquaient pas pour les mener à bien : Barcelone comptait alors cinquante architectes et cent quarante-six chefs de chantier à la disposition desquels travaillaient des centaines de fours, fonderies, scieries et ateliers mécanico-métallurgiques. La main-d'œuvre également était nombreuse, grâce au chômage croissant provoqué par la récession économique. La seule chose qui ne courait pas les rues était l'argent pour payer tant de gens sans parler des fournisseurs de matières premières. Madrid, selon la formule d'une revue satirique de l'époque, tenait *les cordons de la bourse serrés avec les dents* ; cette épigramme, caractéristique de l'humour d'alors, rendait compte de la parcimonie obstinée du gouvernement.

— Tant pis, dit Rius y Taulet en haussant les épaules, nous tournerons le problème en ne payant pas.

En application de ce principe, la municipalité contractait des dettes gigantesques.

— Il n'y a que deux choses qui me fassent me sentir *alcalde,* disait-il. Dépenser sans compter et faire la foire.

Ses successeurs dans cette charge adoptèrent la devise. Mais de tout cela Onofre Bouvila était encore très éloigné. Errant dans l'enceinte, aux dimensions de laquelle il essayait petit à petit de s'habituer, il se donna quelques émotions. La plus forte fut l'apparition subite de la garde civile. Pourtant, le premier effroi passé, il se dit qu'au milieu de ce colossal tohu-bohu la garde civile devait seulement s'occuper des bagarres, mutineries et autres désordres graves et que probablement sa présence passerait inaperçue des gardes pour peu qu'il fût prudent. Rasséréné, il revint à la charge, mais au bout de la journée, il n'avait pas réussi à placer une seule brochure. Exténué, couvert de poussière, à jeun depuis le petit déjeuner, il récupéra le ballot qu'il avait caché avant de pénétrer dans l'enceinte et revint à la pension à pied. Est-il possible qu'une chose aussi simple que de donner un papier à quelqu'un soit hors de ma portée ? se demandait-il tout en marchant. Allons donc ! Je ne puis l'admettre, répondait-il en son for intérieur ; quoiqu'il soit certain que tout est plus compliqué qu'il n'y paraît d'abord. Avant d'entreprendre quoi que ce soit, il faut bien étudier les circonstances, le terrain sur lequel on s'avance, pensa-t-il. Aucun doute, il me reste beaucoup à apprendre. Mais je dois apprendre vite, ajoutait-il aussitôt avec véhémence, je n'ai pas de temps à perdre. C'est vrai que je suis encore jeune, mais c'est maintenant que je dois faire mon chemin si je veux arriver à être riche. Après, il sera déjà tard.

Être riche était l'objectif qu'il s'était fixé dans la vie. Après que son père eut émigré à Cuba, sa mère et lui avaient survécu à grand-peine. Souvent ils souffraient de la faim et tous les hivers ils connaissaient la torture du froid. Dès qu'il fut en mesure de raisonner, cependant, il supporta ces privations dans la certitude qu'un jour son père reviendrait cousu d'or. Alors, tout sera bien-être, pensait-il, et ce bien-être n'aura jamais de fin. Sa mère n'avait rien dit ni fait qui pût alimenter ces fantaisies ; ni non plus l'en dissuader : jamais elle n'abordait ce thème. C'était lui qui avait librement fantasmé. Jamais il ne s'était demandé pourquoi son père ne leur envoyait pas quelque argent de temps en temps si véritablement il s'était enrichi comme il le supposait, pourquoi il tolérait que sa femme et son fils vivent plongés dans la misère tandis que lui nageait dans l'abondance. Quand, innocemment, il avait fait connaître ces fantaisies à d'autres, la réaction de ses auditeurs l'avait chagriné ; c'est pourquoi lui aussi cessa d'aborder la question. Désormais, sa mère et lui partageaient ce silence obstiné. Ainsi avaient-ils vécu année après année jusqu'au jour où l'oncle Tonet apporta la nouvelle que Joan Bouvila, devenu effectivement riche, était de retour de Cuba. Personne ne savait par quel truchement cette nouvelle était arrivée aux oreilles du postillon. Beaucoup doutaient de sa véracité, mais ils durent en convenir lorsque, au bout de quelques jours, il ramena dans sa voiture Joan Bouvila en personne. Dix années auparavant, il l'avait lui-même conduit à Bassora, à la gare, d'où il était parti s'embarquer à Barcelone. Aujourd'hui, il le ramenait chez lui. Tous les gens des environs s'étaient assemblés devant l'église pour les voir arriver ; de là, ils scrutaient la colline, le chemin qui descendait à travers la chênaie. Un enfant de chœur attendait le signal du recteur pour mettre en branle la cloche de l'église. Onofre fut le seul à ne pas le reconnaître immédiatement dès que la carriole apparut à un tournant du chemin. Les autres surent tout de suite que c'était lui en dépit du fait que dix ans de climat extrême et de vicissitudes l'avaient changé physiquement. Il portait un costume de lin blanc qui scintillait presque sous le soleil automnal et un panama à large bord. Il portait aussi sur les genoux un paquet carré enveloppé dans un mouchoir à carreaux. « Toi, tu dois être Onofre », tels avaient été ses premiers mots en sautant à terre. « Oui, monsieur », avait-il répondu. Joan Bouvila avait mis genou en terre et baisé la poussière. Il n'avait pas voulu se relever avant que le recteur ne lui eût donné la bénédiction. Il regardait son fils avec des yeux vitreux, un regard embué par l'émotion. « Tu as beaucoup grandi, avait-il dit, et à qui dit-on que tu ressembles ? — A vous, père », avait-il répondu sans hésiter. A ce moment-là, il était conscient de la curiosité avec laquelle les autres les regardaient, des conjectures qui allaient se faire. Joan Bouvila prit dans la carriole le paquet carré. « Regarde ce que je t'ai ramené », avait-il dit en enlevant le mouchoir à carreaux qui enveloppait le paquet. Il avait découvert une cage grillagée, à l'intérieur de laquelle il y avait un singe un peu plus grand qu'un lapin, maigre et avec une très longue queue. Ce singe paraissait passablement contrarié et il montrait les dents avec une férocité déplacée pour sa taille. Joan Bouvila avait ouvert la porte de la cage et passé la main dedans ; le singe s'était accroché à ses doigts. Puis il avait sorti la main et approché le singe du visage d'Onofre, qui l'étudiait avec soupçon. « Prends-le sans crainte, fils, lui avait dit son père, il ne te fera aucun mal : il est à toi. » Onofre l'avait pris, mais le singe avait grimpé le long de son bras, s'était installé sur son épaule et lui avait frappé le visage avec la queue. « J'ai prévu quelques prières pour rendre grâces à Notre Seigneur de ton retour », avait dit le recteur, interrompant cette scène. Joan Bouvila fit une légère inclination ; puis il parcourut des yeux, du haut en bas, la façade de l'église. C'était une construction grossière, en pierre, avec une seule nef rectangulaire et un clocher carré. « Cette église a besoin d'une bonne restauration », avait dit à voix haute Joan Bouvila. A partir de ce moment, tous avaient commencé à l'appeler « l'Américain » ; ils se mirent à espérer qu'il allait introduire de grands changements dans la vallée. Il avait ôté son chapeau et offert le bras à sa femme ; ensemble, ils étaient entrés dans l'église. Les cierges resplendissaient devant l'autel. Personne n'avait jamais vu auparavant semblable cérémonial. Maintenant, ces moments magiques brillaient dans le souvenir d'Onofre cependant qu'il rentrait affamé et fatigué à la pension. Quand il croisait une voiture, il s'efforçait de jeter un œil à l'intérieur, au cas où s'y trouverait quelque personnage dont la vision fugace pût alimenter ses rêveries. Ces voitures, cependant, se faisaient de plus en plus rares au fur et à mesure que ses pas le rapprochaient du lugubre quartier de la pension. Cela ne suffit pas pour l'abattre. La première lumière du jour suivant le trouva déjà dans l'enceinte de l'Exposition. Il avait laissé les brochures à la pension ; pour le moment, il se contentait de fureter ici et là, décidé à connaître dans le moindre recoin ce qui devait être à l'avenir son champ d'opération. Ainsi apprit-il vite que tous les hommes employés sur les chantiers n'étaient pas de catégorie égale. Il y avait des ouvriers et des manœuvres et, entre les deux, existait à ses yeux une différence fondamentale. Les ouvriers avaient un métier, ils étaient organisés en accord avec les hiérarchies et usages des vieilles corporations ; ils bénéficiaient du respect des patrons et parlaient presque d'égal à égal avec les contremaîtres ; ils éprouvaient un orgueil comparable à celui des artistes, se savaient indispensables et étaient en général réticents aux postulats du syndicalisme dans la mesure où ils touchaient une rémunération correcte. Les manœuvres et les aides étaient originaires de la campagne et ne savaient rien faire ; ils avaient joué leur va-tout en venant à la ville, chassés de leurs terres par la sécheresse, la désolation causée par les guerres et les fléaux, ou simplement parce que la richesse locale était insuffisante pour leur assurer de quoi vivre. Ils traînaient avec eux leur famille jusqu'à, parfois, de lointains parents, des proches qu'une invalidité avait interdit d'abandonner, et dont ils se chargeaient avec l'héroïque loyauté des pauvres ; ils vivaient désormais dans des baraques de fer-blanc, de bois et de carton sur la plage qui s'étendait de l'embarcadère de l'Exposition jusqu'à l'usine à gaz. Femmes et enfants pullulaient par centaines dans ce campement surgi à l'ombre des armatures et des charpentes dessinant déjà les silhouettes de ce qui serait bientôt pavillons et palais. Certaines de ces femmes étaient mariées avec les manœuvres ; d'autres, seulement à la colle avec eux ; d'autres étaient mères, sœurs célibataires, belles-mères ou belles-sœurs de l'un ou de l'autre. La plupart étaient dans un état de grossesse avancé. Elles passaient le jour à étendre du linge humide sur des cordes tirées entre deux bambous plantés dans le sable pour que la tiède brise de mer et le radieux soleil le fassent sécher. Elles faisaient aussi la cuisine sur des braseros disposés à la porte des baraques et dont elles attisaient le feu avec des éventails de paille, ou bien ravaudaient et reprisaient. Tout cela, elles le faisaient tout en s'occupant des enfants. Ces derniers étaient si sales qu'il était difficile de distinguer les traits de leur visage ; ils avaient le ventre enflé, allaient nus et s'en prenaient à coups de pierre à tout le monde. S'ils s'approchaient des femmes qui cuisinaient, ils couraient le risque de recevoir une gifle ou un coup de poêle à frire. C'est ainsi qu'elles les éloignaient, mais ils ne tardaient pas à revenir, attirés par l'odeur de la nourriture. Entre les femmes, querelles, cris et insultes étaient incessants ; il était fréquent qu'elles en vinssent aux mains. La garde civile se postait en ces occasions à distance prudente et elle n'intervenait pas tant que ne jaillissait pas l'éclair des couteaux. Onofre Bouvila passait des jours à observer ces choses. Se prévalant de son aspect inoffensif et de l'avantage de n'être astreint à aucun horaire ni affecté à aucun secteur, il allait d'un côté à l'autre pour que les gens s'accoutument à sa présence. Jamais il ne dérangeait ceux qui étaient au travail ; ceux qui se reposaient, il les questionnait sur leur métier. Si l'occasion se présentait d'aider en quoi que ce soit, il le faisait. Petit à petit, il se faisait tolérer de tous et apprécier de quelques-uns.

A la fin de la première semaine, et quoiqu'il n'eût pas placé une seule brochure, il trouva sous son oreiller l'argent que Delfina lui avait promis et qu'elle avait sûrement déposé là elle-même. Il se félicita intérieurement de la compréhension et de l'honnêteté de ses employeurs. Je ne les décevrai pas, pensait-il. Non pas que cette révolution dont je me fais le héraut m'intéresse le moins du monde, mais parce que je veux démontrer que je peux faire ça comme le reste. Je pourrai bientôt commencer à distribuer les maudites brochures : mon assiduité et ma discrétion sont en train de donner leurs premiers fruits ; j'ai déjà vaincu la méfiance que ma gaucherie pouvait inspirer au début ; au demeurant, plus personne ne me surveille : ils sont tous absorbés par cette absurde Exposition. En effet, en 1886 déjà, alors qu'on était encore à deux ans de l'inauguration, un périodique avait averti que *les étrangers n'allaient cesser d'arriver à Barcelone, prêts à se faire une idée de sa beauté et de son modernisme,* raison pour laquelle, ajoutait le journal, *l'ornementation publique, le confort et la sécurité privés sont des problèmes qui dans les circonstances présentes doivent requérir en toute priorité la précieuse attention de nos autorités.* Enfin, il ne se passait plus de jour sans que les journaux ne fissent des suggestions : *construire le réseau d'égouts de la zone nouvelle,* proposait l'un ; *faire disparaître les baraquements qui enlaidissent la plaza Cataluña,* proposait un autre ; *doter le paseo de Colón de bancs de pierre ; réhabiliter les faubourgs reculés, comme celui de Poble Sech, que devront traverser ceux qui profiteront de leur séjour à Barcelone pour aller à Montjuich, attirés par les sources délicieuses qui parsèment cette montagne,* etc. Certains se montraient préoccupés par l'attitude des propriétaires de meublés, restaurants, auberges, cafés, pensions de famille, etc., qu'ils exhortaient à comprendre que *le désir de gains excessifs est généralement contre-productif, tournant en fait au préjudice, dans la mesure où il entraîne le retrait du voyageur.* Ce secteur de la presse se montrait moins préoccupé par l'impression que pourrait causer la ville que par celle que pourraient causer ses habitants, dont l'honnêteté, la compétence et les façons étaient évidemment mises en doute.

— Donne-moi mes brochures, Pablo, dit Onofre.

L'apôtre ronchonna :

— Tu as mis plus de trois semaines à distribuer le premier paquet, dit-il, tu dois faire plus d'efforts.

Il était cinq heures du matin ; le soleil avait dépassé l'horizon et filtrait par les fentes des volets. A la lumière incisive de cette aube d'été, le repaire paraissait plus petit, biscornu et poussiéreux.

— Ça n'a pas été facile au début, mais tu vas voir comment les choses vont changer à partir d'aujourd'hui, dit Onofre.

Il ne lui fallut que six jours pour distribuer le second paquet. Pablo lui dit :

— Petit, pardonne ce que j'ai dit la fois d'avant. Je sais que les débuts sont durs ; quelquefois, l'impatience me saisit, tu comprends ? C'est la chaleur, cette chaleur et l'enfermement qui vont me tuer.

La chaleur faisait également sentir ses effets dans l'enceinte de l'Exposition. Les nerfs se tendaient pour un rien, et les diarrhées estivales, très redoutées parce qu'elles tuaient les enfants par douzaines, firent bientôt leur apparition.

Ce sera pire, disaient les plus placides, quand ces travaux seront terminés et que nous resterons sans travail. Les plus confiants croyaient que, une fois inaugurée l'Exposition, Barcelone se convertirait en une grande ville ; il y aurait du travail pour tous, les services publics s'amélioreraient à vue d'œil, tout le monde recevrait l'assistance nécessaire. Ces idiots faisaient rire les autres de bon cœur. Onofre profitait de l'occasion pour parler de Bakounine et il finissait toujours par distribuer quelques brochures. Ce faisant, il ne pouvait s'empêcher de se dire en son for intérieur : Grand Dieu ! je ne sais comment j'en suis venu à me faire propagandiste de l'anarchisme ; il y a quelques semaines, je n'avais jamais entendu parler de pareilles absurdités et voilà qu'aujourd'hui j'ai l'air d'avoir toujours été un convaincu ; il y aurait de quoi rire si avec tout ça je ne risquais pas ma peau. Enfin, finissait-il toujours par se répéter, j'essaierai de le faire le mieux possible ; après tout, ça n'est pas plus dangereux de le faire bien que de le faire mal, et, en le faisant bien, je m'assure la confiance des uns et des autres. L'idée de gagner la confiance d'autrui sans accorder la sienne en échange lui paraissait le comble de la sagesse.

5

— Alors comme ça, jeune homme, vous travaillez sur les chantiers de l'Exposition universelle, hein ? C'est très bien, très bien, avait dit le señor Braulio quand Onofre lui avait payé sa première semaine. Je suis convaincu, et c'est ce que j'ai dit à mon épouse, qui ne me permettrait pas de mentir, que l'Exposition, à moins que Dieu décide du contraire, servira à mettre Barcelone à la place qui lui revient, ajouta le tenancier.

— C'est ce que je pense aussi, señor Braulio, avait-il répondu.

En plus du señor Braulio et de sa femme, la señora Agata, de Delfina et de Belzébuth, il avait avec le temps fait la connaissance d'autres personnages de ce petit monde. Les hôtes de la pension étaient huit, neuf ou dix, selon les jours. Parmi eux, quatre seulement étaient des pensionnaires permanents : Onofre, un prêtre en retraite nommé mestre[1] Bizancio, une tireuse de cartes appelée Micaela Castro et le barbier qui travaillait dans le vestibule et qu'on appelait simplement

1. On traduit ainsi le titre de *mosén* donné aux prêtres en Catalogne.

Mariano. C'était un homme obèse et sanguin, mauvais au fond bien que d'un rapport très affable. C'était aussi un charlatan invétéré, et peut-être est-ce pour cela que ce fut le premier hôte de la pension avec qui Onofre Bouvila noua une relation. Le barbier lui raconta qu'il avait appris le métier au service militaire ; puis il avait été salarié de divers coiffeurs de Barcelone jusqu'à ce que, sur le point de se marier avec une manucure et désireux d'améliorer sa situation, il se fût établi à son compte. La noce ne s'était jamais faite, lui dit-il. A quelques jours de la célébration de nos fiançailles, lui raconta Mariano, elle s'était soudain mise à pleurer. Il lui avait demandé ce qui lui arrivait. Elle lui avoua qu'elle était liée depuis longtemps à un monsieur qui s'était entiché d'elle ; il lui faisait de nombreux cadeaux, lui avait promis de l'installer, elle n'avait pas su résister à tant d'insistance et de cajoleries ; maintenant, elle ne pouvait se marier avec lui sans le mettre au courant de la situation. Mariano était resté perplexe. « Mais ça fait combien de temps que ça dure ? » Telle fut la seule question qu'il réussit à lui poser. Il voulait savoir s'il s'agissait de jours, de mois ou d'années ; ce détail lui paraissait le plus important. Elle ne dégagea pas cette inconnue. Elle était si troublée qu'elle ne savait ce qu'on lui demandait ; elle répétait sans cesse la même chose : « Je suis bien malheureuse, je suis bien malheureuse. » Par la suite, le barbier avait insisté pour récupérer l'anneau qu'il lui avait donné en prévision des fiançailles. Elle avait refusé de le lui rendre, et l'avocat qu'il avait consulté lui conseilla de ne pas porter l'affaire devant les tribunaux. « Vous perdriez », lui dit-il. Aujourd'hui, au bout de tant d'années, il se réjouissait de ce que les choses se fussent passées ainsi. « Les femmes sont une source intarissable de dépenses », affirmait-il.

De sa vie professionnelle, en revanche, il parlait toujours avec enthousiasme :

— Un jour, j'étais dans un salon de coiffure du Raval [1], raconta-t-il à Onofre en une autre occasion, quand j'entends un grand tumulte dans la rue. Je passe la tête en disant : « Qu'est-ce qui se passe ? Pourquoi tout ce bruit ? » et je tombe sur un bataillon de soldats à cheval aligné à la porte de la boutique. Tout à coup, un aide de camp met pied à terre et entre : il me semble entendre encore le claquement des bottes et le bruit que faisaient les éperons sur les dalles. Bon, il me regarde et me dit : « Le patron est là ? » Et moi : « Il est sorti il n'y a pas longtemps. » Et lui : « Et il n'y a personne ici qui coupe les cheveux ? » Et moi : « Votre serviteur. Asseyez-vous, Votre Grâce. — Ce n'est pas

1. Quartier de la vieille ville situé à l'ouest des Ramblas.

pour moi, me dit-il, mais pour mon général, Costa y Gassol. » Tu t'imagines ? Non, bien sûr, tu es très jeune, tu ne peux te souvenir de lui. Tu n'étais pas encore né. Bon, c'était un général carliste célèbre pour son courage et sa férocité. Avec juste une poignée d'hommes, il avait pris Tortosa et passé par les armes la moitié de la population. Après, c'est Espartero qui l'a fusillé, un grand bonhomme aussi ; les deux étaient de la même stature, si tu veux savoir mon opinion, et sans parler de politique, qui n'est pas mon rayon. Qu'est-ce que je te racontais ? Ah oui, que je vois entrer Costa y Gassol lui-même, couvert de médailles des pieds à la tête ; il s'assied sur le fauteuil, me regarde et me dit : « Cheveux et barbe. » Et moi, chiant dans mon froc, je lui dis : « Aux ordres de Votre Seigneurie. » Bref, je fais ce qu'il me dit et, quand c'est fini, il me demande : « C'est combien ? » Et moi : « Pour Votre Seigneurie, c'est gratis, mon général. » Et lui, eh bien, il s'en va.

Le récit de ces anecdotes pouvait durer plusieurs heures, jusqu'à ce que quelque chose ou quelqu'un vînt interrompre le flux de son bavardage. Comme tous les barbiers de son temps, Mariano arrachait aussi les molaires, faisait des emplâtres, posait des sinapismes et des cataplasmes et pratiquait des avortements. Il essayait de vendre à ses rares clients des onguents salutaires. Il était très craintif, souffrait de la vésicule et du foie, allait toujours très emmitouflé et fuyait comme la peste Micaela Castro, qui lui avait prédit une mort douloureuse à très court délai. La voyante était une femme d'âge avancé, avec une paupière à demi fermée. Elle était très renfermée, parlant seulement pour annoncer des malheurs. Elle croyait dur comme fer à ses dons prophétiques ; le fait que ne se produisît pas ensuite ce qu'elle prédisait n'entamait pas sa confiance, ne la dissuadait pas de continuer à annoncer des catastrophes. « Un incendie dévastateur ravagera Barcelone, personne ne sortira indemne de cet horrible bûcher », disait-elle en entrant dans la pièce qui faisait fonction de salle à manger. Personne ne lui prêtait attention, quoique presque tous s'arrangeassent pour toucher du bois en cachette ou faire quelque signe de conjuration avec les doigts. Personne ne savait comment elle faisait pour imaginer tant d'horreurs, ni pourquoi. « Il y aura des inondations, des épidémies, des guerres, le pain manquera », disait-elle sans rime ni raison. Sa clientèle, qu'elle recevait à la pension même, dans sa chambre, par faveur spéciale du señor Braulio qui était généreux et l'aimait bien, était constituée de personnes de tous les âges, des deux sexes et de condition très humble. Tous sortaient toujours de ces consultations avec le visage soucieux. Ils ne tardaient pas, cependant, à revenir recevoir une autre dose de pessimisme et de désespoir. Ces révélations de mauvais augure conféraient une certaine grandeur à leur existence monotone, peut-être est-ce pour cela qu'ils venaient. Peut-être aussi parce que l'imminence d'une tragédie rendait plus supportable le présent misérable qu'ils vivaient. De toute façon, il n'arrivait ensuite jamais rien de ce qui avait été annoncé, ou alors il arrivait une autre chose, funeste également, mais différente. Mestre Bizancio l'exorcisait de l'autre bout de la salle à manger, le regard fixé sur la nappe, chuchotant en douce. Jamais ils ne s'asseyaient l'un à côté de l'autre. Comme ils vivaient tous les deux plongés dans le monde de l'esprit, ils se respectaient, bien qu'ils militassent dans des camps distincts. Pour mestre Bizancio, Micaela Castro était un ennemi digne de son ministère : l'incarnation de Satan. Pour elle, mestre Bizancio était une source permanente d'assurance, parce qu'il croyait en ses dons, bien qu'il les attribuât au diable. Mestre Bizancio, qui était déjà très vieux et usagé, ne voulait pas mourir sans aller à Rome se prosterner, disait-il, aux pieds de saint Pierre. Il avait aussi très envie de voir de ses yeux le *botafumeiro*[1] qu'il croyait par erreur au Vatican. Micaela Castro lui avait prédit qu'il entreprendrait bientôt ce voyage de Rome, mais qu'il mourrait en chemin, sans avoir aperçu la Ville Éternelle. Les paroisses voisines (la Présentation, San Ezequiel, Notre-Dame-du-Souvenir, etc.) avaient recours à mestre Bizancio quand une cérémonie solennelle nécessitait du personnel surnuméraire, ou un renfort au chœur ou au couvent ; de même faisaient-elles appel à lui pour qu'il chante le plain-chant, les antiennes, les versets, l'évangile, et même pour jouer des castagnettes dans le chœur, tous arts aujourd'hui presque disparus dans lesquels, et bien qu'il n'eût de dispositions pour aucun, était versé mestre Bizancio. Avec cela et quelque suppléance, il gagnait un peu d'argent, juste de quoi vivre sans gêne. Le prêtre, le barbier, la pythonisse et Onofre Bouvila occupaient les chambres du second étage. Ces chambres, si elles n'étaient ni plus spacieuses ni meilleures que les autres, avaient l'avantage inestimable d'avoir un balcon sur la rue. Cela les rendait gaies en dépit des fissures du plafond, des dénivellations du plancher, des taches d'humidité des murs et du mobilier funèbre et démantibulé. Les balcons donnaient sur la ruelle, la vue qu'ils offraient était lugubre, mais parfois lumineuse ; sur leurs balustrades de fer forgé venaient chaque jour se poser des tourterelles

1. Le *botafumeiro*, que Victor Hugo appelle le « roi des encensoirs », est balancé par un système de poulies au-dessus du transept de la cathédrale de Saint-Jacques-de-Compostelle.

au plumage immaculé, qui devaient s'être perdues ou échappées et nichaient dans les environs. Mestre Bizancio leur donnait souvent du pain azyme qu'il prélevait sur les hosties non consacrées. C'est pourquoi elles continuaient à venir tous les jours. Dans les autres chambres, celles du premier étage, sans fenêtre ni balcon, descendaient les hôtes de passage.

Au troisième étage, sous le toit, dormaient le señor Braulio, la señora Agata et Delfina. La señora Agata souffrait d'un mélange de goutte arthritique et de podagre qui la tenait clouée sur sa chaise, dans un état de demi-sommeil permanent. Elle ne s'animait que quand elle pouvait manger des friandises et des gâteaux ; comme le médecin le lui avait radicalement interdit, son époux et sa fille l'autorisaient seulement à goûter quelques lichettes de confiture lors des fêtes exceptionnelles. Quoiqu'elle souffrît continuellement, elle ne se plaignait jamais de ses douleurs, non par fermeté mais par faiblesse. Parfois ses yeux s'humectaient et des larmes glissaient le long de ses joues lisses et charnues, mais son visage demeurait impassible, sans expression. Cette disgrâce familiale ne semblait pas affecter le señor Braulio. Il était toujours de bonne humeur, disposé à s'embarquer dans une polémique à n'importe quel sujet ; il aimait raconter des blagues et aussi en entendre raconter ; si mauvaises qu'elles fussent, il les saluait d'un rire rentré mais prolongé ; une heure passait, il était encore en train de rire de la blague qu'on lui avait racontée ; il n'existait pas de meilleur public que lui. On le voyait à toute heure très propre et tiré à quatre épingles. Mariano le rasait le matin et, en de certaines occasions, de nouveau l'après-midi. En dehors des heures des repas, où il s'habillait impeccablement, il vaquait dans la pension en caleçon, pour ne pas froisser les pantalons que sa fille lui repassait chaque jour de très mauvais gré. Il était assez ami avec le barbier, s'entendait bien avec le curé et traitait avec déférence la voyante, tout en s'asseyant peu à sa table parce que, lorsqu'elle entrait en transes, elle perdait le contrôle de ses mouvements, mettant en péril la mise soignée du señor Braulio. En dehors de son élégance, sa caractéristique la plus notable était sa propension à se faire mal : un jour il apparaissait avec un œil violacé ; un autre, avec une coupure voyante au menton ; un autre, avec un hématome à la pommette ; un autre, avec une main luxée. On ne le voyait jamais sans bandages, sparadraps ou compresses. Chez quelqu'un de si jaloux de son apparence, cela ne laissait pas d'être étrange. Ou bien c'est l'homme le plus maladroit que j'aie connu, se disait Onofre quand il songeait à lui, ou bien il se passe ici quelque chose qui n'est pas normal. Mais c'était Delfina, et de loin, le membre le plus énigmatique de la famille, celui qui inquiétait le plus Onofre, qui sentait pour elle une attirance inexplicable mais croissante, presque obsessionnelle.

Le succès d'Onofre dans la distribution des brochures était tel qu'il devait fréquemment se rendre calle del Musgo pour refaire ses stocks ; là, il rencontrait toujours Pablo ; l'assiduité de ces rencontres fit naître un début de camaraderie entre l'apôtre chevronné et le néophyte plein de bonne volonté. L'autre se lamentait sans cesse de l'hostilité que la police mettait à le poursuivre depuis des années, et qui l'obligeait à mener cette vie d'ostracisé, lui, un homme d'action, pour qui l'inactivité était la pire des tortures, tout au moins le croyait-il alors ; il était déboussolé, il enviait la possibilité qu'avait Onofre d'être en contact quotidien avec les masses travailleuses, il lui semblait qu'il ne profitait pas pleinement de ce don inappréciable, il le reprenait et l'injuriait pour n'importe quel motif, réel ou imaginaire. Onofre, qui commençait, petit à petit, à le connaître, le laissait parler ; il savait qu'au fond c'était un pauvre type, de la chair à canon. Pablo se vexait facilement, avait un esprit de contradiction systématique, s'entêtait à avoir toujours raison, trois symptômes sans équivoque de faiblesse de caractère. Il avait également besoin de sa compagnie, et surtout de son approbation pour ne pas perdre la raison. Onofre lui était nécessaire pour se maintenir dans le monde des gens sensés. En dépit de ces défauts, la triste fin qu'il connut n'était pas méritée. En 1896, alors qu'il était prisonnier depuis déjà plusieurs années dans les cachots du château de Montjuich, ses geôliers s'acharnèrent sur lui à cause de la bombe du Corpus Christi. Un matin, ils le sortirent de sa cellule les yeux bandés, attaché avec des courroies de cuir qui lui sciaient la chair jusqu'à l'os. Le trimbaler comme un sac n'était pas chose difficile : les amertumes et les mauvais traitements l'avaient réduit à l'insignifiance, il ne pesait pas plus de trente kilos. Quand ils lui enlevèrent le bandeau des yeux, il se découvrit à quelques pas du précipice, les vagues se brisaient contre les roches de la falaise, quand l'eau refluait réapparaissaient les noirs écueils, affilés comme le tranchant d'une hache. Ils l'avaient laissé les mains liées au bord d'un créneau du château, les talons dans le vide. Une rafale de vent aurait suffi à lui faire perdre l'équilibre et à en finir. Il fut tenté de se laisser tomber en arrière pour mettre un terme à un tel supplice, mais il ne voulut ou n'osa le faire. Ce ne sera pas de mon fait, pensa-t-il en serrant les dents. Un lieutenant au visage sec, au teint céruléen, cadavérique, lui appuya la pointe de son sabre sur la poitrine. « Tu vas signer une confession, lui dit-il, ou je te tue à l'instant. Si tu signes, peut-être sortiras-tu libre un de ces jours. »

Il lui montra une déclaration supposée faite par lui et prise sous sa dictée : il disait être un des responsables de la tragédie du Corpus Christi, s'appeler Giacomo Pimentelli et être italien. Tout cela était absurde : puisque cela faisait plusieurs années qu'il était en prison, il ne pouvait avoir participé à un acte comme celui qu'on lui imputait, commis dans la rue quelques jours auparavant. Il n'était pas non plus italien, fût-ce lointainement, même si jusqu'à ce moment personne n'était parvenu à établir son vrai nom et son origine : au cours des interrogatoires, il répétait que son seul nom était Pablo et qu'il était citoyen du monde, frère de toute l'humanité exploitée. Ils le ramenèrent à sa cellule sans avoir pu lui arracher la confession. Là, ils le pendirent par les poignets à la porte et le laissèrent ainsi pendant huit heures. De temps en temps, un geôlier s'approchait, lui crachait à la figure et lui tordait sauvagement les parties génitales. Presque chaque jour, ils répétaient avec lui un simulacre d'exécution : certaines fois en lui nouant une corde au cou, d'autres en lui faisant mettre la tête sur un tronc et en feignant de le décapiter, d'autres encore en le conduisant devant le peloton. A la fin, son courage flancha et il signa la déclaration, il admit une culpabilité qui dans une certaine mesure était sienne, étant donné qu'à ce stade il haïssait tout être humain et aurait tué sans discrimination s'il avait eu la possibilité de le faire. Alors, ils le fusillèrent pour de bon dans les fossés du château, sur ordre exprès venu de Madrid. L'homme qui avait donné cet ordre brutal était don Antonio Cánovas del Castillo, alors président du Conseil des ministres pour la cinquième fois.

Quelques mois plus tard, alors que Cánovas del Castillo prenait les eaux à Santa Agueda, il raconta à sa femme qu'il avait croisé un individu étrange, client comme eux de l'établissement thermal, et qui l'avait salué avec beaucoup de déférence. « J'aimerais savoir de qui il s'agit », dit le président du Conseil des ministres. La nuée d'un funeste pressentiment, qu'il ne voulut pas faire partager à sa femme pour ne pas l'alarmer, avait assombri ses yeux. Cánovas s'habillait toujours de noir, collectionnait les peintures, les porcelaines, les cannes et les monnaies anciennes, il était très mesuré dans ses paroles et détestait tout ce qui pouvait paraître ostentation, comme l'or et les bijoux. Préoccupé par les problèmes internes et externes auxquels le pays se trouvait affronté, il avait ordonné de réprimer les anarchistes avec une main de fer. On a assez de casse-tête comme ça pour que ne vienne pas maintenant s'y ajouter pareille meute de chiens enragés, pensait-il. La dureté lui paraissait l'unique moyen d'éviter le chaos qu'il voyait menacer à l'horizon de l'Espagne. L'individu qui l'avait inquiété en cet été de 1897 était, cette fois, un vrai Italien nommé Angiollilo ; il s'était inscrit sur le registre des entrées de l'établissement thermal comme correspondant d'*Il Popolo;* il était jeune, avait les cheveux blond cendré, un aspect quelque peu décadent, des manières très courtoises. Un jour que Cánovas lisait le journal dans un fauteuil d'osier, dans le jardin de l'établissement, à l'ombre d'un arbre, Angiollilo s'approcha de lui. « Meurs, Cánovas, lui dit-il, meurs, bourreau, homme sanguinaire et stupide. » Il sortit un revolver de sa poche et lui tira trois balles à bout portant, le tuant sur le coup. L'épouse de Cánovas, déchaînée, attaqua le magnicide avec l'éventail de nacre et de dentelle qu'elle portait attaché au poignet. « Assassin, lui criait-elle, assassin ! » Angiollilo se défendait de cette accusation, disant qu'il n'était pas, lui, un assassin, mais le vengeur de ses camarades anarchistes. « Et avec vous, madame, je n'ai rien à voir », ajouta-t-il. Les hommes s'expliquent rarement et, quand ils le font, ils le font mal.

La quantité de matériaux utilisés chaque jour sur les chantiers de l'Exposition était telle, rapporte un journal de cette époque, que *la production de toutes les briqueteries est presque épuisée, le même phénomène se produisant avec le ciment qui arrive en grandes quantités de différents points du principat et de l'étranger. Rien que pour le grand palais de l'Industrie, on consomme chaque jour huit cents quintaux de ce matériau. De la même façon, les grandes forges la Marítima et Girona travaillent activement sur les commandes d'armatures et de poutres, ainsi que différents ateliers de menuiserie où se réalisent déjà certaines installations véritablement notables*[1]. L'enceinte comptait trois cent quatre-vingt mille mètres carrés. Bien qu'inachevés, les premiers édifices construits spécialement pour l'Exposition s'élevaient déjà. On embellissait ceux de l'ancienne Citadelle qui restaient encore debout. On avait abattu la partie des murailles qui subsistait et on construisait des casernes neuves rue de Sicile pour y transférer les derniers vestiges de caractère militaire. Cela ne veut pas dire que les travaux étaient très avancés. En réalité, la date initialement prévue pour l'inauguration avait déjà été dépassée. On fixa une autre date, cette fois absolument définitive, celle du 8 avril 1888. En dépit de l'irrévocabilité de la décision, il y eut une seconde tentative d'ajournement, qui échoua : Paris préparait une Exposition pour 1889, et coïncider avec Paris eût équivalu à un suicide. Dans la presse barcelonaise, l'enthousiasme

1. On l'aura remarqué, les extraits de presse sont en général rédigés dans un style confus et enflé dont on a essayé de « respecter » la cuistrerie.

initial s'était refroidi ; à présent, les attaques se multipliaient. *Peut-être, disons-nous, conviendrait-il que tant d'effort et d'argent s'appliquent à des buts plus nécessaires et urgents, et qu'ils ne soient pas gaspillés à de spectaculaires travaux publics d'effet immédiat et d'utilité éphémère, pour le moins,* arguaient les uns. D'autres s'exprimaient en termes encore plus durs : *Pour qui connaît la question, il est clair et évident comme la lumière du jour que l'Exposition universelle de Barcelone, telle que la projettent ceux qui se sont mis à sa tête, ou bien ne parviendra pas à se faire, ou bien se fera dans des conditions telles qu'elle ridiculisera Barcelone en particulier et la Catalogne en général, produisant la ruine complète de notre municipalité*[1], etc. Dans ces circonstances, Rius y Taulet visita les travaux. Il était accompagné de nombreuses personnalités ; tous faisaient de leur mieux : ils sautaient de planche en planche, enjambaient les tranchées, évitaient les câbles, s'effaçaient lorsque les mules lançaient les dents vers les basques de leur jaquette. Ils se protégeaient de la poussière avec leur haut-de-forme. Le spectacle fut du goût de l'énergique *alcalde.* « Je ne serai pas content, dit-il, avant d'avoir attrapé le vertige. »

Onofre Bouvila lui aussi faisait des progrès. A force d'expliquer le contenu des brochures qu'il distribuait, il était parvenu à le comprendre lui-même ; il put se rendre compte à quel point les revendications des révolutionnaires étaient justes. N'importe quelle étincelle aurait suffi pour provoquer un incendie. De tout cela, il parlait en recourant certaines fois à la logique, d'autres à la démagogie. Certains de ses auditeurs, convaincus, l'aidèrent à propager l'Idée. Les tempêtes qui, au début de septembre, transformèrent le parc en un champ de boue, quelques légères attaques de la fièvre typhoïde et certains retards dans le paiement des salaires, dus à la lenteur avec laquelle Madrid débloquait les maigres subventions que le gouvernement avait finalement accordées à l'Exposition, contribuèrent à donner de l'élan à cette diffusion. Onofre lui-même était surpris de son succès. Après tout, pensait-il, je n'ai que treize ans. Pablo se permit un de ses rares sourires.

— Dans les premiers temps du christianisme, dit-il, les impubères faisaient plus de conversions que les adultes : sainte Inès avait ton âge, treize ans, quand elle mourut au fil de l'épée ; saint Guy fut martyr à douze ans. Plus surprenant encore, ajouta-t-il, est le cas de saint Quirze, fils de sainte Julita : alors qu'il avait seulement trois ans, son

1. Article en catalan dans le texte original.

éloquence laissa anéanti le préfet Alexandre, moyennant quoi celui-ci jeta le petit contre les marches du prétoire avec une force telle qu'il lui brisa la tête, et que la cervelle jaillit du crâne et se répandit sur le sol et la table du tribunal.

— Et d'où tiens-tu ces choses ? lui demanda Onofre.

— Je lis. Que puis-je faire coincé dans cette cage, si ce n'est lire ? Je tue les heures et les jours à lire et à penser. Quelquefois, mes pensées acquièrent une telle force que je m'effraie moi-même. D'autres fois, une angoisse sans cause me saisit, j'ai l'impression d'être dans un rêve dont je me réveille plongé dans les affres. D'autres fois, je me mets à pleurer sans rime ni raison, et ces larmes peuvent durer des heures sans que je parvienne à les arrêter, dit l'apôtre.

Mais Onofre ne l'écoutait pas, parce qu'à son tour il était la proie d'un grand désarroi.

Chapitre 2

1

Non, ce ne peut être ça ce que les autres nomment l'amour, et pourtant, qu'est-ce qui m'arrive ? se demandait-il. Tout au long de l'été 1887 et pendant une bonne partie de l'automne, l'obsession que lui inspirait Delfina alla croissant. Il n'y avait plus eu deux paroles entre eux depuis cette nuit où elle était venue à sa chambre avec le chat pour lui proposer de travailler en faveur de l'Idée ; depuis, c'est à peine s'ils échangeaient un regard de reconnaissance, un geste lorsqu'ils se croisaient dans les couloirs de la pension. Tous les vendredis, il trouvait l'argent dans sa chambre ; un argent qui dorénavant lui paraissait chichement compté au regard de ses efforts et de ses succès, au regard de ses mérites. Cette conversation nocturne à la lumière d'une chandelle était la seule chose qu'il possédât d'elle ; maintenant, il analysait les phrases qu'elle avait prononcées avec prolixité, cherchant de façon répétée et systématique à en extraire des informations, à leur arracher des sens possibles. En réalité, tout cela se passait uniquement dans son imagination ; rien de ce qu'il croyait se remémorer ne s'était véritablement passé ; il construisait des châteaux à partir de fragments de mémoire. Probablement faisait-il l'expérience de l'éveil de la sexualité, mais il ne le savait pas : il essayait de tout comprendre avec la raison ; il pensait pouvoir résoudre n'importe quel problème en pensant. Et pourtant, maintenant, il se rendait compte qu'il tournait en rond. Que faire ? se demandait-il. Il n'était certain que d'une chose : elle lui avait dit qu'elle avait un fiancé, et c'était pour lui comme une blessure. Il ne pensait qu'à l'anéantir. Mais pour cela, il fallait en apprendre plus que ce qu'il savait : qui il était, où et quand ils se voyaient, qu'est-ce qu'ils faisaient quand ils étaient ensemble, etc. De la routine inaltérable de la pension et du fait que les parents de Delfina ignoraient les aventures de leur fille, il inféra que les fiancés se voyaient à des heures inusuelles, probablement de nuit. En ce temps-là, c'était exceptionnel.

Jusqu'au début du xxe siècle, encore, et à part de rares exceptions, toute activité cessait après le coucher du soleil ; celle qui ne cessait pas pouvait être qualifiée *a priori* et sans erreur possible d'irrégulière et suspecte. Dans l'imagination populaire, la nuit était peuplée de fantômes et semée de périls ; n'importe quelle chose faite à la lumière d'une chandelle prenait une nuance excitante et énigmatique. La croyance existait aussi que la nuit était un être vivant, qui avait le pouvoir étrange d'attirer les gens, et que quiconque s'enfonçait sans but dans la nuit n'en revenait jamais. En tout point, la nuit était comparée à la mort et l'aube à la résurrection. La lumière électrique, qui devait en finir pour toujours avec l'obscurité des villes, était encore dans les langes, et son utilisation suscitait toutes sortes de réserves. *La lumière artificielle ne devrait ni éblouir ni varier, mais être abondante sans échauffer l'œil,* dit une revue parue en 1886. *On ne devrait jamais utiliser de lumières brillantes à moins qu'elles ne soient assombries par des écrans de verre dépoli, en raison de la concentration de lumière dans la ligne du filament.* Un autre journal de Barcelone, datant de la même année, affirme au contraire que *selon le professeur Chon de Breslau, éminent oculiste, la lumière électrique, à condition d'être fixe et abondante, serait éminemment préférable à toute autre pour lire et écrire.*

La chose ne concernait pas encore Onofre. Il imaginait Delfina plongée dans le plus noir de la nuit à la recherche de son amant, transfigurée en un être terrible et attirant à la fois. Son air hermétique, son épiderme de lézard, ses pupilles soufrées, sa chevelure hirsute et sale comme le hérisson d'un ramoneur, ses vêtements dépenaillés et extravagants, qui en faisaient, le jour, un risible épouvantail, devenaient, à la faveur des ténèbres, les attributs d'une présence spectrale. Bien décidé à surprendre les amants clandestins, il décida à cette fin de veiller la nuit. Désormais, lorsque se taisaient les derniers bruits de la pension, que le dernier quinquet s'éteignait, il sortait de sa chambre et s'embusquait près du palier de l'escalier. Si elle sort de sa chambre, elle doit nécessairement passer par ici, pensait-il ; elle passera devant moi sans me voir, et ainsi je pourrai l'espionner et savoir où elle va et pour y faire quoi. Les nuits de veille devinrent pour lui quelque chose d'habituel et d'interminable. Les horloges de la Présentation, de San Ezequiel et de Notre-Dame-du-Souvenir égrenaient les heures avec une lenteur exaspérante. Rien ne troublait le repos de la pension. A deux heures du matin, approximativement, mestre Bizancio sortait toujours de sa chambre pour aller aux cabinets. Quelques minutes après, il revenait et aussitôt on l'entendait ronfler. A trois heures, Micaela Castro commençait à parler toute seule ou avec les esprits; cette psalmodie durait jusqu'à l'aube. A quatre heures et à cinq heures et demie, le curé faisait de nouvelles visites au petit coin. Le barbier dormait en silence. Depuis sa cachette, Onofre Bouvila enregistrait ces petites choses dans sa mémoire. Dans son ennui, il avait l'impression que le détail le plus banal avait une grande importance. Ce qui le préoccupait le plus était le chat, le perfide Belzébuth; l'idée qu'il pût rôder dans la maison en quête de souris, ou que Delfina pût l'emmener avec elle dans ses escapades nocturnes, le remplissait d'effroi. Cependant que la nuit passait, il réfléchissait à une méthode sûre pour se débarrasser du chat sans éveiller les soupçons. L'aube le surprenait plongé dans ces réflexions, engourdi, épuisé et d'humeur massacrante. Avant que les autres ne se réveillent, il retournait à sa chambre, reprenait son paquet de brochures et partait pour l'Exposition. Cette nuit, je retournerai au même endroit, se disait-il, et toutes les nuits de l'année s'il le faut. Puis la fatigue le terrassait, en plein guet ses yeux se fermaient et il dodelinait involontairement de la tête.

Le bruissement produit par deux étoffes se frôlant le réveilla en sursaut. Retenant son souffle, il perçut le bruit de pas descendant précautionneusement l'escalier. Enfin, pensa-t-il. Accroupi au bord de l'escalier, il sentit un corps passer à quelques centimètres de son visage. Un parfum intense le remplit de trouble; jamais il n'aurait pensé que Delfina pût tomber dans une coquetterie pareille, qu'elle se pomponnait pour aller à la rencontre d'un homme. Elle s'est mise comme ça pour lui, se dit-il. Alors c'est ça l'amour, pensa-t-il. Il attendit quelques secondes et commença à descendre; c'est à peine si les pas du suiveur et de la suivie produisaient un bruit sur les marches de faux marbre. Si, pour une raison ou pour une autre, elle s'arrêtait, il se produirait entre nous une collision désastreuse, pensa-t-il en redoublant de prudence. Il remarquait que la distance qui les séparait allait en augmentant. A continuer comme ça, je vais la perdre, se dit-il. Elle connaît la maison mètre par mètre, et en plus elle a fait ce parcours des milliers de fois, et je suis si bête que je n'ai même pas pris la précaution de compter les marches entre chaque étage, pensa-t-il. Aux paliers, il risquait de se fouler une articulation. Étourdi par ces problèmes qu'il n'avait pas prévus, il perdit la notion de l'espace et du temps : il ne savait pas s'il était déjà au rez-de-chaussée ou au premier étage ni si cela faisait quelques instants ou bien une heure qu'il se livrait à cette traque insensée. Il entendit grincer les gonds de la porte de la rue. Ciel, elle m'échappe pour de bon, se dit-il, et il acheva de descendre l'escalier à toute vitesse ; il trébucha en arrivant dans le vestibule et se tapa le genou contre le dallage, mais il continua à la poursuivre en boitant. Il n'y avait pas de lune et la rue était aussi obscure que l'intérieur de la pension. A ciel ouvert, le parfum se diluait au bout de quelques pas. Il marcha jusqu'au premier croisement, regarda à droite et à gauche. Le vent humide du Levant soufflait. Il n'entendait déjà plus aucun bruit. Pendant un moment, il marcha au hasard, puis il dut reconnaître l'échec de sa filature et rentra à la pension. Là, il occupa de nouveau son poste de guet, mais l'humidité lui avait transpercé les os et il grelottait. Tout ce que je fais n'a aucun sens, se dit-il. Il faisait des efforts pour ne pas éternuer ; les éternuements auraient révélé sa présence en ce lieu. Il ne se sentait pas les forces de continuer à attendre ; il retourna à sa chambre et se fourra dans le lit. Maintenant il avait pitié de lui-même. Elle s'est moquée de moi, pensait-il, à présent elle est dans les bras d'un autre et ils rient tous les deux de moi ; pendant ce temps-là, moi je suis ici, dans ce lit, malade.

Il dut s'endormir, puisque quand il ouvrit les yeux un homme dont l'identité ne lui était pas inconnue l'examinait avec intérêt.

— Ça ne fait pas longtemps qu'il est mort », l'entendit-il dire. Il était évident qu'il parlait de lui. « Il ne pue pas encore et les articulations conservent toute leur souplesse, continua l'homme.

La lumière de la veilleuse qui éclairait la scène étincelait sur les verres de ses lorgnons et grandissait démesurément son ombre sur le mur. Maintenant, je sais qui c'est, se dit Onofre. Mais que fait-il ici et avec qui parle-t-il ? Comme s'il avait voulu répondre par sa présence à cette question, le père d'Onofre sortit de la zone d'ombre et s'approcha de l'homme aux lorgnons.

— Vous croyez qu'il fera bien ? demanda-t-il.

Il avait toujours son costume de lin blanc mais, sacrifiant à la solennité de l'occasion, il avait ôté son panama.

— N'ayez pas peur, señor Bouvila, répondit l'homme ; quand nous vous le rendrons, ce sera vraiment comme si vous ne l'aviez jamais perdu.

Je suis sans aucun doute en train de rêver, se dit Onofre. Autrefois, il avait vécu une scène similaire : un matin d'hiver, ils avaient trouvé mort le singe que son père lui avait ramené de Cuba. Sa mère était toujours la première à se lever : c'était elle qui avait découvert le cadavre pelotonné dans la cage. Elle n'avait jamais professé de tendresse pour cet animal sale, frénétique et mal intentionné, qui paraissait n'éprouver aucune affection envers les personnes qui l'alimentaient, mais à le voir mort elle ne put réprimer un brin de compassion et elle versa quelques larmes. Venir mourir ici, si loin des siens, pensa-t-elle, quelle solitude ! Son mari la trouva en proie à l'indignation. « C'est de ta faute à toi, lui dit-elle, toi qui l'as enlevé de son pays. Il y avait bien une raison pour que Notre Seigneur le fasse naître là-bas. Je ne sais où mèneront tant de passion et d'ambition », ajouta-t-elle ensuite sans qu'on vît le rapport. Onofre s'était réveillé et écoutait cette conversation entre ses parents. « Va savoir ce qui lui serait arrivé si je ne l'avais pas emmené, avait objecté l'Américain. J'ai une idée ! », s'était-il exclamé ensuite, après qu'eurent été épuisés tous les arguments des deux bords. « Onofre, dit-il en s'adressant à lui pour la première fois, ça te plairait de connaître Bassora ? » Joan Bouvila allait souvent à Bassora ; le bruit courait qu'il avait investi là une partie de sa fortune et déposé le reste dans les banques de la ville. Dans ces occasions, son absence durait trois ou quatre jours ; à son retour, il ne racontait jamais rien au sujet de ce qu'il avait fait ou vu ou de la marche des affaires qu'il avait été superviser. Certaines fois, mais pas toutes, il rapportait quelques cadeaux insignifiants : des rubans, des friandises, un savon parfumé ou une revue illustrée. D'autres fois, il revenait très excité ; il ne fournissait aucune raison à son enthousiasme, mais, à l'heure du dîner, il se montrait plus loquace que d'habitude. Il disait alors à sa femme que le voyage suivant ils le feraient ensemble et qu'après, avant de revenir, ils iraient à Barcelone ou à Paris. Puis ces promesses, faites avec tant d'emphase, ne débouchaient sur rien.

Cette fois-là, cependant, en raison de la mort du singe, Onofre et son père furent ensemble à Bassora. C'était encore le début de l'hiver et le chemin était praticable, mais il commençait déjà à faire sombre lorsqu'ils arrivèrent à la ville. Une fois là, ils s'étaient d'abord rendus à la boutique d'un taxidermiste dont l'adresse leur avait été donnée par un garde municipal. Dans un baluchon, ils portaient le cadavre du singe, qui suscita l'intérêt professionnel du taxidermiste. Jamais il n'avait fait de singe, disait-il en palpant de ses mains expertes le corps sans vie de l'animal. L'atelier était dans la pénombre ; remisés contre le mur, il y avait divers animaux à des stades différents du processus d'empaillement : à l'un manquaient les yeux, à d'autres la ramure, à d'autres le plumage ; la plupart laissaient voir par une échancrure du ventre un bâti de roseaux tressés qui remplaçait le squelette ; à travers ce treillis de roseaux dépassaient des tiges de paille et des effilochures de coton. Le taxidermiste s'excusa de l'absence de lumière : il était nécessaire de maintenir les volets fermés à double tour pour éviter les mouches et les mites, dit-il. En prenant congé, l'Américain laissa de l'argent en arrhes et le taxidermiste lui remit un reçu. Il les avertit aussi qu'il ne pourrait terminer le travail avant les Rois. « Nous sommes en pleine saison de la chasse, leur dit-il, et c'est devenu la mode d'empailler les pièces tirées pour en décorer la salle à manger, le salon ou le living. » Bassora était une ville aux goûts raffinés, expliqua-t-il. Pendant qu'il racontait ces choses, Onofre voulut voir une fois encore le corps du singe. La table sur laquelle il avait été déposé répandait une odeur d'azote. Ventre en l'air, avec les bras et les jambes contractés, le singe paraissait avoir rétréci ; un courant d'air humide rebroussait le poil grisâtre des favoris du pauvre animal. « Allons, Onofre », lui dit son père. Lorsqu'ils sortirent dans la rue, la nuit était tombée et le ciel était rouge comme la voûte de l'enfer sur les illustrations du manuel de piété que le recteur lui avait montrées certaines fois pour lui inspirer une sainte frayeur de Dieu. Pour lors, c'étaient les fours des fonderies qui produisaient ce flamboiement, lui expliqua son père. « Regarde, fils, c'est ça le progrès », lui avait dit l'Américain. Il avait vu des villes en Amérique où la fumée des cheminées ne laissait jamais passer la lumière du soleil, ajouta-t-il. Onofre Bouvila venait d'avoir douze ans quand son père l'emmena à Bassora à cause de la mort du singe. Ils avaient été faire un tour dans le centre de la ville. Ils y avaient marché au long de rues éclairées par des becs de gaz, parcourues par des groupes d'ouvriers allant et venant entre leurs foyers et les usines. Des sirènes hurlaient ; c'est ainsi qu'on annonçait le changement d'équipe. Au milieu d'une chaussée passait un train à voie étroite ; la locomotive lançait des escarbilles enflammées dans l'air ; puis les escarbilles tombaient sur les passants et charbonnaient les murs des édifices. Les gens avaient le visage barbouillé de suie. Des bicyclettes circulaient, quelques voitures et beaucoup de chariots tirés par d'énormes canassons qui haletaient. Sur l'avenue principale, l'éclairage était plus vif et les passants mieux habillés. Presque tous étaient des hommes ; l'heure de la promenade vespérale était passée et les femmes s'étaient déjà retirées. Les trottoirs étaient étroits : les terrasses des restaurants et des cafés les avaient envahis ; à travers les vitres, on pouvait distinguer les silhouettes des commensaux, entendre le brouhaha de la clientèle. Onofre et son père entrèrent dans un restaurant. Onofre se rendit compte de ce que les gens y regardaient l'Américain d'un air goguenard : le costume de lin blanc, le panama, le plaid avec lequel il se protégeait du froid attiraient puissamment l'attention en plein hiver, dans cette ville de l'intérieur. L'Américain affectait une indifférence telle qu'il semblait aveugle. La serviette nouée autour du cou, il étudiait le menu en fronçant les sourcils. Il demanda une soupe aux pâtes, du poisson au four, de l'oie aux poires, de la salade, des fruits et de la crème. Onofre était émerveillé : jamais il n'avait goûté de ces mets.

A présent, en revanche, ces souvenirs le harcelaient, mués en un cauchemar duquel il s'éveilla trempé de sueur. Tout d'abord il ne comprit pas où il se trouvait et une peur inexplicable l'assaillit. Puis il reconnut la chambre de la pension, il entendit les cloches de l'horloge de la Présentation ; ces détails familiers lui rendirent son calme. Ce n'était plus le rêve du taxidermiste qui l'agitait, mais une idée imprécise : celle d'avoir été victime d'une tromperie. Cette idée lui tournait dans la tête sans qu'il pût expliquer son origine ni le pourquoi de sa permanence. Il revoyait sans trêve les événements de cette nuit, et chaque fois l'idée s'enracinait plus dans son esprit. Je pourrais jurer que j'ai été témoin d'une escapade de Delfina, se disait-il, et pourtant il y a quelque chose dans tout ça qui n'arrive pas à coller ; ou bien je me trompe beaucoup, ou bien il y a là plus de mystère que ce que je m'imaginais. Il voulait analyser les faits froidement, mais la tête lui tournait, les tempes lui battaient avec force et tantôt la chaleur l'asphyxiait, tantôt il était la proie d'un froid glacial qui lui faisait claquer des dents. Quand il parvenait à trouver le sommeil, le taxidermiste lui apparaissait de nouveau, il revivait avec une douloureuse précision les circonstances de ce voyage à Bassora. Au réveil, il se replongeait dans la péripétie nocturne qu'il venait de vivre. Les deux événements paraissaient avoir quelque relation entre eux. Que s'est-il passé alors ? se demandait Onofre, que s'est-il passé alors qui puisse me donner la clef de ce qui s'est passé cette nuit ? Ces questions l'empêchaient de se reposer. Je réfléchirai demain, quand j'aurai l'esprit plus clair, se disait-il ; mais le cerveau continuait avec entêtement cette tâche stérile et épuisante ; chaque heure était un interminable supplice.

— Fils, n'aie pas peur, c'est moi, dit la voix qu'il avait entendue en rêve.

Il s'éveilla ou crut s'éveiller et vit, à une paume de son visage, celui d'un inconnu qui l'observait avec anxiété. Il aurait crié si la faiblesse ne l'en avait empêché. L'inconnu fit une grimace et continua à parler avec douceur, comme s'il s'adressait à un petit enfant ou à un jeune chien.

— Prends, bois ça : c'est une infusion. Il y a du quinquina dedans ; c'est un fébrifuge, ça te fera du bien.

Il approcha de ses lèvres une tasse fumante et Onofre but avec avidité.

— Eh, plus doucement, plus doucement, mon petit gars, ne va pas avaler de travers.

Pour le coup, Onofre avait reconnu mestre Bizancio. Ce dernier, remarquant que le malade recouvrait peu à peu sa lucidité, ajouta :

— Tu as beaucoup de fièvre, mais je ne crois pas que ce soit grave. Tu as beaucoup travaillé et peu dormi ces derniers temps, et pour comble tu as attrapé un formidable catarrhe, mais ne t'inquiète pas. Les maladies sont des manifestations de la volonté de Dieu et nous devons les accepter avec patience et même avec gratitude, parce que c'est comme si Dieu lui-même nous parlait par la bouche de ses microbes pour nous donner une leçon d'humilité. Moi-même, bien que je jouisse d'une bonne santé, grâces en soient rendues, je suis plein d'indispositions, comme c'est normal à mon âge : chaque nuit, je dois aller trois ou quatre fois aux toilettes soulager ma vessie, qui est devenue des plus indisciplinées ; de même, je digère les fécules avec pas mal de difficulté, et les vertèbres me font mal aux changements de temps. Tu vois.

— Quelle heure est-il ? demanda Onofre.

— Cinq heures et demie, un peu plus un peu moins, répondit le curé. Eh, que fais-tu ? continua-t-il, voyant qu'Onofre essayait de se lever.

— Je dois aller à l'Exposition, répondit-il.

— Oublie l'Exposition. Elle continuera sans toi, dit mestre Bizancio. Tu n'es pas en état de te lever et beaucoup moins encore de sortir. En plus, il n'est pas cinq heures et demie du matin, mais du soir. Tu as passé tout le jour à délirer et à parler dans tes rêves.

— A parler ? s'écria Onofre effrayé. Et que disais-je, père ?

— Ce qu'on dit toujours dans ces cas-là, fils, répondit le curé : rien. Rien que je puisse comprendre, en tout cas. Dors tranquille.

Quand il se fut reposé et qu'il put retourner à l'Exposition avec son chargement de brochures subversives, ce monde poussiéreux et strident lui parut étranger, comme si, au lieu d'avoir été absent quelques jours, il revenait en réalité d'un long voyage. Ici, je perds mon temps comme un idiot, se dit-il. L'idée lui vint de parler sérieusement avec Pablo, de lui demander qu'il lui confie une mission plus importante, qu'il le fasse monter dans le tableau d'avancement de la révolution. Il pigea vite, cependant, que ni Pablo ni les autres membres de la secte ne comprendraient ce qu'il y avait de raisonnable dans ses désirs. La cause qu'ils défendaient n'était pas une entreprise dans laquelle on entrât pour y faire carrière : c'était un idéal pour lequel il fallait tout sacrifier sans rien attendre en échange, sans réclamer de compensation ou de reconnaissance. Cet apparent idéalisme, raisonnait à part lui Onofre Bouvila, est ce qui permet de se servir des gens sans se soucier de leurs intérêts légitimes, sans s'occuper de leurs besoins ; tout paraît bon à ces fanatiques, qui sert la révolution. Ce disant, il se jurait de faire tout ce qui serait à sa portée pour exterminer les anarchistes dès que l'occasion s'en présenterait. Cette haine et cette soif de vengeance l'empêchaient de voir jusqu'à quel point l'avait influencé l'idiosyncrasie des anarchistes, jusqu'à quel point il en était imprégné. Quoique ses fins fussent évidemment très distinctes, diamétralement opposées, il partagea toujours avec les anarchistes l'individualisme à outrance, le goût de l'action directe, du risque, des résultats immédiats et de la simplification. Il avait aussi comme eux l'instinct de meurtre très exacerbé. Mais, tout cela, il ne le sut jamais. Il se crut toujours, au contraire, leur ennemi irréconciliable. Cette racaille prêche la justice, mais après ils n'hésitent pas à m'exposer à tous les risques et à m'exploiter sans les moindres égards, criait-il, ah ! combien plus justes sont les patrons, qui exploitent l'ouvrier sans se dissimuler, rétribuent son travail, lui permettent de s'enrichir à force de ténacité et écoutent, même s'il faut les y forcer, ses revendications. Il disait cela parce que le mécontentement régnait chez les maçons de l'Exposition. Ils avaient demandé une augmentation de salaire d'une demi-peseta par jour, ou une réduction d'une heure du temps de travail quotidien. Le Conseil répondit négativement : Le budget est déjà approuvé, allégua-t-il, il n'est pas dans nos attributions de le modifier. Cette réponse était un peu courte. Des rumeurs de grève couraient, qui inquiétaient le Conseil. Les choses n'allaient pas bien : l'argent fondait à une rapidité sans proportion avec la vitesse d'avancement des travaux. Des huit millions de pesetas promis par le gouvernement à titre de subvention, deux seulement avaient été versés. En octobre 1887, la municipalité de Barcelone fut autorisée à émettre un emprunt de trois millions de pesetas pour couvrir le déficit de l'Exposition. A cette date, le café-restaurant était presque terminé ; le palais de l'Industrie, très avancé, et déjà on commençait à construire ce qui serait l'Arc de triomphe. Ce même mois, un journal de Barcelone publiait la nouvelle suivante : *On a soumis au Conseil de direction de l'Exposition le projet d'un édifice en forme d'église pour l'exposition d'objets du culte catholique, édifié sur le site même. Le projet est de bon goût et dû à l'architecte de Paris M. Émile Juif, de la maison Charlot et Cie qui supportera les frais,* etc.

Et, quelques jours plus tard, cette autre nouvelle : *Nous sommes en mesure d'annoncer catégoriquement que le fameux industriel de notre ville, D. Onofre Caba, élaborateur, avec patente d'invention, du sel purifié de la marque « la Colombe », prépare pour la prochaine rencontre barcelonaise une installation magnifique et curieuse. Plus précisément, la reproduction exacte, dans ce sel qu'il débite, et à dix paumes de hauteur, de la Fontaine d'Hercule, située sur l'ancien paseo de San Juan.* Fin novembre, les températures baissèrent de façon insolite. Ce fut une vague de froid qui dura peu de jours, présage de la terrible dureté de l'hiver qui approchait. Ces froids affectaient beaucoup Onofre convalescent, encore affaibli par la fièvre. Pour la première fois depuis son arrivée à Barcelone, il pensa avec nostalgie à sa vallée et à ses montagnes. Cela faisait six mois qu'il avait laissé ce monde derrière lui. Le durable état de nervosité dans lequel, sans le savoir, Delfina le tenait plongé se conjuguait avec ce désarroi. Il faut que je fasse quelque chose, se dit-il, ou je me pends à la branche d'un arbre.

Il s'était rendu comme tous les matins à l'enceinte de l'Exposition, avec le paquet habituel de brochures. En ce jour de novembre, il portait en outre un sac de serpillière quelque peu pesant. Il consacra les premières heures à parcourir les chantiers, à parler avec les gens. Ils l'informèrent des revendications des maçons, du projet de grève, des dissensions. Cette fois, lui dirent-ils, on ira jusqu'au bout. Cette fois, on emportera le morceau. Il répondait oui à tout, mais, au lieu de penser à la grève, il pensait au chat de Delfina[1] ; tout ce qu'il voyait ou entendait l'amenait à penser à elle ou à quelque chose qui eût un rapport avec elle, comme si sa pensée avait été liée à elle par une courroie de caoutchouc, qui s'étendît puis récupérât d'un coup sa longueur initiale. Mais il faisait toujours oui de la tête. Il avait déjà pris cette habitude, qu'il ne perdrait pas de toute sa vie : celle de dire toujours oui cependant qu'en son for intérieur il préparait les manœuvres et les trahisons les plus atroces. Quand le soleil fut haut et que le froid eut diminué, il réunit un groupe d'ouvriers et commença à pérorer comme tous les jours. Les travailleurs étaient fatigués de l'effort physique, n'importe quelle distraction leur paraissait bonne et ils formèrent le cercle. Il fallait agir vite : les contremaîtres, croyant que se fomentait un mouvement de masse, pouvaient appeler la garde civile.

1. Écho de mots intraduisible : dans la phrase précédente, « emporter le morceau » se dit en espagnol *llevar el gato al agua,* mot à mot : « mener le chat à l'eau ».

— Ce n'est pas de cela, dit-il sur le même ton, comme s'il poursuivait une conversation déjà engagée, que je voudrais vous parler aujourd'hui. Aujourd'hui, justement, je vous ai réunis pour vous faire part d'une découverte sensationnelle qui peut changer vos vies autant sinon plus que l'élimination de toutes les formes d'État, à laquelle je me suis déjà référé il y a quelques jours.

Il se baissa, ouvrit le sac et en tira un flacon plein d'un liquide trouble, qu'il montra à ses auditeurs.

— Cette lotion pour faire pousser les cheveux, d'efficacité confirmée et de résultat assuré, je ne la vends pas une peseta, ni deux réaux, pas même un réal, etc.

Tels furent ses débuts dans le monde des affaires. Des années plus tard, ses changements d'humeur feraient osciller les cours des Bourses européennes, mais, pour le moment, il vendait des lotions capillaires volées la nuit d'avant dans l'éventaire de Mariano, le barbier de la pension. Il avait écouté les vendeurs ambulants et les charlatans qui opéraient puerta de la Paz[1], et il cherchait maintenant à imiter leur style. Lorsqu'il eut terminé son discours tomba un silence ébahi. J'ai peur, se dit-il, d'avoir été trop loin ; j'ai passé les bornes. J'ai joué sur une seule carte mon unique moyen d'existence, et j'ai perdu ; les anarchistes ne me pardonneront pas ce que j'ai fait ; les ouvriers vont se sentir insultés et me rompre les côtes à coups de pied ; il est possible qu'ils me livrent à la garde civile et que je finisse enfermé au château de Montjuich, pensait-il durant ces secondes de silence. Tout d'un coup, une grosse voix jaillit du public :

— J'en veux un ! dit-elle.

C'était un géant aux traits camus, au front bas, qui s'ouvrait son chemin à coups de coude ; il tenait entre ses doigts les dix centimes que valait le produit. Onofre prit les dix centimes, donna le flacon au géant, demanda si quelqu'un en voulait un autre. Beaucoup dirent que oui. Ils lui tendaient des pièces de dix, ils se poussaient et se tiraient pour ne pas rester sans produit. En moins de deux minutes, le sac de serpillière fut vide. Il demanda à l'attroupement de se disperser. Il donna lui-même l'exemple en allant se cacher dans la ruelle que formaient la façade ouest de l'édifice qui devait abriter le musée Martorell et le mur qui séparait le parc du paseo de la Industria, une ruelle étroite, jamais fréquentée. Il sortit les pièces de sa poche et les contempla avec délectation. Il en était là quand il s'aperçut qu'une ombre se projetait sur le mur. Il essaya en vain de remettre les pièces dans sa poche. Il se

1. C'est la place où se dresse la colonne de Colomb, au bas des Ramblas, sur le port.

trouva face à face avec le géant qui lui avait acheté le premier flacon de lotion. Il tenait encore le flacon en main.

— Tu te souviens de qui je suis ? demanda le géant.

Les sourcils et la barbe lui donnaient une allure terrifiante d'ogre. Il était très velu, le poil de sa poitrine rencontrait au menton celui de la barbe.

— Sûr que je te reconnais, dit Onofre, que veux-tu ?

— Je m'appelle Efrén, Efrén Castells. Je suis de Calella. Pas de Calella de Palafrugell, de l'autre, celle de la côte, dit le géant. Je travaille ici comme manœuvre depuis seulement un mois et demi ; c'est pour ça que je ne t'avais jamais vu jusqu'à aujourd'hui, pas plus que tu ne m'avais vu ; mais je sais qui tu es. Je t'ai suivi pour te dire de me donner deux pesetas.

— Et pourquoi devrais-je te les donner, si on peut savoir ? demanda Onofre, qui s'efforçait de feindre une surprise ingénue.

— Parce que tu as gagné quatre pesetas grâce à moi. Si je ne t'avais pas acheté le premier flacon, tu n'aurais rien vendu. Tu parles bien, mais pour vendre ça ne suffit pas. Je le sais ; mon grand-père maternel était maquignon. Allez, donne-moi les deux pesetas et on sera associés. Tu parleras et je t'achèterai. Ainsi, on encouragera la clientèle. Tu devras parler moins, tu te fatigueras moins et tu t'exposeras moins. Et, s'il y a un problème, je peux te défendre ; je suis très fort : je peux faire sauter la tête à n'importe qui d'un coup de poing.

Onofre s'attarda à regarder le géant dans le blanc des yeux : son expression lui plut. De toute évidence, il était honnête : il était disposé à se contenter de ce qu'il demandait et il était aussi bien disposé à lui faire sauter la tête. Il lui dit que c'était la vérité qu'il était très fort.

— Ce que je ne sais pas, c'est pourquoi tu ne me piques pas les quatre pesetas au lieu de me donner tant d'explications, lui dit-il. Ici, personne ne nous voit. Et, même si je le voulais, je ne pourrais pas te dénoncer à la police.

Le géant se mit à rire.

— Tu es très malin, dit-il quand il eut fini de rire. Ce que tu viens de dire même montre à quel point tu es malin. Moi, en revanche, je suis aussi fort que bête ; j'ai beau penser, je ne trouve jamais rien. Si maintenant je te volais les quatre pesetas, je gagnerais seulement ça : quatre pesetas. Alors que j'ai réfléchi à ça : tu iras loin, je veux être ton associé et que tu me donnes la moitié de ce que tu gagnes.

— Écoute, dit Onofre au géant de Calella, voilà ce qu'on va faire : tu m'aides à vendre les lotions capillaires et, pour chaque jour de travail, je te donne une peseta, que je gagne beaucoup ou peu. Et même si je ne gagne rien. Et, en ce qui concerne le futur, on en parlera quand l'occasion s'en présentera. D'accord ?

Le géant réfléchit un instant et dit qu'il était d'accord.

— Marché conclu, dit-il à Onofre. » Il était si bête, avoua-t-il, qu'il n'avait pas bien compris la proposition, quoiqu'il fût certain qu'Onofre, avec son habileté innée, l'avait roulé. Mais il était inutile d'essayer de résister. « Je connais bien mes limites, ajouta-t-il.

Ils se serrèrent la main et scellèrent en ce lieu une association qui devait durer plusieurs dizaines d'années. Efrén Castells mourut en 1943, anobli par le généralissime Franco qui le fit marquis en récompense des services rendus à la patrie. En dépit de la dégradation physique résultant de l'âge et de la maladie, c'était toujours un géant lorsqu'il mourut et on dut lui faire un cercueil sur mesures. Il laissa une fortune considérable en titres et en immeubles et une collection inestimable de peinture catalane ; il en fit don au musée d'Art moderne, installé à l'époque dans l'ancien arsenal de la Citadelle. Cet édifice, qui avait été restauré et embelli précisément pour l'Exposition universelle de 1888, était situé à peu de mètres du lieu où il avait conclu le premier pacte avec la personne à laquelle il allait consacrer une vie entière de dévotion aveugle, à l'ombre de laquelle il allait connaître la fortune, la noblesse et le crime.

2

Ce jour-là, en revenant à la pension, il acheta dans une droguerie d'autres flacons de lotion capillaire et rendit sans être vu ceux qu'il avait volés au barbier. Il était très satisfait mais après dîner, seul dans sa chambre, il se creusa la cervelle à chercher où il pourrait cacher ses gains. A présent, tous les soucis qui vont de pair avec l'argent l'assaillaient d'un coup. Aucun endroit ne lui paraissait plus assez sûr. Finalement, il choisit de porter toujours l'argent sur lui. Ensuite, il pensa à Efrén Castells. C'était une éventualité qu'il n'avait pas prévue, mais, se dit-il, quand le vin est tiré, il faut le boire. Le géant pouvait se montrer utile. Si ce n'était pas le cas, il serait toujours temps de se débarrasser de lui. Celui qui le préoccupait plus, c'était Pablo : tôt ou tard, le trafic auquel il se livrait sous couvert de la cause et à son détriment viendrait aux oreilles des anarchistes. Il ne savait pas quelle pourrait alors être leur réaction. Peut-être ce jour-là pourrait-il abandonner la propagande révolutionnaire pour se consacrer uniquement à la vente, mais est-ce qu'ils accepteraient ce changement ? Non ; il savait trop de choses : ils le considéreraient comme un traître et auraient sûrement recours à la violence. Voilà bien des problèmes, pensa-t-il. Il tarda à s'endormir, se réveilla à plusieurs reprises et eut des rêves angoissés. Il s'y voyait de nouveau, à Bassora, avec son père. L'insistance de ce souvenir le surprenait. Pourquoi ces épisodes banals prennent-ils aujourd'hui une telle importance ? se demandait-il. Et, de nouveau, il cherchait à se remémorer tout ce qui était arrivé alors. Ç'avait été au milieu du dîner que les trois messieurs de Bassora avaient fait leur apparition dans le restaurant. Son père avait pâli en les voyant entrer. Ces messieurs étaient les descendants de ceux qui avaient lancé le mouvement d'industrialisation de la Catalogne au début du XIXe siècle. Leur effort titanesque avait transformé ce pays rural et engourdi en un autre pays, prospère et dynamique. Leurs descendants n'étaient déjà plus, comme eux, des hommes de la campagne ou de l'atelier : ils avaient étudié à Barcelone, voyagé à Manchester pour s'y familiariser avec les derniers progrès de l'industrie textile, ils avaient été à Paris dans les années de splendeur. Dans cette ville rayonnante, ils avaient connu le plus noble et le plus dépravé ; bouche bée, ils avaient visité le *palais de la Science et de l'Industrie** (où se pouvaient voir les inventions les plus extraordinaires, la technologie la plus raffinée, et sur le fronton duquel on pouvait lire en lettres de bronze cette devise : *Enrichissez-vous**), aussi bien que le « salon des refusés » (où Pissarro, Manet, Fantin-Latour et d'autres artistes exposaient leurs toiles troubles et sensuelles, peintes dans ce style qui se nommait alors « impressionniste ») ; les plus tourmentés et avertis avaient vu à la Salpêtrière le jeune docteur Charcot réaliser des exercices d'hypnose sans appareils, et entendu au Quartier latin Friedrich Engels annoncer la survenue imminente de la révolte du prolétariat ; ils avaient bu du champagne dans les restaurants et cabarets les plus chics et de l'absinthe dans les bouges les plus encanaillés ; ils avaient gaspillé leur argent à de vains hommages aux plus célèbres courtisanes, ces *grandes horizontales** auxquelles d'aucuns identifiaient déjà Paris ; ils s'étaient promenés sur la Seine à l'heure du crépuscule dans les nouveaux bateaux-mouches (le *Géant** et le *Céleste**) et, du haut des tours de Notre-Dame, ils s'étaient enivrés de l'air et de la lumière de cette ville magique, d'où leurs pères avaient souvent dû les arracher à force de promesses et de menaces. Aujourd'hui, de ce Paris-là, il ne restait rien : sa grandeur même avait excité l'envie et la convoitise d'autres nations ; l'orgueil démesuré avait semé les germes de la guerre ; l'injustice et l'aveuglement avaient engendré la haine et la discorde. Prématurément vieilli, malade, Napoléon III vivait exilé en Angleterre depuis l'humiliante défaite de Sedan, et Paris se remettait péniblement des tragiques journées de la Commune. Aujourd'hui, la mémoire de ce Paris perdu pour toujours survivait chez ces représentants de la haute bourgeoisie catalane, dépositaires fortuits du *chic exquis** du Second Empire.

— Bouvila, putain de merde, vous ici, comme le monde est petit ! cria à tue-tête un des trois messieurs qui étaient entrés au milieu du repas dans le restaurant de Bassora. Et la famille ? Tous bien ?

Les deux autres messieurs s'étaient rapprochés de la table et mettaient des claques dans le dos à l'Américain. Celui-ci, rougissant, regardait les messieurs et son fils, sur lequel retombaient maintenant leurs regards.

— Et ce garçon, qui est-ce ? Votre fils ? Comme il est grand ! Comment t'appelles-tu, gamin ?

— Onofre Bouvila, pour vous servir, répondit-il.

Quand l'Américain s'était levé pour saluer, sa chaise s'était renversée. Tous rirent, et Onofre comprit que ces messieurs considéraient son père comme un pantin, une chose comique.

— Mon fils et moi sommes venus accomplir un pénible devoir, dit l'Américain.

Déjà, les trois messieurs de Bassora ne lui prêtaient plus la moindre attention :

— C'est bien, c'est bien. Nous ne voulons pas vous interrompre. Nous venions seulement prendre quelque chose en continuant à parler de travail. Et après, la panse pleine, à la maison, histoire de supporter un peu la famille... Sauf lui, bien sûr », ajouta celui qui parlait, désignant un de ses compagnons : « Comme il est célibataire et sans engagement, il ira courir le guilledou.

L'objet de cette plaisanterie rougit légèrement. Ses traits montraient un mélange étrange de fraîcheur et de déchéance. On eût dit que perduraient en lui les effets de l'alcool et des stupéfiants consommés des années auparavant dans les bas-fonds parisiens, que son corps était encore énervé par les caresses melliflues d'une *demi-mondaine**. Les autres, déjà, prenaient congé :

— Bon appétit, leur disaient-ils.

L'Américain avait continué à dîner en silence ; son humeur s'était inexplicablement aigrie. Quand ils sortirent du restaurant, un vent glacé soufflait, une pellicule de gel s'était formée sur le pavé, qui se fendillait en crépitant lorsqu'on marchait dessus. L'Américain s'enveloppa dans son plaid.

— Ces voyous, marmonna-t-il, croient que je vais me laisser soumettre ; parce que je suis de la campagne et que je suis sur leur terrain, ils croient pouvoir me traiter comme de la roupie de sansonnet. Freluquets de citadins, va, qui ne distinguent pas un poirier d'un plant de tomates ! Ne fais jamais confiance aux gens des villes, Onofre, fils », avait-il ajouté à voix haute, s'adressant à lui pour la première fois depuis que l'arrivée des trois messieurs était venue interrompre son dîner. « Ce sont des rien-du-tout et ils se croient le fin du fin.

Il claquait des dents de froid ou de colère et il marchait à grandes enjambées ; parfois, Onofre devait courir pour se porter à son côté parce que sans le vouloir il était resté à la traîne.

— Qui était-ce, père ? lui demanda-t-il.

L'Américain haussa les épaules.

— Personne, fils, trois petits-maîtres de province. Des gens d'argent. Ils s'appellent Baldrich, Vilagrán et Tapera ; j'ai fait quelques affaires avec eux.

Pendant qu'il parlait, il regardait dans toutes les directions, cherchant l'auberge où ils avaient réservé une chambre pour la nuit. A cette heure, il n'y avait plus dans la rue que des femmes solitaires, aux traits faméliques et à la peau grisâtre, qui se déhanchaient en grelottant dans les pâles arènes que projetaient les becs de gaz. A leur vue, l'Américain saisissait Onofre par le bras et lui faisait traverser la rue. A la fin, ils tombèrent sur un veilleur de nuit au visage bouffi qui leur indiqua le chemin de l'auberge. Ils y arrivèrent fourbus : marcher dans les rues ténébreuses, c'était autre chose que marcher dans la campagne. Dans l'auberge, ils se remirent du froid qui les transperçait : la cheminée de la salamandre qui fonctionnait dans le vestibule parcourait ensuite les chambres de bas en haut, répandant la chaleur et une fumée jaunâtre qui filtrait par les jointures du tuyau et laissait un goût acide sur le palais. Du vestibule ou d'une maison voisine parvenaient les accords d'un piano et le bruit de voix amorties. Au loin, ils entendirent siffler un train. Dans la rue, les sabots des chevaux sonnaient contre le pavement. Ils s'étaient mis dans le grand lit et l'Américain avait éteint le quinquet. Avant de dormir, il lui avait dit :

— Écoute, Onofre, il y a des femmes qui font des choses horribles pour de l'argent, il est temps maintenant que tu le saches. Une autre fois que nous viendrons, je t'emmènerai à l'un de ces endroits que je te dis, mais en attendant ne dis rien de ce dont nous avons parlé à ta mère.

Et maintenant, dors et ne pense plus à ce que tu as vu et entendu cette nuit.

Aujourd'hui, plus d'une année avait passé et il continuait encore à penser à ce qu'il avait vu et entendu cette nuit-là, il se souvenait avec une précision absolue du visage joyeux des trois messieurs et il se voyait harcelé par ces femmes terribles et anonymes que son père avait évoquées et à qui maintenant, dans la confusion du demi-sommeil, il lui arrivait de prêter l'apparence inquiétante de Delfina. Le matin suivant, il était épuisé et désespéré, mais il jeta le sac sur son épaule et retourna dans l'enceinte de l'Exposition. Il ne pouvait renoncer maintenant : Le mal était fait, se dit-il. Au demeurant, s'il ne donnait pas à Efrén Castells la peseta convenue, il courait le risque de recevoir une claque possiblement mortelle. En dépit de tout, quand il fut arrivé à l'endroit habituel et qu'il commença à vendre la lotion capillaire comme la veille, il retrouva sa bonne humeur. La perspective du gain et l'excitation d'agir pour son propre compte, son propre bénéfice, le stimulaient.

Le commerce fut si lucratif les jours suivants que la seule chose qui lui importât désormais était de savoir où cacher l'argent. Le porter sur lui lui donnait des frayeurs permanentes : le quartier qu'il fréquentait était plein de voleurs et de malandrins. L'idée d'ouvrir un compte dans une banque ne lui passa pas par la tête ; il avait l'idée que les banques n'acceptaient en dépôt que l'argent gagné honnêtement et il ne considérait pas que le sien le fût. De toute façon, comme il était mineur, aucune banque n'aurait donné suite à sa requête. Au bout du compte, il finit par adopter une solution classique : cacher l'argent dans le matelas, mais pas dans le sien, dans celui de mestre Bizancio. Le curé était pauvre comme un rat et personne, à commencer par lui-même, ne soupçonnerait qu'il dormait sur un capital. La possibilité que l'idée vînt à Delfina de battre le matelas était impensable, on pouvait l'exclure absolument. Qui plus est, le curé quittait la pension très tôt tous les matins, laissant ainsi libre l'accès à sa chambre. Ce problème réglé, restaient les anarchistes. Finalement, le jour vint où Pablo vit arriver un Onofre en proie à une grande agitation. Sans préavis, il lui flanqua un coup de poing. Onofre roula au sol et l'apôtre, debout au-dessus de lui, essayait de lui frapper le visage et de lui donner des coups de pied dans les côtes.

— Voyou, renégat, Judas ! criait-il tout en essayant de le frapper de toutes ses forces.

Onofre se protégeait des coups sans essayer de les rendre.

— Calme-toi, Pablo, calme-toi, qu'est-ce qui t'arrive ? lui disait-il, tu es devenu complètement fou ?

— Ah, tu sais bien ce qui m'arrive, canaille ; je n'en trouve plus mes mots, dit Pablo. Dis, qu'est-ce que tu as fait ces jours-ci, hein ? Tu vendais bien de la lotion à cheveux, non ? C'est pour ça qu'on te paie, pas vrai ?

Onofre le laissa déverser sa bile, après quoi il commença à parler. A la fin, ils finirent par rire tous deux de bon cœur. Ils coïncidaient sur un point, en marge de leurs idéologies respectives : ils tenaient l'un et l'autre en très piètre estime la société et ses membres ; à leurs yeux, toute escroquerie était admissible, tout leur paraissait éthiquement justifié par la stupidité de la victime. Ils professaient la philosophie du loup. Puis Onofre le convainquit que la vente de lotion n'était qu'une ruse pour dérouter la police, une couverture de ses véritables activités. Il avait distribué ces derniers mois plus de brochures que quiconque, est-ce que ça n'était pas une preuve suffisante de sa loyauté à la cause ? lui dit-il. En définitive, qui courait tous les risques ? demanda-t-il. Pablo finit par s'excuser d'avoir d'abord recouru à la violence. L'enfermement m'a rendu fou, répéta-t-il une fois de plus. Il ne voulait pas se mêler de contrôler les activités des autres, cela lui paraissait dégradant. Ce qu'il voulait, c'était poser des bombes, mais on ne le lui permettait pas. Onofre déjà ne l'écoutait plus : il en avait assez de ses lamentations, et d'autres questions occupaient alors son attention.

Depuis la nuit où il avait suivi dans la rue un parfum et un bruit de pas pour se retrouver trompé par l'obscurité, il avait compté et recompté les marches de l'escalier de la pension et calculé l'angle que formaient les volées, il avait mémorisé les obstacles et fait de nombreuses fois le parcours à l'aveuglette. Si Delfina repasse, je la laisserai filer devant et je la suivrai sans crainte de la perdre une seconde fois, se disait-il. Si toutefois elle n'est pas accompagnée de son maudit chat, pensait-il ensuite en frissonnant. Une fois, il avait demandé à Efrén Castells comment on pouvait s'y prendre pour tuer un chat. « C'est très simple, avait répondu le géant, on lui tord le cou jusqu'à ce qu'il meure ; il n'y a pas de problème. » Onofre ne lui redemanda plus jamais aucun conseil sur rien.

Enfin, un jour, peu avant Noël, il entendit de nouveau le froufrou d'étoffes sur le palier du second étage de la pension et le bruit étouffé de pas venant d'en haut. Il retint son souffle et se dit : Maintenant ou jamais. Il laissa passer le parfum à côté de lui, attendit le temps qu'il estima prudent puis se mit en mouvement. Il parvint à la naissance de l'escalier alors que l'inconnue ouvrait la porte de la rue. Cette nuit-là, il y avait de la lune ; la silhouette d'une femme se découpa dans l'encadrement de la porte. Cette vision ne dura qu'un instant, mais elle suffit pour qu'Onofre se rende compte que ce n'était pas Delfina qu'il suivait. Le savoir accrut son acharnement à ne pas perdre la piste de cette femme, dont il apercevait la silhouette diffuse à la lumière de la lune ou bien, avec plus de netteté, lorsqu'elle passait devant une niche ; dans ces niches brûlait toujours une veilleuse à huile déposée là par un dévôt en l'honneur de la Vierge ou d'un saint ; en dehors des artères principales, c'était le seul éclairage qu'il y eût dans la ville. C'était une nuit très froide de cet hiver terrible de 1887. L'inconnue cheminait avec un gracieux claquement de talons. Aucun autre bruit, ni les pas hésitants d'un noctambule ni le bâton ferré d'un veilleur de nuit sur le pavé, pour témoigner d'une autre présence humaine dans les rues solitaires. Il faut qu'une femme soit folle pour marcher seule dans la rue à ces heures, pensa-t-il. Ils pénétraient dans un lieu étrange : un creux qui à cette époque séparait le flanc de la montagne de la voie de chemin de fer dans le secteur dit del Morrot. Ce secteur avait seulement un demi-kilomètre de rayon et était situé au sud de l'ancienne muraille. On y accédait uniquement à travers une gorge de deux cents mètres de long, deux ou trois de large et huit de haut, qui était en vérité le bord d'un énorme dépôt de charbon importé d'Angleterre ou de Belgique, déchargé de grands caboteurs et entassé dans le creux en attendant d'être transporté dans les usines de Barcelone ou des environs. On le stockait là, loin de la ville, en raison du risque très élevé de combustion. Ainsi, au bord de la mer, il était plus facile d'étouffer les débuts d'incendie, ou en tout cas d'essayer, si le feu était superficiel. Si, au contraire, il se déclarait à l'intérieur du tas de charbon, on ne s'en apercevait pas avant qu'il prît des proportions catastrophiques. D'abord apparaissaient ici et là de fines colonnes de fumée, de couleur laiteuse, d'odeur âcre, extrêmement toxiques ; puis ces émanations formaient un nuage qui enveloppait tout, et malheur à celui qui en respirait ; enfin, les flammes proprement dites faisaient leur apparition. Alors, il était déjà trop tard pour lutter contre l'incendie. C'était ce qu'on appelait un incendie dévorant. Les flammes atteignaient une hauteur de vingt à trente mètres, elles projetaient dans le firmament une lueur rougeâtre visible, les nuits claires, jusqu'à Tarragone et Majorque. Les bateaux amarrés à quai appareillaient et allaient jeter l'ancre en rade, ils préféraient la houle à la chaleur et aux gaz délétères émanant de l'incendie. Une fois déclarés, ces incendies, heureusement peu fréquents, pouvaient durer plusieurs semaines et leur coût était incalculable : à la perte de tout le charbon importé il fallait ajouter la paralysie de toute l'activité industrielle. C'est pourquoi les environs du dépôt de charbon ne constituaient pas un lieu sûr pour y vivre. C'est pourquoi aussi avait surgi, à l'autre bout de la gorge, un quartier du plus mauvais aloi, le plus mal famé de Barcelone. On y trouvait des théâtres offrant des spectacles osés et sans esprit, des tavernes crasseuses et agitées, une fumerie d'opium de bas étage, à quatre sous (les bonnes étaient dans la ville haute, près de Vallcarca), et des bordels sinistres. Là se rendaient seulement la lie de Barcelone et quelques marins récemment débarqués, dont la plupart ne rembarqueraient jamais. Là vivaient seulement des prostituées, des proxénètes, des rufians, des contrebandiers, des délinquants. Pour trois sous, on pouvait passer contrat avec un voyou et pour un peu plus avec un assassin. La police n'entrait dans la zone qu'en plein jour et uniquement pour parlementer ou proposer un échange. C'était comme un État indépendant ; on en était venu à émettre des billets à ordre qui circulaient comme de l'authentique papier-monnaie ; il y avait aussi un code particulier, très strict ; on rendait une justice sommaire et très efficace : on ne s'étonnait pas de rencontrer de temps en temps un pendu se balançant au linteau de la porte d'un lieu de plaisir.

A la vue du lieu où l'inconnue le menait sans le savoir, il se disait : Si cette fille n'est pas Delfina, que m'importe de qui il s'agit, et pourquoi aller me fourrer dans ce tunnel de charbon d'où un malfaiteur peut sortir pour me tuer et m'enterrer sans que personne s'en rende compte ni me regrette ? On savait que ceux qui mouraient de mort violente, s'ils n'étaient pas destinés à servir d'exemple public, étaient enterrés dans le tas de charbon. Ils restaient là jusqu'à ce qu'une grue transvase le charbon dans une gabare, un wagon ou un chariot. Il était arrivé qu'un chauffeur, en alimentant la chaudière, vît sortir du charbon une botte ou des doigts recroquevillés ou une tête de mort avec quatre toupets de cheveux collés encore à l'occiput. Il fut tenté de renoncer à la filature.

Mais il ne revenait pas en arrière. Ainsi se trouva-t-il à l'entrée de ce faubourg infâme ; les rues formaient un quadrillage régulier, comme c'est le cas ordinairement dans les agglomérations très pauvres. Sur la boue sèche et craquelée de la chaussée dormaient des ivrognes roulés dans leurs propres déjections, entourés d'un halo de pestilence. Des accords de guitare et des chansons parvenaient des tavernes. C'étaient des chansons salaces, mais qui inspiraient une sensation accablante de détresse et d'angoisse. Comment ma vie a-t-elle échoué là ? paraissaient dire les chanteurs, d'une voix alcoolisée et éraillée ; ce n'était pas ce que j'avais rêvé enfant, etc. On entendait encore des castagnettes et des claquettes et des cris et le bruit de verres brisés, de meubles renversés, de courses et de rixes. Par ces rues, l'inconnue marchait d'un pas décidé. Caché dans le renfoncement d'une porte, Onofre la vit entrer dans un local dont la porte de bois se referma derrière elle. Onofre décida d'attendre dehors pour voir où tout cela allait en venir. Il soufflait un vent froid, humide et salé du fait de la proximité de la mer ; il se couvrait la bouche et le nez avec l'écharpe qu'il avait pris la précaution d'emmener. Il n'eut pas beaucoup à attendre : au bout de quelques minutes, la femme sortit du local suivie d'un grand brouhaha. Il put la voir de face pour la première fois, à contre-jour, de façon fugace : ce qui ne l'empêcha pas de reconnaître le visage de la femelle en chaleur. C'est impossible, se dit-il, j'ai des visions. La femme aspirait par le nez la poudre blanche d'un sachet, fermait les paupières, ouvrait grande la bouche, tirait la langue, remuait des épaules et des fesses, tout son corps ondoyait. Elle lança un hululement de chien satisfait et se dirigea vers la taverne suivante, qui avait une fenêtre sur la rue. L'air chauffé par une salamandre se condensait sur les vitres, déjà très sales, formant un voile qui gênait pour regarder à l'intérieur, mais permettait d'épier sans être vu ; c'est ce que fit Onofre Bouvila. Les clients étaient de l'espèce la plus inquiétante. Certains jouaient avec des cartes plein la manche et le couteau prêt à plonger dans la gorge d'un tricheur ; d'autres dansaient avec de squelettiques hétaïres aux yeux vitreux, aux sons du concertina d'un aveugle. Aux pieds de l'aveugle, il y avait un chien qui feignait de dormir mais qui sans crier gare lançait des coups de dents dans les mollets des danseurs. Dans un coin, la femme qu'il avait suivie discutait avec un marlou aux cheveux bouclés et au teint cuivré. Elle faisait de grands gestes et lui fronçait les sourcils. Onofre vit le marlou flanquer une gifle à la femme. Elle l'attrapa aux cheveux et tira avec force, comme pour lui séparer la tête du tronc. Les onguents avec lesquels il s'était enduit la chevelure ne lui permirent pas d'affermir sa prise. Le voyou parvint à assener à la femme un coup de poing sur la bouche ; elle recula en chancelant et, en tombant assise sur une table de jeu, renversa les bouteilles, les verres et les cartes déjà distribuées. Les joueurs lui lancèrent des coups de pied dans les reins. Le marlou avançait, une lueur mortelle dans le regard, un couteau courbe de tondeur de moutons à la main. La femme pleurait à chaudes larmes ; les clients se moquaient aussi bien de la victime que de l'agresseur. Le tenancier mit fin à la scène : il ordonna à la femme de quitter la taverne sans délai ; personne ne doutait que ce fût elle la responsable de ce qui était arrivé, elle qui avait provoqué le marlou. Caché de nouveau dans le renfoncement, il la vit sortir en trébuchant. De la commissure de ses lèvres coulait un filet de sang qui devenait violacé au contact du maquillage. Elle tâta des doigts pour voir si aucune dent ne risquait de se déchausser ; elle enleva sa perruque, s'épongea le front avec un mouchoir à pois, replaça sa perruque et prit le chemin du retour. Le vent avait cessé, l'air était à présent immobile, sec et cristallin, si froid qu'en respirant la poitrine faisait mal. Onofre Bouvila la rejoignit à l'entrée de la gorge.

— Eh, señor Braulio, lui cria-t-il, attendez-moi ! C'est moi, Onofre Bouvila, votre pensionnaire ; de moi vous n'avez rien à craindre.

— Ay, fils, s'exclama l'aubergiste, dont les joues ruisselaient encore de larmes, ils m'ont frappée à la bouche et ils m'auraient découpée comme une truie si je n'avais pas réussi à prendre la poudre d'escampette ! Cette vermine !

— Mais pourquoi diable venez-vous vous faire frapper dans ce lieu immonde, señor Braulio ? Et habillé en femme ! Ça n'est pas normal, ça, dit Onofre.

Le señor Braulio haussa les épaules et reprit sa marche. De gros nuages avaient masqué la lune et on n'y voyait rien. Il était impossible de ne pas buter dans le charbon, s'étaler de tout son long et s'abîmer les genoux, les mains ou le visage. Onofre et le señor Braulio finirent par se prendre par le bras pour se soutenir l'un l'autre.

— Ah, s'exclama de nouveau le señor Braulio au bout d'un instant, tu ne remarques pas, Onofre ? Il commence à neiger. Ça fait combien d'années qu'il n'avait pas neigé à Barcelone !

Derrière eux, le brouhaha montait : les habitants et la clientèle du faubourg de perdition étaient sortis dans la rue, s'éclairant avec des torches et des quinquets pour contempler ce spectacle insolite.

3

Ce fut réellement l'hiver le plus froid dont on se souvînt de mémoire de Barcelonais. Il neigea sans trêve pendant des jours et des nuits, la ville fut ensevelie sous un manteau de neige de plus d'un mètre d'épaisseur, le trafic s'arrêta, toutes les activités et les services publics, même les plus indispensables, s'interrompirent ; les températures descendirent à plusieurs degrés au-dessous de zéro : ce qui est peu sous d'autres latitudes, mais beaucoup dans une ville sans défense, où rien n'avait jamais été prévu pour une telle éventualité, et dont les habitants n'étaient pas physiquement préparés à affronter le froid. On dut déplorer de nombreuses victimes. Un matin, Onofre, que la vie à la campagne avait endurci, et que par conséquent les rigueurs du climat ne gênaient pas, lorsqu'il ouvrit la fenêtre du balcon pour contempler le spectacle des maisons blanchies, trouva sur la balustrade le corps sans vie de l'une des tourterelles. Alors qu'il essayait de le saisir, le cadavre tomba dans la rue et se brisa en morceaux, comme si la tourterelle eût été en faïence. L'eau, en gelant, fit éclater canalisations et tuyaux : les robinets et les fontaines publiques cessèrent de couler. Il fallut organiser la distribution d'eau potable par des voitures arroseuses stationnées en différents points de la ville à des heures déterminées. Les conducteurs annonçaient la présence des arroseuses en soufflant dans une corne de laiton doré. On faisait la queue, exercice très pénible avec ce froid qui mordait à travers les vêtements. La police devait intervenir pour éviter des bagarres et de véritables émeutes causées par la lenteur du service. Parfois, pendant que quelqu'un faisait la queue, ses extrémités gelaient et on devait le décoller du sol en lui jetant de l'eau chaude sur les chaussures ou en le secouant à toute force. Beaucoup de citadins se procuraient de l'eau en rentrant des seaux de neige dans les maisons et en attendant qu'elle fonde. D'autres faisaient la même chose avec les glaçons qui pendaient des auvents. Tout cela, pour inconfortable que ce fût, créait une sensation d'aventure partagée, faisait des Barcelonais les membres d'une même famille : on n'était jamais à court d'anecdotes à rapporter.

C'était pour ceux qui travaillaient à l'air libre que la situation s'avérait la plus douloureuse. Les ouvriers de l'Exposition universelle connaissaient des conditions indicibles dans l'enceinte ouverte sur la mer et non protégée du vent. Cependant que dans d'autres endroits comparables, comme le port, le travail s'était provisoirement arrêté, à l'Exposition, on continuait à travailler à un rythme croissant. Qui plus est, les revendications des maçons ne recevaient pas de réponse satisfaisante, raison pour laquelle ils décidèrent de faire grève. Pablo, qu'Onofre tenait au courant des événements, se mit en colère. « Cette grève, disait-il, est une imbécillité. »

Onofre demanda à Pablo de lui expliquer pourquoi il disait cela.

— Écoute, petit, il y a deux types de grève : celle qui a pour but d'obtenir un avantage concret et celle qui a pour but de faire vaciller l'ordre établi, de contribuer à sa possible destruction. La première est très préjudiciable à l'ouvrier, parce qu'elle tend au fond à consolider la situation injuste qui prévaut dans la société. C'est facile à comprendre et ne supporte pas de doute. La grève est la seule arme dont dispose le prolétariat et c'est idiot de la gaspiller pour des bêtises. En plus, cette grève manque d'organisation, de base, de leaders et d'objectifs définis. Ce sera un échec des plus cuisants et la cause aura fait un pas en arrière gigantesque, dit Pablo.

Onofre n'était pas d'accord : pour lui, la rage de l'apôtre était due au fait que les grévistes n'avaient tenu aucun compte des anarchistes : ils ne leur avaient pas demandé conseil, ni de se joindre à l'action collective, moins encore d'en prendre la tête. Néanmoins, il apprit que la grève était en effet une arme à double tranchant, que les ouvriers devaient en user avec beaucoup de prudence et que, si elle était habilement manipulée par les patrons, ces derniers pouvaient en retirer un grand avantage. Pour lors, il se bornait à suivre de près les événements, s'efforçant de ne perdre aucun détail de ce qui se passait mais de tirer son épingle du jeu si les choses prenaient mauvaise figure.

Cette grève, comme Pablo l'avait annoncé, n'aboutit à rien : un matin, en arrivant au parc de la Citadelle, il trouva presque tous les ouvriers réunis sur l'esplanade centrale de la future Exposition, l'ancienne place d'armes de la Citadelle, face au palais de l'Industrie. Ce palais n'était encore qu'une immense charpente de planches ; elle occupait une surface de soixante-dix mille mètres carrés et sa hauteur maximale était de vingt-six mètres. Pour lors, couverte de neige, vide et abandonnée, elle paraissait le squelette d'un animal antédiluvien. Les ouvriers réunis sur la place d'armes ne parlaient pas entre eux. Transis, ils tapaient des pieds, se frappaient les flancs avec leurs bras. On aurait dit une mer de casquettes agitée. La garde civile avait pris position aux points stratégiques. La silhouette caractéristique des capotes et des tricornes se découpait sur les terrasses contre le ciel clair du matin. Un détachement à cheval patrouillait aux abords du parc. « S'ils chargent, souvenez-vous qu'ils ne peuvent utiliser le sabre que sur le côté droit du cheval », disaient certains ouvriers, vétérans d'autres échauffourées. « Du côté gauche, ils sont inoffensifs, ajoutaient-ils pour calmer les nerfs des bleus. Et, s'ils vous rattrapent, jetez-vous au sol et couvrez-vous la tête de vos mains. Les chevaux ne piétinent jamais un corps allongé. Mieux vaut faire ça que de s'enfuir en courant. » Il n'en manquait pas pour dire qu'on pouvait facilement effrayer les chevaux, animaux très bêtes et timorés, en agitant un mouchoir devant leurs yeux. « Du coup, disaient-ils, ils se cabrent et avec un peu de chance éjectent le cavalier de la selle. » Mais tous pensaient : Qu'un autre que moi fasse l'essai.

Enfin circula la consigne de se mettre en marche. Personne ne savait d'où elle provenait; le groupe se mit à avancer très lentement, en traînant les pieds. En suivant, quoique à une certaine distance, il remarqua une chose : que le groupe, initialement formé de mille personnes ou plus, s'était réduit à deux ou trois cents à peine la marche commencée. Les autres s'étaient volatilisés. Ceux qui restaient sortirent du parc par une porte située entre la serre et le café-restaurant et prirent la calle de la Princesa, dans le dessein d'aller jusqu'à la plaza de San Jaime. Leur aspect n'était pas très menaçant. Il semblait bien plutôt que tous étaient désireux de mettre fin à une démonstration qu'ils prévoyaient inutile, et que seuls le point d'honneur et la solidarité les maintenaient unis et en mouvement. Les commerces de la calle de la Princesa n'avaient pas fermé leurs grilles et les gens se mettaient aux fenêtres pour voir passer la manifestation. Le détachement de gardes suivait les ouvriers au pas, sabres au fourreau, plus préoccupés par le froid que par une possible menace contre l'ordre urbain. Onofre suivit un moment la manifestation puis prit une ruelle latérale dans l'idée de la dépasser et de la retrouver plus loin. Sur une placette voisine, il tomba nez à nez avec une compagnie à cheval de la garde civile et trois canons de petit calibre montés sur leurs affûts. Quand il rejoignit les ouvriers, il savait que si les choses déraillaient la manifestation se terminerait en bain de sang. Heureusement, il n'arriva rien de grave. Parvenus au carrefour de la calle Montcada, les manifestants s'arrêtèrent d'un commun accord. Mieux vaut s'arrêter ici, semblaient-ils penser, que de continuer à marcher jusqu'au jour du Jugement. Un ouvrier se jucha sur la grille d'une fenêtre et prononça une harangue. Il dit que la manifestation avait été un succès. Puis un autre ouvrier occupa la même position et dit que tout avait raté par manque d'organisation et de conscience de classe et il pressa les manifestants de reprendre le travail sans délai. « Peut-être comme ça arriverons-nous à éviter les représailles », dit-il pour conclure son intervention. Les deux orateurs furent écoutés avec de grandes marques d'attention et de respect. Le premier à parler, comme Onofre l'apprit plus tard par le truchement d'Efrén Castells, était un informateur de la police; le second, un honnête maçon non dépourvu d'inclinations syndicalistes. Il perdit son emploi du fait de cette grève, et on ne le vit plus dans le parc de la Citadelle. Le résumé de la journée fut le suivant : à midi, tous les ouvriers étaient retournés à leur poste de travail; aucune de leurs revendications ne fut satisfaite et la presse locale ne mentionna même pas le fait.

— Il ne pouvait en être autrement, bougonna Pablo avec une lueur de satisfaction dans ses petits yeux fébriles. Maintenant, il faudra attendre des années avant de pouvoir organiser une autre action collective. Je ne sais même pas si ça vaut la peine que tu continues à distribuer des brochures.

Onofre, un peu effrayé de voir le danger que courait cette source de revenus, essaya de dévier la conversation en racontant ce qu'il avait vu lorsqu'il s'était séparé du gros de la manifestation.

— Mais bien sûr, dit Pablo, qu'est-ce que tu croyais ? Ils ne vont pas courir le risque de laisser une poignée d'ouvriers créer un précédent funeste en obtenant gain de cause. Tant qu'on peut, on les laisse faire. Un détachement se charge de maintenir l'ordre public et de régler le trafic. Les gens disent : Je ne sais pas de quoi ils se plaignent, nous avons un gouvernement des plus conciliants. Si les choses tournent mal, la cavalerie charge. Et, si ça ne suffit pas, mitraille pour le peuple !

— Mais alors, pourquoi continuer ? demanda Onofre. Ils ont des armes. Rien ne changera jamais. Consacrons-nous à quelque chose de plus lucratif.

— Ne dis pas ça, petit, ne dis pas ça, répondit Pablo, les yeux perdus sur un horizon imaginaire, plus vaste et lumineux que celui que lui offraient les murs humides et fissurés de la cave dans laquelle il vivait. Ne dis jamais cela. Il est certain qu'aux armes nous ne pouvons opposer que notre nombre. Le nombre et le courage qu'engendre le désespoir. Mais un jour nous vaincrons. Cela nous coûtera beaucoup de douleur et de sang, mais le prix à payer sera faible parce qu'avec lui nous achèterons un futur pour nos enfants, un futur dans lequel tous auront les mêmes chances et où il n'y aura plus ni faim, ni tyrannie, ni guerre. Il est possible que je ne le voie pas ; ni toi non plus, Onofre, petit, bien que tu sois très jeune. Beaucoup d'années devront passer, et il y a une infinité de choses à faire avant : détruire tout ce qui existe, ce n'est pas rien. En finir avec l'oppression et l'État, qui la rend possible et l'encourage ; avec la police et l'armée ; avec la propriété privée et l'argent ; avec l'Église et l'enseignement qui se donne aujourd'hui, que sais-je ? Il y en a pour le moins pour cinquante ans de travail, tu vois.

Le froid, qui fit tant de victimes cet hiver-là à Barcelone, n'épargna pas la pension. Micaela Castro, la voyante, tomba gravement malade. Mestre Bizancio fit venir un médecin pour l'examiner. C'était un jeune médecin, et il arriva revêtu d'une blouse blanche parsemée de taches rouges. Il sortit d'une mallette des fers sales et quelque peu oxydés avec lesquels il frappait et piquait la patiente. Ils comprirent tous que le médecin ne connaissait rien à la médecine, ils s'aperçurent que les taches sur la blouse étaient des taches de tomate, mais ils firent comme s'ils ne remarquaient rien. Le médecin, en dépit de son apparente incompétence, se montra très assuré dans son diagnostic : Micaela Castro n'en avait plus pour longtemps. Il ne précisa pas la maladie :

— La vieillesse et d'autres complications sont en train de l'emporter, dit-il.

Il prescrivit quelques calmants et s'en fut. Demeurés seuls, les pensionnaires et le señor Braulio se réunirent pour délibérer dans le vestibule, où se trouvait la señora Agata, les pieds dans sa cuvette. Mariano était partisan de mettre la malade dehors le plus tôt possible. Le médecin avait dit que le mal dont souffrait la pythonisse n'était pas contagieux, mais le barbier était très pusillanime.

— Mettons-la à la maison de bienfaisance, proposa-t-il, là-bas on s'occupera bien d'elle jusqu'à ce qu'elle meure.

Le señor Braulio fut d'accord avec le barbier ; la señora Agata ne dit rien, comme d'habitude, ni ne manifesta qu'elle comprenait l'objet du conclave ; Onofre se déclara disposé à suivre l'opinion de la majorité. Il n'y eut que mestre Bizancio pour faire opposition : en sa qualité de prêtre, il avait visité quelques hôpitaux, et les conditions dans lesquelles s'y trouvaient les malades lui paraissaient inacceptables. A supposer même qu'il y eût un lit de libre, dit-il, abandonner cette pauvre femme à son sort dans un lieu étranger, aux mains d'inconnus et entourée de moribonds comme elle, serait une cruauté indigne de chrétiens. Son mal n'exigeait pas de précautions spéciales et ne causerait aucune gêne, ajouta-t-il.

— Cela fait bien des années que cette pauvre toquée vit à la pension, reprit mestre Bizancio. C'est sa maison. C'est justice de la laisser mourir ici, entourée par nous, qui sommes, pour ainsi dire, sa famille, la seule chose qu'elle ait au monde. Tenez compte du fait, ajouta-t-il en regardant chacun un par un, que cette femme a fait un pacte avec le diable. La condamnation et une éternité de souffrances l'attendent. Devant cette terrible perspective, c'est la moindre des choses que de faire en sorte que ce qui lui reste de vie sur cette terre soit le moins ingrat possible.

Le barbier commença à formuler une protestation, mais la señora Agata l'interrompit :

— Le mestre a raison, dit-elle d'une voix rauque comme celle d'un mineur de fond.

Personne, en dehors de son mari, ne l'avait jamais entendue parler ; son intervention laconique trancha la question. Onofre le comprit ainsi immédiatement et se hâta de manifester son accord dès qu'elle eut parlé. Le barbier finit par céder : il n'avait pas d'autre issue. Mestre Bizancio promit de s'occuper de la malade pour que ses soins ne fussent une charge pour personne. Le conclave se sépara à l'amiable. A l'heure du dîner, l'absence de Micaela Castro fit planer un nuage de mélancolie sur les convives, qu'elle ne distrairait plus jamais avec ses transes.

L'année 1887 s'acheva enfin. Pour une raison ou pour une autre, elle avait semblé à tout le monde plus longue que les précédentes ; peut-être parce que, comme il advient parfois, cette année n'avait pas été porteuse de chance. Espérons que celle qui vient sera un petit peu meilleure, se souhaitaient mutuellement les Barcelonais. Il est probable aussi que le froid rigoureux des dernières semaines contribua à laisser de l'année un mauvais souvenir. La neige, là où elle n'avait pas été nettoyée, se transforma en glace ; par conséquent, en cause de chutes et de fractures. On se croirait au pôle Nord, disaient les plaisantins. Et, en effet, la plaza Cataluña, en travaux et pleine de cratères, de monticules et de tranchées, présentait un aspect de désolation, de toundra. Un journal publia à ce propos une nouvelle renversante : dans un trou de la place, on avait trouvé des œufs de grande taille. Analysés dans un laboratoire, ils s'étaient révélés être des œufs de pingouins. Il est quasi certain que la nouvelle était fausse, que le journal en question se proposait de la publier le jour des Saints-Innocents[1], que le papier s'égara et sortit à contretemps. Il n'empêche, ce fait indique à quel point le froid jouait un rôle important dans la vie de la cité et spécialement de ceux qui manquaient des moyens de se défendre de ses attaques.

Sur la plage, où habitaient les ouvriers sans foyer et leurs familles, la situation en vint à des extrémités critiques. Une nuit, plutôt que de mourir, les femmes prirent les enfants dans leurs bras et commencèrent à marcher. Les hommes préférèrent ne pas les suivre, pensant avec raison que leur présence changerait le caractère de la marche. Les femmes et les enfants traversèrent le pont de fer qui unissait la plage au parc de la Citadelle et marchèrent entre les pavillons à moitié construits jusqu'à arriver au palais des Beaux-Arts. Ce palais, aujourd'hui détruit, se trouvait à la droite de l'allée de San Juan, quand on entrait par l'Arc de triomphe, sur le sommet formé par l'allée de San Juan et la calle del Comercio, c'est-à-dire hors du parc, mais dans l'enceinte de

1. C'est le 28 décembre, jour des Saints-Innocents, que se font en Espagne les *inocentadas,* les farces qu'on fait, en France, le 1er avril.

l'Exposition universelle. Le palais des Beaux-Arts mesurait quatre-vingt-huit mètres de long sur quarante et un de large ; sa hauteur était de trente-cinq mètres, compte non tenu des quatre tours achevées par des coupoles couronnées d'autant de statues de la Renommée. A l'intérieur du palais, en plus des salles et galeries destinées aux expositions d'œuvres d'art, il y avait un magnifique salon de cinquante mètres sur trente, dans lequel devaient se dérouler les cérémonies les plus solennelles. C'est dans ce salon que les femmes et les enfants prétendaient passer la nuit. L'officier de la garde civile détaché dans le parc notifia le fait aux autorités compétentes.

— Faites comme si vous n'aviez rien vu, lui répondirent-elles.

— Mais enfin elles font des feux au milieu du salon, dit l'officier, et la fumée sort par les vitrages.

— Et alors ? On ne va pas leur tirer dessus pour que la nouvelle sorte dans la presse étrangère à seulement quatre mois de l'inauguration. Faites comme si de rien n'était, on verra ensuite, fut la réponse officieuse.

— Bien, répliqua l'officier, mais je veux un ordre écrit. Si d'ici une demi-heure je n'ai pas cet ordre entre les mains, je fais évacuer le palais n'importe comment : je fais un massacre et je décline toute responsabilité. Et sachez que j'ai une mitrailleuse en batterie sur le toit du café-restaurant pour me les farcir au fur et à mesure qu'elles sortiront.

On dut envoyer un conseiller qui, affrontant le froid et s'étalant sur la glace, parvint avec l'ordre sur le lieu du délit avant que l'officier ne mît sa menace à exécution. Le jour suivant, on négocia et on accorda aux familles des ouvriers, mais non à ceux-ci, le droit d'occuper pendant deux semaines les nouvelles casernes de la rue de Sicile. Là-bas, elles pouvaient faire du feu et ce dont elles avaient envie. Négocier avec les femmes ne fut pas facile. Efrén Castells leur avait vendu des flacons de lotion capillaire et la barbe avait poussé à quelques-unes. Le conseiller municipal qui se rendit au nom de l'*alcalde* au palais des Beaux-Arts dut faire face à un comité de femmes à barbe. Il n'était pas préparé à cela, accepta tout ce qu'elles lui demandèrent, et seules ses relations dans les milieux influents lui épargnèrent d'être déchargé de sa fonction. Tout ça parce que les femmes faisaient perdre la tête à Efrén Castells. C'était un véritable satyre : sous le prétexte de vendre la lotion capillaire, il s'introduisait dans les cabanes pendant que les hommes étaient absents, au travail sur les chantiers, et là il faisait des ravages. Il avait un air viril qui plaisait à presque toutes, il était d'humeur joviale, il savait flatter et dépensait joyeusement l'argent, si bien que, sur le terrain sentimental, la Fortune ne lui était pas revêche. Onofre ne voyait pas d'un bon œil les penchants de son associé.

— Le jour où on s'y attendra le moins, on va avoir de sérieux ennuis par ta faute, lui disait-il.

— N'aie pas peur, répondait Efrén Castells ; je connais bien les femelles : elles trompent leur mari pour une vétille, mais elles se laisseraient écorcher vives plutôt que de trahir le galant qui les fait marcher. Et pourquoi, diras-tu ? Petit, moi c'est pas mon affaire. Ça doit leur plaire de souffrir, voilà ce que je dis. Si tu veux qu'une femme te protège, maltraite-la et trahis-la ; il n'y a pas meilleur système. Moi c'est parce que je suis une cruche, parce que sinon, les connaissant comme je les connais, je pourrais vivre sur leur dos sans aucun effort. Mais je ne suis pas comme ça, on n'y peut rien. Je suis de ceux qui perdent le nord et se font presser comme des citrons.

Les pesetas qu'Onofre lui donnait, Efrén les employait à acheter des cadeaux à ses conquêtes. A ce qu'il paraît, il faut être fêtard et cavaleur, pensait Onofre. On peut seulement attendre des gens ce qu'on sait tirer d'eux. C'est ainsi que sont les êtres humains : une pâte molle. Ces choses et d'autres du même genre, Onofre se les disait au long des interminables veilles sur le palier de la pension, cependant qu'il guettait Delfina. Le froid lui transperçait les os, et seules sa jeunesse et sa nature saine lui épargnèrent de tomber gravement malade. Le señor Braulio n'avait pas recommencé ses escapades : il attendait le printemps pour se revêtir de falbalas. Onofre ne lui avait pas dit qu'il se postait toutes les nuits sur le palier pour essayer de surprendre en flagrant délit Delfina avec son fiancé. Il croyait que le señor Braulio ne savait rien des frasques de sa fille, ni elle de celles de son père.

Une de ces nuits, sur le coup de deux heures, une voix vint le tirer de ses méditations. C'était Micaela Castro ; la voyante, de sa chambre, réclamait de l'eau. Mestre Bizancio, qui devait s'en occuper, dormait à poings fermés ou bien, avec l'âge, il était devenu un peu dur d'oreille. Les minutes passaient et personne ne répondait à l'appel. La pythonisse continuait à réclamer de l'eau avec si peu de force qu'on ne pouvait même pas déterminer l'origine de la voix. Onofre alla à la cuisine, prit un verre dans le placard, le remplit d'eau et le porta à Micaela Castro. La chambre de la malade répandait une odeur nauséabonde, comme d'algues exposées au soleil. A l'aveuglette, Onofre trouva la main glacée de la voyante et lui mit entre les doigts le verre d'eau. Il entendit les gorgées avides et, quand ce fut fini, récupéra le verre vide. La moribonde marmotta quelque chose d'inintelligible. Onofre approcha son oreille de la tête du lit. Que Dieu te le rende, fils, crut-il entendre, et il pensa : Bah, ce n'était que ça. Mais une idée commença à lui trotter dans la tête.

Le beau temps revint au milieu de janvier. La ville sortit de sa léthargie. Dans l'enceinte de l'Exposition, la glace accumulée, en fondant, laissait à découvert des balustrades et des piédestaux que les chefs de chantier avaient cherchés en vain pendant des semaines. Avec le dégel surgirent de vastes flaques, gênantes et surtout dangereuses parce qu'elles pouvaient provoquer, et provoquèrent de fait, de légers glissements de terrain qui firent que certains édifices, en se tassant, se fissurèrent à l'excès. Il y eut aussi un petit éboulement et un apprenti maçon, enseveli sous une montagne de gravats, perdit la vie. Faute de temps, on ne put retrouver le corps, et on dut damer les gravats et reconstruire par-dessus. Le fait ne fut pas révélé et les visiteurs de l'Exposition ne surent jamais qu'il y avait un cadavre sous leurs pieds, chose courante, au demeurant, dans les villes anciennes. Tout, pourtant, n'était pas tragique dans le parc. Il se passait aussi des choses drôles, comme celle-ci : avec le dégel, on vit arriver, marchant sur la plage, une tribu de gitans. Les femmes des ouvriers se mirent à la porte du bidonville et barrèrent l'entrée, parce que la rumeur disait que les gitanes volaient les enfants à la mamelle et les emmenaient avec elles. En réalité, cette tribu prétendait seulement gagner de quoi vivre en réparant des casseroles, en tondant les chiens, en disant la bonne aventure et en faisant danser un ours. La seule chose qui plut aux ouvriers, qui n'avaient ni chiens à poil long, ni ustensiles de cuisine, ni envie de savoir ce que l'avenir leur réservait, était de voir danser l'ours. Si bien que la garde civile dut intervenir pour expulser les gitans qui s'étaient installés sur la place d'armes et faisaient retentir leurs tambourins. L'officier de la garde civile, promu à la suite de l'incident du palais des Beaux-Arts, prit en face le gitan qui paraissait commander et lui enjoignit de déguerpir de là à l'instant. Le gitan répliqua qu'ils ne faisaient de mal à personne.

— Je ne discute pas avec toi, dit l'officier ; je te dis seulement ça : maintenant, je vais pisser. Si, quand je reviens, vous êtes encore là, l'ours, je le fusille, les hommes, je vous envoie aux travaux forcés et les femmes, je les fais tondre ras. A toi de savoir ce que vous voulez.

Ours et gitans disparurent comme par enchantement. La partie comique de l'histoire arrive maintenant : deux ou trois heures après ces événements, un autre groupe, aussi pittoresque que le premier, fit son apparition dans l'enceinte. A sa tête, un homme vêtu d'une redingote verte et d'un haut-de-forme en peluche de la même couleur. Il arborait des moustaches gominées, noires comme le jais. Quatre hommes le suivaient. A eux quatre, ils portaient un brancard sur lequel se dressait une figure de grande taille dont les formes, si elle en avait, étaient dissimulées par une toile goudronnée. A peine les gardes civils eurent-ils vu entrer le cortège qu'ils lui tombèrent dessus et s'en prirent à coups de crosse aux cinq personnages. Il s'avéra ensuite qu'il s'agissait du premier participant à l'Exposition universelle, un certain Gunther von Elkeserio, venu de Mayence avec quatre ouvriers. Le pauvre exposant amenait un fuseau électrique de son invention, et il errait tout désorienté, demandant aux uns et aux autres en allemand et en anglais où on devait s'inscrire et où il pouvait déposer son fuseau en attendant le jour de l'ouverture.

Afin d'éviter l'embouteillage des derniers jours, les autorités avaient prié les exposants de faire parvenir un peu à l'avance à Barcelone les objets qu'ils désiraient exposer. Cela obligea à aménager des entrepôts pour les garder jusqu'à l'achèvement des pavillons qui devaient les abriter. L'opération était beaucoup plus compliquée qu'il n'y paraissait à première vue. Il ne fallait pas seulement protéger les objets des intempéries, de l'humidité (il pouvait s'agir de machineries de précision, d'objets d'art, ou simplement d'articles de matière ou de facture délicate) et de l'action destructrice des rats, cafards, termites, etc. ; il fallait aussi les disposer de telle façon que, le moment venu, ils puissent être reconnus et localisés sans trop de difficulté. Les autorités avaient envisagé ce problème et, dans le dessein de le résoudre, publié à l'avance une classification exhaustive de tous les articles existant au monde et de leurs variétés. A chaque spécimen fut attribué un numéro, une lettre ou une combinaison des deux symboles. Ainsi, aucun problème ne pouvait surgir. Onofre Bouvila, dans les mains de qui une de ces listes ne tarda pas à tomber, l'étudia avec la plus grande attention. Jamais je n'aurais pensé qu'il existât sur la terre autant de choses qu'on pût acheter et vendre, se dit-il. Cette découverte le troubla pendant plusieurs jours. En fin de compte, déjouant mille dangers, il s'introduisit en compagnie d'Efrén Castells dans un de ces magasins. Ils avaient une lampe à huile pour s'éclairer. Du sol jusqu'au toit, il y avait des caisses et des boîtes de tailles diverses. Certaines assez grandes pour contenir une voiture et ses chevaux ; d'autres si petites qu'elles auraient tenu dans une poche. A l'intérieur de chaque boîte, il y avait quelque chose. Onofre consulta la liste à la lumière tremblante de la lampe à huile que tenait levée Efrén Castells. La section de la liste se récitait ainsi : *Appareils mécaniques utilisés en médecine, chirurgie ou orthopédie ; chaises, lits, etc. ; bandages pour la réduction des hernies, varices, etc. ; appareils à l'usage des malades : béquilles, chaussures spéciales, lorgnons, lunettes, cornets acoustiques, jambes de bois, etc. ; appareils de prothèse plastique et mécanique : dents, yeux, nez artificiels, etc. ; membres artificiels articulés ; autres appareils mécaniques d'orthopédie non spécifiés antérieurement ; appareils divers pour l'alimentation forcée, etc.* Eh bien, touchons du bois, s'exclama Efrén Castells. A la demande d'Onofre, le géant de Calella, avec sa force colossale, parvint à déclouer une des caisses les plus grandes. A l'intérieur, il y avait une calandre du type de celles utilisées pour presser du papier.

Comme Efrén Castells était un bon géant, il s'était gagné la confiance des garnements de la plage, les fils des femmes qu'il séduisait. Il les utilisait pour envoyer et recevoir des messages galants et arranger des rendez-vous. Onofre et Efrén les organisèrent et les entraînèrent. La nuit, les vauriens entraient dans les entrepôts, défaisaient habilement les emballages, prenaient les articles et les amenaient à Onofre et Efrén. Selon la nature de l'article, ils le vendaient ou le mettaient en loterie. Ils donnaient un pourcentage aux vauriens. Les gains d'Efrén Castells ne lui duraient jamais longtemps ; en revanche, Onofre Bouvila, qui ne dépensait pas un centime, finissait par accumuler une modeste fortune dans le matelas de mestre Bizancio.

— Je ne comprends pas pourquoi tu aimes tant l'argent, disait le géant à son associé ; que j'économise, moi, ce serait normal, parce que je suis bête et que je dois penser à l'avenir ; mais que tu économises, toi qui as tant de cordes à ton arc, ça, je ne comprends pas.

La vérité était qu'Onofre ne dépensait pas parce qu'il ne savait pas à quoi le faire, et qu'il n'avait personne qui pût lui apprendre à dépenser, ni aucun motif pour cela.

Delfina, ainsi qu'Onofre l'établit au terme d'un patient espionnage, ne quittait la pension qu'une petite heure tous les matins pour aller faire les courses. Pensant que ce serait un bon moment pour l'aborder, Onofre, un matin, négligea ses affaires pour suivre la soubrette jusqu'au marché. Delfina sortait avec deux grands cabas d'osier et accompagnée du chat. Elle marchait d'un pas décidé, mais l'air distrait, comme si elle rêvassait. Cette distraction lui faisait mettre les pieds déchaussés dans des flaques immondes et des tas d'ordures. Les gamins qui s'ébattaient dans les ruelles la voyaient passer d'un air sombre. Ils lui auraient cherché des histoires et jeté des pierres et des détritus si le chat ne les avait pas intimidés. Au marché, Delfina ne jouissait pas de l'estime des vendeuses. Elle ne prenait jamais part aux commérages et était très exigeante sur le poids et la qualité. Qui plus est, elle marchandait âprement. Elle achetait toujours des produits avariés et prétendait qu'on lui fît des rabais pour cette raison. Si une marchande lui disait qu'un chou n'était pas pourri, qu'il conservait encore des vestiges de fraîcheur, Delfina répliquait que ce n'était pas vrai, qu'il puait, qu'il était plein de vers et qu'elle n'était pas disposée à payer un prix exorbitant pour une pareille cochonnerie. Si la marchande lui tenait tête et que le ton montait, Delfina attrapait Belzébuth par le ventre et le posait sur l'étal. Immédiatement, le chat arquait le dos, hérissait le poil et sortait les griffes. Le stratagème était efficace : la marchande, effrayée, finissait par céder.

— Prenez, prenez, lui disait-elle, emportez-vous ce chou et payez-moi ce que vous voulez, mais ne revenez plus jamais chez moi, parce que je n'ai plus l'intention de vous servir, vous m'entendez ?

Delfina haussait les épaules et revenait, le jour suivant, avec les mêmes prétentions. A la voir, les marchandes pâlissaient de rage, elles avaient été trouver une sorcière qui rôdait dans le marché pour qu'elle lui jette le mauvais œil, à elle et plus spécialement à son chat. Onofre apprit tout cela sans la moindre difficulté parce que les marchandes, lorsqu'elles étaient débarrassées de la soubrette et de son chat de malheur, ne se gênaient pas dans leurs commentaires.

Sur le chemin du retour vers la pension, Onofre vint à la rencontre de Delfina.

— Je faisais un tour, dit-il, et par hasard je t'ai vue passer. Je peux t'aider ?

— Je n'ai besoin de rien, répliqua-t-elle en pressant le pas, comme pour montrer que le poids des cabas bourrés ne l'arrêtait pas.

— Je n'ai pas dit que tu ne te débrouillais pas, femme. Je voulais seulement être aimable, dit Onofre.

— Pourquoi ? demanda Delfina.

— Il n'y a pas de pourquoi, fit Onofre. On est aimable sans raison. S'il y a une raison, ça n'est déjà plus de l'amabilité, mais de l'intérêt.

— Tu parles trop bien, coupa la soubrette. Va-t'en ou j'excite le chat contre toi.

Il fallait supprimer Belzébuth en le tuant. Tous les systèmes qu'il imagina étaient bons, mais présentaient des difficultés insurmontables. A la fin, il en conçut un qui lui parut viable. Il consistait à badigeonner d'huile le toit de la pension. Quand Belzébuth monterait rôder sur le toit, comme font tous les chats, il glisserait et tomberait. Du quatrième étage à la rue direct, il devait se tuer, calculait Onofre. Pour peu qu'il ne se tue pas, lui, en réalisant son plan. Quand il eut huilé toutes les tuiles sans laisser sec un seul recoin, il s'en fut à sa chambre et s'allongea sur le dos. Cette nuit-là, il ne se passa rien. La nuit suivante, alors que, fatigué d'attendre, il s'était endormi (l'horloge de San Ezequiel avait sonné deux heures), un bruit le réveilla. Du balcon parvenaient des lamentations et des malédictions. Il craignit que Belzébuth ne fût tombé sur un noctambule. Ce serait le comble de la malchance, se dit-il. Il ouvrit le balcon et sortit. A la lumière de la lune, il eut une bonne frayeur : à la balustrade était suspendu un individu qui demandait de l'aide tout en essayant en vain de glisser ses pieds dans un quelconque interstice de la façade.

— S'il vous plaît, supplia-t-il en voyant Onofre, donnez-moi une main, ou je me tue.

Onofre saisit l'individu par les deux poignets, le hissa et le déposa dans la chambre. Quand le type posa les pieds par terre, il glissa et tomba assis.

— Me voilà en miettes, recommença-t-il à se lamenter.

Onofre lui enjoignit de ne pas élever la voix. Il alluma la bougie.

— Maintenant, tu vas me dire ce que tu faisais pendu à mon balcon, lui dit-il.

— Qu'est-ce que j'en sais, dit l'homme. Un fils de pute aura enduit le toit avec de la graisse, ou quelque chose comme ça. Heureusement que j'ai pu attraper les barreaux, ou je ne serais pas là pour le raconter.

— Et qu'est-ce que tu faisais sur le toit à cette heure ? demanda Onofre.

— Qu'est-ce que ça peut te faire ? fut la réponse.

— A moi, rien, mais peut-être les propriétaires de la pension et la police auront envie de le savoir.

— Eh, eh, doucement, dit l'homme, je ne suis pas un voleur et je ne faisais rien de mal. Je m'appelle Sisinio. Je suis le fiancé d'une fille qui habite ici.

— Delfina !

— Oui, c'est son nom, dit Sisinio. Ses parents sont très stricts et ne la laissent fréquenter aucun homme. Nous nous voyons sur le toit, la nuit.

— Incroyable ! dit Onofre Bouvila. Et comment montes-tu sur le toit ?

— Avec une échelle. Je l'applique derrière, là où le terrain monte et où la hauteur est moindre. Je suis peintre en bâtiment.

Sisinio paraissait dans les trente-cinq ans. Il était étroit d'épaules, avait les cheveux clairsemés, les yeux globuleux et pas de menton. Il lui manquait deux dents et il parlait en zézayant. Et alors c'est ce type-là mon rival, songea Onofre avec abattement.

— Et sur le toit, qu'est-ce que vous faites ? lui demanda Onofre.

— Ça, c'est trop demander.

— Ne crains rien. Je suis des vôtres. Je m'appelle Gaston. Pablo peut te parler de moi.

— Ah, d'accord, dit Sisinio en souriant pour la première fois.

Il raconta à Onofre qu'à dire vrai, sur le toit, ils ne faisaient presque rien. Parler de thèmes divers, quelques baisers et pas grand-chose d'autre. Sur le toit, il était difficile d'aller plus loin. Sisinio avait proposé mille fois d'aller dans un endroit plus confortable, mais Delfina refusait. « Après, tu ne m'aimeras plus », lui disait-elle. Ça durait déjà comme ça depuis deux ans.

— Je ne sais pas comment je supporte, dit Sisinio.

Onofre lui demanda pourquoi ils ne se mariaient pas.

— C'est une autre histoire, dit Sisinio. Je suis déjà marié. J'ai deux filles. Je ne l'ai pas encore dit à Delfina : je n'ai pas le courage de lui causer ce chagrin. La pauvre se fait beaucoup d'illusions. Si ma femme claquait, tout s'arrangerait, mais elle est plus solide qu'un chêne.

— Et elle, que dit-elle ? demanda Onofre. Ta femme, je veux dire.

— Rien. Elle croit que je fais des boulots de nuit. Avant de rentrer à la maison, je me barbouille bien de peinture, pour dissimuler.

— Ne bouge pas d'ici, dit Onofre. Je vais chercher Delfina. Si elle monte te trouver sur le toit, il y a des chances qu'elle glisse et se tue.

Il sortit dans le couloir au moment où mestre Bizancio entrait dans le cabinet de toilette. La pythonisse poussait des gémissements de douleur. Il ne manquerait plus, pensa Onofre, que de me cogner dans le señor Braulio déguisé en pédale. Dans quel fichu endroit j'ai été me fourrer !

A peine Onofre eut-il frappé à la porte de la chambre de Delfina que la soubrette répondit d'une voix sifflante. Il dit son nom.

— Fiche le camp ou je lâche le chat, telle fut la réponse qu'il obtint.

— Je venais simplement te dire que Sisinio a eu un accident, dit Onofre.

La porte de la chambre s'ouvrit à l'instant. Dans l'encadrement brillèrent quatre pupilles. Le chat feula, lui recula et la soubrette dit :

— N'aie pas peur, je ne te ferai rien ; que s'est-il passé ?

— Ton fiancé est tombé du toit. Il est dans ma chambre. Viens, mais n'amène pas Belzébuth, dit Onofre.

Delfina et Onofre commencèrent à descendre l'escalier. Onofre attrapa le bras de Delfina, qui ne le retira pas ni ne dit rien. Onofre remarqua qu'elle tremblait.

Sisinio s'était allongé sur le lit. A la lumière de la bougie, il avait l'air d'un mort, bien qu'il bougeât les yeux et s'efforçât de sourire.

— Je te laisse avec lui, dit Onofre à Delfina. Fais attention qu'il ne meure pas dans ma chambre : je ne veux pas d'ennuis. Je reviendrai quand poindra l'aurore.

Il descendit dans la rue et hésita quelques secondes devant le porche, ne sachant vers où diriger ses pas. Il entendit un miaulement ; un corps passa à le toucher et s'écrasa au sol. Avec une barre de fer, il poussa le corps de Belzébuth et réussit à le faire disparaître dans la bouche d'égout. Ainsi Delfina perdit-elle en une seule nuit les deux piliers de sa sécurité.

4

L'Excellentissime et Illustrissime Évêque de Barcelone avait fait le voyage de Rome lorsqu'il était novice. A Milan, où il s'était arrêté quelques jours, il avait vu Son Altesse impériale, l'archiduc François-Ferdinand d'Autriche (celui-là même qui devait mourir tragiquement des années plus tard à Sarajevo), passer en revue la garde. Cette image accompagna l'illustre prélat jusqu'à la fin de ses jours. Pour lors, les ouvriers arrêtaient le travail, redressaient le dos et ôtaient leur casquette à son passage. Les cloches de l'église de la Citadelle tintaient et résonnaient les trompettes du régiment de cavalerie qui accompagnait le cortège. L'Excellentissime Évêque et l'Illustrissime *Alcalde* passèrent coude à coude sous l'Arc de triomphe. Ensuite, en cohue, les autorités. Derrière, quelque peu indifférent sauf exception, le corps consulaire. Pendu aux basques de l'Ordinaire, un diacre portait le bénitier portatif, c'est-à-dire une marmite d'argent travaillé pleine d'eau bénite. L'évêque portait de la main gauche la crosse pastorale et, de la droite, il agitait le goupillon qu'il plongeait de temps en temps dans le bénitier. S'il parvenait à arroser un ouvrier, celui-ci se signait aussitôt. Cela faisait peine de voir la grande cape de l'évêque ramasser la poussière. Le palais de l'Industrie, où devait être célébrée la cérémonie officielle, était dépourvu de presque tout revêtement, mais des tentures dissimulaient ce manque. A un emplacement surélevé, on avait édifié une chapelle. Dedans se trouvait une statue récemment restaurée de sainte Lucie ; elle était en argent doré et datait du XVIIIe siècle pour le moins. Du côté gauche de la nef centrale, la fanfare municipale joua une marche lorsque entrèrent les autorités. L'évêque bénit les travaux. Lui et l'*alcalde* prononcèrent des discours aux termes desquels furent acclamés S.M. le Roi et S.M. la Régente. Les deux émissaires, qui avaient fait tant de fois l'allée et venue entre Barcelone et Madrid qu'ils pouvaient réciter de mémoire les noms de tous les villages sur le parcours, pleurèrent. Ils se considéraient sinon comme les pères, du moins comme les accoucheuses de la rencontre. En réalité, le résultat de leurs démarches avait été funeste : le gouvernement central avait donné de l'argent en quantité insuffisante pour éviter la ruine de la municipalité de Barcelone, mais pas si faible que les Catalans pussent s'attribuer tout le mérite de l'entreprise. Cela, ils ne le savaient pas, ou bien ils le savaient, mais ils pleuraient quand même. Une autre volée de cloches conclut la cérémonie et le travail reprit aussitôt. On était le 1er mars 1888 ; il restait un mois et sept jours avant l'inauguration.

La diversification des affaires d'Onofre Bouvila et l'envergure qu'elles acquéraient, particulièrement depuis l'incorporation des enfants-voleurs et la découverte d'un lot classifié *bétel, feuille péruvienne, haschisch et autres plantes à fumer et chiquer,* destiné au pavillon de l'Agriculture (situé, comme le palais des Beaux-Arts, hors du parc, c'est-à-dire contre le mur nord, sur la route de San Martín et de la France, entre les rues Roger de Flor et de Sicile), et qu'ils vendirent à l'extérieur à très bon prix par l'entremise d'un maître staffeur aussi jovial qu'enclin à tomber des échafaudages et des échelles, préoccupaient Pablo qui se rendait compte que son disciple, quelque exagération qu'il mît dans les marques de considération qu'il lui adressait, se payait sa tête. Confronté à ce problème, Pablo ne savait quel parti adopter. Il connaissait le prestige dont jouissait Onofre parmi les ouvriers de l'Exposition. Il n'osait pas non plus montrer à ses coreligionnaires dans quel mauvais pas l'avait mis sa propre débilité. Il n'avait d'autre contact avec le monde que par ce qu'Onofre voulait bien lui rapporter. Il était une marionnette entre ses mains.

Comme Pablo lui avait expliqué à plusieurs reprises que la première chose à détruire en Catalogne était le théâtre du Liceo, il décida de voir en quoi consistait cette chose si importante. « Le Liceo est un symbole, lui avait dit Pablo, comme le roi à Madrid ou le pape à Rome. Grâce à Dieu, nous n'avons ni roi ni pape en Catalogne, mais nous avons le Liceo. » Il paya un prix à son avis abusif et on le fit entrer par la porte des indigents. Il entra par une ruelle latérale pleine de trognons de chou. Les riches entraient par le parvis sur les Ramblas, c'est là qu'ils descendaient de leur voiture. Pour faire descendre les femmes, il fallait presque les porter. Leurs robes étaient si longues qu'alors qu'elles-mêmes avaient déjà disparu derrière la porte de verre les traînes continuaient à sortir des fiacres, comme si un reptile fût allé à l'Opéra. Il dut monter d'innombrables volées d'escaliers. Essoufflé, il parvint en un lieu où il n'y avait pas d'autre siège qu'un long banc de fer, déjà occupé par des mélomanes qui passaient là des jours entiers, dormaient pliés sur la rampe, tels des paillassons mis à sécher, mangeaient des croûtons de pain à l'ail et buvaient du vin à la gourde. L'endroit était un élevage de poux. Ils amenaient des bouts de chandelle pour lire la partition et le livret dans la pénombre du théâtre. Certains avaient perdu la vue et la santé au Liceo. Le reste du théâtre était très différent. Le faste éblouit Onofre : les soies, les mousselines et les velours, les capes couvertes de paillettes, les bijoux, la pétarade incessante des bouteilles de champagne, le va-et-vient des domestiques, le bourdonnement continu qu'émettent les riches quand ils sont nombreux l'enchantèrent. Voilà ce que je veux être, se dit-il, même si pour y arriver je dois supporter cette musique insipide qui ne s'arrête jamais. Il eut l'infortune d'écouter *Trifon et Cascante,* un opéra mythologique et grandiloquent qui n'eut qu'une représentation au Liceo et peu d'autres dans le monde.

A l'heure du petit déjeuner, Delfina s'approcha de lui. Même son extrême laideur ne dissimulait pas les effets de l'insomnie et de l'angoisse. Elle lui demanda si par hasard il avait vu Belzébuth.

— Non, pourquoi l'aurais-je vu ? répondit Onofre.

— Cela fait des jours qu'il a disparu, dit Delfina avec tristesse.

— Tu n'as pas perdu grand-chose, dit-il.

Efrén Castells l'attendait à la porte de l'enceinte.

— Les choses vont mal, lui dit-il dès qu'il l'aperçut, ça fait quelques jours que j'observe deux types qui paraissent te surveiller ; j'ai d'abord pensé qu'il s'agissait de curieux, mais ils insistent trop. Je suis sûr qu'ils ne travaillent pas ici. Ils ont posé des questions, dit le géant.

— Ils seront de la police, dit Onofre.

— Je ne crois pas ; ce n'est pas le style, dit Efrén Castells.

— Quoi, alors ? dit Onofre.

— Je ne sais pas, petit, mais l'affaire ne me plaît pas, dit Efrén Castells. Je ne sais pas si nous ne devrions pas prendre quelques vacances : ici, la boutique va fermer.

C'était la vérité. Onofre parcourut du regard ce chantier gigantesque qu'il avait presque vu naître. Quand il était arrivé au parc, il y avait de cela un an, l'enceinte paraissait un champ de bataille. Aujourd'hui, en revanche, on aurait dit le décor d'un conte de fées. Tout était spectaculaire, hétéroclite et disproportionné. Quand le conseil technique de l'Exposition avait présenté son premier projet à l'*alcalde,* celui-ci en avait fait des confettis de ses propres mains. « Ce que vous m'amenez là, c'est une foire à la ferraille, s'était-il exclamé, et moi je veux un son et lumière. » Aujourd'hui, deux ans et demi avaient passé, et il avait fallu faire des concessions au bon sens, mais les désirs de l'*alcalde* s'étaient exaucés. Onofre et le géant de Calella s'assirent sur des blocs de calcaire en face d'une paillote de lianes construite par la Compagnie des tabacs des Philippines. Un indigène demi-nu roulait des cigares en grelottant, accroupi à la porte de cette paillote. On l'avait amené exprès de Batanga et on lui avait dit de ne pas bouger de là avant la fermeture de la manifestation. On lui avait appris à dire *au revoir* * aux visiteurs. Quand le ciel se couvrait, il regardait en l'air avec appréhension, craignant qu'un cyclone ne vienne les aspirer lui et la paillote et ne les ramène à Batanga tournoyant comme des toupies.

— Tout cela, pensa tout haut Onofre, est inutile et en plus ne veut rien dire ; et nous autres, c'est du pareil au même : nos désirs, notre travail, zéro.

— Bah, répondit Efrén Castells, ne le prends pas tant au tragique, petit. Tu es très malin, tu trouveras bien un sens aux choses.

Il entra sans s'annoncer dans la chambre de la voyante. La moribonde gisait sur le lit les yeux clos, des couvertures jusqu'au menton. Onofre éprouva à quel point Micaela Castro était vieille à la lumière de la flamme qui dansait tristement dans une burette vissée à la tête du lit. Il touchait le bouton de la porte pour se retirer.

— Onofre, c'est toi ? dit la pythonisse.

— Continuez à dormir, Micaela, dit Onofre Bouvila, je suis seulement venu voir si vous aviez besoin de quelque chose.

— Je n'ai besoin de rien, fils, mais toi si, murmura la voyante, on ne voit que trop que tu te débats dans une mer d'incertitude.

— Comment le savez-vous ? demanda Onofre, saisi parce que la vieille femme n'avait même pas ouvert les yeux.

— Personne ne vient me voir s'il n'est dans l'incertitude, fils. Il n'y a pas besoin d'être voyante pour savoir cela. Dis-moi ce qui t'arrive, dit-elle.

— Micaela, lisez-moi l'avenir, dit Onofre.

— Hélas, fils, mes forces sont très entamées. Je ne suis déjà plus de ce monde. Quelle heure est-il ? demanda la voyante.

— Approximativement une heure et demie, répondit-il.

— Il me reste peu de temps. A quatre heures vingt, je mourrai. Ils me l'ont dit déjà. Ils m'attendent, tu sais ? Bientôt, je me réunirai avec eux. Toute ma vie, je l'ai passée à écouter leurs voix ; maintenant, je vais joindre la mienne à leur chœur et quelqu'un m'écoutera depuis ce monde. Les esprits aussi nous avons nos cycles. Je vais relever un esprit fatigué. Je vais occuper son poste et lui pourra enfin se reposer dans la paix du Seigneur. Je sais que mestre Bizancio dit que le diable m'attend, mais ce n'est pas vrai. Mestre Bizancio est un brave homme, mais très ignorant. Donne-moi mes cartes et ne perdons plus de temps. Tu les trouveras là, dans la petite armoire, sur le troisième rayon en partant du haut.

Onofre fit ce que lui disait la vieille femme. Dans l'armoire, il y avait des habits noirs chiffonnés, des ustensiles divers et quelques boîtes de papier de riz liées par des rubans de soie. Sur le rayon indiqué, il vit un vieux paroissien, un rosaire à grains blancs et un bracelet de tiges de nard en état de putréfaction. Il y avait aussi un paquet de cartes ; il le prit et le donna à la voyante, qui avait ouvert les paupières.

— Approche une chaise, fils et assieds-toi à côté de moi, lui dit-elle, mais d'abord aide-moi à me relever. Comme ça, comme ça, ça va, merci. Il faut faire les choses convenablement pour ne pas se ridiculiser, qu'ils ne se moquent pas de nous quand ils me verront arriver, dit la voyante.

Elle lissa la couverture et disposa neuf cartes retournées, formant un cercle.

— Le cercle de la sagesse, dit-elle, appelé aussi le miroir de Salomon. Voici le centre du ciel et, là, les quatre constellations, avec leurs éléments.

Elle faisait des tours en l'air avec sa main, index tendu. Elle le posa sur une carte.

— La maison des dispositions, dit-elle en la retournant, ou angle oriental. Je vois que tu vivras de nombreuses années, que tu seras riche, tu te marieras avec une femme très belle, tu auras trois fils, tu voyageras, peut-être, tu jouiras d'une bonne santé.

— C'est bien, Micaela, dit Onofre en se levant de sa chaise, ne vous fatiguez pas plus. C'est tout ce que je désirais savoir.

— Attends, Onofre, ne t'en va pas. Ce que je viens de te dire, c'est des bobards. Ne t'en va pas. Maintenant je vois un mausolée abandonné, à la lumière de la lune. Cela signifie fortune et mort. Un roi ; les rois aussi signifient la mort, mais aussi le pouvoir, leur nature est ainsi. Maintenant, je vois du sang ; le sang symbolise l'argent et aussi le sang. Et maintenant ? Que vois-je ? Je vois trois femmes. Onofre, approche une chaise et assieds-toi ici, à la tête du lit.

— J'y suis, Micaela, dit Onofre Bouvila.

— Alors, écoute bien ce que je te dis, fils. Je vois trois femmes. L'une est dans la maison des revers, des contrariétés et des peines. Celle-là te rendra riche. L'autre est dans la maison des héritages, qui est aussi la demeure des enfants. Celle-là te portera au sommet. La troisième et dernière est dans la maison de l'amour et des connaissances exactes. Celle-là te rendra heureux. Dans la quatrième maison, il y a un homme ; méfie-toi de lui ; il est dans la maison des empoisonnements et de la fin tragique.

— Je ne comprends rien à ce que vous me dites, Micaela, dit Onofre, passablement troublé par ce langage.

— Hélas, fils, les oracles sont toujours ainsi : sûrs, mais imprécis. Tu crois que s'ils étaient autrement je serais en train de mourir dans cette pension crasseuse ? Écoute et souviens-toi. Quand arrivera ce que je t'ai prédit, tu le reconnaîtras aussitôt. Ce n'est pas que ça te soit très utile. Ça tranquillise, tout au plus. Mais revenons aux cartes ; qu'elles parlent, elles. Je vois trois femmes, dit la voyante.

— Ça, vous l'avez déjà dit, Micaela, dit-il.

— Je n'ai pas terminé. L'une te rendra riche, l'autre te portera au sommet, la dernière te rendra heureux. Celle qui te rendra heureux te rendra malheureux ; celle qui te portera au sommet te fera esclave ; celle qui te rendra riche te maudira. Des trois, cette dernière est pour toi la plus dangereuse, parce que c'est une sainte, une sainte fameuse. Dieu écoutera sa malédiction et pour te châtier créera un homme. C'est l'homme dont parlent les cartes, un homme malheureux. Il ne sait pas que Dieu l'a mis au monde pour accomplir Sa vengeance, dit la voyante.

— Comment le reconnaîtrai-je ? demanda Onofre.

— Je ne sais pas ; ces choses-là se reconnaissent toujours. De toute façon, que tu le reconnaisses ou non ne change en rien le résultat. Il est déjà décidé que c'est lui qui te détruira. Ses armes et les tiennes sont distinctes. Il y aura violence et mort. Tous les deux, vous serez dévorés par le dragon. Mais n'aie pas peur. Les dragons sont vantards, mais tout fout le camp en rugissements et flammes par la bouche. Crains la chèvre, qui est le symbole de la perfidie et de la tromperie. Et ne me fais pas travailler plus, je suis très fatiguée, dit-elle pour terminer.

Les cartes glissèrent de la couverture et se répandirent au sol. Elle laissa tomber la tête sur l'oreiller et ferma les yeux. Onofre pensa qu'elle était morte, il ôta la lampe à huile du crochet et approcha la mèche du visage de la vieille. La flamme oscilla : elle respirait encore. Il ramassa les cartes par terre et rangea le paquet dans l'armoire. Avant de le ranger, il le battit soigneusement pour que personne d'autre ne pût connaître son avenir. Puis il sortit sur la pointe des pieds de la chambre de la voyante moribonde et retourna à la sienne. Sur le lit, il resta à songer à ce qu'il venait d'entendre, essayant d'y découvrir un sens.

Delfina continuait à aller au marché tous les jours. La voyant sans le chat, les marchandes lui faisaient sentir le poids de la rancœur accumulée durant des années de terreur : elles refusaient de la servir ou bien le faisaient après l'avoir fait poireauter ; elles s'adressaient à elle sous des sobriquets offensants, l'appelaient « Sac d'os » ou ne lui parlaient pas ; elles la volaient en lui rendant la monnaie et, si elle protestait, elles lui riaient au nez. Une fois, elles lui jetèrent un œuf pourri dans le dos. Elle ne fit rien pour nettoyer l'endroit où il l'avait atteinte. Onofre n'avait pas revu Sisinio ni ne savait rien de lui, mais il avait l'impression que le peintre et la soubrette ne s'étaient pas revus depuis la nuit où Belzébuth était mort. Micaela Castro mourut aussi, la nuit même où elle lui avait tiré les cartes. A l'aube, mestre Bizancio entra dans sa chambre et la trouva morte. Il lui ferma les paupières, moucha la lampe et prévint les propriétaires de la pension et les autres hôtes. Le lendemain, elle fut enterrée et on dit un répons pour elle à la paroisse de San Ezequiel. Dans l'armoire de sa chambre, on trouva différents papiers ; il en résultait qu'elle ne s'appelait pas Micaela Castro mais Pastora López Marrero. Elle avait soixante-quatre ans au moment de sa mort. Il n'y eut pas moyen de localiser le moindre parent, et elle ne laissait aucun héritage qui justifiât une recherche plus approfondie. Delfina changea les draps du lit de la défunte pour d'autres également sales et la chambre fut occupée le jour même par un jeune homme qui étudiait la philosophie. Personne ne lui dit que dans ce même lit quelqu'un était mort quelques heures auparavant. Avec le temps, cet étudiant devint fou, mais pour d'autres raisons.

Près d'une des portes qui donnait accès au parc sur le paseo de la Aduana, il y avait un pavillon pas très grand, recouvert intérieurement et extérieurement d'azulejos, et appelé le pavillon des Eaux azotées. Il était achevé depuis la fin janvier, mais toujours inoccupé à la mi-mars. Onofre Bouvila et Efrén Castells s'étaient procuré une clef. C'est là qu'ils gardaient le produit de leurs vols. Les enfants-voleurs avaient raflé la veille un lot de pendules. Il y en avait tant qu'à présent ils ne savaient qu'en faire. Il y avait des monstres de gousset ordinaires, des horloges de clocher et d'établissement public, des montres à répétition, à secondes indépendantes, des chronomètres de poche, des chronomètres de marine, des pendules à secondes, des horloges sidérales et des chronomètres pour les observations astronomiques et scientifiques, des clepsydres, des sabliers, des régulateurs, des horloges complexes indiquant les principaux éléments des cycles solaire et lunaire, des horloges électriques, des horloges spéciales pour la gnomonique, des horloges équinoxiales, polaires, horizontales, verticales-déclinantes, en plan incliné, des horloges méridionales et septentrionales, des en plan incliné avec déclinaison, des podomètres et des compteurs divers appliqués à la construction, l'industrie, la locomotion et les sciences, des appareils pour régler les mouvements des foyers lumineux en général, des appareils pour indiquer, fixer et déterminer l'action de certains phénomènes naturels et des appareils d'horlogerie pour diverses applications, économiques et de valeur, des pièces détachées d'horlogerie de toutes catégories et systèmes, etc. Ainsi se récitait la liste.

— Je ne sais pas ce qu'on va faire avec tant d'horloges, dit le géant, si ce n'est perdre la raison au milieu de tous ces tic-tac et carillons.

5

A la veille de l'inauguration de l'Exposition universelle, les autorités avaient promis de nettoyer Barcelone des indésirables. *Depuis quelque temps, nos autorités montrent un particulier empressement à nous délivrer de ce fléau des vagabonds, rufians et gens de mauvaise vie qui, ne pouvant exercer leurs criminelles industries dans les petites localités, cherchent une sauvegarde transitoire dans la confusion des villes populeuses ; et, si elles ne sont pas parvenues à déraciner tous les cancers sociaux qui, pour le déshonneur de cette capitale cultivée, continuent à la miner et la ronger, elles ont beaucoup avancé dans cette tâche si difficile,* dit un journal de cette époque. A présent, il y avait des rafles toutes les nuits.

— Ne reviens pas ici pendant un moment; le groupe se dissout provisoirement, dit Pablo.

Onofre lui demanda ce qu'il se proposait de faire, où il allait se cacher. L'apôtre haussa les épaules : la perspective n'avait pas l'air de lui être agréable.

— N'en doute pas, nous repartirons à l'assaut avec des forces renouvelées, ajouta-t-il avec peu de conviction.

— Et les brochures ? demanda Onofre.

L'apôtre tordit la bouche en signe de dédain :

— Plus de brochures, dit-il.

Onofre voulut savoir ce qui dans ce cas allait advenir de son salaire hebdomadaire.

— Tu t'en passeras, répondit Pablo avec dans la voix un accent de malin plaisir; quelquefois, les circonstances imposent certaines privations. En outre, il s'agit d'une cause politique : ici on ne garantit le salaire à personne.

Onofre voulut poser une autre question, mais l'apôtre fit un geste impérieux : Va-t'en maintenant, voulait dire ce geste. Onofre se dirigea vers la porte. Avant qu'il eût pu ouvrir, Pablo vint à son côté.

— Attends, dit-il, il est possible qu'on ne se revoie plus jamais. La lutte sera longue », fit-il précipitamment. On voyait que ce n'était pas ça qu'il voulait dire : quelque chose de plus important occupait son attention en cet instant, mais, par timidité ou maladresse, il ne voulait pas en parler. C'est pourquoi il se réfugiait dans la rhétorique traditionnelle. « En réalité, cette lutte ne peut cesser. Les socialistes, qui sont idiots, croient que tout se règle par la révolution; ils disent cela parce qu'ils pensent que l'exploitation de l'homme par l'homme ne se produit qu'une fois, que dès que la société se libérera de ceux qui aujourd'hui commandent tout sera réglé. Mais, nous, nous savons que, là où il y a une relation de quelque type que ce soit, il y a exploitation du faible par le fort. Cette lutte, cette terrible agonie est le destin inexorable de l'être humain. » En terminant cette tirade, il étreignit Onofre. « Il est possible qu'on ne se revoie jamais plus, dit-il d'une voix brisée par l'émotion. Adieu et que la chance te soit favorable.

Le señor Braulio tomba lors de l'une de ces rafles. Il était sorti habillé en pharaone se faire rosser par les voyous. Cette nuit-là, pour changer, c'est la police qui lui mit une raclée. Ensuite, ils exigèrent une caution pour le mettre en liberté.

— N'importe quoi, dit-il, pourvu que ni ma pauvre épouse, qui est malade, ni ma fille, qui est encore très jeune, ne l'apprennent.

Comme il n'avait pas d'argent, il envoya un galopin à la pension avec la consigne de demander la somme fixée par le juge à Mariano, le barbier.

— Tu lui dis que je lui rendrai tout dès que possible, lui dit-il.

A la pension, Mariano prétendit qu'il n'avait pas cet argent.

— Je ne dispose pas de liquide, dit-il, ce qui était un mensonge évident.

Le messager revint en courant au commissariat et transmit textuellement au señor Braulio la réponse négative du barbier. Celui-ci, se voyant condamné sans rémission au scandale, profita d'une inattention des policiers qui le gardaient pour s'enfoncer sa *peineta*[1] dans le cœur. Les baleines du corset dévièrent les dents et il se fit seulement des égratignures d'où le sang coulait abondamment. Il salit sa jupe et ses jupons et inonda le sol du commissariat. Les gardiens lui enlevèrent le peigne et lui donnèrent des coups de pied dans les aines et les reins.

– On va voir si tu deviens plus raisonnable, espèce de truie, lui criaient-ils.

Le señor Braulio renvoya le messager à la pension.

— Il y a là-bas un jeune homme appelé Bouvila, Onofre Bouvila, dit-il au messager depuis l'étroite banquette où il restait étendu, dolent et ensanglanté; interroge-le avec discrétion. Je ne pense pas qu'il possède un liard, mais il saura comment m'aider.

Ce sera lui ou, sinon, c'est que Dieu m'abandonne, se dit-il quand le messager fut parti s'acquitter de sa mission. Il cherchait ce qu'il pourrait utiliser pour se suicider de nouveau si Onofre ne le tirait pas de ce pétrin.

A la pension, Onofre Bouvila écouta ce que lui racontait le messager et il se dit qu'il tenait sa chance en face.

— Dis au señor Braulio qu'avant l'aube j'irai moi-même au commissariat avec l'argent, lui dit-il, qu'il ne s'impatiente pas et ne fasse pas d'autres bêtises pour aujourd'hui.

Quand le messager fut parti, il grimpa l'escalier et frappa à la porte de la chambre de Delfina.

— Je ne vois pas pourquoi je devrais t'ouvrir, répondit-elle de l'autre côté, une fois qu'il se fut nommé.

1. Haut peigne incurvé, piqué dans le chignon, et qui sert à tenir la mantille.

Devant cette réponse acariâtre, Onofre ne put réprimer un sourire.

— Il vaut mieux que tu m'ouvres, Delfina, dit-il avec douceur. Ton père est dans de sales draps ; la police le retient prisonnier et il a essayé de se tuer : tu vois si la chose est grave.

La porte s'ouvrit et Delfina apparut dans l'embrasure, barrant l'accès à la chambre. Elle portait la même minable chemise de nuit qu'il lui avait déjà vue à deux reprises : quand elle était venue dans sa chambre lui proposer du travail et quand il avait été la chercher pour la mener là où Sisinio l'attendait. De la chambre voisine parvenait la voix geignarde de la señora Agata.

— Delfina, la cuvette, disait cette voix.

L'entendant, Delfina fit un geste d'impatience.

— Ne me casse pas les pieds, dit-elle à Onofre, je dois porter de l'eau à maman.

Onofre ne bougea pas d'où il était. Il voyait la crainte se peindre dans les yeux de la soubrette, et cela acheva de l'enhardir.

— Qu'elle attende, dit-il entre ses dents ; toi et moi, nous avons à nous occuper d'affaires plus urgentes.

Delfina se mordit la lèvre inférieure avant de parler :

— Je ne comprends pas ce que tu veux, dit-elle finalement.

— Ton père est en danger, je ne te l'ai pas dit ? Qu'est-ce qui t'arrive ? Tu ne comprends pas ? Tu es idiote ?

Delfina cligna plusieurs fois des yeux, comme si cette accumulation imprévue de faits décisifs l'empêchait de se faire une idée globale de la situation.

— Ah oui, mon père, murmura-t-elle finalement, qu'est-ce que je peux faire pour lui ?

— Rien, dit Onofre avec arrogance. Je suis le seul qui puisse l'aider en ce moment ; sa vie dépend de moi.

Delfina pâlit et baissa les yeux. Plusieurs coups sonnèrent à l'horloge de la paroisse de San Ezequiel.

— Quelle heure est-il ? demanda Onofre.

— Trois heures et demie », répondit Delfina. Puis, sans transition, elle ajouta : « Si tu peux vraiment l'aider, pourquoi ne le fais-tu pas ? Qu'est-ce que tu attends ? Que veux-tu de moi ?

De la chambre voisine continuaient à parvenir les supplications de la malade :

— Delfina, que se passe-t-il ? Pourquoi ne viens-tu pas ? Qu'est-ce que c'est que ces voix, fille, avec qui parles-tu ?

Delfina ébaucha le geste de sortir dans le couloir ; il profita de ce mouvement pour la prendre par les épaules et la tirer violemment à lui.

Il agissait avec plus de brutalité que de passion ; tant qu'elle n'avait pas bougé, il était resté lui aussi immobile, mais il semblait maintenant que la tentative de fuite de la soubrette eût marqué le début d'un combat. Maintenant, il sentait à travers la lourde toile de la chemise de nuit le corps anguleux de Delfina. Elle ne se débattit pas ; le ton de sa voix s'était fait suppliant :

— Lâche-moi, s'il te plaît, dit-elle, ce serait cruel de faire attendre ma mère. Elle peut être victime d'une attaque si je n'accours pas.

Onofre ne prêtait pas attention à ses paroles.

— Tu sais ce qui te reste à faire si tu veux revoir ton père en vie, dit-il en poussant la soubrette.

Ils entrèrent tous deux dans sa chambre et il ferma la porte du pied ; cependant, ses mains essayaient maladroitement de trouver les boutons de la chemise de nuit.

— Onofre, pour l'amour de Dieu, ne fais pas ça, dit la soubrette.

Il rit tout bas.

— C'est inutile de résister, dit-il avec fureur. Aujourd'hui, tu n'as plus de chat pour te défendre : Belzébuth est mort ; il est tombé du toit et s'est transformé en purée sur le pavé. J'ai poussé moi-même ses restes dégoûtants dans la bouche d'égout. Oh, diantre ! s'exclama-t-il.

Il n'arrivait pas à dégrafer la chemise de nuit ; il n'avait jamais jusqu'alors eu l'occasion de batailler avec des vêtements féminins, et l'excitation s'ajoutait à présent à l'inexpérience. Comprenant la situation embarrassante dans laquelle il se trouvait, Delfina se laissa tomber de dos sur le lit et retroussa sa chemise jusqu'aux hanches.

— Allez, viens, dit-elle.

Quand il se releva, quatre heures sonnaient à l'horloge de la paroisse de San Ezequiel.

— Dans très peu de temps, le soleil va paraître, dit-il. J'ai promis au señor Braulio que je serais avec l'argent au commissariat avant l'aube et je tiendrai parole. Les affaires sont les affaires, ajouta-t-il en regardant Delfina.

La soubrette le regardait avec des yeux énigmatiques.

— Je ne sais pas pourquoi tu as machiné tout ça, murmura-t-elle comme si elle parlait pour elle-même, je ne vaux pas tant d'efforts.

La lumière diffuse de l'aube voilait la couleur de son corps ; sur les draps retournés, sa peau était blafarde, presque grisâtre. Qu'elle est maigre, pensa Onofre. Il comparait mentalement le corps de Delfina avec celui des femmes des ouvriers de l'Exposition, qu'il avait vues sur la plage se soulager des rigueurs de l'été en folâtrant dans les vagues, presque nues. Étrange, pensa-t-il, comme je la vois différente à présent. Et, haussant la voix, il lui dit :

— Couvre-toi.

Elle se couvrit avec le bord du drap. Sa chevelure emmêlée et hirsute formait une auréole autour de son visage.

— Tu dois déjà partir ? lui demanda-t-elle.

Lui ne dit rien, mais acheva de se vêtir en vitesse. La señora Agata avait cessé d'appeler et un profond silence régnait dans la chambre. Onofre se dirigea vers la porte. La voix de Delfina l'arrêta :

— Attends, l'entendit-il dire, ne t'en va pas déjà. Ne me laisse pas ainsi. Qu'est-ce qui va se passer maintenant ?

Elle attendit quelques instants la réponse d'Onofre, mais celui-ci n'avait même pas compris la question. Elle se couvrit le visage de la main gauche.

— Que vais-je dire à Sisinio ? demanda-t-elle au bout d'un moment.

En entendant ce nom, Onofre lança un éclat de rire.

— Pour celui-là, pas la peine de te préoccuper, dit-il, il a une femme et des enfants ; il n'a pas cessé de te rouler ; si tu attends quelque chose de cette crapule, tu te mets le doigt dans l'œil.

Delfina resta à regarder Onofre.

— Un jour, je te dirai quelque chose, murmura-t-elle d'une voix tranquille ; un jour, je te ferai une révélation. Et maintenant, va-t'en.

Onofre descendit au premier étage, se cacha pour attendre que mestre Bizancio aille au cabinet de toilette et tira du matelas la somme nécessaire. Avec cet argent, il sortit le señor Braulio du commissariat et le ramena à la pension dans une voiture de place, car il était très affaibli par tout le sang qu'il avait perdu. Delfina les accueillit au milieu des coliques et convulsions. Elle avait vomi et avait des diarrhées intenses : craignant de rester enceinte d'Onofre Bouvila, elle s'était appliqué, localement et par voie orale, un lavement maison à effets révulsifs. Elle avait l'air d'être à la dernière extrémité.

— Ma fille ! s'exclama le señor Braulio, qu'est-ce qui t'est arrivé ?

— Et vous, père, habillé comme ça ! et couvert de sang !

— De sang et d'opprobre, comme tu vois, Delfina, ma fille chérie. Mais, toi, qu'as-tu fait ? demanda l'aubergiste.

— La même chose, père. La même chose que vous, répondit Delfina.

— Surtout, que ta pauvre mère n'apprenne rien, dit-il.

Quand ils entrèrent dans sa chambre, l'état de la señora Agata avait empiré. Mestre Bizancio, alarmé par les lamentations et les sanglots provenant du troisième étage, monta en chemise de nuit, pour voir si on avait besoin de ses services. Le señor Braulio se cacha dans une armoire pour que le prêtre ne le voie pas habillé en matrone et Onofre l'envoya chercher cet ami médecin qui avait déjà soigné Micaela Castro. Quand elle fut débarrassée de la présence du prêtre, Delfina le prit à part :

— Va-t'en de la pension et ne reviens pas, lui dit-elle. Ne perds pas de temps même à ramasser tes affaires. Tu es averti, je ne t'en dis pas plus ; à toi de voir ce qui te reste à faire.

Sans s'arrêter à réfléchir à ce que signifiait cette menace, Onofre comprit que Delfina ne la proférait pas en vain et il s'enfuit de la pension. Le ciel rougissait et les oiseaux pépiaient. Les ouvriers marchaient vers le travail. Ils portaient dans leurs bras leurs jeunes enfants, pour qu'ils pussent dormir encore un peu, jusqu'à la porte des usines. Là, ils les réveillaient et ils se séparaient : les adultes partaient vers les postes dangereux et les tâches les plus dures. Les enfants, vers les tâches les plus simples.

Quand il arriva au parc de la Citadelle, il vit le ballon captif s'élever au-dessus des mâts et de la cime des arbres. Les ingénieurs s'assuraient de son bon fonctionnement et de la solidité des amarres. Il ne s'agissait pas qu'en pleine Exposition le ballon rompît les amarres et s'en fût à la merci du vent avec la nacelle pleine de touristes terrorisés. L'attention au « touriste », comme on disait, était au centre de tous les soucis du moment. Les journaux ne parlaient que de ça. *Chacun des visiteurs, de retour dans son pays,* disaient-ils, *est transformé en apôtre et propagateur de tout ce qu'il a vu, entendu et appris.* Le ballon captif fonctionnait à merveille ; il n'y avait que quand soufflait ce vent mauvais qu'on appelle « vent de garbí » qu'il faisait grise mine et se mettait la tête en bas. Par deux fois cette semaine, l'ingénieur qui était à son bord s'était retrouvé pendu par un pied, retenu par un câble, visiblement inquiet. Ce n'étaient que de petits détails, des contretemps de dernière minute, avec lesquels il faut toujours compter. On entrait dans l'enceinte par l'Arc de triomphe. Cet arc, qu'on peut encore admirer de nos jours, était de brique apparente et de style mudéjar[1]. Y figuraient les écus des provinces espagnoles ; celui de Barcelone formait la clef. Il y avait également deux frises, une de chaque côté ; des reliefs y représentaient deux scènes : l'adhésion de l'Espagne à l'Exposition universelle de Barcelone (en souvenir des désaccords intervenus) et Barcelone en position de remercier les nations étrangères pour leur participation.

1. On appelle « mudéjars » les musulmans demeurés en Espagne après la *Reconquista.* L'alcazar de Séville est le monument le plus fameux de l'architecture mudéjar.

Dans les deux frises, la symbolique était peu rigoureuse. L'Arc de triomphe donnait accès à l'allée de San Juan, une très vaste avenue ombragée d'arbres, pavée de mosaïques et ornée de grands réverbères et aussi de huit statues de bronze qui recevaient le visiteur. Veuillez entrer, paraissaient-elles dire. Sur l'allée de San Juan se dressait le palais de la Justice, qui existe encore, le palais des Beaux-Arts, celui de l'Agriculture et celui des Sciences, qui ont disparu. Deux colonnes marquaient l'entrée du parc proprement dit. Au sommet de chacune, il y avait un groupe en pierre sculptée. L'un représentait le Commerce ; l'autre, l'Industrie, comme si on avait voulu transmettre ce message : N'attendez pas de nous autre chose que des résultats. Cette idéologie avait gêné le gouvernement central, plus enclin à poser à la spiritualité, et peut-être l'avait-elle dissuadé, en même temps que le manque de fonds, d'apporter une aide matérielle plus importante à l'entreprise. Ces deux colonnes sont encore visibles.

Se remémorant par fragments ce qui s'était passé quelques heures auparavant, il pensait : Comment se fait-il qu'Efrén, qui est un âne, ait les femmes sans aucun effort tandis que moi, qui suis beaucoup plus intelligent, je dois me donner tant de mal ? Il ne trouva jamais de réponse satisfaisante à cette question. Il ne trouva pas non plus Efrén Castells ce matin-là, bien qu'il se rendît aux endroits convenus. En marchant, il arriva à la plage. Une brigade d'ouvriers ratissait le sable pour effacer les dernières traces du campement qui avait existé là pendant plus de deux ans. Une partie de la plage avait été urbanisée et plusieurs pavillons s'y élevaient : celui de la Construction navale et celui de la Compagnie transatlantique, qui avaient tous deux un rapport avec la mer, et celui destiné à la présentation des étalons dont on entendait les hennissements quand se calmait le fracas des vagues. Un embarcadère avec un restaurant de luxe se terminait dans la mer. Le soleil faisait flamboyer l'eau, aveuglait Onofre Bouvila. Il ne savait pas où avaient bien pu aller les femmes et les enfants qui, peu de temps auparavant, vivaient sur la plage. Une brise printanière soufflait, dense et chaude.

Ce soir-là, il retourna à la pension. Le vestibule était désert. La salle à manger aussi. Il vit apparaître la tête de Mariano, le barbier.

— Que fais-tu là ? lui demanda le barbier ; tu m'as donné une de ces frousses !

— Qu'est-ce qui est arrivé, Mariano ? demanda à son tour Onofre, où sont-ils tous passés ?

C'est à peine si le barbier pouvait enfiler les phrases. Il était si effrayé que son teint était blanc comme s'il se fût enfariné.

— La garde civile est venue et a emmené le señor Braulio, la señora Agata et Delfina, dit-il. Ils ont dû les sortir tous les trois sur des civières. La señora Agata parce qu'elle était très mal, je crois qu'elle rendait le dernier soupir. Le señor Braulio et la fille parce qu'ils perdaient leur sang sans s'arrêter. Comme il fait sombre, tu ne t'es pas rendu compte, mais le vestibule est inondé de sang. Il doit déjà être en train de se coaguler. C'est le sang des deux, du père et de la fille, mêlé. Je ne sais pas s'ils les emmenaient en prison, à l'hôpital, ou directement à enterrer. Rien que de me rappeler la scène, ça me donne des nausées, petit. Avec ça que j'en ai vu dans l'exercice de ma profession. Et quoi ? Pourquoi ils les ont emmenés ? Qu'est-ce que j'en sais ? Tu comprendras qu'ils ne sont pas venus me donner des explications. J'ai entendu des bruits, ça oui. D'après ce qu'on dit, la fille, cet épouvantail, était d'une bande de malfaiteurs, de ceux qu'on appelle anarchistes. Je ne dis pas que c'est la vérité ; c'est ce que j'ai entendu dire. Avec les femmes, on sait ce que c'est. A ce qu'il paraît, elle avait des relations ou des rapports, de quel type, je n'en sais rien, avec un qui était aussi de la bande. Peintre en bâtiment et de la bande. Le peintre est tombé sur dénonciation et après la fille et après les autres.

— Et moi, Mariano, ils ne m'ont pas cherché ? demanda Onofre.

— Si, maintenant que tu en parles, je crois qu'ils ont demandé après toi, dit le barbier avec un léger accent de satisfaction. Ils ont fouillé toutes les chambres et la tienne plus minutieusement que les autres. Ils nous ont demandé à quelle heure tu avais l'habitude de venir. J'ai dit à la fin de l'après-midi. Je ne leur ai pas dit que tu fricotais avec la souillon parce que ça, vrai, je n'en sais rien. J'ai vu des choses, j'ai noté des choses, mais officiellement, pour ainsi dire, rien de rien. Mestre Bizancio leur a dit que tu ne passais plus par ici ; que ça faisait des jours que tu avais quitté la pension. Comme il porte une soutane, ils ont cru à ses mensonges et pas à mes vérités. C'est pour ça qu'ils n'ont laissé aucun garde en faction.

Il prit la poudre d'escampette. Il réfléchissait tout en s'enfuyant : sans doute Delfina avait-elle été la dénonciatrice, par dépit, pour se venger de Sisinio et de lui, elle avait donné toute l'organisation. Elle lui avait dit de quitter la pension sans perdre de temps. « Va-t'en sans ramasser tes affaires et ne reviens pas », lui avait-elle dit. Elle avait voulu lui éviter de tomber aux mains de la garde civile. En revanche, Sisinio était maintenant en prison, Pablo aussi et même elle. Et moi, Delfina a voulu me sauver, alors qu'en réalité je suis la cause de toute cette pagaille. Quelle salade, pensa-t-il. De toute façon, il faut disparaître de Barcelone, pensa-t-il après. Avec le temps, les eaux retourneraient à leur lit, se dit-il ; les anarchistes sortiraient de prison s'ils n'avaient pas été exécutés avant ; lui aussi retrouverait ses affaires ; peut-être pourrait-il reconstituer la bande d'enfants-voleurs, et même convaincre les anarchistes qu'il valait mieux se consacrer à des activités lucratives, que la révolution dont ils rêvaient n'était pas viable. Mais, pour le moment, il fallait fuir. Auparavant, pourtant, il fallait récupérer l'argent qui était toujours à la pension, glissé dans le matelas de mestre Bizancio. S'aventurer de nouveau dans la région était risqué. Il ne faisait aucun doute qu'à peine avait-il eu le dos tourné que Mariano, le sale barbier, avait informé la police de sa présence à la pension. Mais renoncer à l'argent, non, pensa-t-il, pas ça. Heureusement, il savait comment faire : à l'Exposition, il se procura une échelle, qu'il porta sur son dos jusqu'aux environs de la pension. Il dut traverser la moitié de Barcelone avec l'échelle sur son dos, mais il n'attirait nullement l'attention ainsi. Puis, lorsque la nuit fut bien avancée, il appuya l'échelle contre la façade aveugle du bâtiment, comme l'avait dit Sisinio. Ainsi grimpa-t-il sur le toit : là s'étaient donné rendez-vous, pendant deux ans, Delfina et Sisinio. Il savait où était la lucarne qui donnait accès à la pension : c'est par là qu'il était sorti sur le toit pour le badigeonner d'huile. Le troisième étage était vide et ses anciens occupants en prison. S'il y avait des gardes à l'affût, ils devaient être dans le vestibule attendant de le voir entrer par la porte, sûrement pas par le toit. L'obscurité régnante favorisait ses plans : il était le seul à connaître tous les recoins de la maison sur le bout du doigt, à pouvoir la parcourir sans trébucher. Il descendit au second étage et poussa la porte de la chambre de mestre Bizancio, il entendit la respiration du vieux curé qui dormait, il se cacha sous le lit et attendit. Quand trois heures sonnèrent à l'horloge de la paroisse de la Présentation, le curé se leva et sortit de la chambre. Dans deux minutes, ni plus ni moins, il serait de retour : il fallait agir dans ce laps de temps. Il passa la main dans le matelas et découvrit que l'argent s'était envolé. Il perdit son temps à tâter encore et encore, furetant dans la paille qui s'émiettait sous ses doigts. Mais il savait qu'il n'y avait pas d'erreur : l'argent n'y était plus. Il entendit mestre Bizancio qui revenait du cabinet de toilette. Il envisagea de lui sauter à la gorge et de lui tordre le cou jusqu'à savoir ce qu'il était advenu de l'argent, mais il renonça à le faire. Si la police était là et entendait quelque bruit suspect, elle accourrait sans tarder pistolet au poing. Il fallait attendre, chercher une occasion meilleure que la présente. Il dut passer une heure à asphyxier sous le lit jusqu'à ce que le curé retourne au cabinet de toilette. Il sortit alors, tout engourdi, de sous le lit, gagna le corridor puis, discrètement, l'escalier, le toit et la rue. De bon matin, il vit passer mestre Bizancio qui allait faire ses dévotions. Quand il se fut assuré de ce que personne ne le suivait, il vint à sa rencontre.

— Onofre, quelle joie de te voir, petit ! s'exclama le curé. Je pensais que je ne te verrais jamais plus ! » A ces mots, de vraie émotion, les larmes lui vinrent aux yeux. « Tu sais les choses terribles qui sont arrivées. Précisément, je me rendais à l'instant à l'église pour faire dire une messe pour la pauvre señora Agata, qui est celle qui en a le plus besoin. Ensuite, j'en ferai dire d'autres pour le señor Braulio et pour Delfina ; chaque chose en son temps.

— Tout ça est très bien, mon père, mais dites-moi où est mon argent, lui dit Onofre.

— Quel argent, fils ? demanda mestre Bizancio.

Rien ne paraissait indiquer que l'ignorance du vieux ne fût pas sincère. Peut-être est-ce Delfina elle-même qui a caché l'argent avant d'aller faire sa délation à la police, pensa Onofre ; ou bien la police est tombée dessus pendant la perquisition. Il était même possible que mestre Bizancio eût trouvé l'argent par hasard et l'eût consacré à des œuvres de charité sans savoir très bien ce qu'il faisait. Après tout, comment pouvait-on soupçonner que cet argent était à moi ? se dit-il. Ah, quel malheur que je ne l'aie pas dépensé au fur et à mesure que je le gagnais, comme Efrén Castells.

Sur le chemin de l'Exposition, où il se rendait pour voir à sauver au moins une partie de ce qu'avaient volé les enfants, il dut s'écarter pour laisser passer un cortège pittoresque : on conduisait les taureaux de combat de la gare aux arènes pour que les y tuent durant les festivités les *toreros* fameux du moment : Frascuelo, Guerrita, Lagartijo, Mazantini, Espartero et Cara-ancha[1]. Les bestioles branlaient de la tête, lançaient des coups de corne aux badauds et s'attardaient à examiner avec des yeux myopes le pied de certains réverbères. Au passage des bœufs conducteurs, il y avait toujours un plaisantin pour dénouer son foulard et parodier des passes. Les valets frappaient de leur pique la tête des conducteurs, et le plaisantin aussi s'ils pouvaient. Parvenu au parc de la Citadelle, Onofre s'en fut au pavillon où ils stockaient les horloges et le trouva vide. C'est la fin, se dit-il. Alors qu'il sortait du pavillon, deux hommes l'encadrèrent, un de chaque

1. *Cara ancha :* « large face ».

côté. Chacun lui prit un bras. Onofre remarqua que l'un de ces hommes était extraordinairement beau. Il comprit aussi que toute résistance était inutile et se laissa conduire de bonne grâce. Avant de quitter l'enceinte, il jeta les yeux derrière lui : du jour au lendemain, les revêtements avaient été posés et les pavillons maintenant flamboyaient au soleil ; à travers les branches des arbres agitées par la brise, on voyait des kiosques et des statues, des vélums et des parasols et les petites coupoles arabes des buvettes et des stands. Sur la place d'armes, face à l'ancien arsenal, des ingénieurs venus exprès d'Angleterre essayaient la Fontaine magique. Même ses ravisseurs en restèrent un instant bouche bée. Les colonnes et les arcs liquides changaient de forme et de couleur sans apparente manipulation ni addition de teinture : tout était l'œuvre de l'électricité. La vie devrait être toujours comme ça, pensa Onofre en se laissant emmener, peut-être à la mort. Et Efrén ? se demandait-il, avec toutes les pesetas qu'il m'a coûtées, maintenant que j'ai besoin de lui, où est-ce qu'il traîne ? Il ne pouvait soupçonner qu'Efrén le suivait fidèlement à distance, dissimulé.

— Monte dans cette voiture, lui dirent-ils lorsqu'ils furent arrivés près d'une berline.

Les rideaux des fenêtres étaient tirés et on ne voyait pas qui occupait la voiture, à supposer qu'il y eût quelqu'un. Sur le siège du cocher, il y avait un type sans uniforme, plus tout jeune, qui fumait la pipe.

— Je ne monte pas là-dedans, dit Onofre.

L'un des ravisseurs avait ouvert la portière de la voiture, l'autre le bouscula.

— Monte sans faire de blague, lui dit-il.

Onofre obéit. Assis, il y avait un homme seul. Il paraissait la cinquantaine, mais pouvait être plus jeune ; empâté du ventre et du menton, mais nerveux de pommettes et d'épaules, il avait le front plat et haut, finissant en angle droit. Là poussait, tondue comme du gazon, une tignasse qui ne blanchissait pas encore, sauf sur les tempes. Il ne portait pas de favoris ; d'une oreille à l'autre, il était soigneusement rasé, quoiqu'il arborât une moustache épaisse et relevée, un peu à la manière des maréchaux français, et c'était don Humbert Figa i Morera, pour qui il allait travailler tant d'années.

En ces temps-là, la suite d'un monarque était nombreuse pour des raisons d'ordre pratique et d'autres, plus importantes, d'ordre symbolique, comme celle-ci : le roi étant la réplique de Dieu sur la terre, il était mauvais qu'il se chargeât par lui-même de quelque fonction, même celle de porter la cuiller à sa bouche ; et cette autre : les rois d'Espagne, depuis des temps immémoriaux, ne congédiaient jamais ceux qui les avaient servis fût-ce momentanément, tout service rendu à la maison royale entraînait création d'une charge à vie et on avait connu le cas de monarques qui, déjà dans leur maturité, étaient partis à la guerre en emmenant avec eux leurs anciennes nourrices, gouvernantes et bonnes d'enfants comme s'il se fût agi de sénéchaux, majordomes ou sommeliers (car le roi ne pouvait s'abaisser à dire : « Je n'ai plus besoin de cela », confessant ainsi, d'une part la nécessité d'économiser, d'autre part le fait qu'en une occasion il avait eu besoin de quelque chose), ce qui en définitive créait autour d'eux un labyrinthe, une foule qui fréquemment empêchait les généraux en temps de guerre et les ministres en temps de paix de communiquer avec eux. S.M. Alphonse XIII (que Dieu le garde) avait deux ans et demi en 1888 quand il vint à Barcelone en compagnie de sa mère, doña María Cristina, la régente, de ses sœurs et de sa suite. La ville en fut paralysée. On avait aménagé pour la famille royale l'ancienne résidence du gouverneur de la Citadelle (moyennant quoi, par surcroît, ils se trouvaient déjà à l'intérieur de l'enceinte de l'Exposition, ce qui leur épargnait les ennuyeuses formalités de l'entrée, qui coûtait une peseta, ou de l'abonnement, qui en coûtait vingt-cinq) ainsi que l'édifice dit de l'Arsenal, mais les camerlingues et grands écuyers, chasseurs et palefreniers, veneurs et piqueurs, massiers, économes, ciriers, tapissiers, aumôniers, caméristes, dames d'atour et duègnes, il fallut les héberger tout bonnement là où l'on put. L'arrivée de souverains, nobles et dignitaires d'autres pays compliqua les choses. Il y eut des anecdotes pour tous les goûts, comme celle du burgrave saxon qui dut partager son lit pour une nuit avec un artiste récemment arrivé de Paris, selon l'affiche du Cirque équestre qui annonce à la suite son spectacle de chats dressés ; ou celle de l'escroc qui, se faisant passer pour le Grand Mogol, réussit à dîner à l'œil, sur sa bonne mine, dans différents hôtels et cafés. Les gens, les Barcelonais, s'appliquaient, au prix des plus grands tracas et désagréments, à aplanir toutes les difficultés devant les visiteurs, qui les payaient mal en retour, comme il arrive souvent dans ces circonstances. Ils manifestaient en général de la morgue, fronçaient le nez pour une bagatelle et allaient disant : « Quelle horreur, quel endroit, quels idiots ! », etc. Ils croyaient que le dédain était de bon ton.

L'Exposition universelle fut inaugurée, comme il était prévu, le 8 avril. La cérémonie inaugurale se déroula ainsi : à quatre heures et demie de l'après-midi, S.M. le Roi et sa suite firent leur entrée dans le salon d'honneur du palais des Beaux-Arts. Le roi s'installa sur le trône.

Il posait ses pieds, qui ne touchaient pas le sol, sur une pile de coussins. A son côté se trouvaient la princesse des Asturies, doña María de las Mercedes, et l'infante doña María Teresa. A côté de la régente, qui était habillée de noir, se tenait la duchesse d'Édimbourg. Ensuite venaient, dans cet ordre, le duc de Gênes, le duc d'Édimbourg, le prince Rupprecht de Bavière et George, prince de Galles. Derrière se tenaient le président du Conseil des ministres, don Práxedes Mateo Sagasta, et les ministres de la Guerre, des Travaux publics et de la Marine, les gentilshommes de Leurs Majestés, les Grands d'Espagne qui étaient venus à la cérémonie (flanqués de hallebardiers, conformément à leur privilège, ou bien déchaussés, s'ils avaient choisi d'exercer cette autre prérogative), les autorités locales (en jaquette), le corps diplomatique et consulaire, les envoyés extraordinaires, les généraux, amiraux, chefs d'escadre, le Conseil directeur de l'Exposition et une infinité de personnalités. Répandus là où les avait poussés la masse humaine, des laquais en culotte courte, à la Federica, portaient les emblèmes des visiteurs de haute lignée : clef ou chaîne de laiton, couronne, cravache, bois de cerf, griffes, masse ou cloche. Cinq mille personnes assistèrent à cette cérémonie. Lorsque les discours eurent été prononcés, les précepteurs emmenèrent les enfants royaux. Les adultes visitèrent quelques pavillons, en commençant par celui de l'Autriche, pays natal de S.M. la Reine. Dans le pavillon français, on joua une pièce de Chopin et, dans le palais du gouverneur, fut servi un rafraîchissement baptisé pour l'occasion *lunch.* Alors que la reine avait déjà terminé le *lunch,* le dernier des participants en était encore à passer la porte du pavillon d'Autriche. Tout cela eut lieu sous les yeux d'une multitude humaine. Le soir, il y eut au Liceo une représentation de gala à laquelle assista la reine, qui portait la couronne comtale. On donna *Lohengrin;* au début du second acte, certains en étaient encore à faire un sort au *lunch.* D'une manière générale, la cérémonie d'inauguration fut solennelle et bien menée. Les constructions de l'Exposition ne furent pas indignes du rang de ceux qui les visitèrent ce jour-là. Certains édifices n'étaient pas terminés; d'autres, terminés depuis longtemps, étaient déjà dans un état de détérioration avancée. La presse parla de *lézardes énormes* et de *grande confusion.* Mais l'important était que les gens fussent contents. Vues aujourd'hui, les installations des exposants, avec leur dessin sévère, leurs couronnes florales sculptées dans le bois, leurs crêpes et leurs baldaquins, ont un certain air de catafalques, mais elles correspondaient à ce qui devait être le goût de l'époque, son idée de l'élégance. Il faut, pour juger des choses, les replacer dans leur exacte perspective. Au port avaient mouillé soixante-huit navires de guerre de divers pays, portant à leur bord dix-neuf mille hommes et cinq cent trente-huit canons. Ce point, qui pourrait aujourd'hui sembler menaçant, fut interprété par les Barcelonais comme une marque sans équivoque de courtoisie et d'amitié. La Grande Guerre n'avait pas encore eu lieu, et les armes conservaient quelque chose de décoratif. Dans un poème composé pour l'occasion, Federico Rahola synthétise cette idée de la façon suivante :

La canonnade sauvage
Fait frissonner la terre.
Ce sont les monstres de la guerre
Qui à la paix rendent hommage.

C'est une pensée identique qu'exprime Melchor de Palau dans son *Hymne à l'ouverture de l'Exposition,* dont un des vers dit :

Et tonne sans blesser l'effroyable canon.

L'Exposition universelle resta ouverte jusqu'au 9 décembre 1888. La clôture fut plus simple que l'inauguration : *Te Deum* à la cathédrale et brève cérémonie au palais de l'Industrie. Elle avait duré deux cent quarante-cinq jours et été visitée par plus de deux millions de personnes. Le coût de sa construction s'était élevé à cinq millions six cent vingt-quatre mille six cent cinquante-sept pesetas et cinquante-six centimes. Certaines installations purent être récupérées pour d'autres usages. Le solde de la dette fut énorme et pesa sur la municipalité de Barcelone pendant de nombreuses années. Demeura aussi le souvenir de journées de splendeur et l'idée que Barcelone, si elle le voulait, pouvait redevenir une ville cosmopolite.

Chapitre 3

1

On sait peu de choses sur don Humbert Figa i Morera : il était né à Barcelone, où ses parents avaient un modeste commerce de fruits secs, dans le Raval ; il fit ses études sous la houlette de moines missionnaires que les va-et-vient de la politique dans les terres lointaines avaient temporairement fait échouer à Barcelone où, pour ne pas être une charge excessive, ils se consacraient à l'enseignement ; ensuite, il fit son droit. Il fit un mariage tardif, à trente-deux ans. Sa réussite professionnelle fut grande : à quarante ans, il avait un des cabinets les plus réputés de Barcelone ; cette réputation n'était pas de bon aloi, nous allons voir pourquoi : quoique, au milieu du XIXe siècle, on n'eût trouvé personne de sensé pour discuter l'égalité de tous les hommes devant la loi, la réalité était très différente. Les personnes d'ordre, les gens de bien jouissaient d'une protection qui était refusée au vaurien. Le vaurien ignorait ses droits, et les eût-il connus qu'il n'aurait su comment les faire valoir, et l'eût-il encore su qu'il est douteux que la magistrature les ait reconnus ; son destin était de perdre toujours. A cet égard, la justice avait peu d'idées, mais très claires. L'époque était dominée par la foi dans les sciences : il n'y avait de chose ni de phénomène qui ne correspondît à une cause précise, pensait-on. Si on pouvait isoler cette cause, on pouvait formuler une loi immuable pour tous les cas similaires ; avec une poignée de lois immuables, on pouvait prédire le futur sans crainte de se tromper. On pensait la même chose de la conduite humaine : on lui cherchait des raisons qui pussent ensuite être réduites à des lois. Dans ce domaine, il y avait des théories pour tous les goûts : les uns soutenaient que le facteur déterminant de tout ce que faisait un individu au long de sa vie était l'héritage génétique ; d'autres, le milieu dans lequel il était né ; d'autres, l'éducation reçue, etc. Il y en avait bien qui se référaient au libre arbitre, mais leurs arguments tombaient à plat : Avec cette théorie, leur disait-on, on n'ira pas loin. Le déterminisme était en vogue, il facilitait beaucoup les choses, particulièrement à ceux qui devaient juger la conduite des hommes. Les juges ne dédaignaient pas la justice, mais ils l'appliquaient à leur façon, expéditive. Ils ne faisaient pas dans les nuances : ils jetaient un coup d'œil à l'accusé et aussitôt ils savaient ce qu'ils devaient en penser. Si un individu poli, d'origine et de fortune convenables, commettait un crime, ils disaient : Il devait avoir une bien puissante raison pour se conduire comme il l'a fait ; et alors ils se montraient très compréhensifs. Si l'auteur du crime était un vaurien, ils ne cherchaient pas de mobile à sa conduite ni ne se livraient à des conjectures. Non seulement la nature transmise de père en fils l'inclinait au désordre, pensaient-ils, mais en plus ces penchants n'étaient pas contrariés par les préceptes de la religion, de la conscience civique ni de la culture. Sur ce point, ils étaient d'accord avec les sociologues. Si l'accusé alléguait des circonstances atténuantes ou absolutoires, ils lui répondaient ironiquement. L'accusé peut faire valoir ce qui lui plaît, lui disaient-ils, il est dans de sales draps. Allez, allez, au trou ! En prison, il s'agissait de rééduquer les prisonniers, mais les résultats n'étaient pas toujours satisfaisants.

A tout cela, à cet état de choses, don Humbert Figa i Morera, qui était d'humble origine, opposait une vision différente, plus pragmatique :

— Ce qui se passe avec les pauvres qui commettent des délits, disait-il, c'est qu'ils n'ont pas un bon avocat pour tirer leur épingle du jeu.

C'était la vérité : aucun avocat n'aurait mis son talent à la disposition d'un vaurien. Ils voulaient tous servir les gens bien, les familles de vieille souche. Comme il y en avait peu, il y avait également peu d'avocats pour gagner bien leur vie. Les pauvres, se disait don Humbert Figa i Morera, constituent un marché immense à exploiter ; le problème est de trouver la manière. Il est clair qu'étant comme je suis un rien-du-tout, sans relations chez les gens bien, ça me demandera autant d'efforts de me faire un nom dans les hautes sphères que dans les bas-fonds, se disait don Humbert. Il commença à fréquenter les nécessiteux ; il leur offrait l'aide de sa science, il s'était fait imprimer des cartes plus faciles à lire que les cartes usuelles, qui étaient en lettres gothiques.

— Si vous avez des ennuis, souvenez-vous de moi, disait-il au nécessiteux, en lui donnant sa carte.

Les nécessiteux le regardaient avec méfiance ; ils ne lui prêtaient pas attention, ils se moquaient de lui ou l'envoyaient promener. Puis, quand ils avaient en effet des ennuis, ils se souvenaient de lui et retrouvaient la carte. Diable, pensaient-ils, on ne perd rien à essayer ; si j'échoue en prison, ce qui est probable, je ne le paye pas et à l'aise, Blaise. Ils lui confiaient les cas les plus désespérés et lui les acceptait de bonne grâce ; il traitait ses clients avec déférence, sans moquerie ni condescendance, il étudiait les affaires avec beaucoup de sérieux. Au début, juges et procureurs croyaient qu'il agissait ainsi par altruisme ; ils essayaient de lui ôter ses illusions.

— Ne perdez pas votre temps, cher collègue, lui disaient-ils, ce sont des gens de sac et de corde, ils sont faits pour être délinquants, du gibier de potence.

Il écoutait respectueusement ces raisons, mais ne les prenait pas en considération ; au fond, il était d'accord avec ce qu'ils lui disaient, il n'y avait que les honoraires qui l'intéressaient. Les missionnaires l'avaient éduqué, ils lui avaient appris à être patient, à dire toujours oui, ils lui avaient appris l'art de la persuasion ; dans la majorité des cas, il gagnait contre tout pronostic : il connaissait comme personne les détours de la procédure et il trouvait toujours un artifice pour servir ses desseins ; à l'indignation générale, juges et magistrats devaient lui donner raison, les procureurs jetaient par terre codes et toges, les larmes leur venaient aux yeux :

— Ça ne peut pas continuer comme ça, disaient-ils, on nous oblige à bafouer la loi.

C'était certain : la loi était généreuse en garanties et même en subterfuges, parce qu'elle n'avait pas été faite pour que la pègre s'en prévale. Le fait qu'un avocat comme eux mît les recours de la loi au service de criminels de la pire engeance les prenait au dépourvu. Leur désarroi transparaissait dans les sentences qu'ils dictaient.

— On nous a pris par-derrière, disaient-ils, mais puisque nous devons absoudre, nous absoudrons.

Les criminels absous n'en revenaient pas non plus ; ils lui demandaient, avec une curiosité véritablement superstitieuse :

— Pourquoi nous aidez-vous, monsieur l'avocat ?

Ils croyaient être en présence d'un saint.

— Pour de l'argent, répondait-il, pour que vous me payiez mes honoraires.

Les criminels, avec l'éthique stricte qui leur était propre, s'acquittaient des honoraires rubis sur l'ongle ; jamais ils ne discutaient, ainsi allait-il s'enrichissant. Au bout de plusieurs années, un soir d'hiver, il reçut une étrange visite.

Il avait son cabinet dans la rue basse de San Pedro ; en plus de lui, deux aides travaillaient là, une secrétaire et un garçon de bureau. Il songeait à engager d'autres aides. Ce soir-là, tout le monde était parti, sauf le garçon de bureau. Il était en train de peaufiner les détails d'une affaire qui devait venir à l'audience du lendemain matin. On appela de derrière le porche. Curieux, pensa-t-il, à cette heure, qui cela peut-il être ? Il dit au garçon de bureau de descendre ouvrir, mais de s'assurer auparavant que ceux qui appelaient, quels qu'ils fussent, avaient de bonnes intentions : ce qui était très difficile à discerner parce que le cabinet n'était visité que par des gueules patibulaires. Cette fois-là, en revanche, il n'y eut pas de problème : dans la rue, il y avait trois messieurs d'allure distinguée et un individu d'aspect extravagant, mais pas alarmant. Les trois messieurs avaient le visage couvert d'un masque ; cela n'était en aucune façon insolite dans la Barcelone de cette époque.

— Vous avez de bonnes intentions ? demanda le garçon de bureau aux visiteurs masqués.

Ils lui répondirent que oui et s'ouvrirent le passage en l'écartant du pommeau de leurs cannes, qui dissimulaient des stylets. Les trois masques s'assirent autour de la table allongée qui trônait dans un des salons du cabinet. Le quatrième individu resta debout ; don Humbert le reconnut sans difficulté en dépit du temps écoulé : c'était un de ces missionnaires qui s'étaient occupés de son éducation, à la générosité desquels il devait d'avoir frayé son chemin dans la vie ; aujourd'hui, il revenait, peut-être pour lui demander une faveur qu'il ne pouvait lui refuser. Sa vocation, comme il l'apprit ensuite, l'avait conduit en Éthiopie et au Soudan ; là-bas, il avait fait de nombreuses conversions, mais avec les années il avait fini par se convertir lui-même à la religion païenne qu'il combattait ; il était revenu à Barcelone envoyé par les derviches pour prêcher la sorcellerie. Il portait l'habit laïque, mais il tenait à la main droite un tibia couronné par une tête de mort. Quand elle bougeait, on entendait tinter des cailloux.

— Qu'est-ce qui me vaut l'honneur de votre visite ? demanda-t-il à l'énigmatique délégation.

Les masques se consultèrent du regard.

— Nous avons suivi vos travaux avec énormément d'intérêt, dit l'un des masques. A présent, nous venons vous faire une proposition. Nous sommes des hommes d'affaires, notre conduite est irréprochable : c'est pour cela même que nous avons besoin de votre aide.

— Si ça ne dépend que de moi... dit-il.

— Vous n'allez pas tarder à voir que oui, dit le masque. Comme je viens de le dire, nous sommes des personnes connues, nous tenons beaucoup à notre bon renom. Vous, de votre côté, vous êtes gagné un prestige mérité dans la lie de la société. En bref, nous souhaitons que quelqu'un fasse pour notre compte un travail salissant, et que vous soyez notre intermédiaire. Inutile de dire que nous ne regardons pas à la dépense.

— Ah, s'exclama-t-il, mais c'est immoral.

A ce point intervint le missionnaire apostat. La morale, dit-il, se divisait en deux catégories : morale individuelle et morale sociale ; s'agissant de la première, il n'y avait pas sujet de se préoccuper, étant donné que don Humbert ne s'engageait pas à commettre d'acte répréhensible ; il se bornait à remplir sa charge, à exercer sa profession ; quant à la morale sociale, il n'y avait rien à objecter : l'important était que se maintînt l'ordre social, le bon fonctionnement de la mécanique.

— Toi, mon fils, continua le renégat, tu as sauvé beaucoup de criminels d'un enfermement mérité ; il est donc juste que maintenant tu en pousses d'autres au crime et à l'échafaud ; ainsi, la balance s'équilibre.

Les masques avaient disposé sur la table un énorme paquet d'argent. Il accepta le contrat et tout marcha comme sur des roulettes. Par la suite, les contrats de ce genre se mirent à pleuvoir. Tous les soirs défilaient au bureau des messieurs masqués, et pas mal de dames. Les attelages créaient des embouteillages devant le porche. Les vrais criminels, comme ils n'avaient rien à cacher, venaient au cabinet aux heures ouvrables, en pleine lumière et sans déguisement.

— Incroyable, disait-il à son épouse, comme tout me réussit !

Il avait besoin pour son service de gens toujours plus nombreux ; pas seulement des scribes et des secrétaires, mais aussi des agents capables d'évoluer dans les bas-fonds avec aisance. Il recrutait ces agents là où il le pouvait, sans se soucier de leurs antécédents.

— On m'a dit que tu étais bon, que tu te débrouillais bien, dit-il à Onofre Bouvila lorsqu'il fut enfermé avec lui dans le tilbury. Tu travailleras pour moi.

— En quoi consiste le travail ? demanda Onofre.

— A faire ce que je dis, répondit don Humbert Figa i Morera, et à ne pas poser de questions hors de propos. La police est au courant de tes activités. Sans ma protection, tu serais déjà en prison. Tu n'as pas le choix : tu travailles pour moi ou tu en prends pour vingt ans.

Il travailla pour don Humbert de 1888 à 1898, l'année où l'on perdit les colonies.

Pour commencer, on le mit sous les ordres de cet individu si beau qui l'avait enlevé dans le parc de la Citadelle, un certain Odón Mostaza, natif de Zamora, âgé de vingt-deux ans. Ils lui donnèrent un couteau, une matraque et une paire de gants de tricot ; ils lui dirent de n'utiliser la matraque que si c'était nécessaire ; le couteau, que dans des situations désespérées ; dans les deux cas, il devait mettre les gants avant de prendre la matraque ou le couteau, afin de ne pas laisser d'empreintes digitales.

— Le plus important est que personne ne puisse t'identifier, lui dit Odón Mostaza, parce que si on t'identifie, toi, on peut m'identifier, moi, et si on m'identifie, moi, on peut identifier celui qui me donne les ordres et ainsi, de fil en aiguille, comme les maillons d'une chaîne, remonter jusqu'au chef, qui est don Humbert Figa i Morera.

En réalité, tout Barcelone savait que don Humbert Figa i Morera avait des attaches avec la pègre ; la nature de ses activités n'était un secret pour personne, mais, comme les autorités et nombre de personnalités de la vie politique et commerciale étaient plus ou moins impliquées dans l'affaire, il n'arrivait rien. Les gens bien tenaient à distance don Humbert Figa i Morera, mais le traitaient publiquement comme un notable. Lui ne se rendait pas compte de cette dualité de sentiments, il croyait appartenir à l'aristocratie de la ville et il était heureux. Odón Mostaza et le reste de la bande prenaient une part indirecte à sa vanité. Si par hasard ils se trouvaient à midi dans les environs du paseo de Gracia, ils se disaient les uns aux autres :

— Allons sur le paseo de Gracia voir défiler don Humbert.

Il se faisait admirer là tous les jours, sans en omettre un seul, chevauchant un petit cheval de Xeres de très élégante allure. De sa main gantée, il saluait d'autres cavaliers, ou bien, de son chapeau de velours vert émeraude, les dames qui passaient dans des voitures découvertes, tirées par de splendides attelages. Odón Mostaza et ses séides le contemplaient à distance, en cachette, pour que la preuve palpable de leurs relations ne vînt pas ternir sa gloire.

— Tu peux être très fier, môme, disait-il à Onofre Bouvila, très fier d'avoir pour chef l'homme le plus élégant de Barcelone ; et le plus puissant aussi bien.

Ce dernier point était une exagération : don Humbert Figa i Morera était un pas-grand-chose ; même sur son terrain, il y avait quelqu'un de plus puissant que lui : don Alexandre Canals i Formiga. Lui, on ne le voyait jamais parader sur le paseo de Gracia, bien qu'il habitât non loin de là ; il s'était fait construire un immeuble de trois étages, de style mudéjar, sur la calle Diputación, à quelques mètres du fameux boulevard. Le bureau où il mourut se trouvait calle Platería[1]. Sa vie se passait entre sa maison et son bureau. Il allait seulement, de temps en temps, à un manège installé en plein air près de sa maison ; il y menait son jeune fils, légèrement taré. Il avait eu trois autres fils, mais ils étaient tous morts dans la tragique épidémie de peste de 1879.

Onofre Bouvila se vit confier, au début, des tâches de très petite envergure ; on ne le laissait jamais agir seul. Il allait avec Odón Mostaza au port, surveiller le déchargement d'une marchandise ; d'autres fois, ils attendaient à la porte d'une maison, sans savoir pourquoi, jusqu'à ce que quelqu'un dise : « Bon, ça va, vous pouvez partir », etc. Ensuite, il fallait rendre compte de tout à un individu qu'Odón Mostaza surnommait Margarito ; il s'appelait en vérité Arnau Puncella. Il était entré au service de don Humbert Figa i Morera de nombreuses années auparavant ; c'était un de ces garçons de bureau qu'il avait employés au début ; il avait grandi dans son ombre, et était graduellement devenu un de ses collaborateurs les plus intimes : à présent, il supervisait tous les contacts avec les malfrats, tout le sale boulot. C'était un petit homme d'aspect maladif, qui portait d'épaisses lunettes et une moumoute noire comme le jais, les ongles très longs et non exempts de crasse ; il s'habillait avec peu d'élégance et une tendance à la saleté ; il était marié et on disait de lui qu'il avait de nombreux enfants ; point que nul ne savait avec certitude, car il était très renfermé et ne fréquentait personne. Il était aussi très méticuleux, méfiant et perspicace : il ne tarda pas à s'apercevoir de l'extraordinaire capacité qu'avait Onofre à se souvenir des dates, noms et chiffres, de sa prodigieuse mémoire.

— Dans ce type d'activités, la rigueur est essentielle, disait-il à ses fils à qui il veillait à donner une éducation soignée, une erreur peut facilement conduire à la catastrophe.

Cette exigence l'avait amené à remarquer les dons d'Onofre Bouvila. Plus tard, il vit en lui d'autres qualités qui l'effrayèrent. Onofre ne se rendait pas compte de l'intérêt qu'il éveillait : il s'efforçait de passer inaperçu, il ne savait pas encore que l'intelligence est aussi difficile à dissimuler que son défaut, il croyait de bonne foi que personne ne l'avait remarqué. Pour la première fois, il vivait sa vie.

Odón Mostaza était un flingueur de bonne race, dissipé et sociable ; il n'y avait pas, dans Barcelone et ses environs, lieu de plaisir où on ne

1. Rue de l'Orfèvrerie.

le connût ; comme il était non seulement beau, mais encore turbulent et dépensier, on l'aimait bien partout. En compagnie d'Odón Mostaza, Onofre Bouvila se créa, sans le chercher, un cercle d'amitiés ; semblable chose ne lui était jamais arrivée auparavant. Il avait emménagé dans une pension un peu meilleure que celle tenue par le señor Braulio et la señora Agata ; comme on voyait qu'il disposait de revenus réguliers, on l'y traitait comme un prince. Presque toutes les nuits, il sortait avec Odón Mostaza et sa bande ; ensemble, ils fréquentaient les bas quartiers de Barcelone. Il y rencontra beaucoup de femmes disposées à lui prendre son argent en échange de leurs charmes, de quelques moments de plaisir ; cette réciprocité lui parut juste et commode : elle cadrait bien avec sa manière d'être. Parfois, il se souvenait de Delfina : Quel idiot j'ai été, se disait-il alors, que d'efforts et de peines inutiles ; alors que tout est si facile. Il se pensait guéri pour toujours du mal d'amour. Quand venait l'été, ils fréquentaient les célèbres guinguettes [1], qui lui plaisaient particulièrement : les lustres, les tapis, les guirlandes de fleurs de papier, la foule, les orchestres transpirants, l'odeur de parfum, les danses typiques de ces lieux : la valse des voiles, le *ball de rams,* etc. Beaucoup de filles dans la fleur de l'âge fréquentaient les guinguettes : elles allaient en groupe, se tenant par le bras et riant de tout ce qu'elles voyaient ; si quelqu'un disait quelque chose à l'une d'elles, elles se mettaient toutes à rire ; il était impossible, ensuite, de les faire s'arrêter, elles avaient le fou rire. Les poissonnières étaient les plus gaies et culottées, les domestiques les plus ingénues, et les cousettes les plus vicieuses et dangereuses. Ils allaient aussi à la Barceloneta, à la plaza de toros. Après la corrida, ils allaient boire de la bière ou du vin rouge avec de l'eau gazeuse dans les bars autour des arènes ; là s'improvisaient des réunions animées qui se prolongeaient jusqu'à l'aube. Une fois la fantaisie lui vint de visiter l'Exposition universelle dont tout le monde ne cessait de parler. Barcelone entière était en fête : on avait demandé aux propriétaires d'immeubles de restaurer les façades ; à ceux qui avaient des voitures, de les nettoyer et de les repeindre ; à tous, d'habiller convenablement leur domesticité. Pour s'occuper des visiteurs étrangers, l'*ayuntamiento* avait sélectionné cent gardes municipaux, ceux qui avaient l'air le plus éveillé, et les avait obligés à apprendre le français en quelques mois ; à présent, ils allaient et venaient dans la ville, marmottant des phrases inintelligibles ; les enfants les suivaient et les harcelaient, imitant leurs

1. On traduit ainsi, faute d'équivalent exact, le mot *entoldados,* qui désigne des tentes de *toldos,* de vélums, édifiées les jours de fête sur les places des quartiers.

sons gutturaux et les appelant *gargalluts*. Il alla seul et paya son entrée : cela lui plut d'entrer dans l'enceinte par la porte, comme les messieurs. Il se laissa entraîner par la foule, prit un goûter au café-restaurant, appelé le *castell dels Tres Dragons*[1] (plus de cent soixante-dix hommes avaient travaillé à l'édifier, qu'il connaissait presque tous par leur prénom), puis il visita le musée Martorell, le diorama de Montserrat, la buvette Valencienne, le café Turc, l'American Soda Water, le pavillon de Séville, de style mauresque, etc. Il se fit photographier (la photographie s'est perdue) et entra dans le palais de l'Industrie. Il y vit le stand où Baldrich, Vilagrán et Tapera, les trois messieurs de Bassora, exposaient leur matériel ; cela lui rappela de mauvais souvenirs, lui remua les sangs ; il sentit qu'il étouffait, la foule qui l'entourait lui devint insupportable, il dut sortir du palais à toute vitesse, s'ouvrant un chemin à coups de coude. Une fois dehors, le fascinant spectacle lui parut une plaisanterie sinistre : il ne pouvait le dissocier des peines et de la misère qu'il avait connues là quelques mois auparavant ; il ne revint plus à l'Exposition ni ne voulut plus en entendre parler.

En revanche, la vie nocturne de la vieille Barcelone, celle qui ne s'était pas laissé altérer par les fastes de l'Exposition, qui menait sa vie en marge de tout, l'enthousiasmait ; il ressentait pour elle une passion de provincial. Dès qu'il le pouvait, il allait, seul ou avec ses copains, dans un endroit appelé *l'Empori de la Patacada*[2]. C'était un local pauvre et puant, situé dans un entresol de la calle del Huerto de la Bomba[3] ; de jour, le lieu était obscur, étroit, sans charme ; ce n'était qu'à partir de minuit qu'une clientèle rustique mais enthousiaste le faisait revivre : le local paraissait renaître de ses cendres, sa taille augmentait à vue d'œil : on pouvait toujours faire tenir un couple de plus, personne ne restait debout. A la porte se tenaient en permanence deux employés munis d'une lampe pour éclairer et d'un fusil de chasse pour mettre en fuite les maraudeurs. C'était nécessaire parce que ne venaient pas seulement là les voyous, qui savaient se défendre tout seuls, mais aussi des jeunes dissolus de bonne famille, des demi-mondaines accompagnées d'un ami, d'un galant, ou de leur mari, le visage couvert d'une voilette serrée ; ils éprouvaient là des émotions fortes, ils pimentaient de haut-le-corps la routine de leur vie ; ensuite, ils racontaient ce qu'ils avaient vu en exagérant beaucoup les clairs-

1. Le château des Trois Dragons, en catalan.
2. L'Empire du coup de poignard.
3. Rue du Jardin-de-la-Pompe.

obscurs. En ce lieu, on dansait et, à certaines heures, on donnait des *tableaux vivants**. Ces *tableaux vivants* avaient été très populaires au XVIIIe siècle, mais, à la fin du XIXe siècle, ils avaient presque complètement disparu. Il s'agissait de scènes immobiles interprétées par des personnes réelles. Ces scènes pouvaient être « d'actualité » (Leurs Majestés le Roi et la Reine de Roumanie recevant l'ambassadeur d'Espagne ; le grand-duc Nicolas en uniforme de lancier avec son illustre épouse, etc.) ou à caractère « historique », autrement dit « didactique » (le suicide des Numantins, la mort de Churruca[1], etc.) ; le plus souvent, ils étaient « bibliques » ou « mythologiques ». Ces derniers étaient les plus appréciés, parce que tous les personnages ou presque y étaient nus. Pour les gens du siècle dernier, être nu signifiait être en maillot ; les acteurs portaient des maillots moulants couleur chair. Il en allait ainsi non parce que les gens étaient plus pudibonds qu'ils ne le sont aujourd'hui, mais parce qu'ils soutenaient, avec raison, que ce qui était agréable c'était la forme du corps humain et que la vision directe de l'épiderme et de ses villosités était plus morbide qu'érotique. Dans ce domaine, les habitudes avaient beaucoup changé : au XVIIIe siècle, comme on le sait, on n'accordait pas la moindre importance à la nudité ; les gens se montraient nus en public sans aucune hésitation et sans que pour autant leur dignité en souffrît ; hommes et femmes se baignaient devant leurs visiteurs, se changeaient en présence de leurs domestiques, pissaient et déféquaient sur la voie publique, etc. On trouve ample témoignage de cet état de choses dans les journaux et la correspondance de l'époque. *Dîner chez les M****, peut-on lire dans le journal de la duchesse de C***, *madame de G***, comme d'habitude, préside la table à poil.* Et, plus loin : *Bal chez le prince de V*** ; presque tout le monde nu sauf l'abbé R*** déguisé en papillon ; on a beaucoup rigolé**. A *l'Empori de la Patacada,* un orchestre de quatre musiciens animait le bal ; la valse avait déjà été adoptée par toutes les couches sociales ; le paso doble et la scottish étaient réservés au populo ; le tango n'avait pas encore fait son apparition ; les gens bien, dans les soirées, continuaient à danser le rigodon, la mazurka, le quadrille et le menuet ; la polka et la java faisaient fureur en Europe, mais pas en Catalogne ; les danses populaires comme la sardane, la jota, etc., étaient proscrites dans des lieux comme *l'Empori de la Patacada.* Trop chaud pendant les mois d'été, l'endroit connaissait sa période de splendeur pendant les nuits d'automne, quand les tempêtes fouettaient les rues, quand le froid

1. Amiral espagnol tué à Trafalgar en combattant aux côtés des Français.

invitait à rentrer. Au retour du printemps, les terrasses des cafés et les bals en plein air lui enlevaient une bonne partie de la clientèle. Au milieu de cette foire permanente, Onofre Bouvila faisait ce qu'il pouvait pour s'amuser. Par moments, il y parvenait, mais, en général et en dépit de ses efforts, il restait inquiet et tendu : il n'arrivait jamais à profiter pleinement des distractions que lui offrait ce milieu, il ne se laissait jamais entraîner complètement par ce tourbillon. Odón Mostaza, qui lui avait voué une grande affection et se sentait jusqu'à un certain point responsable de son bien-être, était préoccupé de le voir toujours si sérieux.

— Allons, môme, pourquoi ne laisses-tu pas les soucis de côté, même pour un moment ? lui disait-il, pourquoi ne te distrais-tu pas ? Eh, regarde ces femelles, il n'y a pas de quoi en perdre la boule ?

A quoi Onofre répondait avec douceur, en souriant :

— N'essaie pas de me forcer, Odón, me distraire me fatigue trop.

Ce paradoxe faisait rire Odón Mostaza ; il ne comprenait pas qu'Onofre lui disait la vérité : se détourner fût-ce quelques minutes de ses pensées lui aurait coûté une énorme dépense d'énergie, seul un effort surhumain aurait pu l'arracher momentanément au souvenir de ce matin horrible où un personnage insolite s'était présenté chez ses parents.

L'oncle Tonet l'avait amené de Bassora dans sa carriole : il portait une redingote râpée, un plastron, des lunettes et un haut-de-forme. Il portait aussi une volumineuse sacoche de cuir. Il tâchait de ne pas mettre les pieds dans les flaques, il contournait soigneusement les tas de neige damée et sale qui subsistaient partout, et tout lui faisait peur : le battement des ailes d'un oiseau sur une branche le faisait sursauter. Il se présenta avec de grandes circonlocutions et courut se réchauffer aux braises qui brûlaient encore dans le foyer. Par la porte ouverte, le soleil de la fin février entrait jusqu'au milieu de la pièce ; claire, encore froide, cette lumière donnait aux choses un contour net, comme dessiné par un crayon très affûté. Cet homme avait commencé par dire qu'il parlait au nom de ses mandants, messieurs Baldrich, Vilagrán et Tapera. Lui n'était que le clerc d'un cabinet juridique de Bassora, leur expliqua-t-il, et il les pria de ne rien voir de personnel dans ce qu'il se proposait de leur dire.

— On m'a confié cette désagréable mission et je regrette d'avoir à l'accomplir, mais exécuter des commandements est ma profession, avait-il continué. Vous comprendrez, ajouta-t-il avec une mine de commisération, qu'on ne sait pas chez qui on vous envoie.

L'Américain avait fait de la main un geste d'impatience : S'il vous plaît, venons-en directement au fait, semblait-il vouloir signifier. Le clerc s'était raclé la gorge, et la mère d'Onofre avait alors dit qu'elle devait donner à manger aux poules.

— Le petit m'accompagnera et comme ça vous serez tranquilles tous les deux, ajouta-t-elle en regardant son mari dans les yeux.

Celui-ci dit que ce n'était pas la peine qu'ils s'en aillent.

— Mieux vaut que vous restiez et entendiez ce que ce monsieur vient me dire, fit-il.

Le clerc se frottait les mains, toussait sans arrêt comme si la fumée des braises l'eût saisi à la gorge. A voix très basse, presque inaudible, il informa l'Américain que ses mandants avaient décidé de porter plainte contre lui pour escroquerie.

— C'est une accusation très grave, avait dit l'Américain. Je vous prie de vous expliquer.

Le clerc avait donné quelques explications confuses et embrouillées. Apparemment, Joan Bouvila avait donné à entendre à tout le monde à Bassora qu'il était un richissime *indiano,* il avait rendu visite, dans son extravagante tenue, à tous les industriels et financiers de la ville et leur avait fait croire qu'il cherchait une affaire sûre pour y investir sa fortune. Sous ce prétexte, il avait obtenu des avances en acompte, des prêts et même des dons. Comme le temps passait et que les placements promis ne se concrétisaient pas, messieurs Baldrich, Vilagrán et Tapera, dont l'entreprise était celle qui avait consenti les versements les plus importants à l'Américain, avaient décidé de procéder aux investigations opportunes, expliqua le clerc. Ils avaient enquêté avec la discrétion et la prudence qui convenaient, ajouta-t-il immédiatement. Ces recherches avaient révélé ce que tous suspectaient déjà : que Joan Bouvila n'avait pas un réal. Cela constituait sans aucun doute une escroquerie, dit le clerc ; aussitôt, il pâlit et s'empressa d'ajouter que le côté catégorique de cette affirmation ne signifiait pas de sa part un jugement moral. Il était le pur instrument d'une volonté étrangère. Et il s'était hâté de conclure :

— Que cette circonstance me décharge de toute responsabilité pour le mal que je peux vous faire.

La mère avait rompu le silence qui avait suivi ces paroles.

— Joan, avait-elle dit, de quoi parle cet homme ?

C'était maintenant au tour de l'Américain de se racler la gorge. Finalement, il avait avoué que ce que disait le clerc était la pure vérité. Il avait menti à tout le monde : à Cuba, où même les idiots, en ce temps-là, devenaient riches, il n'avait pas réussi à gagner fût-ce le strict nécessaire pour vivre convenablement. Le peu qu'il avait, au début, économisé, quand sa résolution était encore intacte, une aventurière colombienne l'avait barboté, raconta-t-il avec honte. Puis il avait obtenu qu'on lui prête des sommes d'argent qu'il avait aussitôt placées dans des affaires : ces affaires s'étaient invariablement révélées être arnaques et escroqueries. Pour finir, il avait dû accepter les emplois les plus serviles, des tâches que même les esclaves noirs rejetaient avec répugnance.

— Il n'y a pas de crachoir à La Havane que je n'aie briqué, ni de botte que je n'aie cirée, ni de latrines que je n'aie débouchées, avec ou sans outils, avait-il dit à titre d'exemple.

Au cours de ces années, il avait vu arriver des émigrants mourant de faim qui, au bout de quelques mois, lui jetaient des pièces dans les flaques de la rue pour le voir les attraper en plongeant le bras jusqu'au coude : ainsi se divertissaient-ils à ses dépens. Il avait mangé des peaux de banane, des arêtes de poisson, des légumes pourris et d'autres choses qu'il ne voulait pas mentionner par délicatesse ; à la fin, il s'était dit : Ça suffit, Joan, ça va comme ça.

— J'avais un petit peu d'argent, avait continué l'Américain, gagné de façon ignominieuse : des marins anglais me l'avaient donné à charge pour moi de leur procurer les plaisirs les plus dégradants ; avec cette somme, produit de l'abjection, j'achetai le costume que je porte, un singe agonisant et un billet de retour dans la cale d'un cargo.

Un peu avant de partir, il avait une dernière fois tapé des gens, sachant qu'il n'aurait pas à rembourser, et il avait embarqué par une nuit pluvieuse. Il s'était dénudé et enduit de brai le corps et le visage pour que ses créditeurs ne le reconnaissent pas s'il venait à les croiser.

— C'est de cette façon si peu en accord avec la dignité d'un Blanc, avait dit l'Américain, que j'ai parcouru pour la dernière fois les rues de cette terre promise qui pour moi n'avait été que joug, chaînes et mépris.

Après l'appareillage du bateau, il ne s'était lavé ni habillé ni n'était sorti de sa cachette avant que n'eussent été franchies les limites des eaux territoriales espagnoles. Ensuite, il avait vécu de cet argent et des arnaques. Il avait toujours su que tôt ou tard la vérité éclaterait, ajouta-t-il, et la douloureuse confession qu'il venait de faire lui ôtait en réalité un poids de la poitrine. Au fond, il se réjouissait d'en avoir terminé avec ce chapelet d'impostures. Tout cela, il ne l'avait pas fait par bassesse ou cupidité, mais par vanité :

— En vérité, avoua-t-il, tout ça je l'ai fait pour mon fils.

Il avait voulu que son fils ait une idée de ce qu'aurait pu être la vie si ne lui était pas échu un père aussi inutile que celui que Dieu lui avait donné. En fin de compte, l'affaire n'avait pas eu d'autres conséquences : convaincus de l'impossibilité de récupérer leur argent par une action en justice, Baldrich, Vilagrán et Tapera avaient retiré leur plainte. En revanche, ils avaient obligé l'Américain à travailler pour eux ; ils déduisaient un certain pourcentage de ses revenus qu'ils destinaient au remboursement de sa dette.

A présent, Onofre essayait d'oublier mais il ne pouvait pas. Il buvait sans modération, était un habitué de divers bordels. Il dépensait aussi beaucoup d'argent à acheter des vêtements voyants. Pourtant, jamais il ne contracta de dettes, et il fuyait le jeu comme la peste. Il avait cessé de grandir : il ne serait pas de haute taille ; il s'était beaucoup développé des épaules et du thorax ; il était carré de stature, robuste, et ses traits n'étaient pas désagréables. Bien que réservé, il était aimable et feignait la franchise dans ses rapports : voyous, putes, maquereaux, trafiquants de drogue, policiers et indics l'avaient en estime ; presque tous se mettaient en quatre pour gagner son amitié ; sans qu'il le voulût, tous reconnaissaient instinctivement ses qualités innées de chef. Odón Mostaza lui-même, à qui on lui avait enjoint d'obéir, était tombé sous son influence : il permettait que ce soit Onofre qui donne toujours le *la,* qui décide de ce qu'il fallait faire ou éviter, qui, de retour au bercail, fasse le point avec Arnau Puncella, *alias* Margarito. Cela acheva de confirmer les soupçons de ce dernier. Ce garçon fera parler de lui, se disait-il. Ça fait à peine un an qu'il est avec nous, et il est déjà devenu le coq de sa basse-cour. Si je n'ouvre pas l'œil, à la première inattention de ma part, il me passera dessus. Je devrais le détruire, mais je ne sais pas comment, pensait-il. Aujourd'hui, il est trop insignifiant, il me filerait entre les doigts, comme une puce, mais il est possible que d'ici peu il soit déjà trop tard pour moi. Il s'efforçait de gagner sa confiance ; chaque fois qu'il parlait avec lui, il mettait sur le tapis le thème de l'habillement ; il vantait les costumes qu'Onofre venait de se faire faire : comme tous les gens négligés, il était très sensible à l'élégance des autres. Onofre ne remarquait pas la façon dont était fagoté son interlocuteur, il croyait de bonne foi qu'ils partageaient le goût des vêtements bien coupés, il lui demandait même de lui conseiller des adresses où acheter des cravates, des bottines, etc. Il était devenu un véritable dandy : dans la pension de famille où il logeait, il allait toujours enveloppé d'un kimono imprimé qui lui descendait aux chevilles. Il faisait ses courses calle Fernando et calle Princesa[1]. Parfois l'accablait une angoisse imprécise. Par les nuits

1. Rues chics du centre de Barcelone.

chaudes et poisseuses d'été, quand il n'arrivait pas à trouver le sommeil, la nervosité s'emparait de lui. Il se jetait alors sur les épaules le kimono imprimé et sortait fumer une cigarette sur le balcon. Que m'arrive-t-il ? pensait-il. Mais bien qu'il crût avoir les idées très claires, il ne pouvait donner de réponse exacte à cette question. En vérité, comme il arrive à tout le monde, il était incapable de se voir lui-même ; il voyait seulement le reflet de sa personnalité et de ses actes sur les autres et il en inférait une idée de lui totalement erronée. Plus tard, cette idée ne résistait pas à une analyse plus minutieuse, ce qui créait en lui une insatisfaction imprécise et ravivait le désarroi. Alors revenait à sa mémoire le souvenir de son père. Il pensait le haïr parce qu'il avait trahi les rêves qu'il s'était forgés pendant son absence, qu'il n'avait pas comblé des attentes qui n'avaient existé que dans son imagination, mais dont il avait à chaque instant pensé qu'elles étaient légitimes. A présent, il accusait son père de l'avoir dépossédé d'un droit naturel. C'est pour ça qu'il pensait avoir fui sa présence. En réalité, c'est lui qui m'a obligé à venir ici, lui le véritable responsable de tout ce que je pourrai faire, pensait-il. Mais cette haine était seulement superficielle : au fond demeurait en lui l'admiration qu'il avait toujours ressentie pour son père. Sans qu'aucune raison vînt étayer cette thèse, sans même qu'il le sût, il pensait qu'en réalité son père n'était pas un raté mais la victime d'une formidable conjuration. Cette conjuration aux contours flous, qui avait indûment privé son père de la fortune et du succès qui lui revenaient, était ce qui lui donnait à lui, maintenant, le droit de se dédommager, de s'emparer sans scrupule de ce qui, en toute justice, était à lui. Mais ces idées décousues et extravagantes se heurtaient ensuite à sa nature et à la nature des choses qui l'entouraient : à présent, il se trouvait libéré de la gêne économique, il avait quitté le monde sordide de la pension et le souvenir de Delfina se diluait au fil des mois ; à présent, il avait des amis, il moissonnait les succès et, quand il parvenait à oublier sa rancœur généralisée, il se sentait débordant de vie, presque heureux. Les nuits d'été, quand l'anxiété le faisait sortir sur le balcon, il percevait les bruits familiers provenant de la rue : assiettes et soupières s'entrechoquant, verres tintinnabulant, rires, voix et altercations, trilles de chardonnerets et de canaris en cage, un piano dans le lointain, les roulades d'une apprentie cantatrice, un chien insistant, les tirades des ivrognes étreignant les réverbères, les lamentations des mendiants aveugles quémandant une petite aumône « pour l'amour de Dieu ». Je pourrais passer la nuit entière sur ce balcon, pensait-il alors mélancoliquement, incapable de décoller de son observatoire, passer ici l'été entier, bercé par les bruits de la ville anonyme. Mais, de nouveau, l'anxiété fondait sur lui. Les attentions de la canaille qui l'entourait ne suffisaient pas à laver l'outrage qui lui avait été fait, l'humiliation dont le souvenir le poursuivait, le stigmate qu'il croyait porter imprimé sur le front. Il faut que j'aille plus loin, se disait-il, je ne peux en rester là. Si je ne fais pas quelque chose vite, ma vie est scellée, et mon destin sera de faire un truand de plus. Si fasciné qu'il fût par la vie facile des gouapes et des femmes légères, la raison lui disait que ces êtres marginaux vivaient en réalité à crédit : la société les tolérait parce qu'ils lui étaient utiles ou parce qu'il lui paraissait trop coûteux de les éliminer définitivement ; elle les maintenait discrètement à distance, les utilisait à ses fins et se réservait toujours le droit et la possibilité de les faire disparaître quand l'envie lui en viendrait. Eux, de leur côté, se croyaient des caïds parce qu'ils portaient un couteau à la ceinture et que quelques tocardes feignaient de s'évanouir sous leur regard. Ensuite, néanmoins, il ne trouvait pas la volonté nécessaire pour abandonner cette joyeuse confrérie de frimeurs et de tapineuses, pour laisser derrière lui cette vie où il se sentait comme poisson dans l'eau. Ainsi allait-il retardant de jour en jour la décision de changer radicalement le cours de son existence. Il ne savait pas encore que ces changements radicaux ne se font que pour des raisons sentimentales ; comme il avait décidé de ne jamais tomber amoureux ni perdre le nord pour aucune femme, il ne voyait non plus aucune raison pour souhaiter vraiment une modification inconfortable de sa conduite. Ainsi aurait-il continué pendant des années, perdant le monde de vue, comme tant d'autres ; il aurait fini comme eux : sous le couteau d'un rival, en prison ou sur un gibet, transformé en tueur professionnel, alcoolique, etc., si Arnau Puncella, *alias* Margarito, ne s'était pas mis en travers de son chemin. En fin de compte, il dut changer pour de pures raisons de survie.

2

En ces années-là, les fils secrets qui faisaient se mouvoir la vie politique de Barcelone étaient dans les mains de don Alexandre Canals i Formiga. C'était un homme d'aspect sévère, avare de paroles et de gestes, au front dégarni, à la barbe noire et taillée en pointe ; il exhalait les parfums les plus exquis, s'habillait avec élégance, et, tous les matins, se présentaient à son bureau, dont il ne sortait pratiquement pas, un barbier, une manucure et une masseuse : c'étaient les seuls plaisirs qu'il se permît ; le reste de la journée, qui se prolongeait jusque tard dans la nuit, il le consacrait à arrêter les décisions les plus graves et à prendre les dispositions de la plus grande importance pour la collectivité : il manipulait les résultats électoraux, achetait et vendait des votes, faisait et défaisait des carrières politiques. Il était dépourvu de scrupules, il consacrait à ces affaires tout son temps et son énergie, aussi avait-il accumulé un pouvoir sans limites, mais il n'en faisait pas usage : il le thésaurisait comme un avare ses pièces. Les politiciens et les gens influents le craignaient et le respectaient, ils n'hésitaient pas à s'adresser à lui ; on disait en outre de lui qu'il était le seul qui, le moment venu, pourrait endiguer et arrêter la tempête syndicale que les plus perspicaces voyaient s'amonceler à l'horizon. A cet égard, lui se montrait réservé.

Si, pour parvenir à ses fins, il fallait recourir à la violence, il n'hésitait pas à le faire. Pour cela, il disposait d'un groupe de nervis et de flingueurs dirigé par un certain Joan Sicart. C'était un homme dont la carrière avait été agitée : il était originaire de Barcelone, mais il était né et avait grandi à Cuba où ses parents étaient allés chercher fortune, comme le père d'Onofre Bouvila ; ils étaient tous les deux morts des fièvres alors que Joan Sicart était encore très petit, le laissant dans le plus complet abandon. La violence et la discipline l'avaient vite attiré ; il voulut en vain devenir militaire, une légère affection pulmonaire l'empêcha d'être admis à l'académie. Il revint en Espagne, vécut un moment à Cadix, fit plusieurs séjours en prison et finit à Barcelone, à la tête des troupes de don Alexandre Canals i Formiga, qu'il menait d'une main de fer. Il était osseux, avec des traits marqués et de petits yeux enfoncés dans leurs orbites, ce qui lui donnait un vague air oriental ; étrangement, il avait des cheveux blond paille.

Il était inévitable que les activités de cette redoutable organisation et celles de la bande de don Humbert Figa i Morera entrent occasionnellement en conflit. Il y avait déjà eu des frictions, mais on avait pu les apaiser sans trop de difficulté. Aussi bien don Humbert Figa i Morera que Arnau Puncella, *alias* Margarito, son conseiller et lieutenant, étaient des hommes modérés ; en toutes circonstances, ils se prononçaient en faveur de la transaction. A un moment donné, ils avaient essayé d'entamer des négociations avec don Alexandre Canals i Formiga, pour parvenir à un accord définitif, mais celui-ci, qui se savait plus puissant, n'avait voulu prendre en considération aucune proposition. Ils durent céder : l'inégalité des forces était patente : non seulement celles de don Alexandre étaient plus nombreuses, elles étaient aussi bien mieux organisées : elles pouvaient se former en escadrons, comme la milice, elles savaient briser des grèves et disperser des meetings. Les hommes de don Humbert, en revanche, formaient une bande de malfrats à peine bons aux rixes de taverne. Mais la ville était trop petite et trop pauvre, elle ne pouvait absorber les deux bandes qui ne cessaient de croître : tôt ou tard, un affrontement devait se produire. Cela, personne ne voulait le reconnaître, mais tous le savaient.

L'entrevue eut lieu un vendredi de mars à la dernière heure de l'après-midi ; le soleil mourait derrière les rideaux, le ciel était dégagé et sur les arbres de la place le printemps perçait déjà. Don Humbert écarta les rideaux du tranchant de la main, contempla la place, appuya le front contre les vitres. Je ne sais pas si je procède correctement, pensa-t-il. Le temps s'envole et rien ne change, se dit-il, je me sens triste et je ne sais pourquoi. L'Exposition universelle lui revint à la mémoire ; il pensait à Onofre Bouvila et associa sans le vouloir les deux images : celle de la manifestation et celle du jeune provincial qui essayait de faire son chemin par tous les moyens à sa portée. L'Exposition avait fermé ses portes : de cet effort colossal, il ne restait quasiment rien : un édifice trop grand pour servir pratiquement à quelque chose, des statues et une montagne de dettes que la municipalité ne savait comment éponger. Toute la société repose sur ces quatre piliers, pensa-t-il, l'ignorance, la paresse, l'injustice et la déraison. L'après-midi de la veille, il avait reçu la visite d'Arnau Puncella, ce qu'il lui avait dit lui avait causé un grand désarroi : les choses ne pouvaient continuer comme avant.

— Il faut en venir aux voies de fait, lui avait dit Arnau Puncella, ou se résigner à être inexorablement annihilés.

— Nous savions tous que cela devait arriver, tôt ou tard, mais je ne pensais pas que cela fût si imminent », avait-il rétorqué. Le plan lui paraissait insensé. Il ne voyait aucune chance de l'emporter. « Comment une telle absurdité te vient-elle à l'esprit ?

L'autre lui dit qu'il ne s'agissait pas de gagner, mais de réaffirmer leur présence. Il s'agissait de porter le premier coup, lui avait-il expliqué, et de rouvrir immédiatement les négociations.

— Qu'il voie que nous ne sommes pas manchots, que nous n'avons pas peur, avait-il ajouté. Ce langage-là, au moins, il le comprendra, puisqu'il n'écoute pas celui de la raison. Nous perdrons quelques hommes, c'est inévitable.

— Mais, à nous, il n'arrivera rien ? avait demandé don Humbert.

— Non, avait répondu son lieutenant, à cet égard il n'y a rien à craindre ; j'ai tout pensé, j'ai soigneusement organisé le coup, jusqu'au dernier détail. En plus, ça fait longtemps que j'observe le gosse : il est très bon, il fera ça à merveille. C'est dommage, avait-il ajouté, d'avoir à le sacrifier.

Normalement, c'était un homme de bon cœur, mais pour lors la jalousie et la crainte le dominaient. Il fit appeler Onofre Bouvila à son bureau et lui dit qu'il allait lui confier un travail de la plus haute importance.

— On va voir ce que tu vaux, lui dit Margarito.

Par une porte à deux battants, haute et étroite, entra alors don Humbert Figa i Morera.

— Don Arnau Puncella m'a dit que tu étais très bon, lui dit-il. On va voir ce que tu vaux, ajouta-t-il sans savoir qu'il répétait ce que venait de dire l'autre.

Ils lui exposèrent ensuite très minutieusement le plan. Onofre Bouvila les écoutait bouche bée. Celui-là ne comprend rien à rien, pensait à le voir Arnau Puncella ; tout ce qu'on est en train de lui dire lui est aussi étranger que la vie sur la Lune.

— Surtout, lui dit-il, la plus grande discrétion.

Resté seul, Onofre Bouvila consacra plusieurs heures à réfléchir, puis il alla chercher Odón Mostaza. Quand il fut en présence du voyou, il lui dit :

— Écoute attentivement, voici ce que nous allons faire.

Il avait décidé de ne pas tenir compte du plan qu'ils lui avaient tracé dans le bureau d'Arnau Puncella et il en avait conçu un autre ; il était décidé à agir selon ses vues. Assez obéi maintenant, se dit-il. Cela faisait longtemps qu'il était au courant de l'existence de don Alexandre Canals i Formiga, de Joan Sicart et de sa formidable armée de malfrats. Odón Mostaza l'avait mis au courant de tout ça. Il avait même, parfois, envisagé la possibilité d'offrir ses services à Joan Sicart. Il n'était pas déloyal de nature, mais il savait dans laquelle des deux factions résidait le pouvoir véritable et il n'était pas en condition de soutenir des causes perdues. Il savait que toute la force de don Alexandre Canals i Formiga reposait sur Joan Sicart, que c'était autour de lui que gravitait toute l'organisation. C'est sur ces données qu'il avait conçu son plan ; il avait médité jusqu'au dernier détail lorsqu'il fut trouver Odón Mostaza.

— Notre infériorité, lui dit-il, est si évidente que personne ne nous prendra au sérieux ; nous avons cet avantage ; à quoi nous devons ajouter la rapidité et l'audace.

Il n'ajouta pas : « et la brutalité », mais il le pensait. Il était arrivé à la conclusion qu'en procédant ainsi ils avaient pas mal de chances de succès. Il fit comme il le pensait. A Barcelone, on n'avait jamais vu une chose pareille. Tant que la guerre dura, toute la ville parut retenir son souffle. Peut-être, si les forces avaient été plus égales, n'eût-il pas eu à agir de façon si cruelle.

La guerre commença la nuit même. Certains hommes de Sicart se réunissaient dans une cave de la calle del Arco de San Silvestre, près de la plaza de Santa Catalina. Plusieurs nervis menés par Odón Mostaza entrèrent dans ce local, ils paraissaient chercher la bagarre ; cela n'était pas si rare, personne n'y accorda d'importance. Odón Mostaza était très connu dans le milieu : il n'y avait pas dans tout Barcelone, disaient de lui les femmes, un homme plus beau ni de plus belle prestance. Les hommes de Sicart se moquèrent d'eux : Nous sommes plus nombreux et mieux entraînés, semblait vouloir dire leur attitude sardonique. Les nervis répondirent à cette impudence par une autre : ils sortirent les couteaux et taillèrent des boutonnières à ceux qui étaient à leur portée ; puis ils quittèrent le local en courant sans laisser aux autres le temps de réagir. Sur la plaza de Santa Catalina les attendait une voiture à cheval, dans laquelle ils prirent la fuite. La nouvelle courut par les bas-fonds. Moins de deux heures après, les représailles éclatèrent : douze hommes armés de fusils de chasse entrèrent à *l'Empori de la Patacada* et commencèrent à tirer ; ils interrompirent un tableau intitulé *l'esclave du sultan*. Ils laissèrent derrière eux deux morts et six blessés, au nombre desquels ne figurait ni Onofre Bouvila ni Odón Mostaza. Ceux qui avaient tiré sortirent du local ; dans la rue obscure et solitaire, ils comprirent trop tard leur erreur. Aussitôt apparurent deux voitures fermées qui se rapprochaient au grand galop. Ils voulurent fuir, mais ne le purent pas : les voitures les prirent entre deux feux ; par leurs glaces, on tirait sur eux avec des revolvers américains à six coups. Ils auraient pu en finir avec les douze pistoleros, mais ils se contentèrent de faire deux passages ; ils en touchèrent sept : l'un mourut sur le coup, et deux autres dans les jours qui suivirent. Joan Sicart était déconcerté. Je ne comprends pas ce qu'ils cherchent, se disait-il, ni jusqu'où ils veulent aller. Quel mobile ont-ils et quel but poursuivent-ils ? se demandait-il. Alors qu'il était plongé dans ces conjectures, on vint lui dire qu'une femme voulait le voir ; elle n'avait pas voulu donner son nom, mais elle disait avoir la solution qu'il cherchait en vain. Par curiosité, il la fit introduire dans son bureau. Il ne l'avait jamais vue, mais, comme il n'était pas réfractaire aux charmes féminins, il la reçut avec courtoisie. Elle parlait à travers une voilette, d'une voix brève :

— C'est Onofre Bouvila qui m'envoie, commença-t-elle par dire.

Joan Sicart répondit qu'il ne savait pas qui était Onofre Bouvila. La femme fit comme si elle n'avait pas entendu cette réponse.

— Il veut te voir, dit-elle seulement. Lui aussi est préoccupé, il ne comprend pas non plus à quoi rime ce massacre.

Elle parlait comme un ambassadeur parle à un chef de gouvernement d'un autre chef de gouvernement; Joan Sicart ne sut comment répondre à cela. La femme ajouta :

— Si ça t'intéresse d'en finir avec cette situation absurde, va le voir, ou reçois-le ici même, sur ton propre territoire : il ne refusera pas de venir si tu lui donnes des garanties.

Joan Sicart haussa les épaules.

— Dis-lui de venir s'il le veut, concéda-t-il, mais seul et désarmé.

— J'ai ta parole qu'il sortira d'ici sain et sauf ? demanda la femme.

A travers la voilette qui lui couvrait le visage, les yeux intenses de la femme reflétaient l'inquiétude. Ce peut être sa maîtresse ou sa mère, pensa Joan Sicart. L'anxiété que provoquait son pouvoir chez cette jolie femme lui donna de la hardiesse; il sourit avec vanité.

— Tu n'as rien à craindre, dit-il.

Ils se mirent d'accord sur une heure pour l'entrevue, et Onofre Bouvila s'y rendit ponctuellement. A sa vue, Joan Sicart tordit le nez.

— A présent je sais qui tu es, lui dit-il. Le petit chien d'Odón Mostaza; j'ai entendu parler de toi; qu'est-ce que tu viens me vendre ? » Il disait ces choses sur un ton déplaisant, mais Onofre Bouvila ne s'irrita pas. « Je n'ai pas besoin de bleus, ni d'espions ni de balances », continua Sicart avec la même ironie. Au bout du compte, le calme d'Onofre Bouvila le désarçonna et il finit par crier : « Qu'est-ce que tu veux, qu'est-ce que tu cherches ?

Dans l'antichambre, ses acolytes entendaient les cris et ne savaient pas s'ils devaient intervenir ou rester les bras croisés. S'il a besoin de nous il nous avisera, se dirent-ils.

— Si tu ne veux pas écouter ce que j'ai à te dire, à quoi bon m'avoir fait venir ? finit par lâcher Onofre Bouvila quand Sicart eut soulagé sa colère. Ici, je suis en danger et je compromets ma position.

Joan Sicart dut lui donner raison sur ce point. Cela l'indisposait d'avoir à dialoguer d'égal à égal avec un morveux, mais il ne pouvait s'empêcher non plus d'être impressionné par le calme et l'autorité avec lesquels ce morveux désarmé s'adressait à lui. En un instant, il passa du mépris au respect instinctif.

— C'est bien, parle, dit-il à Onofre.

Celui-ci comprit qu'il avait gagné la partie. Il se dégonfle déjà, pensa-t-il. A voix haute, il dit que la guerre qui venait d'éclater était une absurdité. Sans doute était-elle due à un malentendu ; personne ne savait comment elle avait commencé, mais à présent c'était une réalité, elle menaçait de faire boule de neige et de les ensevelir tous.

— Il est évident que cela t'inquiète, ajouta-t-il. Et moi plus encore, parce que je peux être le prochain à tomber. Ne crois-tu pas que nous devrions mettre un terme à cette situation indésirable ?

— Eh, s'exclama vivement Joan Sicart en l'entendant, ce n'est pas nous qui avons été les premiers à attaquer, mais vous.

— Qu'est-ce que ça peut faire, au point où on en est ? » dit Onofre Bouvila. La question était de mettre un terme aux représailles, ajouta-t-il. Puis il baissa la voix et dit sur un ton confidentiel : « Nous autres, cette guerre ne nous intéresse pas. Qu'est-ce qu'on peut en tirer ? Nous sommes moins nombreux et moins bien préparés que vous ; vous ne ferez qu'une bouchée de nous. Tout l'avantage est de votre côté. Je te dis ça pour que tu ne doutes pas de ma bonne foi : je n'ai aucun dessein caché ; je suis juste venu t'offrir l'occasion de faire la paix.

Joan Sicart se méfiait instinctivement d'Onofre, mais en son for intérieur il désirait croire à sa sincérité : lui aussi répugnait à cette guerre privée de sens. Ses hommes tombaient sous les balles, toutes les activités lucratives étaient paralysées et une atmosphère tendue, peu propice aux affaires, régnait dans la ville. L'entrevue ne déboucha sur rien, mais tous les deux convinrent de se réunir de nouveau après plus ample examen des circonstances. Convaincu par Onofre qu'il avait tous les atouts en main, Sicart ne se rendit pas compte qu'il marchait à sa perte : il creusait lui-même sa tombe. Les affrontements armés auraient continué cette nuit-là s'il n'avait pas plu du coucher du soleil à l'aube ; seuls deux petits groupes se rencontrèrent dans une ruelle obscure : à travers le rideau de la pluie, ils déchargèrent les pistolets et les mousquetons que désormais ils portaient toujours sur eux. Les éclairs des coups de feu illuminaient les torrents que les toits déversaient dans la rue. Les pieds noyés dans la boue, ils tirèrent jusqu'à épuisement des munitions. Grâce à l'averse, on n'eut pas à déplorer de pertes. Il y eut deux autres incidents : un jeune homme de seize ans appartenant à la bande de don Humbert Figa i Morera mourut en tombant d'un mur qu'il avait escaladé pour échapper à la poursuite dont il était ou croyait être l'objet : il eut la malchance de glisser et de se casser la nuque. Également pendant cette terrible nuit, quelqu'un lança un mâtin mort par la fenêtre d'un bordel qu'avaient l'habitude de fréquenter Odón Mostaza, Onofre et leurs copains.

Personne ne comprit la signification de ce macabre présent. Cette nuit-là, par prudence, personne n'était allé au bordel : les pauvres pensionnaires avaient passé une nuit blanche, très agitées par la crainte d'une incursion sanglante. A trois heures sonnantes, elles avaient récité le rosaire. Tout le monde dans la ville savait qu'il y avait une guerre non déclarée, mais la presse locale ne se risqua pas à en faire état.

Le jour suivant, la femme mystérieuse revint voir Joan Sicart ; elle lui dit qu'Onofre Bouvila voulait de nouveau le voir.

— Mais, par prudence, pour des raisons de sécurité personnelle, les choses étant ce qu'elles sont, il ne veut pas venir ici, ajouta-t-elle. Il ne se défie pas de toi, mais de tes hommes : il craint que tu n'aies pas sur eux un absolu contrôle. Il ne veut pas se mettre dans la gueule du loup. Il demande que tu choisisses, toi, un endroit neutre. Lui ira seul ; tu peux emmener avec toi l'escorte que tu veux.

Piqué dans son amour-propre, Sicart convint d'un rendez-vous dans le cloître de la cathédrale. Ses hommes entourèrent la cathédrale et s'embusquèrent dans toutes les chapelles ; prudemment, l'évêque fit comme s'il ne se rendait pas compte de la présence d'hommes en armes dans le lieu saint. En outre, Sicart surveillait toute la bande de don Humbert Figa i Morera ; grâce à quoi, il savait qu'Onofre venait seul à sa rencontre. Il ne put faire moins qu'admirer sa hardiesse.

— Il est encore temps de signer la paix », dit Onofre. Il parlait d'une voix posée, calme, comme si la nature du lieu dans lequel se déroulait la rencontre lui en imposait. La pluie de la nuit précédente avait fait fleurir les rosiers du cloître, et la pierre du parapet, fraîchement lavée, brillait comme si ce fût de l'albâtre. « Peut-être demain sera-t-il trop tard. Les autorités ne peuvent rester très longtemps les bras croisés devant cette situation. Tôt ou tard, cette dégradation de l'ordre public les obligera à s'en mêler ; elles interviendront dans l'affaire de gré ou de force : il est probable qu'elles déclareront l'état d'exception et que l'armée occupera la ville. Cela serait notre fin : ton chef comme le mien surnageraient, mais toi et moi nous sommes du gibier de potence, nous finirions dans les fossés de Montjuich. Ils n'hésiteront pas à nous utiliser pour édifier le bon peuple. Ils sont effrayés par le problème syndical qui s'approche, et ils ne laisseront pas passer l'occasion de démontrer leur détermination et leur pouvoir. Tu sais que j'ai raison. Et il est possible que ton propre chef ait quelque chose à voir là-dedans.

La méfiance de Joan Sicart allait augmentant, mais il ne pouvait se soustraire à l'influence d'Onofre Bouvila ; ses raisonnements l'ébranlaient quoi qu'il en eût.

— Je n'ai aucune raison de soupçonner mon chef don Alexandre Canals i Formiga, répliqua-t-il avec hauteur.

— Tu verras bien, dit Onofre. Moi, pour ma part, je ne me fie à personne ; je ne mettrais les mains au feu ni pour l'un ni pour l'autre.

Cependant qu'il répandait la semence du doute dans l'esprit de Sicart, la femme mystérieuse parvenait à être introduite auprès de Canals i Formiga lui-même. Elle fabriqua une confuse histoire à tonalité sentimentale. Don Alexandre mordit à l'hameçon et la fit entrer. Avant qu'elle n'entre, il se parfuma avec un pulvérisateur qu'il rangeait dans le tiroir de son bureau, à côté du revolver. Elle ne voulut pas découvrir son visage. A brûle-pourpoint, sans préambule aucun, elle lui dit qu'elle savait de bonne source que Joan Sicart se disposait à le trahir :

— Il passera à l'ennemi quand la guerre aura redoublé ; au moment le plus critique, tu resteras sans défense, dit-elle d'une voix entrecoupée.

Il se mit à rire :

— Ce que tu dis est impossible, femme, d'où tires-tu ces idées ? lui demanda-t-il.

Elle se mit à pleurer.

— Je souffre pour toi, finit-elle par lui dire. S'il t'arrivait quelque chose...

Il se sentit flatté et essaya de la calmer :

— Il n'y a pas de raison de s'inquiéter, lui dit-il.

Il lui offrit un petit verre de liqueur digestive qu'elle but nerveusement. Puis, revenant au sujet qui la préoccupait, elle ajouta que Joan Sicart avait déjà eu deux entrevues avec ses ennemis : une fois à l'intérieur même du quartier général de Sicart et une autre dans le cloître de la cathédrale.

— Fais des vérifications et tu verras que je ne te mens pas, ajouta-t-elle. Si les hommes de Humbert Figa i Morera ne bénéficiaient pas de la complicité de Sicart, comment seraient-ils allés se fourrer dans une guerre perdue d'avance ? Réfléchis à ce que je te dis, Alexandre. Sicart s'est acoquiné avec Humbert Figa i Morera, conclut-elle.

Lui ne voulut pas commencer à discuter avec une inconnue ces très graves affirmations.

— Va, femme, va ; je dois réfléchir à des choses plus importantes que ces boniments que tu es venue me rapporter, lui dit-il.

Mais, quand elle fut partie, il fit parvenir un message à l'évêché ; il demandait qu'on lui confirme la présence de Joan Sicart dans la cathédrale. Je ne crois pas un mot de ce que m'a raconté cette folle, se dit-il à part soi, mais on ne prend jamais trop de précautions, surtout dans des moments comme celui-ci. En réalité, la visite de la femme mystérieuse l'avait impressionné plus que ce que lui-même voulait bien reconnaître. Qui m'aurait dit, à moi qui mène une vie si monastique, qu'une femme si attirante se faisait en secret du souci pour ma sécurité, se disait-il. Mon Dieu, tout ça sent son libertinage à cent mètres. Quoi qu'il en soit, je ne puis faire complètement fi de l'information qu'elle est venue me donner; il est évident qu'elle exagère; elle se sera probablement trompée, mais si ça n'était pas le cas? se disait-il. De l'évêché on répondit à sa note par une autre confirmant la présence de Sicart dans le cloître de la cathédrale. Don Alexandre Canals i Formiga fit comparaître Joan Sicart et essaya de lui tirer les vers du nez à l'aide de subterfuges. Ces subterfuges n'échappèrent pas à Sicart, qui vit ainsi se renforcer les soupçons qu'Onofre lui avait inoculés. Néanmoins, pour ne pas se trahir, il feignait de ne rien remarquer dans l'attitude de son chef. Peut-être veut-il me remplacer par un autre et il ne sait pas comment se débarrasser de moi, pensait-il. Sicart avait un lieutenant nommé Boix, un homme aux lumières rares et aux instincts bestiaux, qui depuis longtemps lui enviait le commandement. Peut-être à présent don Alexandre avait-il des vues sur Boix, peut-être Boix était-il arrivé secrètement à un accord avec don Alexandre, se disait-il. Au fil de cet entretien, l'un comme l'autre perçurent la réticence sous l'apparente camaraderie. Ceci ne les empêcha pas de se mettre d'accord sur l'opportunité de lancer une attaque frontale contre les hommes de don Humbert Figa i Morera. Sicart se sépara de son chef sur la promesse qu'il les éliminerait. Ensuite, quand il fut seul, il se dit : Peut-être tout cela fait-il partie du plan. Tant qu'il aura en face de lui un ennemi, même aussi insignifiant que don Humbert, il continuera à avoir besoin de moi. Mais, si j'en finis avec la bande de son rival, qu'est-ce qui l'empêchera, lui, d'en finir après avec moi? Non, se disait-il, il faut que j'arrive à un accord avec Onofre Bouvila. La paix fait mon affaire comme la sienne et il semble un homme raisonnable. Je le verrai et à nous deux nous ferons en sorte que tout reprenne son cours normal. Resté seul, don Alexandre Canals i Formiga s'effondra dans le fauteuil de cuir, laissa tomber les bras de chaque côté et fut sur le point d'éclater en sanglots. Mon serviteur le plus fidèle m'abandonne, se disait-il, que va-t-il advenir de moi? Il voyait sa vie en danger, mais il était encore plus préoccupé par ce qui pourrait arriver à son fils. Ce fils avait douze ans; il était né avec une malformation de la colonne vertébrale et éprouvait beaucoup de difficulté à se mouvoir; tout petit, il n'avait pu se mêler aux jeux et aux espiègleries; en revanche, il manifestait beaucoup d'intérêt pour l'étude et avait montré des dispositions extraordinaires pour les mathématiques et le calcul. C'était un enfant triste, sans amis. Comme les autres enfants du couple étaient morts presque en même temps, pendant l'épidémie de 1879, don Alexandre sentait pour cet enfant taré une tendresse sans limites et une compassion infinie, à la différence de son épouse qui, depuis la tragédie, avait conçu à l'endroit des survivants une rancune compréhensible, quoique injustifiée ; à présent il pensait : Si ces scélérats se proposent quelque chose d'un peu d'envergure, l'idée peut leur venir de s'en prendre à mon fils ; ils savent que comme ça ils m'assèneraient un coup mortel. Oui, se disait-il, aucun doute, ils le feront si je ne prends pas les devants. Le jour suivant, Nicolau Canals i Rataplán, le fils de don Alexandre Canals i Formiga, prit, en compagnie de sa mère, d'une gouvernante et d'une cameriste, le chemin de la France où son père avait des amis et un capital substantiel.

Apprenant le départ de la famille de son chef, Joan Sicart se crut définitivement trahi. Il fit parvenir ce message à Onofre Bouvila : *Joan Sicart veut te voir d'urgence. Cette fois,* répondit Onofre, *seul à seul toi et moi. Comme tu voudras,* dit Sicart. *Dis où.* Onofre Bouvila fit comme s'il réfléchissait un instant, bien qu'il eût déjà tout prévu. *Dans l'église de San Severo, une demi-heure avant la messe de sept heures. A cette heure-là,* dit Sicart, *l'église est fermée. Je l'aurai fait ouvrir,* dit Onofre. Cet échange de messages prit tout le jour. Il n'y eut pas de combats, mais les rues de Barcelone étaient désertes ; les citadins ne se risquaient pas à sortir de leurs maisons si ce n'était pas indispensable.

Avant que le soleil se lève, les hommes de Sicart avaient pris position dans les rues environnantes, sous les porches, dans un magasin d'huile contigu à l'église, au milieu des ruines d'un palais abandonné. De là, ils comptaient voir arriver Onofre, mais celui-ci les avait précédés : il avait passé la nuit dans l'église. Ce fut lui qui leur ouvrit les portes à l'heure convenue. Trois acolytes de Sicart se précipitèrent dans le temple l'arme au poing, au cas où Onofre aurait tendu une embuscade à leur chef. Ils virent seulement Onofre près de la porte, sans arme et tranquille, et un pauvre prêtre qui tremblait de peur et priait recroquevillé devant l'autel. Il tremblait pour sa vie et plus encore parce qu'il craignait une profanation. Les trois porte-flingues se trouvèrent quelque peu embarrassés.

— Vous voyez que ce n'était pas la peine de prendre tant de précautions, leur dit suavement Onofre.

Ils ne virent pas la sueur qui perlait à son front ; ils prirent le prêtre et le traînèrent dans la rue. Là, ils le conduisirent à Joan Sicart.

— Il n'y a personne en vue, lui dirent-ils, mais nous t'avons amené ce prêtre pour qu'il te le confirme.

Sicart le dévisagea.

— Tu sais qui je suis ? lui dit-il.

— Oui, monsieur, répondit le prêtre d'une voix mourante.

— Tu sais donc ce qui t'arrivera si tu me mens ?

— Oui, monsieur.

— Alors, dis-moi la vérité : qui y a-t-il dans l'église ?

— Seulement ce jeune homme.

— Tu le jures par Dieu ?

— Je le jure par Dieu et tous les saints.

— Et Odón Mostaza ?

— Il attend avec le reste de la bande plaza del Rey.

— Pourquoi plaza del Rey ?

— Onofre Bouvila leur a dit d'attendre là.

— C'est bien, dit Joan Sicart en détournant le regard du prêtre.

Ce dialogue l'avait plus inquiété que rassuré. Il avait passé toute la nuit éveillé, à réfléchir, et cela ne lui avait fait aucun bien. A présent, il se trouvait confronté à une alternative cruciale : d'un côté, il voulait parvenir à un accord avec Onofre Bouvila et maintenir le *statu quo*, mais, d'un autre côté, sa personnalité répugnait à la négociation : c'était un guerrier, et la possibilité d'obtenir une victoire sur l'ennemi aveuglait sa raison. Qu'est-ce que ça me coûterait d'envoyer mes hommes plaza del Rey et qu'ils en finissent avec Odón Mostaza et les siens, sans en laisser un seul ? Quant à moi, je pourrais me charger de ce Bouvila qui est là à m'attendre à l'intérieur comme un gamin. En quelques minutes, nous aurions balayé nos ennemis de la ville et Barcelone serait à nous. A ces idées s'opposaient d'autres idées, et la contradiction le paralysait. Son lieutenant l'invita à faire quelque chose.

— Allons, secoue-toi, qu'est-ce que tu attends ? lui dit-il.

C'était ce Boix dont la loyauté lui semblait douteuse. A présent, pourtant, tout cela, qui pendant la nuit lui avait paru évident, se dissipait comme se dissipent les scènes d'un cauchemar.

— Quand tu me verras entrer dans l'église, laisse trois hommes à la porte, prends le reste et va avec eux à la plaza del Rey, dit-il à Boix. C'est là que sont les hommes d'Odón Mostaza : débarrasse-toi d'eux sans en laisser un. Surtout, souviens-toi de ça : qu'il ne reste pas un seul survivant. Je vous rejoindrai aussitôt après.

3

Le soleil était déjà levé lorsque Joan Sicart entra dans l'église de San Severo, qui est baroque et de dimensions régulières. Ça ne me coûte rien d'en finir avec lui, méditait-il. Ainsi clarifierons-nous une fois pour toutes cette situation dangereuse et stupide. Dès qu'il sera à portée, je le liquiderai. D'accord, je lui ai donné des garanties de sécurité et il a, jusqu'à présent, été régulier, mais depuis quand est-ce que je me soucie de ces questions d'honneur ? Toute ma vie, j'ai été un vaurien et tout d'un coup les scrupules m'étoufferaient ? La pénombre qui régnait à l'intérieur l'empêcha de rien distinguer pendant quelques instants. Il entendit la voix d'Onofre Bouvila qui l'appelait depuis l'autel :

— Viens, Sicart, je suis ici. Tu n'as rien à craindre, disait Bouvila.

Un frisson lui parcourut le dos. C'est comme si j'allais tuer mon propre fils, pensa-t-il. Une fois qu'il se fut habitué à l'obscurité, il avança entre deux rangées de bancs. Il tenait la main gauche plongée dans la poche du pantalon, serrée sur une arme. C'était un petit pistolet, du genre qui ne peut s'utiliser qu'à bout portant et ne tire qu'un seul coup. Ces pistolets, fabriqués en Tchécoslovaquie, étaient alors presque inconnus en Espagne. Sicart supposa qu'Onofre Bouvila en ignorait l'existence ; ce qui l'empêcherait de s'apercevoir qu'il en avait un dans la poche du pantalon pour le tuer dès qu'il serait à portée. Un autre pistolet, identique à celui que portait aujourd'hui Sicart, mais d'argent rehaussé de brillants et de saphirs, avait été offert par l'empereur François-Joseph à sa femme l'impératrice Élisabeth. Pour ne pas blesser sa susceptibilité, étant donné qu'on n'offre pas des armes à feu à une dame et moins encore à une dame de haute lignée, les armuriers, sur ordre du souverain, avaient donné au pistolet la forme d'une clef. « Personne ne doit le voir, dit l'empereur, porte-le dans ton sac au cas où. De nos jours, il y a beaucoup d'attentats et j'ai un peu peur, pour toi et pour les enfants », murmura-t-il. Elle ne daigna pas répondre à cette marque de sollicitude : elle n'aimait pas son mari, elle le traitait toujours avec un évident dédain, même dans les cérémonies officielles et les réceptions, avec le plus de froideur dont elle fût capable, autant dire beaucoup. Pourtant, elle portait le pistolet dans son sac, exactement comme il l'avait suggéré, ce malheureux matin du 10 septembre 1898 où Luigi Lucheni l'assassina cependant qu'un vapeur allait aborder au quai du Mont-Blanc à Genève. Cela faisait deux jours qu'il l'attendait à la porte de l'hôtel où elle résidait, mais jusqu'à cet instant ils ne s'étaient pas rencontrés. Comme il n'avait pas de quoi se permettre l'achat d'une dague (qui coûtait douze francs suisses), il s'était fabriqué lui-même un poignard artisanal avec une lame et un manche de laiton. Le jour précédent, l'impératrice avait été visiter la baronne de Rothschild, dont la propriété pullulait d'oiseaux exotiques et de porcs-épics ramenés pour elle de Java. L'impératrice Élisabeth était âgée de soixante et un ans lorsqu'elle mourut ; elle gardait une silhouette svelte et un visage d'une grande beauté ; elle représentait tout ce qui restait encore en Europe d'élégance et de suprême dignité. Elle aimait écrire de la poésie élégiaque. Son fils s'était suicidé ; son beau-frère, l'empereur Maximilien du Mexique, avait été fusillé ; sa sœur était morte dans un incendie à Paris ; son cousin, le roi Louis II de Bavière, avait traîné les dernières années de sa vie dans un asile. Luigi Lucheni lui aussi, l'homme qui la tua, devait se suicider douze ans plus tard, à Genève où il purgeait une peine de détention à perpétuité ; il était né à Paris, mais avait été élevé à Parme. Si l'impératrice Sissi, comme ses sujets aimaient l'appeler, s'était servie du pistolet que l'empereur lui avait offert, elle aurait sûrement pu éviter la mort, prendre son bourreau de vitesse. Avant de porter son coup fatal, Lucheni perdit plusieurs secondes : comme l'impératrice et sa dame de compagnie, la comtesse Sztaray, portaient des ombrelles pour se protéger le visage du soleil, il dut passer la tête sous chaque ombrelle : ébloui comme il l'était, il aurait pu commettre une erreur qui l'eût ridiculisé aux yeux de l'Histoire. Il allait scrutant la pénombre et murmurant : « *Scusate, signora.* » Mais l'impératrice avait sûrement oublié qu'elle portait un pistolet dans son sac, ou bien elle s'en souvint, mais décida de l'oublier : elle était, comme elle avait accoutumé de le dire elle-même, fatiguée de la vie. *Le fardeau de la vie m'accable tant,* avait-elle écrit peu de temps auparavant à sa fille, *que je sens souvent une douleur physique et que je pense que je préférerais être morte.*

L'autre main, en revanche, celle qui ne serrait pas le pistolet, Sicart la tenait bien en vue, tendue, comme pour serrer celle d'Onofre Bouvila. Mais, quand Sicart fut à quelques pas, sans avoir besoin d'aller voir ce qu'il faisait avec sa main cachée, l'autre leva les bras au ciel, tomba à genoux et cria :

— Sicart, par ta mère, ne me tue pas, je suis jeune et sans armes !

Sicart hésita deux secondes, les dernières de sa vie. Un homme sortit de l'obscurité, lui tomba dessus et lui tordit le cou. Le sang jaillit à flots par la bouche et le nez ; tout fut si rapide qu'il n'eut même pas le temps de sortir le pistolet de sa poche, moins encore de s'en servir, exactement comme cela devait arriver, des années plus tard, à l'impératrice. Celui qui le tua était Efrén Castells, le géant de Calella, qu'Onofre avait gardé caché pendant tous ces mois, sans que personne connût son existence, pour faire appel à lui au moment le plus crucial. A présent, le corps sans vie de Joan Sicart gisait devant l'autel : c'était un grand sacrilège, mais c'était fait. Onofre et Efrén remontèrent la travée centrale à grandes enjambées, fermèrent les portes et tirèrent le verrou. Les hommes que Sicart avait laissés de garde dans la rue soupçonnèrent que quelque chose était peut-être en train d'arriver à leur chef, et ils essayèrent d'entrer dans l'église, mais ils ne purent pas.

Pendant ce temps, les autres hommes de Sicart étaient partis vers la plaza del Rey. Les trois allèrent trouver Boix et l'informèrent de ce qui arrivait :

— La porte de l'église est fermée à double tour et Sicart ne sort pas, lui dirent-ils.

Boix n'accorda pas trop d'attention à cette nouvelle : cela faisait longtemps qu'il convoitait véritablement le commandement, et la possibilité que Sicart eût été victime d'un piège mortel ne lui déplaisait pas le moins du monde. Aveuglé par cette ambition, il conduisit le reste de la troupe jusqu'à la place sur laquelle ils déboulèrent en troupeau, sans avoir dépêché d'éclaireurs ni pris aucune autre précaution, chose qui ne serait pas arrivée si ç'avait été Sicart et non Boix qui avait dirigé l'attaque. Boix se rendit compte trop tard de ce qu'avait de téméraire cette façon de faire : la place était vide, les hommes d'Odón Mostaza s'étaient envolés. Les siens revinrent vers lui : Qu'est-ce qu'on fait ici ? avaient-ils l'air de lui demander. Lui-même, sans ennemi visible, était déconcerté. Les hommes d'Odón Mostaza, qui, s'étant dispersés, progressaient sur les toits, les criblèrent de balles. Une bataille commença, qui dura presque deux heures : la faction de Boix, en dépit de son avantage numérique, n'eut jamais aucune chance ; sa discipline même fut cause de sa défaite : Sicart disparu et Boix discrédité aux yeux de ses hommes (au reste, il fut un des premiers à tomber), personne ne sut comment agir. Les rufians de Mostaza, en revanche, étaient comme poissons dans l'eau au sein de cette confusion : c'était leurs conditions habituelles. En fin de compte, les hommes de Boix se débandèrent : ils jetèrent leurs armes et filèrent en quatrième vitesse. Odón Mostaza les laissa s'enfuir ; il lui eût été impossible de regrouper ses forces pour les poursuivre.

Don Alexandre Canals i Formiga ne savait encore rien de cette calamiteuse défaite qui portait un coup terrible à son empire. Il était à présent d'excellente humeur : la masseuse venait de partir et son valet de chambre l'aidait à nouer sa cravate ; il savait son fils en sûreté à Paris et il s'était débarrassé de son épouse, avec laquelle il ne s'entendait pas trop bien ; le soleil entrait à flots par la fenêtre de son bureau quand on lui annonça une nouvelle visite de la femme mystérieuse. Il la reçut sans plus tarder qu'il ne fallait pour se parfumer la barbe. Cette fois, il s'enhardit à lui passer le bras autour de la taille en lui offrant un siège. Il la mena à un canapé de velours cerise. Ces privautés ne suscitèrent chez la femme qu'une résistance distraite. Elle gardait tout le temps les yeux fixés sur la fenêtre. Dans le cours de la conversation, elle se montrait évasive, quelque peu incohérente. Au bout d'un moment, alors qu'il la tenait déjà étroitement embrassée, elle vit briller une lumière sur une terrasse voisine. Avec un petit miroir portatif qui reflétait les rayons du soleil, Onofre Bouvila et Efrén Castells lui faisaient signe : Tout est terminé, à toi de jouer. Pour agir avec plus d'aisance, elle enleva sa voilette, fit sauter d'un revers de main son chapeau et sa perruque. Don Alexandre Canals i Formiga en resta bouche bée. Elle tira un poignard de ses seins postiches et ferma les yeux un instant.

— Dieu me pardonne ce que je vais faire, l'entendit-il murmurer avant de tomber mort sur le sofa.

Avant de mourir, il eut encore le temps de penser à son fils : Heureusement que je l'ai mis en lieu sûr, se dit-il. Pour lui, il eut seulement une pensée sarcastique : Et moi qui croyais avoir fait une conquête ! La fausse femme était le señor Braulio, l'ex-hôtelier d'Onofre Bouvila, qui avait été le chercher, spécialement pour ce travail, au faubourg de la Carbonera. Il passait son temps là, à essayer d'oublier ses peines et sa solitude dans la consommation constante de drogues, à se laisser frapper par des pédés honteux, qui voulaient se sentir machos en maltraitant de fausses femmes. Après sa seconde arrestation, à la pension, cette fois comme membre présumé d'une cellule anarchiste, par suite de la dénonciation de Delfina, il avait été remis en liberté : il ne lui avait pas été difficile de prouver son innocence dans cette affaire, de démontrer à la police et au juge d'instruction que ses penchants étaient tout autres. Une fois libre, il avait essayé de s'occuper à nouveau de la pension, mais le tableau qu'il avait trouvé n'aurait pu être plus désolant : sa femme était morte à l'hôpital, Delfina sur le point d'être jugée en compagnie de ses complices : les accusations qui pesaient sur eux étaient d'une gravité extrême, et il fallait s'attendre à la détention à perpétuité, si ce n'était à la peine maximale. Je ne reverrai jamais ma fille, se disait l'hôtelier. En son absence, personne ne s'était occupé de nettoyer la pension : la poussière s'accumulait partout et dans la cuisine il y avait des restes de nourriture en état de putréfaction très avancée. Il voulut mettre de l'ordre, mais le cœur lui manqua. Avec l'aide de mestre Bizancio et du barbier, il publia des annonces dans les journaux et ne tarda pas à trouver quelqu'un qui voulût reprendre la pension. Avec l'argent ainsi gagné, il s'enfonça dans le faubourg de la Carbonera et dans la dégradation jusqu'à ce qu'il sentît sur ses joues hâves le souffle de la mort qui rôdait autour de lui : c'était ce qu'il était venu chercher là, mais à présent, au pied du mur, la peur le prit. Une nuit, au sortir d'un bouge, il tomba nez à nez avec Onofre Bouvila. Sans savoir ce qu'il faisait, il se jeta dans ses bras :

— Aide-moi, le supplia-t-il. Ne me laisse pas mourir ici.

Onofre lui dit :

— Venez avec moi, señor Braulio ; cette histoire est terminée.

Depuis, il faisait ce qu'il lui disait, sans se demander si c'était bien ou mal.

Pour lors, il acheva de se débarrasser du déguisement, qu'il cacha derrière le sofa où gisait l'homme qu'il venait d'assassiner. En sous-vêtements, il se dirigea vers la fenêtre et fit avec le miroir du poudrier des signaux en direction de la terrasse où Onofre Bouvila et Efrén Castells attendaient le résultat de son intervention. En lui expliquant ce qu'il devait faire, Onofre avait insisté sur le fait qu'il devait fermer à clef la porte de son bureau et n'ouvrir à personne avant qu'il ne vienne, lui, le chercher. Tout d'un coup, il s'aperçut qu'avec la nervosité normale en ces circonstances il avait oublié de faire ce qu'on lui avait dit. Il entendit des voix et des pas précipités dans le couloir : c'étaient les hommes de don Alexandre qui accouraient au secours de leur chef. Quelqu'un essaya d'entrer et le señor Braulio fut sur le point de s'évanouir, mais rien ne se passa : don Alexandre lui-même avait pris soin de fermer la porte pour que la femme qu'il pensait séduire ne pût échapper à ses assiduités ; avant de mourir, il avait ainsi sauvé la vie de son assassin. Tous pareils, pensa le señor Braulio en voyant la porte fermée, tous des cochons. Rester si longtemps en compagnie de sa victime lui crispait les nerfs. Onofre Bouvila et Efrén Castells le trouvèrent au bord du suicide : il prétendait se jeter par la fenêtre. Il s'était attaché au cou un très lourd vase de bronze, au cas où la distance de la fenêtre à la rue n'aurait pas été suffisante pour causer sa mort, dit-il. Onofre et Efrén Castells s'emparèrent de tous les papiers qu'ils trouvèrent dans le bureau de don Alexandre Canals i Formiga.

— Avec ça, on peut faire danser la moitié de la ville sur l'air qui nous plaira, dit Efrén Castells. Un vrai jeu de massacre.

L'après-midi même, ils se présentèrent tous les deux au bureau d'Arnau Puncella et lui dirent :

— Mission accomplie.

Ils lui montrèrent la documentation saisie chez don Alexandre Canals i Formiga, et Arnau Puncella, y ayant jeté un œil, ne put réprimer un sifflement d'admiration :

— Un vrai jeu de massacre, commenta-t-il.

Entendant cette expression, qui était celle-là même qu'il avait utilisée, Efrén Castells éclata de rire. Arnau Puncella fit comme s'il s'apercevait alors de la présence du géant, qu'il avait feint de ne pas voir. S'adressant à Onofre, il lui demanda qui était cet individu : il essayait de réaffirmer son autorité aux yeux des personnes présentes. Onofre Bouvila lui répondit suavement que le géant s'appelait Efrén Castells.

— C'est mon ami et mon bras droit, dit-il. C'est lui qui a tué Joan Sicart.

En entendant cette révélation, Arnau Puncella *alias* Margarito se mit à trembler, il comprit que quelque chose de désagréable était sur le point de lui arriver. Si ça leur est égal que je sache ça, pensa-t-il, c'est qu'ils vont me tuer. Pendant qu'il réfléchissait ainsi, Efrén Castells le souleva de son fauteuil en l'attrapant sous les aisselles ; ainsi suspendu, gigotant vainement des jambes, il le balada dans le bureau, comme s'il se fût agi d'un bébé et non d'un adulte.

— Que signifie cette plaisanterie ? », criait-il. Mais il voyait clairement que ce n'était pas une plaisanterie ; alors, il demanda d'une voix aiguë, à peine audible : « Où m'emmenez-vous ?

— Là où tu mérites, lui dit Onofre Bouvila. Tu as tout manigancé pour causer ma perte : tu voulais que les types de Sicart me tuent, et je rends toujours service pour service.

Il ouvrit le balcon, et le géant de Calella lança Arnau Puncella par-dessus la balustrade. Sur ce même balcon, don Humbert Figa i Morera avait médité sur le sens de la vie, quelques jours auparavant. Pour lors, la porte de son bureau s'ouvrit à deux battants, laissant passer Onofre Bouvila et Efrén Castells. Ils venaient lui rendre compte du succès de l'opération, dirent-ils. La bande de Canals i Formiga avait été disloquée ; ses lieutenants, Sicart et Boix, étaient morts, Canals lui-même était également mort ; on avait trouvé tous ses papiers qui étaient en ce moment même aux mains d'Onofre Bouvila ; les pertes subies dans la bagarre avaient été minimes : quatre morts et une demi-douzaine de blessés au total. A quoi il fallait ajouter la perte lamentable d'Arnau Puncella, qui venait d'avoir un accident inexplicable. Don Humbert Figa i Morera ne sut que faire ni que dire ; il n'avait pas imaginé que le plan ourdi par Arnau Puncella pût donner des résultats aussi sanglants. A présent, il avait sur la conscience le sang de beaucoup d'hommes. Il venait d'entendre le cri déchirant d'Arnau Puncella et il comprit qu'à partir de maintenant les choses allaient être très différentes de ce qu'elles avaient été jusque-là. Enfin, soupira-t-il intérieurement, il n'y a plus rien à faire, il faudra que je m'habitue. Pour l'instant il s'agit de sortir en vie de cette entrevue, pensa-t-il. A voix haute, il s'informa de quelques détails additionnels sans importance, plus pour gagner du temps que pour une autre raison ; Onofre les lui exposa brièvement, bien qu'il sût que don Humbert n'écoutait pas ce qu'il lui disait. Par cette marque de déférence, il essayait de démontrer que ses intentions n'étaient pas hostiles, qu'il demeurait disposé à continuer sous ses ordres. Odón Mostaza et ses hommes admiraient et aimaient don Humbert, et ils ne se seraient jamais laissé entraîner à la trahison, pas même par Onofre Bouvila. Ce dernier, qui le savait, n'avait pas l'intention de tenter quelque chose dans ce sens. Finalement, don Humbert l'entendit ainsi et tous deux parlèrent longuement. Don Humbert se débattait dans un océan de doutes. La ville entière m'appartient, mais je ne suis pas préparé à assumer d'un seul coup un tel pouvoir, se disait-il, surtout alors que je viens de perdre mon collaborateur le plus fidèle, dont le corps gît écartelé là, en bas, sous mes propres yeux. Que vais-je faire ? Onofre Bouvila coupa court à ces doutes : il avait pensé à tout avec précision. Sans arrogance, mais avec un aplomb peu conforme à son âge et à son rang, et que don Humbert dut supporter par force, il lui dit qu'il fallait reprendre l'organisation du défunt, « mais sans l'intégrer dans la nôtre », précisa-t-il. Il disait « la nôtre » avec un culot délibéré. Don Humbert l'aurait volontiers cinglé avec un nerf de bœuf qu'il avait toujours à portée de la main, mais la peur que lui inspirait Onofre ainsi que la présence menaçante d'Efrén Castells dans le bureau l'en dissuadèrent. D'un autre côté, ce que lui disait ce jeune présomptueux était plein de bon sens. Il est certain qu'il ne faut pas mêler les choses, pensait-il. Moi c'est moi et Canals, que Dieu l'accueille en sa gloire, était Canals. Le problème, maintenant qu'Arnau Puncella était mort, était de savoir qui on pouvait mettre à la tête des affaires de Canals. Onofre Bouvila dit qu'il avait la personne idoine. Don Humbert Figa i Morera ne cacha pas sa perplexité.

— Ça n'est quand même pas Odón Mostaza ou ce gorille que tu as ici, lui dit-il.

Onofre Bouvila ne s'offensa pas.

— Non, non, pensez-vous, répondit-il, à chacun ses qualités. La personne dont je parle a du talent pour ce genre de choses et est d'une fidélité à toute épreuve. Justement, en ce moment, elle attend dans l'antichambre ; avec votre permission, j'aimerais la faire venir et vous la présenter, dit-il.

La permission accordée, il introduisit le señor Braulio dans le bureau. L'idée d'avoir tué un être humain de ses propres mains l'obsédait tellement qu'il perdait la tête ; il n'arrivait plus comme avant à maintenir séparées les deux facettes de sa personnalité : tantôt il parlait avec la virile urbanité de l'hôtelier qu'il avait été, tantôt il sortait de sa poche une paire de castagnettes et se mettait à chanter des *malagueñas*.

— Je suis une personne excessive, dit-il à don Humbert quand ils eurent été présentés. Quand je ne suis plus en chaleur, je ne pense plus qu'au suicide. Cette fois-ci, par chance, ça n'a pas été grave, mais la dernière, je ne te dis pas dans quel état je me suis mise : couverte de sang.

Don Humbert Figa i Morera se grattait discrètement la nuque, se demandant ce qu'un épouvantail pareil pouvait bien maquiller dans une affaire d'une telle envergure.

4

Au retour du printemps, les eaux avaient retrouvé leur lit : personne ne se souvenait déjà plus des fusillades et des batailles rangées qui, quelques mois auparavant, avaient tenu la ville en haleine. Bien que, au début, ils eussent tordu le nez, tous, peu à peu, acceptèrent le señor Braulio comme successeur de Canals i Formiga ; il agissait toujours avec un tact exquis, se montrait très conservateur, il n'outrepassait pas ses droits et tenait les comptes avec beaucoup d'exactitude. Onofre Bouvila lui avait interdit de recommencer ses escapades :

— Fini d'aller faire le guignol à la Carbonera, lui dit-il. Maintenant, nous sommes des gens respectables ; si vous avez besoin de vous soulager, si vous voulez vous envoyer en l'air, vous casquez et vous faites ça à la maison, on gagne assez de blé pour ça. Mais en public, pas d'histoire.

Le señor Braulio emménagea dans un premier étage de la ronda de

San Pablo ; il avait ses bureaux à l'entresol. Certaines nuits, les voisins entendaient, venant de l'appartement, des chansons, des accords de guitare, des bruits de dispute et de meubles brisés. Il arrivait ensuite le front bandé, un œil violacé, etc., aux réunions avec les notables de Barcelone. La seule chose qui lui rongeait les sangs était de penser que sa fille Delfina était toujours en prison. Il avait à présent le pouvoir de la faire libérer ; il se spécialisait justement dans l'obtention de ce type de passe-droits, qui formaient l'essentiel de ses affaires, mais Onofre Bouvila le lui avait aussi interdit absolument.

— Nous ne pouvons pas encore nous permettre une chose pareille, lui disait-il ; ce genre de combine ferait causer, remuerait le passé ; il sera toujours temps de nous occuper de Delfina quand notre position sera affermie.

Le pauvre ex-hôtelier adorait sa fille, mais par faiblesse il obéissait à Onofre. En secret, il lui faisait parvenir en prison des colis de nourriture et des confitures et aussi de la literie et de la lingerie de la qualité la plus fine. Delfina, sans un mot de remerciement, lui renvoyait le linge inutilisé et déchiré avec les dents. Odón Mostaza travaillait avec le señor Braulio, en remplacement du défunt Joan Sicart. Il n'avait pas les qualités de chef ni le talent de ce dernier, mais il se faisait aimer de ses troupes. Comme c'était un homme d'un physique dévastateur, le señor Braulio en pinçait affreusement pour lui. Onofre Bouvila s'était réservé le poste qui avait été celui d'Odón Mostaza. Il remplissait également les fonctions anciennement tenues par Arnau Puncella. Don Humbert Figa i Morera donnait sa bénédiction à tous ces arrangements. Il vivait heureux dans le meilleur des mondes : il s'était retrouvé, sans l'avoir cherché, au pinacle de la vie secrète de Barcelone, il était devenu l'homme orchestre de tous les micmacs. Jamais il n'avait rêvé d'arriver si haut. C'était un homme contradictoire : un mélange savamment dosé de finesse et de niaiserie, d'histrionisme calculé et d'innocence naturelle ; il se lançait dans les entreprises les plus ardues avec autant d'ignorance et d'imprévision que de hardiesse ; du coup, presque tout lui réussissait ; ensuite, il s'en attribuait les mérites. Il était très crédule et, plus encore, vaniteux : il ne vivait que pour être vu. Si urgentes que fussent les affaires du moment, il ne manquait jamais de se rendre à midi au paseo de Gracia faire la gravure de mode sur sa fameuse jument pommelée. Ce cheval de Xeres, qu'il avait payé une fortune, connaissait la musique : il était capable (et avait l'habitude) de parcourir toute la partie du paseo qui va de la calle Caspe à la calle Valencia en caracolant entre les tilburys. Ce défilé ne se terminait jamais bien : la jument était très faible de membres ; tous les jours, à un moment quelconque de la promenade, elle s'étalait les quatre fers en l'air et le cavalier roulait à terre. Ils se relevaient tous deux prestement : la jument en hennissant et lui en époussetant de sa redingote les restes de crottin qui y avaient adhéré ; du trottoir, un gamin se précipitait entre les roues des voitures et les pattes des chevaux pour récupérer par terre le haut-de-forme et la cravache et les donner à don Humbert dès que celui-ci s'était remis en selle. Lui, imperturbable, gratifiait l'empressement du gamin d'une pièce qu'il faisait étinceler au soleil de midi : ainsi transformait-il l'incident en une manifestation de suzeraineté. La haute bourgeoisie l'interprétait précisément ainsi ; comme elle manquait complètement de sens de l'humour, elle lui faisait l'hommage de ses plus beaux sourires : Voilà, disait-on, ce qui s'appelle être un grand seigneur. Lui, dans sa niaiserie, croyait que ces marques de déférence équivalaient à une acceptation. Rien de moins sûr : comme la haute bourgeoisie ne disposait pas de l'héraldique complexe et rigoureuse de l'aristocratie, elle était tenue de se montrer plus rigide dans la pratique ; elle admirait l'argent de don Humbert Figa i Morera et surtout sa façon de le dépenser, mais elle le considérait personnellement comme un arriviste et un parvenu ; à l'heure de vérité, personne jamais ne le prenait en considération. Lui ne s'en rendait pas compte : sa vanité, comme toute vanité authentique, n'avait pas de but, était une fin en soi : le lustre de ses façons ne visait pas à rehausser son prestige et moins encore à séduire le public féminin dans lequel il jouissait, sans le savoir, d'une grande faveur : toutes les femmes mariées et pas mal de demoiselles en âge de convoler soupiraient à le voir passer. Il ne remarquait pas cela non plus. Dans sa vie privée, les choses ne lui réussissaient pas mieux : sa femme, qui se considérait comme le comble de la beauté, de l'intelligence et de la distinction, estimait que rien n'était assez bien pour elle, et elle jugeait avoir fait un mauvais mariage en l'épousant ; elle le traitait à coups de soulier et la domesticité, instruite par cet exemple, n'en usait guère mieux. Lui se soumettait sans broncher à ces vexations ; personne ne l'avait jamais vu en colère, il paraissait vivre dans un monde à part. Accoutumé à n'être écouté par personne, il avait pris l'habitude de déambuler dans sa maison en émettant des sons inarticulés, sans en attendre de réponse, pour le pur plaisir d'entendre sa propre voix. D'autres fois, le contraire lui arrivait : il croyait avoir dit ce qu'il avait seulement pensé. Cette faillite totale de la communication ne l'ébranlait pas. Le travail absorbait ses forces ; les succès sociaux limités satisfaisaient son amour-propre et sa fille, qu'il idolâtrait, comblait son besoin d'aimer.

A cette époque, les vacances d'été ne ressemblaient pas du tout à la conception que nous en avons aujourd'hui. Lorsque commençaient les chaleurs, il n'y avait que les familles privilégiées pour transférer leur résidence, à l'imitation de la famille royale, dans un endroit élevé, de climat plus sec ; elles tâchaient de ne pas s'éloigner beaucoup de Barcelone : elles passaient l'été à Sarriá, à Pedralbes, à la Bonanova, qui sont aujourd'hui des quartiers de la ville. Le reste des citadins combattait la chaleur à l'aide d'éventails et de cruches d'eau fraîche. Les bains de mer commençaient à se répandre chez les gens jeunes, francomanes, et faisaient grand scandale. Comme presque personne ne savait nager, le nombre de noyés était proportionnellement élevé chaque année. Les curés alléguaient dans leurs sermons cette triste statistique comme preuve de la colère divine. Don Humbert Figa i Morera, qui était arrivé trop tard pour acquérir une résidence d'été dans un endroit couru, dut construire la sienne dans une zone située au nord du noyau urbain, appelée la Budallera. Il y avait acheté un terrain accidenté couvert de pins, de châtaigniers et de magnolias, et y avait fait construire une petite maison sans prétention. Comme il arrive souvent à beaucoup d'avocats, il ne s'était entouré d'aucune précaution lors de l'achat du terrain. A présent, il devait consacrer du temps, des efforts et de l'argent à résoudre des problèmes de servitudes prédiales remontant à des siècles. En réalité, il avait été victime d'une escroquerie : le terrain était ombreux, très humide et infesté de moustiques ; l'endroit avait si médiocre réputation que ses seuls voisins étaient quelques ermites qui vivaient dans des grottes malsaines, se nourrissaient de racines et d'écorces d'arbres, erraient dans la montagne en exhibant leurs parties honteuses et avaient perdu au fil des ans l'usage de la parole et de la raison.

— Il n'y a qu'à un imbécile comme toi que l'idée pouvait venir d'acheter une parcelle dans un dépotoir pareil, lui disait quotidiennement sa femme.

Certains jours, elle le lui répétait plusieurs fois : elle aurait aimé aller prendre les bains à Ocata ou à Montgat, côtoyer ce qui se faisait de plus snob dans la bourgeoisie jeune. Mais son époux, pour une fois, avait imposé son avis.

— Ni toi ni la petite ne savez nager, avait-il dit, un courant peut vous entraîner ; et j'ai aussi entendu dire qu'il y a au fond de la mer des poulpes et des lamproies qui piquent et déchiquètent les baigneurs sous les yeux horrifiés de leurs parents et amis.

— C'est, disait-elle, parce qu'ils se seront baignés nus. Les chairs étalées réveillent la voracité de la faune, qui ne distingue l'animal de l'humain que par le vêtement.

Ce disant, elle tordait sarcastiquement la bouche, comme si elle se fût réjouie du malheur de ceux qui ne savaient pas s'habiller ainsi qu'il convenait. Elle était sûre que, elle, qui continuait à porter une crinoline en dépit de la mode et trimbalait une traîne ourlée de deux mètres et allait couverte de bijoux à toute heure, aucun animal n'aurait l'audace de lui mettre un coup de dent. Son époux finissait toujours par lui donner raison. C'est dans cette villégiature qu'Onofre Bouvila vint le visiter pendant l'été de 1891.

Il avait escaladé la montagne au grand galop et il se trouva perdu au milieu du bois. Le cheval qu'il montait était couvert d'écume, il soufflait de façon entrecoupée. Voilà qu'il me crève entre les jambes et que je vais me retrouver comme un naufragé ici, se dit Onofre avec appréhension. C'est bien étrange que, justement moi, je ne sache pas m'orienter dans la montagne ; je suis devenu un homme des villes. Finalement, il aperçut une maison entourée d'un jardin touffu et d'un mur bas de pierre sombre. De la cheminée sortait une colonne de fumée. Il mit pied à terre et, menant le cheval par les rênes, il s'approcha et passa la tête par-dessus le mur à la recherche de quelqu'un qui pût le renseigner. Le jardin paraissait désert : les oiseaux pépiaient, les mouches et les abeilles bourdonnaient, les papillons voletaient. A travers les arbres, confusément à cause de la réverbération de la lumière zénithale, il vit passer une enfant. Elle portait une robe d'organdi blanc, à manches courtes, festonnée de dentelle et ornée de rubans de velours écarlate ; d'une coiffe tuyautée, également blanche, bordée de petites fleurs de tissu, s'échappaient deux anglaises cuivrées. La coiffe et les anglaises ne laissaient voir que des détails du visage : l'arc du nez, une pommette enflammée, la douce courbure du front, l'ovale du menton, etc. Onofre Bouvila resta paralysé ; lorsqu'il réagit, l'apparition s'était évanouie. Ah, qui cela peut-il être ? se demanda-t-il, et m'aura-t-elle vu ? Elle n'avait pas l'air d'une paysanne, mais seule ainsi dans la campagne, sans compagnie... Quel mystère ! se disait-il. Cependant qu'il songeait ainsi, un serviteur apparut. Il lui fit des signes et, lorsqu'il eut accouru, lui demanda si c'était bien l'endroit qu'il cherchait. Voyant que c'était bien le cas, il donna au serviteur les rênes du cheval et se fit annoncer. Don Humbert Figa i Morera avait formellement interdit à ses hommes de venir à sa résidence d'été : il ne voulait qu'on l'y importune sous aucun prétexte. Il ne voulait pas non plus que sa famille soit impliquée dans ses affaires. Onofre se risqua à enfreindre cet ordre : il désirait éprouver jusqu'à quel point don Humbert était disposé à admettre sa désobéissance. Une demoiselle le conduisit à une pièce hexagonale au premier étage. Plusieurs portes donnaient dans cette pièce. Toute la lumière provenait d'une lucarne dépolie : ainsi la pièce demeurait-elle dans la pénombre, et on obtenait une agréable sensation de fraîcheur. Cette faible lumière faisait briller le stuc nacré de la cheminée, sur le dessus de laquelle étaient posés un haut miroir à encadrement doré, un candélabre de bronze et une pendule de style Empire sous une cloche de verre. Pour tout mobilier, il y avait dans la pièce une encoignure de bois peint portant une Vénus d'albâtre sortant de sa conque ; et encore un guéridon mauresque et une pile de coussins de satin. Onofre Bouvila était frappé d'émerveillement. Quelle simplicité, pensait-il, quelle élégance authentique. Un bruit sec dans son dos lui fit faire volte-face. Par habitude, il porta la main à la poche du pantalon, dans laquelle était toujours à présent le pistolet pris des mois auparavant à Joan Sicart. Une des portes avait été ouverte sans bruit : en face de lui se tenait la même petite fille qu'il avait entrevue quelques minutes avant dans le jardin ; elle avait ôté sa coiffe et lisait un livre à couverture noire, peut-être un missel : la présence inattendue d'un étranger dans la pièce l'avait figée sur le seuil. Il ouvrit la bouche pour dire quelque chose, mais n'articula aucun son ; elle, peut-être moins intimidée, ferma le livre. Puis elle fit une gracieuse révérence jusqu'à toucher terre du genou et murmura quelque chose qu'Onofre Bouvila n'entendit pas.

— Pardon, parvint-il à dire, vous me disiez ?

Elle baissa les yeux sous son regard intense ; les fixa sur les arabesques que dessinaient les carrelages.

— Je vous salue, Marie, pleine de grâce, dit-elle finalement dans un filet de voix.

— Ah, s'exclama Onofre, le Seigneur est avec vous.

Elle répéta sa génuflexion sans le dévisager. Elle ne savait pas qu'il y avait quelqu'un dans la pièce, dit-elle en rougissant, la femme de chambre ne l'avait pas avertie de la présence...

— Non, non, absolument pas, l'interrompit-il précipitamment. C'est moi, au contraire, qui dois m'excuser si je vous ai effrayée...

Avant qu'il pût terminer sa phrase elle était partie, fermant la porte derrière elle. Resté seul, il se mit à arpenter la pièce à grandes enjambées. Animal, idiot, bête brute ! se disait-il sans se préoccuper de savoir s'il le faisait en son for intérieur ou à haute voix, de façon telle qu'on pût l'entendre. Comment as-tu permis qu'elle s'en aille ? Maintenant, Dieu seul sait si tu auras de nouveau l'occasion de la voir.

Jamais jusqu'à cet instant, dans des situations beaucoup plus difficiles, il n'avait laissé passer la chance : il avait toujours su devancer les événements. Sinon je ne serais pas vivant pour le raconter, se dit-il. Malheur, gémit-il en tombant à deux genoux sur les coussins moelleux, et moi qui me croyais à l'abri de ces tourments ! Mais qu'est-ce que je raconte ? continua-t-il à méditer dans cette posture pénitente. Ce n'est qu'une enfant ; si je lui parlais d'amour, qu'est-ce qu'elle pourrait y comprendre ? Elle s'effraierait ou, pire encore, elle se rirait de moi. Après tout, je ne suis qu'un rustre, un cul-terreux converti en flingueur à la solde de rufians. Il luttait pour s'arracher du cœur cette flèche dont le destin semblait l'avoir blessé ; il se défendait contre ce flot qui l'envahissait, en vain, comme qui élève des digues de sable pour contenir la mer. Fou furieux, il finit par saisir la Vénus d'albâtre et la lancer de toutes ses forces contre le miroir de la cheminée. D'abord tomba à terre la statuette, qui se brisa en morceaux ; le miroir se fendilla, demeura immobile une fraction de seconde, eut le temps de refléter le visage effrayé de la petite fille, déformé par les lézardes et le gondolement de la glace qui tombait avec fracas ; churent sept ou huit grandes plaques qui éclatèrent, poudre de verre, dans tous les coins de la pièce. Resta dans le cadre un lambeau de tain et de mastic. Derrière lui, il entendit de nouveau un bruit ; cette fois, un cri étouffé. Elle était revenue et se regardait horrifiée dans ce miroir qui ne reflétait plus rien, comme si la pièce et ses occupants avaient cessé d'exister : dans ce symbole, elle comprit ce qu'il voulait lui dire ; dans cet acte de vandalisme, elle vit un sens. Elle le laissa la serrer contre sa poitrine, elle sentit battre furieusement le cœur de cet homme emporté.

— Personne ne m'a encore jamais embrassée, dit-elle dans le peu de souffle qui lui restait.

— Ni ne le fera, moi vivant, dit Onofre Bouvila, s'il ne veut pas que je lui fasse sauter la cervelle. » Il l'embrassa sur la bouche et ajouta : « Et à toi aussi.

Elle cambra le corps en arrière : tête, cou, épaules et dos ; la chevelure cuivrée qu'à présent elle portait défaite tombait en dessous de sa taille. Elle laissa choir ses bras inertes de chaque côté du corps, ses doigts frôlaient le sol frais de la pièce ; ses genoux fléchirent, elle demeura suspendue au bras d'Onofre, qui lui entourait le buste ; les lèvres entrouvertes émirent un long soupir.

— Oui, dit-elle.

Ainsi engageait-elle son avenir en un seul instant.

Onofre leva les yeux, battit des paupières : il y avait quelqu'un d'autre dans la pièce. C'était don Humbert Figa i Morera, qui venait d'entrer accompagné de deux autres messieurs. L'un de ces messieurs était un certain Cosme Valbuena, architecte. Don Humbert, qui s'ennuyait mortellement, avait décidé de faire des travaux d'agrandissement de la maison en utilisant le gros œuvre d'un ancien poulailler-colombier qui en dépendait. Pour mener à bien ces travaux, il fallait envahir le terrain contigu. Cette appropriation de quelques empans avait suscité un procès avec le propriétaire du fonds voisin, qui se trouvait être en outre un ami et associé occasionnel de don Humbert. Celui-ci, trop occupé à des affaires d'une autre portée pour pouvoir perdre son temps à des litiges de si médiocre importance, avait fait venir de Barcelone un avocat jeune, mais de très bonne réputation. Il se spécialisait dans ce genre d'affaires et surtout dans les questions de servitudes. Les trois hommes passaient la journée entière à parcourir la maison, le jardin et les champs qui l'entouraient. L'avocat prenait des mesures avec un cordeau et faisait des propositions architecturales que l'architecte ne daignait même pas écouter. Celui-ci à son tour suggérait à don Humbert divers moyens juridiques pour gagner le procès en cours. Ils discutaient, s'échauffaient et s'amusaient bien. Puis ils se mettaient à table et mangeaient avec un appétit enviable. L'épouse de don Humbert ne protestait pas contre la présence de ces parasites parce qu'elle voyait que sa fille s'approchait de l'âge de convoler, et aussi bien l'avocat que l'architecte étaient célibataires; l'un et l'autre paraissaient avoir devant eux un brillant avenir. Au moins eux avaient-ils accès à leurs milieux professionnels respectifs. Chose que ne peut prétendre mon fainéant de mari, pensait-elle. Lui répondait avec bonhomie à ces élucubrations : « A quoi songes-tu, femme. La petite vient d'avoir dix ans », répétait-il. A présent, il ne savait plus que penser. Il n'était pourtant pas si bête qu'il ne sût interpréter le langoureux abandon de sa fille ni le regard indompté et assoiffé de son subordonné, ni ne comprît que ce qu'il pouvait faire de mieux était de jouer celui qui ne s'est aperçu de rien :

— Allons, allons, se borna-t-il à commenter, je vois que vous vous êtes déjà présentés l'un à l'autre et que vous faites bon ménage. J'en suis ravi, j'en suis ravi.

Eux, visiblement effrayés, tardèrent un moment à dénouer leur étreinte, retrouver l'équilibre et se composer une attitude. Onofre Bouvila lui-même, qui quelques minutes avant méprisait don Humbert, se sentait à présent disposé, voyant en lui le père de la femme qu'il aimait, à professer à son endroit le plus grand respect : il abandonna aussitôt son attitude colérique et en adopta une autre de soumission. L'avocat et l'architecte déambulaient dans la pièce en estimant les dégâts.

— L'important, disait le premier, est que personne ne se blesse avec les éclats de verre.

Lorsque Onofre Bouvila revint à Barcelone, le crin-crin des grillons montait de la garrigue et le ciel était plein d'étoiles. Que va-t-il advenir de moi, désormais ? se demandait-il, les yeux fixés sur cette carte céleste. Il savait que, tant qu'elle lui rendrait son amour, il ne pourrait trahir don Humbert Figa i Morera.

Avant que l'été touche à sa fin, l'architecte et l'avocat demandèrent la main de la fille de don Humbert Figa i Morera. Cette rivalité et la nécessité consécutive de faire un choix permirent à celle-ci d'abord de faire traîner les choses en longueur et ensuite d'opposer un refus catégorique à l'idée d'un mariage avec l'un ou l'autre des deux candidats. Ce refus était tantôt énergique et tantôt peiné, fréquemment accompagné de larmes et de trépignements ; fragile comme elle l'était, elle se blessait souvent en frappant les murs de son front ou les meubles de ses poings : on la voyait tout le temps couverte de pansements. Cette attitude et la menace voilée de plus grands malheurs dans le cas où sa volonté serait contrariée eurent immédiatement raison de celle de son père. La mère, cependant, pressentit que cette invincible résistance n'était pas motivée par le rejet des prétendants, qu'elle ne paraissait même pas avoir remarqués, mais par une autre raison plus puissante. Elle se souvint du bris du miroir et de la statuette, de la coïncidence entre ce double accident et la visite insolite à la maison de la Budallera d'un subordonné de son mari, elle tira de ces faits ses conclusions personnelles ; puis elle interrogea don Humbert ; celui-ci finit par admettre qu'il avait effectivement surpris une scène entre sa fille et ce jeune homme ; cette scène, qu'il édulcora pour la décrire à son épouse, pouvait conduire à penser que la petite ressentait une certaine inclination pour ce garçon, dit don Humbert. Et, ce garçon, qui était-ce ? voulut-elle savoir. Don Humbert lui donna quelques explications confuses qu'elle n'écouta pas : ce qui l'intéressait n'était pas ce que son mari pouvait lui dire, mais ce qu'il essayait de lui cacher ; de ses hésitations, elle déduisit finement qu'Onofre Bouvila était le prétendant le moins convenable de tous. Très bien, se dit-elle, on se passera de l'avocat et de l'architecte, mais on mettra la petite à l'abri de ce rustre ; quand elle l'aura oublié, on s'occupera de lui chercher le mari qui lui convienne : elle est très jeune encore, elle peut laisser passer une demi-douzaine de partis. Sur ses instances, don Humbert mit la petite dans un internat. Elle n'opposa pas de résistance : elle s'y sentait libérée des prétendants. Au bout du compte, c'est ce qui pouvait nous arriver de mieux, se dit-elle. Passé un premier moment d'indignation, Onofre aussi l'entendit ainsi. Un jour, elle sera à moi, pensa-t-il. Pour le moment, il faut être patient. Par les voies les plus impensables, il lui fit parvenir des centaines de lettres à l'internat. C'était très méritoire, parce que, jusqu'alors, c'est à peine s'il savait apposer sa signature ; on peut dire qu'il apprit à écrire avec aisance à l'occasion de ces lettres d'amour. Elle lui répondait de loin en loin, essayant de déjouer la censure des bonnes sœurs. *Avant tout,* disait-elle dans une de ces lettres, *je rends grâce à Dieu par l'intercession de Jésus-Christ, car Dieu, que je vénère en mon âme, m'est témoin de combien incessamment je me souviens de toi, lui demandant toujours dans mes prières, si c'est sa volonté, de connaître enfin un jour favorable pour aller vers toi, car je suis anxieuse de te voir.* Ce langage, imité de saint Paul, était étrange chez une adolescente amoureuse ; il pouvait s'expliquer par la crainte que les lettres ne tombent aux mains des religieuses ou de ses parents, ou bien par une authentique dévotion de sa part. Plus tard, mariée, elle se montra toujours fort dévote. Ceux qui la connurent et la fréquentèrent pendant ses années de maturité portaient sur elle des appréciations contradictoires ; « sereine » et « hallucinée » étaient les deux qualificatifs qu'on lui appliquait le plus fréquemment. D'autres étaient d'avis qu'elle finit par chercher une consolation dans la religion parce que Onofre Bouvila la rendit très malheureuse toute sa vie.

Cependant, Barcelone se disposait à franchir la ligne séparant le siècle passé de l'actuel avec plus de problèmes que d'espoirs dans ses bagages. Il me semble que ce que nous avons eu tant de mal à gagner ne sera que fleur d'un jour, disaient les gens bien dans la pénombre tranquille des cercles, clubs et salons. La récession persistait. Les boutiques de luxe de la calle Fernando fermaient leurs portes l'une après l'autre ; à la place, les grands magasins, une nouveauté que les Barcelonais accueillaient avec une évidente réserve, ouvraient les leurs sur les Ramblas et le paseo de Gracia. « Les grands magasins, lampe d'Aladin ou caverne d'Ali Baba ? », s'intitulait de façon imagée le commentaire d'un journal. La politique économique du gouvernement ne contribuait pas à améliorer les choses. Sourd à toutes les raisons et prières des Catalans détachés à Madrid pour les formuler, et de quelques Castillans clairvoyants ou payés pour l'être, il abrogea toutes ou presque toutes les mesures protectionnistes qui sauvegardaient l'industrie nationale ; dès la disparition des droits de douane qui les grevaient, les produits étrangers, meilleurs, moins chers et plus simples d'emploi que les espagnols, achevèrent de couler un marché déjà déprimé par lui-même. La fermeture des usines et les licenciements massifs et imprévisibles s'ajoutèrent aux fléaux qui s'acharnaient déjà sur la classe laborieuse. En plus, il y avait à présent la guerre à Cuba et à Melilla. Toutes les semaines, des centaines de garçons, pour la plupart imberbes, partaient pour l'Amérique et l'Afrique. Autour des bassins du port et sur les quais de la gare, on pouvait assister à des scènes déchirantes. La garde civile devait fréquemment effectuer des charges contre les mères qui essayaient d'empêcher les transports de troupes en retenant les bateaux par les amarres ou en bloquant le passage des locomotives. De ces centaines et milliers de jeunes gens qui partaient vers le front, bien peu reviendraient, et encore serait-ce mutilés ou gravement malades. Ces faits attisaient, comme s'il en eût été besoin, la colère populaire. Ces associations ouvrières qui avaient tant préoccupé le défunt Canals i Formiga prenaient de la vigueur, particulièrement les anarchistes. Il y avait des partisans de Foscarini et des adeptes de De Weerd ou d'autres leaders apparus postérieurement. Toutes ces associations s'unissaient occasionnellement pour convoquer et mener des grèves générales qui ne réussissaient jamais. Tant d'échecs et tant d'acharnement inutile exaspérant les résolutions, certains, voyant que les choses ne changeaient que pour empirer, décidèrent de passer à l'action directe. Inspirés par l'exemple de leurs coreligionnaires italiens, français et surtout russes, ils choisirent de « couper les têtes de l'hydre, toutes tant qu'elles sont, et plus il y en aura, mieux ça sera », selon l'expression de l'un d'eux. Ainsi commencèrent les décades noires de la terreur : il n'y avait pas de cérémonie publique, défilé, procession ou spectacle, où ne pût se produire soudain l'explosion redoutée. Assourdis par la déflagration et aveuglés par la fumée, les survivants cherchaient parmi les victimes leurs parents ou amis ; d'autres fuyaient dans toutes les directions, les yeux exorbités et les vêtements couverts de sang, sans s'arrêter pour voir s'ils étaient blessés à mort ou bien s'ils étaient sortis indemnes de l'attentat. C'était dans les lieux où se réunissaient les gens de bien que les anarchistes faisaient sentir avec le plus de rage le poids de leur colère et de leur désespoir. Chaque fois que se produisait un événement de ce genre, Onofre Bouvila ne pouvait s'empêcher de penser à Pablo et aux théories libertaires qu'il soutenait et que lui-même avait contribué, contre son gré, à propager. Parfois, il se demandait si ce n'était pas Pablo lui-même qui avait lancé la bombe contre Martínez Campos ou celle du Liceo[1]

1. Le 7 octobre 1893, l'anarchiste Santiago Salvador lança, du cinquième balcon, deux bombes qui firent vingt morts et cinquante blessés.

dont on peut aujourd'hui encore percevoir les tragiques échos, les nuits de gala, dans les loges et les couloirs du célèbre théâtre. Mais il ne s'ouvrait de ces réflexions à personne : à cause de sa position du moment, et pour des raisons sentimentales, il voulait cacher qu'en d'autres temps il avait été associé avec les anarchistes. Il donnait au contraire à entendre à sa fiancée et aux personnes avec qui il entretenait des rapports professionnels qu'il était un jeune homme de bonne famille que des revers de fortune avaient contraint à exercer des activités de nature peu claire, comme celles dont il s'acquittait sous les ordres de don Humbert Figa i Morera. Personne déjà ne se souvenait plus de sa participation aux violents épisodes qui avaient mis fin à l'empire criminel et aux jours de Canals i Formiga. Chaque fois que les circonstances s'y prêtaient, il désavouait la violence, se montrait partisan de réprimer d'une main de fer les anarchistes qu'il n'hésitait pas à appeler des « chiens enragés », et louait la politique sanguinaire par laquelle le gouvernement essayait de rétablir l'ordre. Cette attitude devait nécessairement rencontrer un écho favorable parmi les membres de la haute bourgeoisie avec lesquels il entrait épisodiquement en relation. Cette dernière, voyant son patrimoine et sa vie elle-même menacés, avait signé une trêve dans la querelle séculaire qu'elle entretenait avec Madrid. Si nocive que fût l'attitude du gouvernement pour les intérêts commerciaux de la Catalogne, il eût été pire encore d'être privés dans cette lutte de sa protection armée, se disaient les bourgeois. Puis, en privé, ils se lamentaient de devoir tomber dans cette abjuration : Il est triste, se disaient-ils, de devoir nous jeter dans les bras d'un petit général, quand la Catalogne a donné à l'armée espagnole ses lions les plus féroces. Par cette image, ils désignaient le général Prim, héros du Mexique et du Maroc, et le général Weyler, qui, en ces années-là, tenait en respect les rebelles cubains. Ce qui préoccupait le plus les timorés était que les catalanistes, dont l'influence allait croissant, pussent gagner des élections, entraînant la fureur de Madrid, à la bienveillance de qui ils pensaient devoir la vie. Ainsi prospéraient les affaires dont s'occupait le señor Braulio. Onofre Bouvila se frottait les mains en privé. Des années plus tard, il devait dire : « J'ai toujours pensé que le mal profond de l'Espagne tenait à ce que l'argent était entre les mains d'une bande de lâches incultes et sans conscience. » Le gouvernement, pour sa part, se bornait à cueillir les fruits de la situation et abordait avec dégoût le problème interne catalan comme s'il se fût agi d'un autre problème colonial : il envoyait dans la principauté des cannibales en uniforme qui ne connaissaient que le langage des baïonnettes et prétendaient imposer la paix en passant par les armes la moitié de l'humanité. Ah! pensait sans cesse Onofre, voyant ce qui se passait autour de lui. Quelle époque splendide pour qui a un peu d'imagination, pas mal d'argent et beaucoup d'audace. De l'imagination et de l'audace, j'en ai à revendre, mais l'argent, d'où vais-je le tirer? Et pourtant, d'une manière ou d'une autre, il faut que j'en trouve, parce que, des occasions comme maintenant, le destin n'en offre qu'une fois dans la vie, et, quelquefois, même pas. Avoir une fiancée n'avait fait qu'aviver son ambition; l'impossibilité où il était de jamais la voir laissait intactes ses énergies. Il ne sortait plus faire la noce avec Odón Mostaza et ses acolytes : il préférait ne pas se faire voir en public avec des truands. Les petits plaisirs qu'il se permettait, le señor Braulio et Efrén Castells les lui procuraient en cachette. Vers cette époque, les journaux annoncèrent que la comète Sargon, dont on estimait le diamètre à plus de cinquante mille kilomètres, se rapprochait de la Terre; il ne manqua pas de prophètes pour prédire la fin du monde, dont les troubles et le désarroi régnant n'étaient que le prélude et l'annonce. Il y eut une inquiétude normale, mais en fin de compte rien n'arriva.

Chapitre 4

1

Le voyageur qui arrive pour la première fois à Barcelone remarque vite où finit la vieille ville et où commence la nouvelle. Les rues sinueuses deviennent droites et plus larges ; les trottoirs, plus spacieux ; de grands platanes font une ombre agréable ; les constructions ont plus d'allure ; beaucoup s'étonnent, croyant avoir été transportés magiquement dans une autre ville. Sciemment ou non, les Barcelonais eux-mêmes cultivent cette équivoque : en passant d'un secteur à l'autre, ils paraissent changer de physique, d'attitude et de costume. Il n'en fut pas toujours ainsi ; cette transition a son explication, son histoire et sa légende.

Au long des nombreux siècles de son histoire, il n'arriva jamais que ses murailles empêchent la conquête ou le sac de Barcelone. Sa croissance, en revanche, si. Cependant qu'à l'intérieur la densité de la population allait augmentant, rendait la vie insupportable, à l'extérieur s'étendaient vergers et friches. A la tombée du jour ou pendant les jours fériés, les habitants des villages voisins montaient sur les collines (aujourd'hui el Putxet, Gracia, San José de la Montaña, etc.) et, quelquefois avec des longues-vues en laiton, ils regardaient les Barcelonais : fébriles, ordonnés et pointilleux, ceux-ci allaient et venaient, se saluaient, se perdaient dans le dédale de ruelles, se rencontraient de nouveau et réitéraient leurs saluts, s'intéressaient à leur santé et leurs affaires mutuelles, se disaient au revoir en attendant la prochaine occasion. Les villageois se divertissaient à ce spectacle ; il s'en trouvait toujours un pour essayer, dans sa simplicité, de lancer une pierre sur un Barcelonais : c'était impossible, à cause d'abord de la distance, et aussi de la muraille. L'entassement attentait à l'hygiène : la moindre maladie se transformait en épidémie, il n'y avait pas moyen d'isoler les malades. On fermait les portes de la ville pour éviter que le fléau ne s'étende et les habitants des villages formaient des piquets, obligeaient à coups de bâton les fugitifs à rebrousser chemin, lapidaient ceux qui traînaient les pieds et triplaient le prix des aliments. L'entassement attentait également à la décence. *Logé dans une hostellerie qui m'avait été recommandée avec d'hyperboliques éloges,* raconte la chronique d'un voyageur, *j'ai découvert que je devais partager une pièce de six mètres carrés au maximum avec autant de personnes, autant dire cinq en plus de moi. Parmi eux, il s'avéra que deux étaient de jeunes mariés en voyage de noces qui, à peine couchés et la lumière éteinte, animèrent la nuit à grand renfort de halètements, cris et rires. Et tout ça pour un prix exorbitant, merci bien !* Plus concis, le père Campuzano écrit : *Rare est le Barcelonais qui, avant même d'avoir l'usage de la raison, n'a pas reçu une information illustrée sur les circonstances dans lesquelles il a été engendré.* Les conséquences de ce qui précède étaient le relâchement des mœurs, de fréquentes épidémies vénériennes, le stupre et autres abus et, dans certains cas, comme celui de Jacinto (ou Jacinta) Peus, des troubles psychologiques : *A force de voir mes parents et mes frères et mes sœurs et mes oncles et mes tantes et mes grands-pères et mes grand-mères et mes cousins et mes cousines et les employés de la maison à poil j'en vins à ne plus savoir qui étaient les hommes et qui les femmes ni dans lequel des deux genres je devais me ranger moi.*

Le problème de l'habitat était effrayant ; le prix astronomique du logement dévorait l'essentiel des revenus des familles. Quelques chiffres faciles à interpréter sont ici utiles. Au milieu du XIXe siècle, la superficie de Barcelone était de 427 hectares. A la même époque, Paris disposait de 7802 hectares ; Berlin, de 6310, et Londres, de 31685. Même une ville apparemment petite comme Florence disposait d'une surface de 4226 hectares, c'est-à-dire dix fois plus grande que celle de Barcelone. La densité d'habitants par hectare est également révélatrice : 291 à Paris, 189 à Berlin, 128 à Londres, 700 à Barcelone. Pourquoi ne rasait-on pas les murailles ? Parce que le gouvernement ne délivrait pas l'autorisation : sous des prétextes stratégiques impossibles à soutenir, il maintenait la ville dans l'asphyxie, empêchait que Barcelone crût en extension et en influence. Les rois, reines et régents qui se succédaient sur le trône d'Espagne feignaient d'avoir des problèmes plus urgents et les gouvernements faisaient la sourde oreille quand ils ne faisaient pas de l'esprit. S'ils ont besoin de terrains, disaient-ils, qu'ils brûlent d'autres couvents. Ils faisaient ainsi allusion aux couvents incendiés par la populace lors des désordres sanglants de ces décennies troublées, et au fait que les terrains eussent été ensuite utilisés comme espaces communautaires : places, marchés, etc. On finit par raser les murailles. On va enfin pouvoir respirer, se dirent les Barcelonais. Mais la réalité n'avait pas changé : avec ou sans murailles, l'exiguïté de la ville restait la même. Les gens vivaient serrés dans des taudis minuscules, dans une promiscuité répugnante et indécente ; ils vivaient empilés les uns sur les autres et tous avec les animaux domestiques. La disparition de la muraille permettait de voir à tout moment le val qui s'étendait jusqu'aux contreforts de la sierra de Collcerola ; ce qui rendait l'entassement plus évident encore. Tonnerre, disaient les citadins, toute cette campagne vide et nous autres ici, comme des rats dans leur trou. Est-il juste, se demandaient-ils, que les laitues vivent plus à l'aise que nous ? Dans ces circonstances, les yeux de la population se tournaient vers l'*alcalde*.

L'*alcalde* de Barcelone n'était pas celui qui, des années plus tard, mènerait à bien le projet de l'Exposition universelle, mais un autre. C'était un petit gros, très religieux : tous les jours, il assistait à la sainte messe et recevait l'eucharistie. Pendant ces minutes de recueillement, il s'efforçait de ne pas penser aux problèmes municipaux ; il voulait concentrer toute son attention sur le miracle de la transsubstantiation. Mais l'angoissante question urbaine le distrayait. Il faut faire quelque chose, se disait-il, mais quoi ? Il avait étudié le développement des autres villes européennes : celui de Paris, celui de Londres, ceux de Vienne, de Rome, de Saint-Pétersbourg. Les plans étaient bons, mais coûteux. Qui plus est, aucun ne tenait compte des particularités de Barcelone. Lorsque quelqu'un lui vantait le plan de développement de Paris, l'*alcalde* répondait toujours que c'était un bon plan, « mais qui ne tient pas compte des particularités de Barcelone ». Il disait la même chose du plan de Vienne, etc. Il était convaincu que Barcelone devait concevoir et mener à bien son propre plan, sans tomber dans l'imitation.

Un jour, alors qu'il venait de communier, il eut cette vision : il était assis dans son fauteuil d'*alcalde,* à son bureau, et un huissier entrait pour lui annoncer une visite. L'*alcalde* se demandait si ce serait un conseiller, un délégué. L'huissier interrompit ces conjectures :

— Il dit, annonça-t-il, être natif d'Olot[1].

Sur ces entrefaites, le visiteur entra et l'huissier sortit. L'*alcalde* resta saisi. Le visiteur lançait des rayons et un halo de lumière l'entourait.

1. Petite bourgade, arriérée et conservatrice, de Catalogne. « Un natif d'Olot », ici, c'est quelque chose comme un cul-terreux, doublé d'un cul béni.

L'*alcalde* remarqua avec stupeur que sa peau était brillante, comme si elle eût été enduite de teinture d'argent. Les cheveux, qui lui arrivaient aux épaules, étaient des fils d'argent. Sa tunique aussi avait un reflet mat, comme si tout le personnage eût été fait d'un alliage surnaturel. L'*alcalde* se garda bien de solliciter une explication à ce propos ; il demanda seulement à quoi il devait semblable honneur.

— Nous avons observé, dit le visiteur, que depuis quelque temps tu es distrait quand tu es à la Sainte Table.

— C'est mon attention qui flanche, pas ma piété, se défendit l'*alcalde.* Il s'agit du plan d'aménagement urbain, qui m'en fait voir de toutes les couleurs ; je ne sais que faire.

— Demain, dit le visiteur, au premier chant du coq, tu te trouveras à la vieille porte du Couchant. Tu verras venir l'élu, mais ne lui dis pas que je me suis manifesté.

L'*alcalde* se réveilla en sursaut : il était dans l'église, sur son prie-Dieu, il tenait encore sur la langue l'hostie consacrée. Il avait tout rêvé l'espace d'un battement de paupières.

Le jour suivant, l'*alcalde* était, à l'heure convenue, au lieu où devait par hasard s'élever, des années plus tard, l'Arc de triomphe marquant l'entrée de l'Exposition. Déjà circulaient des gens, des bêtes et des chariots. Pour n'être pas reconnu, il avait revêtu une simple capote et un chapeau à larges bords ; dans un pot en verre, il avait mis du fromage blanc de chèvre ; il versait de l'huile dessus et le saupoudrait de thym comme il avait vu faire quand il était petit dans la ferme où vivaient alors ses grands-parents. Il laissa ainsi s'écouler toute la journée. Ceux qui passaient à côté de lui commentaient l'agitation que causait dans la ville la disparition de l'*alcalde,* qu'on cherchait en vain depuis qu'il ne s'était pas présenté, le matin, à l'église où il écoutait invariablement la messe. Pas un centime n'avait disparu, disaient-ils, du trésor public. C'était, de l'avis général, ce qu'il y avait de plus choquant. Au déclin du jour, le soleil se mua en un cercle rouge de grande circonférence. L'*alcalde* vit venir à lui un être étrange. Une brûlure reçue pendant l'enfance lui avait laissé la moitié gauche du visage lisse et glabre ; l'autre moitié, en revanche, était sillonnée de rides et arborait une demi-moustache et une demi-barbe d'une remarquable longueur, car il venait de faire à pied le chemin de Compostelle, ou se disposait à l'entreprendre. Il s'appelait ou disait s'appeler Abraham Schlagober, ce qui en allemand signifie « crème » ; il dit n'être pas juif, en dépit de son nom, mais vieux chrétien, faisant un pèlerinage pour accomplir une promesse dont il ne voulut pas révéler la cause, et être maître bâtisseur. L'*alcalde* l'emmena aussitôt à la mairie, lui montra les plans de Barcelone et des environs, et mit tous les moyens à sa disposition pour qu'il dessine un projet.

— Cette ville sera, lui dit Abraham Schlagober, la Cité de Dieu dont nous parle saint Jean, la nouvelle Jérusalem.

Étant donné que Jérusalem avait été détruite et ne pourrait jamais se relever, le Seigneur ayant dit qu'il ne resterait d'elle pierre sur pierre, une autre ville était appelée à la remplacer comme centre de la chrétienté. Barcelone était à la même latitude que Jérusalem, c'était une ville méditerranéenne, tout concourait à faire d'elle la ville élue. Ils lurent ensemble les paroles révélées : *Et je vis la Cité sainte, la nouvelle Jérusalem, qui descendait du ciel, aux côtés de Dieu, parée comme une fiancée apprêtée pour son époux. Et j'entendis une voix forte qui disait depuis le trône : « Voici la demeure de Dieu parmi les hommes. Il établira sa demeure parmi eux et ils seront son peuple et Il sera leur Dieu. Et Il séchera toute larme de leurs yeux et il n'y aura plus ni mort ni pleurs, ni cris ni fatigue.* » Le projet fut achevé en moins de six mois, après quoi Abraham Schlagober disparut sans laisser de trace. Il en est pour affirmer que ce personnage n'a jamais existé et que ce fut l'*alcalde* lui-même qui dessina les plans. D'autres disent qu'il exista bien, mais qu'il ne s'appelait pas comme il le prétendait et n'était ni pèlerin ni bâtisseur, mais un escroc qui, s'étant rendu compte de l'état anormal de l'*alcalde,* décida d'en faire son beurre, parvint à traduire astucieusement sur le papier les visions de son protecteur et, pendant que dura le travail, vécut aux crochets de la municipalité : ce qui n'aurait rien d'insolite. Quand le projet fut entièrement terminé, l'*alcalde* le trouva de son goût et le soumit à l'attention du conseil plénier.

Aujourd'hui, le projet original n'existe plus : ou bien il fut intentionnellement détruit, ou bien il se trouve englouti sans retour dans d'insondables archives municipales. Ne nous sont parvenues que des ébauches partielles, peu dignes de foi, fragments de la mémoire justificative. Comme unités de mesure avaient été utilisés la brasse et la parasange, la coudée et le stade, ce qui sans nul doute eût semé un certain trouble chez les ouvriers si l'on avait procédé à la construction ; de ce que nous appelons aujourd'hui le Tibidabo jusqu'à la mer courait un canal navigable dont se séparaient à droite et à gauche douze canaux (un par tribu d'Israël) plus étroits et de moindre profondeur, qui allaient déboucher dans autant de lacs artificiels autour desquels s'organisaient des quartiers ou regroupements mi-religieux, mi-administratifs, gouvernés par un lieutenant de l'*alcalde* et un lévite. Nulle part, il n'est dit d'où proviendrait l'eau qui devait alimenter le canal et ses effluents, quoiqu'il y ait des allusions voilées à des réservoirs situés dans ce qui est à présent Vallvidrera, La Floresta, San Cugat et Las Planas. Dans le centre de la vieille ville (qui, selon le plan, devait être rasée, à l'exception de la cathédrale, de Santa María del Mar, d'el Pino et de San Pedro de las Puellas), cinq ponts traversaient le canal, chacun représentant une des cinq vertus théologales. L'*ayuntamiento,* la députation provinciale et le gouvernement civil devaient être remplacés par trois basiliques qui correspondaient aux trois puissances de l'âme. Il y avait un marché de la Tempérance et un marché de la Crainte de Dieu, etc. D'autres aspects du projet nous demeurent inconnus. Nous ne saurons jamais quels ils étaient. L'assemblée plénière du conseil municipal en resta médusée. En fin de compte, ils décidèrent d'acclamer le projet. Ils lui donnèrent l'appui unanime et sans réserve de la municipalité. Le conseil, cependant, signalait la nécessité de respecter les procédures prescrites par la loi en vigueur : le projet approuvé par le plénum devait être soumis à l'approbation du ministère de l'Intérieur, dont dépendaient toutes les municipalités d'Espagne. L'*alcalde* se mit en colère.

— Est-il possible que même la volonté de Dieu doive passer par Madrid ? s'exclama-t-il.

— C'est la loi, répondirent les conseillers soulagés.

Ils feignaient de se solidariser avec la colère de l'*alcalde* mais, au fond, ils espéraient refiler le bébé à Madrid, et que Madrid les tirerait du pétrin. A chaque fois qu'ils l'ont pu, ils nous ont mis des bâtons dans les roues, pensaient-ils, mais cette fois, pour changer, leur refus va sacrément nous arranger.

La réponse de Madrid était conçue dans ces termes : S.E. le Ministre de l'Intérieur accusait réception du dénommé Plan d'extension de la ville de Barcelone, mais il se refusait à le prendre en considération dans la mesure où sa présentation n'était pas conforme aux réquisits prévus par la législation en la matière. En effet, la loi exigeait qu'on présentât un choix de trois projets entre lesquels le ministre se réservait le droit d'élire celui de sa préférence. L'*alcalde* crut en devenir fou. A eux tous, ils parvinrent à le calmer :

— Réunissons un concours, envoyons à Madrid notre projet et deux autres en plus ; le ministre ne peut manquer de sélectionner le nôtre, il sera bien obligé de voir que c'est le meilleur, lui dirent-ils.

L'*alcalde* ne sut qu'objecter à cela ; il croyait que son projet avait été inspiré par Dieu et qu'il n'y en avait ni ne pouvait y en avoir d'autre qui lui fût supérieur, si bien qu'il laissa convoquer le concours et qu'il attendit impatiemment que les projets fussent présentés, triés et présélectionnés dans les délais fixés par les règlements, et qu'il consentit même à présenter son propre projet conjointement avec les autres, dans la conviction qu'il serait sélectionné, ce qui arriva. Le projet de l'*alcalde,* dont peu de gens avaient eu jusqu'alors connaissance, circula de main en main tout au long de ce processus et ses caractéristiques furent sur toutes les lèvres. On ne parlait pas d'autre chose dans les cénacles éclairés de la ville. Finalement, les trois projets sélectionnés furent remis à Madrid. Là, le ministre les fit lanterner autant qu'il le put sans fournir d'explication. L'*alcalde* ne vivait plus.

— Il y a des nouvelles de Madrid ? demandait-il, réveillé en sursaut, à minuit — son valet de chambre (il était célibataire) devait venir le calmer.

Finalement, le ministre répondit. La réponse fit l'effet d'une bombe : S.E. le Ministre de l'Intérieur avait décidé de ne sélectionner aucun des trois projets présentés étant donné qu'à son avis aucun ne réunissait suffisamment de qualités. En revanche, il considérait comme bon et ratifiait de son seing un quatrième projet qui ou bien n'avait pas concouru, ou bien l'avait fait mais avait été éliminé par le jury. A présent, il réapparaissait revêtu de l'autorité d'un décret-loi. C'était ce qu'on appellerait par la suite « le plan Cerdá ». L'*alcalde* préféra prendre la chose du bon côté : *Je suis persuadé,* écrivit-il au ministre, *que V.E. a voulu faire une plaisanterie à nos dépens en manifestant qu'il approuvait un projet qui non seulement ne fait pas partie du triptyque présenté en temps voulu à V.E., mais suscite d'avance la désapprobation de tous les Barcelonais.* Cette fois, la réponse du ministre fut foudroyante : *Les Barcelonais, mon ami, s'estimeront heureux si le plan Cerdá se réalise un jour tel que je l'ai ratifié,* écrivit-il à l'*alcalde. Quant à vous, mon cher* alcalde, *permettez-moi de vous rappeler qu'il n'entre pas dans vos attributions de déterminer quand un ministre fait ou non des blagues. Limitez-vous à accomplir mes instructions au pied de la lettre et ne m'obligez pas à vous rappeler de qui dépend, en dernière instance, votre fonction,* etc.

L'*alcalde* convoqua de nouveau l'assemblée plénière.

— Nous avons reçu une gifle, dit-il. Ça nous apprendra à nous soumettre aux caprices de Madrid au lieu d'agir de notre propre initiative comme notre valeur nous y autorise et comme l'honneur l'exige. Maintenant, par la faute de notre pusillanimité, Barcelone a été offensée : que cela nous serve de leçon.

Il y eut une salve d'applaudissements. L'*alcalde* imposa le silence et reprit la parole. Sa voix résonnait dans le Salón de Ciento[1] :

— A présent, nous devons répondre, c'est notre tour, dit-il. Ce que je vais vous proposer pourra vous sembler une mesure quelque peu drastique, mais je vous supplie de ne pas juger de façon précipitée. Réfléchissez et vous verrez qu'il ne nous reste pas d'autre issue. Voici ce que je propose : puisque Madrid refuse d'entendre nos raisons et prétend avec arrogance et dédain nous imposer son avis, que chacun d'entre nous, en tant que représentant du peuple de Barcelone, défie le fonctionnaire du ministère qui se trouve à son échelon hiérarchique, et qu'il le tue en duel ou qu'il meure pour défendre son droit et sa dignité de la même façon que moi, ici, je jette à l'instant et publiquement mon gant sur le sol de cette enceinte historique et je provoque en duel le ministre de l'Intérieur pour que lui et ses fieffés bureaucrates comprennent une fois pour toutes qu'à partir de maintenant, quand on refusera justice à un Catalan dans un bureau, il se la fera lui-même sur le pré.

Il jeta au sol un gant de chevreau gris qu'il avait acheté la veille à can Comella[2] et veillé toute la nuit devant l'autel de sainte Lucie. Les participants poussèrent des vivats, ils lui firent une ovation interminable ; ceux qui avaient des gants imitèrent son geste ; ceux qui n'en avaient pas jetaient à terre leurs chapeaux, leurs plastrons et jusqu'à leurs chaussures. Le pauvre *alcalde* pleurait d'émotion. Il ne savait pas que les mêmes qui accueillaient avec tant d'enthousiasme ses propositions n'avaient pas la moindre intention de les suivre, que certains avaient même déjà envoyé des lettres à Madrid dans lesquelles ils exprimaient leur ralliement au ministre et déploraient le ton inconvenant de l'*alcalde,* sur la santé mentale duquel ils affirmaient nourrir de sérieux doutes. Ignorant de tout cela, l'*alcalde* envoya à Madrid une lettre de défi que le ministre lui renvoya déchirée dans une enveloppe cachetée au dos de laquelle il avait écrit de sa main : *Pas de ces bouffonneries avec moi.* Les conseillers suggérèrent à l'*alcalde* de ne pas insister, qu'il n'y avait rien à faire, qu'il prenne quelques vacances. Finalement, il se rendit compte qu'ils l'avaient abandonné. Il démissionna de sa charge, s'installa à Madrid où il essaya de susciter l'intérêt des Cortes pour l'affaire. Quelques députés feignirent de l'écouter pour des raisons de stratégie politique : certains croyaient s'attirer ainsi la sympathie des Catalans, d'autres espéraient une compensation de type économique pour leurs interventions. Quand ils s'apercevaient que l'ex-*alcalde* n'était qu'un toqué qui agissait pour son compte, ils le

1. Grande salle du Conseil des Cent, l'assemblée municipale médiévale.
2. Magasin d'articles d'équitation.

laissaient tomber, indignés. Il eut recours à la subornation des plus vénaux, il y dilapida sa fortune personnelle, qui était importante. Au bout de trois ans, ruiné et le cœur brisé, il revint à Barcelone, grimpa à Montjuich et regarda la plaine : de là où il était, il pouvait voir le tracé des rues nouvelles, les tranchées par où passerait le train, les égouts et les aqueducs. Comment est-ce possible ? se dit-il, comment est-ce possible qu'un vulgaire écueil bureaucratique ait fait échouer la volonté expresse de Dieu ? Si grand était son désespoir qu'il se jeta à bas de la montagne et se tua. Son âme fut directement en enfer, où on lui expliqua que la visite qu'il avait reçue en songe avait été en réalité celle de Satan lui-même.

— Ah, prévaricateur de malheur, s'exclama l'ex-*alcalde* tenaillé par le repentir d'avoir été si bête, tu m'as bien trompé en me disant que tu étais un ange.

— Eh, eh, halte-là ! répliqua Satan, je n'ai jamais dit que je l'étais, mais tu sais sûrement que nous autres démons pouvons adopter la forme qui nous convient pour tenter les mortels, sauf celle d'un saint ou celle d'un ange, et moins encore celle de Dieu Notre Seigneur ou de Sa Très Sainte Mère ; c'est pour ça que j'ai dit être un natif d'Olot, c'est-à-dire ce que je connais de plus proche d'un être céleste ; le reste est le fait de ta vanité et de ton aveuglement, dont toi et Barcelone souffrirez pour l'éternité les terribles conséquences.

Et il éclata en sonores et glaçants éclats de rire.

Les années se chargèrent de prouver que, de tous les protagonistes de cette légende, si l'on laisse de côté le diable qui ne roule jamais que pour lui, l'*alcalde* était le seul qui eût raison. Le plan imposé par le ministère, avec toutes ses bonnes idées, était fonctionnel à l'excès, souffrait d'un rationalisme exagéré : il ne prévoyait pas d'espaces où pussent se dérouler des manifestations collectives, ni de monuments pour symboliser les grandeurs que tous les peuples aiment s'attribuer, avec ou sans raison, ni de jardins ni de bois pour inciter à la romance ou au crime, ni d'allées de statues, ni de ponts, ni de viaducs. C'était un quadrillage indifférencié qui déconcertait également les étrangers et les indigènes, pensé pour assurer une relative fluidité du trafic routier et un fonctionnement correct des activités les plus prosaïques. Eût-il été réalisé tel qu'il avait été conçu en principe qu'il en serait au moins résulté une ville agréable à l'œil, confortable et hygiénique ; tel qu'il finit par devenir, il n'eut même pas ces vertus. Il ne pouvait pas en aller autrement : les Barcelonais ne désapprouvèrent pas ce plan de la façon catégorique qu'avait prophétisée l'ex-*alcalde* visionnaire, mais ils ne le considérèrent pas non plus comme leur chose ; il ne toucha pas leur imagination ni ne réveilla aucun sentiment ancestral. Ils se montrèrent hésitants à acheter, froids et pragmatiques au moment de construire, réticents à occuper cet espace qu'ils avaient désiré et réclamé pendant des siècles ; ils le peuplèrent progressivement, poussés par la pression démographique, non par la fantaisie. Devant l'indifférence générale et avec la complicité de ceux qui peut-être eussent pu l'empêcher (les mêmes qui, dans le dos de l'ex-*alcalde* fou, envoyaient des lettres au ministre pour sauvegarder leurs prébendes), les spéculateurs finirent par s'emparer du terrain, détourner le plan original et faire de ce quartier agréable et salubre une cité bruyante et pestilentielle, aussi entassée que la vieille Barcelone. Faute d'idéologie (cette idéologie que l'amour de Dieu et les pièges du Malin avaient inspirée à l'ex-*alcalde* maudit), Barcelone se retrouva dépourvue de centre névralgique (si l'on excepte peut-être le paseo de Gracia, bourgeois et prétentieux, mais efficace aujourd'hui encore dans une perspective strictement commerciale) où puissent se dérouler fêtes et émeutes, meetings, couronnements et lynchages. Les agrandissements successifs de la ville se firent sans ordre ni principe, n'importe comment, dans l'unique propos de caser quelque part ceux qui ne tenaient plus dans les secteurs déjà construits et de retirer le bénéfice maximal de l'opération. Les quartiers cessèrent de séparer pour toujours classes sociales et générations et la détérioration de l'ancien devint l'unique indice qualitatif du progrès.

2

L'oncle Tonet avait vieilli, il y voyait mal, étant devenu presbyte, mais il continuait à conduire tous les jours ou presque sa carriole de Sant Climent à Bassora et de Bassora à Sant Climent. Un jour, alors qu'elle avait dix-huit ans passés, on découvrit sa jument morte dans l'étable ; jamais elle n'avait replié les pattes pour se reposer : à présent, on la trouva pattes en l'air, raides, comme si elle se fût promenée aux antipodes. Au lieu de prendre sa retraite, qui était ce qu'il aurait dû faire, l'oncle Tonet acheta une autre jument. La nouvelle ne connaissait pas le chemin : si intelligente qu'elle soit, une jument met plusieurs années à apprendre un chemin aussi long et compliqué que celui-là. Entre les errements de la jument et la mauvaise vue du postillon, ils se perdirent plusieurs fois, dont une sérieusement : cette fois-là, la nuit les surprit, et il ne pouvait même pas se former une idée de l'endroit où ils avaient échoué. Avant, il connaissait les étoiles, mais maintenant il sillonnait une brume chaque jour plus épaisse. Les loups hurlaient et la jument, effrayée, ne consentait à avancer qu'à force de coups de fouet. Finalement, ils aperçurent des feux et s'approchèrent. L'oncle Tonet espérait que ce seraient des bergers, bien que les parages extrêmement agrestes ne se prêtassent à aucun type d'élevage. En réalité, c'était un campement de brigands, celui de Cornet et sa bande. Ces brigands étaient des survivants de la dernière guerre carliste ; plutôt que de poser les armes, se rendre au vainqueur et espérer une amnistie, ils avaient préféré prendre le maquis. « Si nous nous rendons, ils nous passeront au fil de l'épée, avait dit Cornet à ses hommes dont il avait su gagner la confiance et même le dévotion au long de cette sanglante campagne. Je vous propose de nous faire brigands ; puisqu'il nous revient de mourir, tout ce que nous vivrons nous l'aurons vécu à crédit ; nous pouvons nous permettre le luxe de risquer notre vie pour une vétille. » Convaincus par ce raisonnement, ils firent montre d'une invraisemblable témérité. Ils ridiculisèrent tous les contingents armés qui furent envoyés à leur poursuite et se rendirent fameux dans toute la région : c'étaient des bandits romantiques. Les paysans et les bergers les toléraient. Ils ne les protégeaient pas, parce qu'ils étaient las de plusieurs siècles de constantes escarmouches à la porte de leurs maisons, mais ils ne les dénonçaient pas non plus ni ne les chassaient à coups de fusil quand ils avaient l'occasion de le faire. Les bandits, qui comptaient vivre peu de temps et mourir dignement les armes à la main, finirent par vieillir dans le maquis, oubliés des autorités. Quand l'oncle Tonet tomba sur leur campement, il ne trouva qu'un groupe de vieillards perclus qui pouvaient à peine épauler leurs espingoles.

— Je croyais que vous aviez disparu depuis des années, leur dit-il, que vous n'étiez plus qu'une légende.

Ils lui donnèrent à dîner et lui permirent de passer la nuit en leur compagnie. Ils ne lui dirent presque rien : ils n'étaient pas habitués à parler avec des étrangers, et, entre eux, cela faisait longtemps qu'ils s'étaient tout dit. Ils connaissaient de vue l'oncle Tonet : des milliers de fois, ils avaient épié les allées et venues de la carriole, mais ils ne l'avaient jamais attaquée parce qu'ils savaient qu'elle amenait et emportait des choses indispensables aux paysans. Au matin, ils le mirent sur le bon chemin et lui donnèrent un quignon de pain et un *fuet*[1].

1. Saucisse sèche catalane.

Avant de partir, ils l'emmenèrent voir le petit cimetière où reposaient les restes des bandits morts de maladie dans la montagne : il y avait presque autant de morts que de vivants. Sur les tombes, il y avait toujours des fleurs sylvestres et une quantité de croix, parce qu'ils étaient tous très croyants. Cela s'était passé quelque temps auparavant. A présent, la jument connaissait presque tout le chemin et l'oncle Tonet était presque aveugle.

— Pourtant », dit-il lorsqu'il eut achevé de raconter cette histoire au voyageur qui, cet après-midi-là, avait loué ses services à Bassora, « pourtant, dis-je, ta voix ne m'est pas inconnue. Pas vraiment la voix, le timbre de la voix, plutôt, précisa-t-il.

Le voyageur garda le silence. A la fin, l'oncle Tonet éclata de rire.

— Mais bien sûr ! Tu es Onofre Bouvila. Ne dis pas que non.

Onofre ne dit ni oui ni non, et l'oncle Tonet se remit à rire de bon cœur.

— Ça ne peut pas être autrement. Ton timbre de voix m'était familier, mais ce silence colérique ne me laisse plus de doutes : tu es pareil que ton fou de père, que j'ai bien connu. Quand il est parti à Cuba, je l'ai conduit à Bassora dans cette même carriole. Je ne sais pas quel âge il pouvait avoir alors, mais il ne devait pas être beaucoup plus vieux que tu ne l'es aujourd'hui, non, et il se donnait déjà ces grands airs, comme si à nous autres il nous sortait de la purée de lentilles par le nez, comme si la purée de lentilles nous sortait à gros bouillons des fosses nasales. Quand il est revenu de Cuba, je l'ai ramené à la maison. Tout le monde était rassemblé devant l'église, c'est comme si je le voyais encore de mes pauvres yeux inutiles : ton père était assis là même où tu es assis aujourd'hui, le dos très raide ; il portait un costume de coutil blanc et un chapeau de paille tressée, de ceux qu'on appelle « panama », comme le pays. De tout le voyage, il n'a dit un mot. Il jouait au riche, alors qu'il n'avait pas un réal, mais ça, je ne te l'apprends pas. A la place d'argent, tu sais ce qu'il ramenait ?

— Un singe, répondit Onofre.

— Un singe malade, oui monsieur : je vois que tu as bonne mémoire, dit l'oncle Tonet en fouettant la jument qui s'était arrêtée pour manger des herbes sur le bord du chemin. Ohé, *Persane,* ne mange pas maintenant, ça te fait du mal. » Il fit claquer le fouet en l'air. « *Persane,* expliqua-t-il, c'est son nom ; elle s'appelait déjà comme ça quand je l'ai achetée. De quoi parlions-nous ? Ah oui, de la fatuité de ton père : un crétin, si tu veux savoir mon opinion. Eh, *muchacho !* Tu oserais frapper un vieux presque aveugle ? Oh, oui, ça se voit tout de suite ; bien, bien, je pèserai mes mots, bien que ça ne change rien à ma manière de voir. Je sais que vous êtes tous comme ça : vous n'aimez pas qu'on vous dise des choses désagréables à entendre ; vous n'aimez entendre que ce qui vous est agréable, même si vous savez que ce n'est pas ce que pensent les gens. Quel manque d'intelligence ! Mais ne crois pas que ça me scandalise ou même que ça m'étonne : ça fait bien des années que j'ai appris à jauger la vanité humaine ; j'ai fréquenté beaucoup de gens et j'ai eu le temps de réfléchir. Chaque fois que j'ai fait ce trajet à vide, j'en ai profité pour réfléchir. A présent, je sais comment sont les choses. Et je sais aussi que je ne les changerai pas, quoi que je fasse ; je n'ai ni le pouvoir ni le temps de changer les choses ; et je ne suis même pas certain que je voudrais le faire si je disposais de ce pouvoir et de ce temps. Il y a des personnes qui ont les yeux pleins de soupe à l'ail ; ils ouvrent les yeux et ils voient seulement de la soupe à l'ail. Moi non. J'aurais pu être comme ça, mais je ne le suis pas.

Ainsi divaguait le postillon, avec l'incohérence qui chez les personnes âgées et sottes passe parfois pour de la sagesse. Onofre Bouvila ne l'écoutait pas : il s'était résigné à entendre sa voix et il ne lui prêtait pas attention. Il contemplait ce chemin qu'il avait parcouru dans l'autre sens huit années auparavant. Il était parti de là-bas un matin de printemps, aux premiers rayons du soleil. La veille, il avait annoncé à ses parents son projet d'aller à Bassora ; il pensait y rencontrer messieurs Baldrich, Vilagrán et Tapera, leur dit-il ; ils lui donneraient certainement un travail dans l'une de leurs entreprises ; ainsi, il contribuerait à rembourser les dettes contractées par l'Américain. Celui-ci voulut exprimer son désaccord : c'était lui le responsable de la situation difficile dans laquelle ils se trouvaient et il ne tolérerait pas que son fils se sacrifie. Onofre le fit taire. L'Américain avait perdu toute autorité et garda le silence. Il dit à sa mère qu'il resterait à Bassora le temps nécessaire pour réunir l'argent dont ils avaient besoin. « Quelques mois, lui dit-il, tout au plus un an. Je vous écrirai incessamment, promit-il. Je vous tiendrai au courant de ce qui arrive par l'oncle Tonet. » En réalité, il avait déjà prévu de partir à Barcelone et de ne jamais revenir. Il pensait alors qu'il ne reverrait plus jamais ses parents ni la maison dans laquelle il était né et avait vécu jusqu'à ce jour. Au moment de monter dans la carriole, son père lui avait passé le balluchon qui contenait ses vêtements ; il l'avait déposé précautionneusement dans le fond de la voiture. Sa mère lui avait noué son cache-nez autour du cou. Comme personne ne disait rien, l'oncle Tonet était monté sur le siège du cocher et avait dit : « Si tu es prêt, on y va. » Lui avait fait oui de la tête, pour ne pas faire entendre une drôle de voix, et les autres avaient remarqué son émotion. L'oncle Tonet avait fait claquer le fouet, et la jument s'était mise en marche, enfonçant les sabots dans la boue du dégel. « Le voyage va être dur », avait dit l'oncle Tonet. L'Américain avait agité son panama, sa mère avait dit quelque chose qu'il n'avait pu entendre. Puis il se mit à regarder le chemin et il ne vit pas s'éloigner ses parents. La carriole dépassa le chemin de la rivière, le chemin de la grotte enchantée, celui pour aller chasser les oiseaux, celui pour aller pêcher, qui n'était pas le même que celui de la rivière, celui pour aller cueillir des champignons en automne ; il n'avait jamais pensé qu'il y eût autant de chemins. Quand la vallée disparut dans la brume matinale, il continua à voir le clocher de l'église. Ils croisèrent encore deux troupeaux de brebis. Les bergers leur avaient dit au revoir : ils avaient brandi leur houlette et ils avaient ri. Ils portaient l'écharpe autour du menton, la pelisse de laine et la *barretina*[1]. Ces bergers le connaissaient depuis le jour de sa naissance. A présent, je ne rencontrerai plus personne qui me connaisse ainsi, avait-il pensé. Pendant le reste du trajet ils avaient vu des fermes abandonnées. Le froid et la pluie avaient fait sortir les portes et les volets de leurs gonds ; à travers, on voyait l'intérieur de ces maisons sans meubles, plein de feuilles mortes ; de certaines, des oiseaux s'échappaient en volant ; c'étaient les maisons de ceux qui étaient partis à Bassora chercher du travail dans les usines. Ils avaient laissé le feu s'éteindre dans leur foyer, comme on disait alors. A présent, huit ans avaient passé, au cours desquels Onofre Bouvila avait fait beaucoup de choses ; il avait connu beaucoup de gens, bizarres pour la plupart, presque tous mauvais ; certains, il les avait liquidés sans savoir très bien pourquoi ; avec d'autres, il avait formé des alliances plus ou moins stables. Les arbres, la couleur du ciel vu à travers le feuillage, le murmure du vent dans le bois, l'odeur de la campagne lui demeuraient choses familières. Il lui semblait qu'il n'était jamais parti de cette vallée, qu'il avait rêvé tout le reste. Même la fille de don Humbert Figa i Morera, pour qui il ressentait un amour si véhément, lui paraissait quelque chose de fugace, la lueur d'un éclair dans son imagination. Il devait faire un effort pour se souvenir de ses traits tels qu'ils étaient, et non comme quelque chose d'indifférencié. Par moments, ces traits se confondaient dans sa mémoire avec d'autres : ceux de l'infortunée Delfina, qui était emprisonnée depuis si longtemps, ou ceux d'une enfant avec qui il avait eu un rapport passager et trivial la semaine

1. Espèce de bonnet catalan ressemblant à un bonnet phrygien.

précédente ; il n'avait pas échangé plus de quatre phrases avec elle ; elle faisait partie d'une *troupe** de saltimbanques au numéro desquels il avait assisté par pur hasard ; elle avait attiré son attention parce que, sans être laide, elle avait une tête de chien ; elle était si jeune qu'il avait fallu négocier au préalable avec ses parents, les payer d'avance : cela avait contrarié le dialogue entre eux, une fois l'affaire conclue. La seule chose qu'il lui dit fut une phrase aimable au moment de partir le matin ; il lui donna aussi un pourboire magnifique. Il avait déjà pris l'habitude de donner des pourboires exagérés quand il remarquait de la bonne volonté de la part de ceux qui le servaient ; dans le cas présent, il avait été satisfait et l'avait montré avec libéralité. L'enfant avait pris l'argent d'un air distrait, trop jeune pour se rendre compte de la disproportion, comme si en réalité cette rémunération et la façon dont elle l'avait méritée ne la concernaient pas. Elle l'avait seulement regardé d'une façon étrange dont il se souvenait maintenant avec gêne.

— De quoi est-ce que je me plains ? était en train de dire l'oncle Tonet. Je me plains de la brume qui va nous envelopper ? Non monsieur. Alors, je me plains du climat ? Non monsieur. Je me plains du mauvais état du terrain ? Non monsieur, je ne me plains pas non plus du mauvais état du terrain. Alors, de quoi je me plains ? Je me plains de la stupidité humaine, dont ton père, comme nous disions, est un exemple insigne. Pourquoi est-ce que je m'acharne contre lui comme ça ? Peut-être que c'est par jalousie que je m'acharne contre lui ? Oui monsieur : c'est par pure jalousie que je m'acharne contre lui comme ça.

Il faisait nuit lorsqu'ils s'arrêtèrent à la porte de l'église. Le postillon lui demanda si ses parents étaient avertis de sa visite.

— Non, dit Onofre.

— Ah, tu veux leur faire une surprise, dit l'oncle Tonet.

— Non, répondit Onofre, je ne les ai pas prévenus, c'est tout.

— Donne-leur mon bon souvenir, dit l'oncle Tonet. Ça fait des années que je suis sans nouvelles d'eux, et avec ça il y eut une époque où ton père et moi on était bons amis ; je l'ai emmené à Cuba quand ça lui a pris d'émigrer, je te l'ai déjà raconté ?

Il laissa le postillon sur la place, cherchant à tâtons le bistrot, et prit le chemin de sa maison.

Sa mère était sur le pas de la porte ; elle fut la première à le voir arriver. Elle était par hasard sortie regarder la nuit, chose qu'elle ne faisait plus ces dernières années. Quand Onofre eut disparu, elle prit sans le vouloir l'habitude de se poster tous les jours à la porte de la maison au coucher du soleil, parce que c'était l'heure à laquelle la carriole arrivait, si elle arrivait. Plus tard, sans en parler à son mari, elle cessa d'aller à la porte : elle comprit qu'Onofre ne reviendrait pas, et elle ne voulut pas interférer dans la vie de son fils avec cette habitude absurde.

— Je vais faire chauffer le dîner, dit-elle en le voyant arriver.

— Et le père ? demanda-t-il.

Elle lui fit signe qu'il était à l'intérieur. Du premier coup d'œil, il le trouva très vieilli. Pour sa mère aussi, les années avaient passé, mais il était encore trop jeune pour comprendre que sa mère pouvait changer.

Il portait toujours son costume de coutil, désormais râpé et effrangé, jauni par les lavages, déformé par d'innombrables reprises et rapiéçages. Lorsqu'il les leva de la table sur laquelle ils étaient fixés, ses yeux s'emplirent de larmes. Il ne changea pas d'expression, comme si rien d'inattendu ne fût entré par la porte. Il attendit que son fils rompît le silence, puisqu'il était évident qu'il était venu pour quelque raison importante, mais, comme il ne disait rien, il fit un commentaire passe-partout :

— Comment s'est passé le voyage ?

— Bien, répondit Onofre.

Le silence se réinstalla, sous le regard attentif de la mère.

— Tu es très bien habillé, dit l'Américain.

— Je n'ai pas l'intention de vous donner de l'argent, coupa Onofre.

L'Américain pâlit.

— Je n'avais pas la moindre intention de t'en demander, petit, dit-il entre ses dents. Je parlais pour parler.

— Alors, taisez-vous, dit sèchement Onofre.

L'Américain comprit qu'aux yeux de son fils il était irrémédiablement devenu quelque chose de ridicule. Il se leva avec légèreté et dit :

— Je vais chercher des œufs au poulailler.

Il sortit de la maison en emmenant un tabouret bas. Il ne dit pas pourquoi il avait besoin de ce tabouret dans le poulailler. Quand Onofre fut seul avec sa mère, il parcourut la maison du regard : il savait qu'elle lui paraîtrait nécessairement plus petite que dans son souvenir, mais il fut surpris de la trouver si pauvre, d'apparence si minable. A côté de celui de ses parents, il vit son lit d'autrefois, toujours fait, comme s'il eût été occupé la nuit précédente. La mère vint au-devant de sa question :

— Quand tu es parti, nous nous sommes sentis très seuls, dit-elle comme si elle s'excusait.

Onofre, fatigué par les cahots de la voiture, se laissa tomber sur une chaise ; en s'asseyant, il se fit mal contre le bois nu.

— Si bien que j'ai un frère, dit-il.

La mère baissa les yeux.

— Si nous avions su où t'écrire… dit-elle enfin évasivement.

— Où est-il ? demanda Onofre.

Il paraissait vouloir dire : Finissons-en une bonne fois avec cette farce. La mère lui dit qu'il ne tarderait pas à revenir.

— Il est d'une grande aide, dit-elle au bout d'un moment. Tu sais comment c'est, le travail des champs. Et ton père ne sert à rien pour ça : il n'a jamais su travailler aux champs, même jeune. Je suppose que c'est pour ça qu'il est parti à Cuba. Il a beaucoup souffert », continua-t-elle à dire sans faire aucune pause, comme si elle se parlait à elle-même. « Il croit que c'est entièrement de sa faute si tu es parti. Voyant que les mois passaient et que tu ne revenais pas, il a fait des recherches : on lui a dit que tu n'étais pas à Bassora, qu'on te croyait à Barcelone. Alors, il a de nouveau emprunté de l'argent pour aller te chercher là-bas. Jusqu'à ce moment-là, il n'avait pas redemandé d'emprunt. Il est resté environ un mois à Barcelone, te cherchant partout et interrogeant tout le monde à ton sujet. A la fin, il a dû revenir. Il m'a fait de la peine. Pour la première fois, j'ai vu ce que c'était que l'échec pour lui. C'est alors que nous avons eu le fils : tu ne vas pas tarder à le voir. Il ne te ressemble pas : il est très silencieux aussi, mais il n'a pas ton caractère. En cela, il ressemble plus au père.

— Qu'est-ce qu'il fait maintenant ? demanda Onofre Bouvila.

— Les choses auraient pu être pires qu'elles n'ont été », dit-elle : elle savait qu'il faisait allusion au père ; cela faisait un moment qu'il s'était désintéressé de l'autre histoire. « Ces messieurs de Bassora qui ont été sur le point de le mettre en prison, tu te souviens ? Ils lui ont trouvé un travail pour qu'il gagne sa vie : je crois qu'à cet égard ils se sont bien comportés, malgré tout. Ils lui ont donné une valise et ils l'ont envoyé vendre des assurances, une chose nouvelle, par les villages et les fermes. Comme son histoire a été sur toutes les lèvres dans la région, on le connaît partout. Les gens accourent quand ils le voient arriver avec son costume blanc. Il y en a qui se payent sa tête, mais, de temps en temps, il vend une assurance. Entre ça et ce que nous rapportent la terre et les volailles, nous nous en tirons tant bien que mal. » Elle s'approcha de la porte et scruta l'obscurité des yeux. « Ça m'étonne qu'il ne revienne pas », dit-elle sans préciser de qui elle parlait. La brume s'était déchirée et à la lumière de la lune on voyait voleter les chauves-souris. « Ce qui m'inquiète à présent, c'est sa santé.

Il devient âgé et cette vie ne lui réussit pas. Il doit marcher des kilomètres par le froid ou la chaleur, il se fatigue, il boit trop et mange peu et mal. Pour comble, un jour, ça doit faire quatre ou cinq ans, il a perdu son chapeau : un coup de vent l'a emporté dans un champ de blé ; il est resté à le chercher jusqu'à ce qu'il fasse nuit. J'ai essayé de le convaincre de s'acheter une casquette, mais il n'y a pas moyen... Ah, le voilà qui revient.

— J'ai été demander quelques oignons et un peu de menthe, dit l'Américain en entrant.

Il ne portait plus le tabouret avec lui.

— Je racontais à Onofre l'histoire du chapeau, dit-elle.

Il posa ce qu'il amenait sur la table. Il s'assit, content d'avoir un sujet de conversation :

— Une perte irréparable, dit-il. Ici, on ne peut rien trouver de semblable : ni à Bassora ni à Barcelone. Un authentique panama.

— Je lui ai dit aussi pour Joan, dit la mère.

L'Américain rougit jusqu'à la racine des cheveux.

— Tu te souviens, dit-il, de la fois où on a été toi et moi à Bassora faire empailler le singe ? Tu n'avais jamais été dans une ville et tout te paraissait...

Onofre resta à regarder l'enfant qui était sur le pas de la porte. Il n'osait pas entrer. Il lui dit :

— Viens et approche-toi de la lumière, que je te voie. Comment t'appelles-tu ?

— Joan Bouvila i Mont, pour servir Dieu et vous servir, dit l'enfant.

— Ne me dis pas vous, lui dit-il. Je suis ton frère Onofre. Tu le savais déjà, pas vrai ? » L'enfant fit oui de la tête. « Ne me mens jamais, lui dit Onofre.

— Asseyez-vous à table, dit la mère. Nous allons dîner. Onofre, c'est à toi de bénir la table.

Ils dînèrent tous les quatre en silence. Quand le dîner fut terminé, Onofre dit :

— Vous ne pensez pas que je suis venu pour rester.

Personne ne lui répondit : personne en réalité ne l'avait pensé. Il suffisait de le voir pour savoir qu'il ne pouvait en être ainsi.

— Je suis venu pour que vous me signiez quelques papiers, dit-il en s'adressant à son père.

De la poche de sa veste, il sortit un document qu'il posa plié sur la table. L'Américain étendit la main, mais il ne prit pas le document. Il s'arrêta et baissa les yeux.

— C'est l'hypothèque de cette maison et des terres, dit Onofre. J'ai besoin d'argent pour investir, et je ne vois pas d'où le tirer si ce n'est de là. N'ayez pas peur. Vous pourrez continuer à vivre dans la maison et à travailler les terres. Il n'y a que si les choses tournaient mal pour moi qu'on vous expulserait, mais elles iront bien.

— Ne te préoccupe pas, dit la mère, ton père signera, n'est-ce pas, Joan ?

Le père signa, sans même lire le contrat que lui présentait Onofre. Quand ce fut fait, il se leva de sa chaise et sortit de la pièce. Onofre le suivit du regard ; puis il regarda sa mère. Elle lui fit de la tête un signe d'acquiescement. Onofre sortit et marcha à la recherche de l'Américain. Il le trouva finalement sous un figuier, assis sur un de ces tabourets à trois pattes qu'on utilise pour traire. C'était le tabouret qu'il avait emmené auparavant. Sans rien lui dire, il s'appuya au tronc du figuier : de là où il était, il voyait le dos et la nuque de son père, ses épaules tombantes. L'Américain commença à parler sans qu'il l'en prie :

— J'avais toujours pensé, dit-il (et il montrait un point imprécis au loin ; en vérité, il voulait embrasser d'un geste tout ce qu'illuminait la lune, jusqu'à l'horizon), que ce que nous voyons avait toujours été ainsi, précisément comme nous le voyons maintenant, que tout cela était le résultat de cycles naturels inaltérables et de changements de saisons qui se répètent d'année en année. J'ai mis beaucoup d'années à comprendre combien je me trompais : maintenant, je sais que jusqu'au dernier empan de ces champs et de ces bois a été travaillé à la pioche et à la pelle heure après heure et mois après mois ; que mes parents, et avant eux mes grands-parents et mes arrière-grands-parents, que je n'ai pas connus, et d'autres et d'autres avant leur naissance, ont lutté contre la Nature pour que nous, aujourd'hui, et eux avant nous, puissions vivre ici. La Nature n'est pas sage comme on le dit, mais stupide et obtuse et surtout cruelle. Mais les générations ont changé ces traits de la Nature : le cours des rivières, la composition des eaux, le régime des pluies et l'emplacement des montagnes ; elles ont domestiqué les animaux et modifié le système des arbres et des céréales et des plantes en général : tout ce qui, avant, était destructeur, elles l'ont rendu productif. Le résultat de ce grand effort de nombreuses générations est ce que nous avons à présent devant nous. Avant, je n'ai jamais su le voir : je croyais que l'important était les villes, que la campagne, en revanche, n'était rien, mais aujourd'hui je pense que c'est plutôt le contraire. Ce qui se passe, c'est que le travail des champs prend énormément de temps, il doit se faire petit à petit, à pas comptés, exactement quand il le faut, ni avant ni après, et ainsi on dirait qu'en réalité il n'y a pas eu de grand changement, ce qui n'arrive pas dans les villes ; là-bas, c'est tout le contraire qui est normal : à peine les voit-on qu'on se rend compte de l'étendue et de la hauteur et du nombre infini de briques qu'il a fallu pour les faire surgir, mais là encore on se trompe : on peut construire entièrement n'importe quelle ville en quelques années. C'est pour ça que les gens de la campagne sont si différents : plus silencieux et plus résignés. Si j'avais compris ces choses avant, peut-être ma vie aurait-elle pris un cours différent, mais il était écrit qu'il n'en serait pas ainsi : ces choses-là, on les a dans le sang dès la naissance, ou bien il faut les apprendre à force d'années et d'erreurs.

— Ne vous faites pas de souci, père, dit Onofre. Tout ira comme je vous ai dit et je vous rendrai l'argent dans très peu de temps.

— Ne crois pas que je me fasse du souci pour cette histoire d'hypothèque, fils, répondit l'Américain. Jusqu'à aujourd'hui, en vérité, je ne savais pas qu'on pouvait hypothéquer ces terres. Si je l'avais su, il est probable que je les aurais hypothéquées moi-même il y a des années pour me lancer dans des affaires. Dans ce cas-là, nous ne les aurions plus ; mais avec toi tout sera différent, j'en suis sûr.

— Ça ne peut pas rater, dit Onofre.

— Ne te tourmente pas et va te coucher, dit l'Américain, tu as un long voyage qui t'attend demain. Ça ne vaudrait pas mieux que tu restes un jour ou deux ?

— C'est déjà décidé, dit Onofre.

Le jour suivant, il repartit pour Barcelone. En passant par Bassora, il fit enregistrer le contrat par un notaire. Il avait passé la nuit dans son ancien lit ; le petit Joan avait dormi avec ses parents. En partant, plus tranquille, il contemplait le paysage. La fois d'avant, se disait-il, je pensais que je voyais ces champs pour la dernière fois ; maintenant, au contraire, je sais que jamais je ne me passerai de continuer à les voir. De toute façon ça revient au même. Mais, si je dois les voir souvent, que ce soit pour en tirer profit. C'était pour l'heure toute sa philosophie : acheter et vendre, acheter et vendre.

3

Les progrès de l'*Ensanche*[1] de Barcelone, cette Extension controversée que le ministre de l'Intérieur semblait avoir sortie de sa manche,

1. La partie de la ville construite en damier au XIXe siècle, en application du « plan Cerdá », au-delà des *Rondas,* est généralement désignée en français sous son nom espagnol d'*Ensanche,* extension.

avaient au début suivi un cours plus ou moins logique : d'abord furent occupées ces zones de la vallée, préalablement lotie, qui de par leur situation disposaient naturellement d'un meilleur ravitaillement en eau, par exemple celles qui étaient situées près du lit d'un ruisseau ou d'un canal (comme l'actuelle calle Bruch, navigable il n'y a pas si longtemps jusqu'à son confluent avec la calle Aragón), ou près de puits ou de nappes d'eau potable ; celles qui étaient situées près de carrières, ce qui diminuait considérablement le coût de la construction ; une zone était bonne encore si y arrivait une ligne de tramway, ou si le train y passait, etc. Là où, pour ces raisons, des immeubles commençaient à pousser, le prix des terrains grimpait aussitôt en flèche, parce qu'il n'y a pas en Occident de peuple plus grégaire que le catalan au moment d'élire domicile : là où l'un va vivre, les autres veulent aller aussi. Où que ce soit, mais tous ensemble, telle était la devise. Si bien que la spéculation suivait toujours le même schéma : quelqu'un achetait le plus grand nombre possible de parcelles dans une zone qu'il estimait propice et faisait construire sur l'une d'elles une maison d'habitation, deux au maximum ; ensuite, il attendait que tous ces logements fussent vendus et occupés par leurs nouveaux propriétaires ; alors, il mettait en vente le reste des parcelles à un prix très supérieur à celui auquel il avait dû les acheter. Les nouveaux propriétaires de ces parcelles, comme ils avaient acquitté un prix très supérieur à leur valeur initiale, se dédommageaient de la perte au moyen du système suivant : ils divisaient chaque parcelle en deux moitiés, construisaient sur l'une et revendaient l'autre au prix qu'ils avaient payé pour les deux. Comme il est naturel, celui qui achetait cette seconde moitié procédait de la même façon, c'est-à-dire en la divisant en deux ; et ainsi de suite. Pour cette raison, le premier des immeubles construits dans une zone avait une surface assez considérable ; le suivant, moins, et ainsi jusqu'à arriver à des immeubles si étriqués qu'ils ne comportaient qu'un logement par étage, et encore extrêmement exigu et obscur, fait de matériaux de qualité misérable, et dépourvu d'aération, de confort, de toilettes. Ces cages à lapins (qu'on peut encore voir aujourd'hui) coûtaient, naturellement, vingt-cinq, trente et jusqu'à trente-cinq fois plus cher que n'avaient coûté en leur temps les logements vastes, ensoleillés et hygiéniques construits au début du processus. On pouvait dire, comme le fit quelqu'un, que « plus petite et dégoûtante est une maison, plus cher elle revient ». Naturellement, cette affirmation était fausse. Voici ce qui arrivait en réalité : les propriétaires de ces logements privilégiés, de ces logements de la première fournée, comme on les appelait parfois, s'empressaient de les vendre à peine bouclée la boucle, si bien que, le prix minimal d'un logement étant fixé en référence au plus élevé, c'est-à-dire à celui du logement le plus petit et médiocre, le prix du plus grand et beau arrivait à être quarante, quarante-cinq et jusqu'à cinquante fois supérieur. Une fois vendus tous les logements de la première fournée, c'était le tour de ceux de la seconde, édifiés sur les demi-parcelles ; et ensuite des autres, jusqu'à ce qu'il n'en reste plus. Parfois, ce processus ne s'arrêtait pas avec la vente de tous les logements de la zone, mais commençait alors une seconde, et jusqu'à une troisième ou une quatrième tournée de reventes. Tant qu'il y avait quelqu'un disposé à acheter, il y avait quelqu'un disposé à vendre. Et vice versa. Pour comprendre ce phénomène, cette fièvre, il faut se souvenir que les Barcelonais étaient une race éminemment mercantile, et qu'ils étaient habitués depuis des siècles à vivre entassés comme des sardines : le logement en soi, ils s'en souciaient comme d'une guigne, ils n'auraient pas fait un seul pas pour tout le confort d'un harem ; en revanche, la perspective de gagner de l'argent en peu de temps les excitait, c'était leur chant des sirènes. A cette spéculation effrénée ne se consacraient pas seulement ceux qui jouissaient de moyens d'existence assurés et d'un certain surplus à « mettre à travailler », comme on disait alors, mais aussi beaucoup de gens moins fortunés ; ceux-là risquaient leur chemise à essayer de s'enrichir. Les premiers achetaient et vendaient terrains, immeubles et logements (ils achetaient et vendaient aussi des options de vente, de retrait et de préemption, ils établissaient baux et emphytéoses et se transmettaient, échangeaient et engageaient actions, rentes et lods), mais ils habitaient invariablement des maisons ou appartements de location, étant donné qu'on tenait alors pour complètement idiot celui qui vivait « assis sur son propre capital ». Qu'un autre immobilise son argent, se disait-on, moi je paie de mois en mois et, mon argent, « je le mets à travailler ». En revanche, les autres, la piétaille, passaient parfois par des transes terribles : ils devaient vendre leur propre foyer quand les choses tournaient mal, se retrouver à la rue avec famille, domestiques et bagages, et commencer à chercher de porte en porte un lieu où passer la nuit, où laisser provisoirement le parent malade ou le nourrisson avec sa nourrice. Cela tirait les larmes de les voir parcourir les rues de Barcelone les nuits d'hiver ou sous la pluie, avec leur mobilier et leur linge entassés sur des voitures à bras, les enfants transis sur le dos, et marmonnant encore : J'ai investi tant, j'en retire un bénéfice de tant, je peux réinvestir tant, etc. Les plus sensés essayaient de ne pas vendre si pour des raisons personnelles la situation ne s'y prêtait pas ; ils préféraient rater une occasion et préserver en contrepartie la santé et la dignité de leur famille, mais on ne leur permettait pas d'en user ainsi, parce que cela aurait arrêté la noria de la spéculation, à laquelle toute la ville était attelée. En conséquence, il y avait des familles qui en l'espace d'un an déménageaient sept ou huit fois.

De ce qui précède, il ne faut pas déduire que tous ceux qui mettaient de l'argent dans ce jeu s'enrichissaient autant ou de façon assurée. Comme tout investissement lucratif, celui-ci entraînait aussi des risques. Pour que les choses marchent comme il était souhaitable, il fallait que le premier immeuble construit dans la zone se vende bien et surtout que ses nouveaux propriétaires ou leurs locataires confèrent à la zone, par leur présence, un certain ton de distinction qui la rende attrayante. Il y eut des familles archi-fameuses, dont la simple apparition suffisait pour valoriser ou au contraire déprécier un quartier entier, par exemple une famille appelée ou surnommée Gatúnez, apparemment originaire de la Manche. Ce que faisait ou ne faisait pas cette assez nombreuse famille n'apparut jamais clairement, ce qui était clair en revanche c'est que, peu après leur emménagement, la demande de logements contigus faiblissait et s'arrêtait. Comme les propriétaires de ces logements, désireux de les vendre, ne pouvaient ni empêcher celui qui vendait aux Gatúnez de le faire ni annuler ensuite l'opération, ils devaient recourir à la méthode onéreuse qui consistait à indemniser les Gatúnez pour qu'ils s'en aillent ou à leur racheter la maison qu'ils venaient d'acquérir au prix qu'il leur plaisait de fixer. C'était le contraire qui arrivait avec quelques vieux ménages aux noms étrangers, particulièrement les anciens consuls à Barcelone de quelque grande puissance. Il pouvait aussi arriver que l'un des motifs qui avait déterminé la croissance d'une zone plutôt que d'une autre disparût subitement : qu'une nappe d'eau se tarît ou que la compagnie de chemins de fer qui avait annoncé la construction d'un tronçon jusqu'à tel ou tel endroit changeât ensuite d'avis et laissât cet endroit, déjà habité, dans l'isolement le plus affligeant. Ainsi disparaissaient des fortunes. Comme certains de ces facteurs étaient fortuits mais d'autres non, le fait de disposer sur ces derniers d'une information rapide et fiable avait une énorme importance. Avec les autres, les fortuits, il n'y avait rien à faire, encore qu'il n'en manquât pas pour essayer, aveuglés par la cupidité, de pénétrer les arcanes de la nature : ceux-là finissaient d'habitude entre les griffes de faux sourciers et autres sans vergogne qui les embobinaient et les menaient au désastre financier. Il ne manquait pas non plus d'escrocs qui assuraient avoir un ami ou un parent dans telle ou telle entreprise de services publics ou à la municipalité ou la députation ; ils se faisaient payer des sommes d'argent extraordinaires en échange d'interventions et de tuyaux crevés. C'est sur ce marché confus et semé d'embûches qu'Onofre Bouvila pénétra avec prudence au mois de septembre 1897.

Avec l'argent tiré de l'hypothèque des terres, il ne put acheter qu'un terrain de dimensions régulières en un lieu qui n'offrait en apparence aucun attrait ni perspective de développement. Dès qu'il en fut propriétaire, il le mit en vente.

— Je ne sais pas qui va t'acheter une cochonnerie pareille, lui dit don Humbert Figa i Morera, à qui il avait eu la courtoisie de demander conseil.

Il lui en avait donné plusieurs dont Onofre n'avait suivi aucun.

— On verra, répondit-il.

En six semaines, il ne se manifesta qu'un seul acheteur éventuel ; il offrit du terrain le prix qu'il avait coûté à l'achat. Onofre Bouvila fit la grimace.

— Monsieur, dit-il à l'éventuel acheteur, vous voulez certainement vous moquer de moi. Ce terrain vaut actuellement quatre fois sa valeur de départ, et le prix monte de jour en jour. Si vous n'avez pas de proposition plus intéressante à me faire, je vous demande de ne pas me faire perdre mon temps.

Perplexe devant un tel aplomb, l'acheteur éventuel augmenta un peu sa première offre. Onofre se mit en colère : il le fit jeter à la rue sans égard par Efrén Castells. Peut-être que ce terrain minable, songeait l'autre, vaut vraiment ça, pour une raison qui m'échappe. Pour lever ses doutes, il fit une discrète enquête ; il ne tarda pas à avoir vent d'un bruit qui lui ôta le sommeil. C'était le suivant : la maison Les Héritiers de Ramón Morfem SA avait acquis le terrain mitoyen à celui que vendait Onofre Bouvila ; mieux : la maison Les Héritiers de Ramón Morfem SA se proposait d'y transférer son siège dans un délai n'excédant pas un an. Diantre, se dit-il, cette canaille le sait et c'est pour ça qu'il ne veut pas vendre au prix que je lui offre ; mais, si la nouvelle est vraie, ce terrain vaudra bientôt non pas quatre, mais vingt fois ce qu'il vaut aujourd'hui. Pourquoi ne pas lui faire une nouvelle proposition ? Bien sûr, si cette rumeur ne se confirme pas, si la maison Les Héritiers de Ramón Morfem SA ne transfère pas son siège, que vaudra le terrain ? Rien, de la roupie de sansonnet. Malheur, quel terrible jeu de hasard que la spéculation immobilière, se disait le pauvre acheteur. Et non sans raison : si la rumeur qu'il avait entendue au sujet de la maison Les Héritiers de Ramón Morfem SA était fondée, alors, il y avait lieu de penser qu'à la suite toute la ville allait déménager, parce qu'il n'y avait pas dans la Barcelone de la fin du siècle d'institution plus importante, de chose plus essentielle et respectable qu'une pâtisserie de luxe. Y être servi n'était pas facile ; être admis dans la liste des clients pouvait demander une vie entière de persévérance, un important investissement et le jeu de pas mal d'influences. Même alors, même lorsqu'on appartenait à ce cercle choisi, un bon *tortell* devait être commandé une semaine à l'avance ; un assortiment de pâtisseries variées, un mois à l'avance ; une *coca de Sant Joan*[1], un trimestre à l'avance ou plus, et le touron de Noël, pas après le 12 janvier. Bien qu'aucune pâtisserie de luxe n'eût de tables ni de chaises ni ne servît de chocolat, de thé ni de boissons fraîches à ses clients, toutes avaient une entrée très spacieuse et élégante, en général de style pompéien. Là se donnait rendez-vous, les dimanches matin à la sortie de la messe, le gratin de la société de chaque quartier. Là, on devisait un moment, on se préparait pour le déjeuner de famille, qui se prolongeait habituellement pendant quatre ou six heures. La chaleur était asphyxiante, à cause de la proximité des fours de cuisson, et l'air, chargé et poisseux. Si comme ça la maison Les Héritiers de Ramón Morfem SA quitte la calle del Carmen, réfléchissait-il, c'est la calle del Carmen et le quartier entier qui partent à la dérive et le pla de la Boquería[2] ne sera plus ce qu'il est : le centre névralgique de Barcelone. Mais si ça n'est pas vrai, si la maison Les Héritiers de Ramón Morfem SA ne change pas d'adresse, alors c'est que tout continue comme avant... Et le pire, se lamentait-il intérieurement, c'est que je ne puis rien faire pour vérifier ou démentir ces rumeurs décisives, parce que si la chose commence à être sur toutes les lèvres, adieu l'affaire, quelle agonie ! A la fin, la cupidité fut plus forte que le bon sens et il acheta pour le prix que demandait Onofre. Une fois la transaction réalisée, il courut à la pâtisserie de la calle del Carmen et demanda à parler aux propriétaires. Ces derniers le reçurent très aimablement : c'étaient les héritiers du légendaire Ramón Morfem, don César et don Pompeyo Morfem. L'un et l'autre froncèrent leurs sourcils poudrés de farine en entendant la question de l'infortuné acheteur.

— Comment ! Déménager, nous ? Non, non, d'aucune façon. Ces rumeurs que vous avez entendues, monsieur, n'ont pas le moindre fondement, lui dirent-ils. Nous n'avons jamais eu l'intention de déménager d'ici, et surtout pas pour ce quartier dont vous parlez ; il n'y a pas dans l'*Ensanche* de zone plus laide et incommode et moins

1. Gâteau de la Saint-Jean.
2. Place à mi-hauteur des Ramblas, le cœur de la vieille Barcelone.

indiquée pour une pâtisserie. Papa se retournerait dans sa tombe, conclurent-ils.

L'acheteur revint alors trouver Onofre avec la prétention de révoquer le contrat de vente. Il avait les cheveux en bataille et un filet de bave pendant de la lèvre inférieure.

— C'est vous, lui dit-il, qui avez mis en circulation ces rumeurs sans fondement ; maintenant, vous me devez une réparation.

Onofre Bouvila le laissa vider son sac, puis il le mit à la porte. La chose n'alla pas plus loin, parce qu'il n'y eut pas moyen de prouver que c'était lui qui avait fait courir ces rumeurs, bien que tout le monde le donnât pour certain. L'affaire des Héritiers de Ramón Morfem devint célèbre ; l'expression « Il lui est arrivé le coup des Héritiers de Ramón Morfem » circula pendant un temps pour désigner le cas de qui, croyant être plus malin que tout le monde, achète à un prix élevé quelque chose qui est loin de le valoir.

— Vas-y doucement, lui dit don Humbert Figa i Morera. Si tu te fais une mauvaise réputation, personne ne voudra avoir de relations avec toi.

— C'est à voir, répondit Onofre.

Avec ce que lui avait rapporté cette opération douteuse, il acheta d'autres parcelles ailleurs. Voyons ce qu'il va faire à présent, se dirent les experts de ce type de marché. Au bout de quelques semaines, voyant qu'il ne faisait rien, ils se désintéressèrent de l'affaire. Cette fois-ci, peut-être sera-t-il correct, commentèrent-ils. Les parcelles étaient situées en un lieu peu recherché, très loin du centre : à l'emplacement de l'angle actuel des rues Rosellón et Gerona. Qui a envie d'aller vivre là-bas ? se demandait-on. Un jour arrivèrent plusieurs chariots transportant des fagots de métal ; le soleil en jouant dessus lançait des éclairs que pouvaient apercevoir les maçons qui élevaient, non loin de là, les tours de la Sagrada Familia. C'étaient des rails de tramway. Une équipe de manœuvres commença à creuser des tranchées dans le sol pierreux de la rue Rosellón. Une autre équipe, moins nombreuse, édifiait au coin même de la rue un édifice rectangulaire avec une voûte en berceau : c'était la mangeoire où les mules de trait devaient restaurer leurs forces, puisque les tramways fonctionnaient encore à la traction animale. Cette fois, se dit-on, il n'y a pas de doute que ce secteur va augmenter. En trois ou quatre jours, on se porta acquéreur des parcelles d'Onofre Bouvila au prix qu'il voulut bien fixer.

— Cette fois, lui dit don Humbert Figa i Morera, tu as eu plus de chance que tu ne le mérites, coquin.

Lui ne disait rien, mais riait sous cape : quelques jours plus tard, les mêmes manœuvres qui avaient commencé à poser les rails les déboulonnèrent, les rempilèrent sur les chariots et les emmenèrent. Les milieux commerciaux et financiers de la ville durent reconnaître que la manœuvre ne manquait pas d'ingéniosité. Ils opposèrent un ricanement goguenard aux pleurs de ceux qui avaient acheté. « Il fallait demander à la Compagnie des tramways si la chose était sérieuse, leur dirent-ils. — Bon sang, comment aurait-on pu imaginer qu'elle ne l'était pas ? répondaient les autres. On a vu la voie et la mangeoire et on a pensé... — Eh bien, il ne fallait pas penser, leur répliquèrent-ils. Maintenant, vous avez acquis pour une fortune un terrain qui ne pourrait même pas servir de dépotoir et une mangeoire à demi construite que vous devrez détruire à vos frais. » Cette opération, que tous appelaient « le coup des rails de tram » pour la distinguer de l'autre, « le coup des Héritiers de Ramón Morfem », fut suivie de beaucoup d'autres. Bien que tout le monde fût averti, il parvenait toujours à vendre les terrains qu'il achetait dans des délais très brefs et avec des bénéfices énormes ; il trouvait toujours un système pour embobiner les gens ; il créait de grandes attentes dans l'esprit des acheteurs ; puis ces attentes ne débouchaient sur rien : ce n'étaient que des mirages qu'il avait lui-même suscités. En un peu plus de deux ans, il devint très riche. Ce faisant, il causa à la ville un tort irréparable, dans la mesure où les victimes de ses tromperies se retrouvaient avec des terrains vagues sans valeur pour lesquels elles avaient consenti des sommes très élevées ; à présent, elles devaient en faire quelque chose. Normalement, ces terrains auraient été destinés à des logements à bon marché, à être peuplés par les immigrants pauvres et leur progéniture. Mais, étant donné que leur valeur initiale avait été si élevée, on les destina à la construction de logements de luxe. C'étaient des logements de luxe très *sui generis :* beaucoup n'avaient pas l'eau courante, ou si peu qu'un robinet ne coulait que lorsque les autres robinets du secteur restaient fermés ; d'autres occupaient des terrains de plan irrégulier, ils étaient faits de couloirs et de cagibis, ils finissaient par ressembler à des terriers. Pour récupérer une partie du capital perdu, les propriétaires économisaient sur la construction : les matériaux étaient grossiers et le ciment si mêlé de sable et même de sel que nombre d'immeubles s'effondrèrent peu de mois après avoir été inaugurés. Il fallut aussi construire sur des parcelles initialement destinées à être des jardins ou des parcs de loisirs, des garages, des écoles et des hôpitaux. Pour compenser ce désastre, on fignola beaucoup les façades. A coups de stuc, de plâtre et de minutieuse céramique, on représenta des libellules et des choux-fleurs dégringolant du sixième étage au niveau de la rue. On adossa aux balcons de grotesques cariatides, on installa des sphinx et des dragons aux tribunes et aux terrasses ; on peupla la ville d'une faune mythologique que la lueur verdâtre des réverbères, la nuit, rendait effrayante. On plaça encore devant les portes des anges sveltes et efféminés, se couvrant le visage de leurs ailes, qui eussent mieux convenu à un mausolée qu'à une maison familiale, et des viragos à casque et cuirasse contrefaisant les Walkyries, alors très à la mode, on peignit les façades de couleurs vives ou pastel. Tout ça pour pouvoir récupérer l'argent qu'Onofre Bouvila leur avait volé. Ainsi la ville croissait-elle, à grande vitesse, fiévreusement. Chaque jour, on retournait des milliers de tonnes de terre que des files continues de chariots allaient entasser derrière Montjuich ou déverser en mer. Mêlés à cette terre, il y avait aussi les restes de cités plus anciennes, des ruines phéniciennes ou romaines, des squelettes de Barcelonais d'autres temps, des vestiges d'époques moins troublées.

4

C'était l'été de 1899, et il était dorénavant un homme fait. Il avait vingt-six ans et une fortune considérable, mais son empire commençant présentait des lézardes. Les magouilles électorales qu'il menait par l'intermédiaire du señor Braulio ne donnaient pas de résultat ou n'en donnaient qu'au prix de grands efforts. L'humeur du pays avait changé après le désastre de 1898[1] ; d'autres hommes politiques, plus jeunes, faisaient flotter la bannière de la régénération, en appelaient à l'enthousiasme populaire, prétendaient rajeunir la vieille structure sociale. Il comprit que, pour le moment, il eût été inutile ou néfaste de lutter contre eux ; il préféra prendre ses distances avec le passé et feindre de faire siennes les nouvelles tendances, de communier dans les nouveaux idéaux. A cette fin, il mit à la retraite le señor Braulio, qui était devenu un symbole de la corruption. Cela supposait aussi de le séparer d'Odón Mostaza, dont il était devenu aveuglément amoureux. Il éclata en sanglots et se mit aussitôt à chercher un moyen de se suicider. Il renonça à ce projet parce qu'il craignait pour la sécurité de

1. La perte de Cuba et des Philippines. Voir pages suivantes.

l'homme qu'il aimait. Odón Mostaza n'était pas très malin ; il n'avait pas su s'adapter au nouveau système de vie. Il continuait à être un homme de main : pour trois fois rien, il sortait son revolver. Les femmes continuaient à perdre la tête pour lui et, en diverses occasions, il fallut recourir à la vénalité des autorités pour étouffer des scandales ; il fallut faire disparaître des cadavres et graisser la patte à la justice. Onofre Bouvila attira à plusieurs reprises son attention :

— Cela ne peut continuer ainsi, Odón, lui disait-il : à présent, nous sommes des hommes d'affaires.

Le malfrat jurait de s'amender, mais il retombait dans ses errements. Il se gominait les cheveux, s'habillait de façon voyante et ne grossissait jamais bien qu'il mangeât et bût sans mesure. Parfois, il gagnait des fortunes au jeu : alors il invitait le premier qu'il rencontrait, ses bringues en ces occasions étaient célèbres ; d'autres fois, il perdait tout, il contractait des dettes énormes et devait aller demander de l'aide au señor Braulio. Celui-ci lui faisait mille reproches, mais il ne pouvait rien lui refuser : il couvrait tous ses écarts. A présent, il craignait que, sans sa protection, la colère d'Onofre Bouvila ne s'abatte sur lui.

Cette fois, en dépit de la chaleur, il emprunta une voiture fermée pour monter à la propriété de la Budallera. Il s'était fait faire un costume croisé de laine noire par un tailleur renommé dont l'atelier se trouvait sur la Gran Vía, entre Muntaner et Casanova. L'été durant, il s'était rendu jusque-là pour faire ses essayages. A présent, il étrennait le costume et il avait passé un gardénia dans la boutonnière du revers. Il se sentait ridicule, mais il allait demander la main de la fille de don Humbert Figa i Morera. Il avait acheté un anneau dans une bijouterie des Ramblas. Il ne l'avait vue qu'en de rares occasions, quand elle sortait de l'internat pour aller passer l'été avec ses parents à la Budallera. Comme il n'avait pas ses entrées à la maison, il avait dû la rencontrer en pleine campagne, sous le prétexte d'une quelconque excursion, toujours entouré de gens et pour de très brefs instants. Elle lui avait raconté des bagatelles de la vie à l'internat. Accoutumé qu'il était au baratin salace des grues qu'il fréquentait, ces simplicités lui avaient paru le langage de l'amour véritable. Il n'avait pas su non plus que lui dire. Il avait essayé de l'intéresser à ses investissements immobiliers, mais il avait vite vu qu'elle ne le comprenait pas. L'un et l'autre s'étaient séparés avec soulagement, se promettant fidélité. Pendant toutes ces années, ils n'avaient cessé de s'écrire. A présent, il était riche et elle avait quitté l'internat pour être présentée en société cet automne-là. Étant la fille de don Humbert, les probabilités qu'elle fût acceptée par la société barcelonaise étaient minces, mais il ne fallait pas écarter celle-ci : qu'un jeune en âge de se marier tombe sous son charme, vainque l'opposition familiale et l'épouse. Onofre Bouvila voulait prévenir ce danger en demandant préalablement sa main. Il était sûr que sa beauté la ferait triompher dans les salons.

— Si elle met le pied au Liceo, je me retrouve sans fiancée, confia-t-il à Efrén Castells.

Pendant ces années, le géant de Calella avait changé : il n'allait plus comme un bateau à la dérive derrière la première jupe venue. Il s'était marié à une couturière toute jeunette, d'un commerce aimable mais très ferme de caractère, il avait eu deux fils et était devenu rangé et responsable. Bien qu'il eût exécuté sans hésiter tout ce qu'Onofre lui eût ordonné, il préférait les activités plus sérieuses et licites. Il avait fait quelques affaires sur les traces d'Onofre, il avait su économiser et réinvestir avec succès et, à présent, il jouissait d'une situation aisée.

— Parle avec don Humbert, dit-il à Onofre. Il te doit beaucoup. Il t'écoutera et si c'est un homme d'honneur, comme je le pense, il reconnaîtra que la main de sa fille te revient à toi avant tout autre.

On le fit passer dans un petit salon et on lui demanda d'avoir la bonté d'attendre.

— Monsieur est en réunion, lui dit le majordome, qui ne le connaissait pas.

Dans le petit salon, il étouffait. Il fait pour le moins aussi chaud ici qu'à Barcelone, pensa-t-il, et j'ai la gorge archisèche. Si au moins on m'avait offert un rafraîchissement ! Pourquoi me traite-t-on avec si peu de considération aujourd'hui précisément ? Au bout de ce qu'il estima un long moment, il sortit du petit salon et parcourut un couloir aux murs chaulés. En passant devant une porte fermée, il entendit des voix, parmi lesquelles il reconnut celle de don Humbert Figa i Morera, et il s'arrêta pour écouter. Finalement, intéressé par ce qu'il entendait et presque oublieux du motif qui l'avait mené à cette maison, il ouvrit brusquement la porte et entra dans ce qui s'avéra être le cabinet de don Humbert. Celui-ci était en réunion avec deux messieurs : l'un était un Américain du nom de Garnett, un homme obèse, suant et traître à son pays, qui avait servi les intérêts espagnols aux Philippines durant le récent conflit, jusqu'à ce que les résultats de celui-ci l'incitent à quitter la région pour un moment. L'autre était un Castillan chétif, au teint bronzé et à la moustache poivre et sel, que les autres appelaient simplement Osorio. Aussi bien lui que Garnett étaient vêtus d'un costume de cotonnade rayée, d'une chemise blanche avec un col de celluloïd sans cravate, de style colonial, et d'espadrilles de sparterie.

Sur leurs genoux étaient posés leurs chapeaux : un panama pour chacun, ce qui rappela immédiatement son père à Onofre : il n'avait toujours pas levé l'hypothèque qui pesait sur les terres familiales. Son irruption dans la pièce fit cesser d'un coup la conversation qu'avaient les trois hommes. Tous les regards convergèrent sur lui. Le costume noir, le gardénia à la boutonnière et le voyant paquet de la bijouterie mettaient dans le cabinet une note incongrue. Don Humbert le présenta à ses interlocuteurs et Garnett continua à raconter comment, la veille de la bataille navale livrée en mai de l'année précédente aux Philippines, il avait rencontré l'amiral Dewey, qui commandait la flotte ennemie, pour lui transmettre une proposition du gouvernement espagnol : cent cinquante mille pesetas s'il permettait que les bateaux espagnols coulent les américains. Cette rencontre avait eu pour cadre un bar de ce qui était alors la colonie britannique de Singapour. L'amiral Dewey l'avait d'abord pris pour un fou. « Vous savez, lui dit-il, que les navires de guerre espagnols sont si insignifiants que les miens peuvent les envoyer par le fond sans même tirer un coup de canon. » Garnett avait hoché la tête affirmativement : « Vous le savez et moi aussi, mais les techniciens de la marine espagnole ont assuré le gouvernement de Sa Majesté précisément du contraire, dit-il. Si la flotte espagnole va par le fond, imaginez la déception. — Cela, je ne puis l'éviter », avait répondu Dewey.

— C'est ainsi que nous avons perdu les dernières colonies, dit don Humbert lorsque l'Américain eut achevé son récit, et à présent nous nous trouvons avec les ports débordants de rapatriés.

Tous les jours arrivaient, en effet, des bateaux qui ramenaient en Espagne les survivants des guerres de Cuba et des Philippines. Ils avaient combattu pendant des années dans des forêts pourries, et, bien que jeunes, ils paraissaient déjà vieux. Presque tous étaient atteints de fièvre tierce. Par crainte de la contagion, leurs familles ne voulaient pas les accueillir et ils ne trouvaient pas non plus de travail ni de moyen quelconque de subsistance. Ils étaient si nombreux que, même pour demander l'aumône, ils devaient faire la queue. Les gens ne leur donnaient pas un centime : « Vous avez laissé piétiner l'honneur de la patrie et maintenant vous avez le culot de chercher à inspirer la compassion », leur disaient-ils. Beaucoup se laissaient mourir d'inanition au coin des rues, sans plus de courage à rien. Maintenant, il fallait regrouper les investissements dans les ex-colonies entre les mains de prête-noms comme Garnett, qui était sujet américain. Le nommé Osorio s'avéra n'être rien moins que le général Osorio y Clemente, ex-gouverneur de Luçon et l'un des principaux propriétaires fonciers de l'archipel. Don Humbert Figa i Morera essayait de concilier les intérêts de l'un et de l'autre et d'établir les garanties nécessaires.

Lorsqu'ils furent partis et que l'avocat et Onofre demeurèrent en tête à tête, celui-ci exposa le motif de sa visite avec la nervosité qui caractérise ces occasions. Don Humbert donna également des signes de trouble. Il avait parlé auparavant de l'affaire avec lui et, sans s'engager à rien, lui avait donné à entendre qu'il le considérait déjà comme son gendre. A présent, il paraissait chercher la façon la moins crue de revenir sur cet assentiment.

— C'est ma femme, finit-il par avouer. Il n'a pas été Dieu possible de la faire céder. J'ai insisté jusqu'à en rester enroué, mais les choses pour elles sont comme ça, et en ces domaines, comme tu le verras toi-même quand tu auras des enfants, ce sont les femmes qui commandent. Je ne sais que te dire : tu devras te résigner et chercher ailleurs. Crois que je le regrette.

— Et elle ? demanda Onofre. Que dit-elle ?

— Qui ? Margarita ? Bah, elle fera ce que sa mère lui dira, quoi qu'elle en ait. Les femmes souffrent beaucoup par amour, mais elles ne compromettent jamais leur avenir. J'espère que tu le comprends.

Sans répondre, il prit le paquet de la bijouterie et sortit de la maison en faisant claquer toutes les portes sur son passage. Tant mieux pour eux s'ils croient que quelqu'un va s'amouracher d'une pareille idiote, allait-il murmurant entre ses dents, animé par le dépit. Tu viendras me supplier, je te le dis ; tu viendras me demander pardon à genoux, mais je ne te pardonnerai pas, parce que la pute la plus déjetée de la Carbonera vaut mille fois plus que toi, marmonnait-il. Mais les cahots de la voiture sur les pierres de la route dissipèrent son irritation et, lorsqu'il arriva à Barcelone, il était plongé dans la plus profonde tristesse. Il s'enferma chez lui et refusa de voir quiconque durant quinze jours. Une bonne qu'il avait prise trois ans auparavant, et qu'il payait un prix absurde pour s'assurer de sa dévotion, s'occupait de lui. Finalement, il se résolut à recevoir Efrén Castells. Ce dernier, inquiet de l'état de son associé, qu'il n'avait jamais vu dans de telles dispositions, avait pris des renseignements qu'à présent il venait porter à la connaissance d'Onofre Bouvila.

La femme de don Humbert Figa i Morera n'était nullement idiote : elle ne savait que trop qu'aucun jeune homme de bonne famille ne commettrait l'erreur de se marier avec sa fille Margarita. Mais elle n'était pas pour autant disposée à la céder sans combat à un paria comme Onofre. A force de réfléchir sans trêve jour et nuit, elle tomba sur un candidat convenable à la main de sa fille. A première vue, son choix était insensé. Ce candidat n'était autre que Nicolau Canals i Rataplán, fils de ce don Alexandre Canals i Formiga que le señor Braulio avait poignardé dans son bureau, huit ans auparavant, sur ordre d'Onofre Bouvila. Depuis cette date, Nicolau Canals et sa mère vivaient à Paris où son père, de même que beaucoup d'autres capitalistes catalans de son temps, avait « mis son argent à travailler » dans des entreprises françaises. Ces actions, qui se montaient à une petite fortune, devaient revenir entièrement à Nicolau Canals dès que celui-ci atteindrait sa majorité. Jusqu'alors, sa mère avait administré ces biens avec prudence et les avait même accrus, au moyen de certaines opérations judicieuses et bien montées. Mère et fils occupaient une maison grande et confortable, quoique discrète, de la rue de Rivoli, où ils vivaient quelque peu retirés du monde. Lui, qui avait alors dix-huit ou dix-neuf ans, était un jeune homme triste : depuis le temps, il n'avait pas réussi à se consoler de la mort de son père, dont il vénérait la mémoire. Avec sa mère, en revanche, il ne s'était jamais bien entendu, sans que la faute en revînt à aucun des deux. La mort soudaine de ses deux fils aînés avait été pour elle un coup dont elle n'avait pas encore pu se remettre ; elle imputait sans raison la responsabilité de ce qui était survenu à son mari, pour qui elle cessa brusquement de ressentir le moindre attachement ; elle étendait cette indifférence jusqu'à son unique fils survivant ; sa position était injuste mais, bien qu'elle le sût, elle ne pouvait s'en départir. Pour comble, le défaut physique de Nicolau Canals i Rataplán, cette insuffisance médullaire qui lui avait donné une croissance quelque peu difforme et qui n'avait ni augmenté ni diminué avec les années, lui semblait un reproche adressé à son manque de tendresse. Depuis qu'il était petit, elle s'était arrangée pour le voir le moins possible ; elle s'en était remise de sa garde à une longue série de nourrices, gouvernantes et bonnes d'enfants. A présent, les circonstances l'obligeaient à vivre isolée de tous, sans autre compagnie que celle de ce jeune homme qu'elle n'avait jamais aimé et dont au surplus elle dépendait désormais juridiquement et économiquement, puisque, selon la loi, jusqu'au pain qu'ils mangeaient était son bien. Lui, qui percevait de façon tangible l'affliction que sa présence lui causait, qui ne se faisait aucune illusion sur la tendresse qu'elle professait pour lui, s'efforçait d'éviter dans la mesure du possible toute communication avec elle. Empêché par son défaut physique de lier amitié avec ceux qui avaient été ses compagnons d'études, il vivait dans une solitude quasi absolue. La seule chose qu'il eût dans ce monde était Paris. Lorsqu'il était arrivé, fuyant Barcelone avec sa mère, Paris lui avait semblé une ville hostile et ses habitants quelque chose comme des bêtes sauvages. Puis, sans le chercher, il s'était graduellement habitué à tout et il avait fini par aimer cette ville à la folie, avec une véritable passion. Dorénavant, tout son bonheur était Paris, aller par les rues, s'asseoir sur les places, se promener par les quartiers et les jardins, regarder les gens, la lumière, les maisons et le fleuve. Parfois, au cours d'une de ces promenades, il s'arrêtait soudain au coin d'une rue, sans savoir pour quelle raison, et il regardait autour de lui comme s'il voyait tout cela, qu'il connaissait mètre par mètre, pour la première fois ; alors, une émotion si intense s'emparait de lui qu'il ne pouvait empêcher les larmes de venir à ses yeux. S'il pleuvait, il fermait son parapluie pour se laisser tremper par la pluie de Paris. Alors, son image anonyme et contrefaite, secouée de sanglots et imbibée de pluie au coin d'une rue, fendait l'âme des passants qui ignoraient qu'en réalité il pleurait de joie. D'autres fois, dans les mêmes circonstances, la terreur suivait la joie de près : Hélas, pensait-il, que m'arriverait-il si un jour Paris venait à me manquer, si pour quelque raison nous devions quitter Paris ? Il savait que Paris n'était pas en réalité sa ville natale, et cela lui causait une sensation de déracinement presque physique : entre une mère qui ne pouvait s'empêcher de le rejeter et une ville adoptive dont il ne pouvait rien exiger, sa vie se passait dans une continuelle angoisse. Il ne savait pas à quel point ces peurs étaient fondées.

La femme de don Humbert Figa i Morera écrivit à la veuve de don Alexandre Canals i Formiga une lettre longue et décousue ; sous le couvert d'apparentes circonlocutions, elle allait droit à l'essentiel : *Pardonnez, chère amie, la hardiesse qui me pousse à m'adresser à vous de façon si peu protocolaire, mais je suis convaincue que votre cœur de mère saura se mettre immédiatement à ma place ; qu'il comprendra le pourquoi de mon audace, à lire ces phrases maladroites inspirées uniquement par la volonté de bien faire.* Ensuite, elle exposait sans ambages son projet, c'est-à-dire marier sa fille, Margarita Figa i Clarença, avec Nicolau Canals i Rataplán. L'un et l'autre, se hâtait-elle d'indiquer, sont enfants uniques et par conséquent légataires universels des fortunes familiales respectives. L'un comme l'autre, allait-elle jusqu'à insinuer, étaient peu ou prou proscrits de la bonne société de Barcelone. Et quelles attentes pouvait nourrir à cet égard Nicolau Canals à Paris, où il serait toujours un étranger et un marginal social ? *Cette union que mon cœur de mère fête par anticipation,* continuait-elle, *couronnerait l'identité prolongée de buts et d'intérêts qui a toujours uni nos deux lignées.* Pour conclure, elle disait que *s'il est vrai que Margarita et Nicolau n'ont pas encore eu l'occasion de se connaître et se fréquenter, je ne doute pas du fait que, étant tous les deux jeunes, intelligents, physiquement favorisés par la nature et de très heureux caractère, ils ne tarderont pas à professer l'un pour l'autre le respect et la tendresse sur lesquels se fonde l'authentique bien-être conjugal.* Elle se procura Dieu sait comment l'adresse de la veuve de don Alexandre Canals i Formiga et lui envoya cette lettre. Quand elle fut partie, elle communiqua à son mari ce qu'elle venait de faire et lui montra une copie presque textuelle de la lettre. Don Humbert n'en croyait pas ses yeux.

— Horreur, femme ! Comment as-tu osé ? put-il enfin articuler. Offrir notre fille comme si c'était une marchandise... Je n'ai pas de mots... Un culot pareil ! Et, qui plus est, l'offrir en mariage au fils de mon ancien rival, dans la mort de qui certains ne manquent pas de m'attribuer une certaine responsabilité médiate. Quelle infamie ! Et comment as-tu osé écrire que ce malheureux est « physiquement favorisé » ? Mais enfin, tu n'es pas au courant du fait que le pauvre garçon est un monstre de naissance ? Un petit taré ? Je relis la lettre et j'ai l'impression que je vais mourir de honte.

— Ne t'en fais pas, Humbert, lui dit sa femme sans perdre son calme.

Elle se rendait à moitié compte de l'extravagance de sa conduite, mais elle se fiait à la chance. Cependant, la veuve de Canals avait reçu la lettre et la lisait, pensive, dans la pénombre de sa maison de la rue de Rivoli. Quel culot ! songeait-elle. Cette gueuse se met la dignité où je pense. Dans des circonstances normales, elle eût déchiré la lettre en mille morceaux. Elle était sur le point d'avoir quarante ans et elle gardait de sa beauté passée une harmonieuse sérénité que l'amertume pouvait rapidement bouleverser ; l'heure était venue de faire le bilan des choses, et sa vie lui offrait comme un rosaire d'espérances déçues. *Une vie manquée* *, murmura-t-elle ; elle posa la lettre sur le guéridon et s'éventa paresseusement avec une plume d'autruche. Le geste fit tintinnabuler ses bracelets. De la rue venait le bruit continu des voitures.

— *Anaïs, sois gentille : ferme les volets et apporte-moi mon châle en soie brodée* *, dit-elle à la femme de chambre ; c'était une Noire de la Martinique, qui portait un mouchoir jaune noué autour de la tête.

Cela faisait un an qu'elle avait fait la connaissance d'un poète d'obscure origine nommé Casimir. Il avait seulement vingt-deux ans ; il l'avait emmenée sans réticences ni réserves dans les cénacles de Montparnasse, où la bohème se réunissait pour lire des vers et boire de l'absinthe, ils avaient assisté ensemble, l'année d'avant, à l'enterrement de Stéphane Mallarmé ; elle, consciente pourtant de la différence d'âge et de fortune, se refusait à céder à ses prières. Il lui envoyait des fleurs volées dans les cimetières et des sonnets d'amour incendiaires. Aux yeux du monde, la situation était anormale et donnait prise à des commentaires malveillants. Et qu'est-ce que ça peut me faire ? pensait-elle. Toute la vie, j'ai été malheureuse, et à présent que le destin dépose ce cadeau à ma porte, je devrais le repousser à cause du qu'en-dira-t-on ? Qui plus est, ici ce n'est pas Barcelone, se disait-elle, essayant de vaincre sa propre résistance. Ici c'est Paris, je n'y suis personne, ce qui veut dire que je suis libre. Ainsi pensait-elle, mais elle ne faisait rien, paralysée par la présence de son fils : celui-ci était l'obstacle qui la séparait de la félicité. Si elle lui avait exposé franchement la situation, il l'eût comprise et acceptée ; sans aucun doute il eût approuvé en tout sa mère, heureux de lui montrer enfin son affection et sa solidarité d'adulte, mais tant d'années de distance et de reproches leur fermaient aujourd'hui toute possibilité de communication sincère. Elle réfléchissait avec remords à la façon de se défaire de ce témoin gênant. A présent, elle méditait à propos du contenu de la lettre qu'elle venait de recevoir. L'idée était tentante, mais tout en elle l'incitait à la repousser : derrière cette proposition matrimoniale inattendue, elle soupçonnait une machination perverse. En définitive, se disait-elle, qui peut vouloir pour gendre de Nicolau, mon pauvre fils ? C'est un inconnu, difforme et niais, qu'est-ce qu'on peut lui trouver si ce n'est l'argent ? Oui, sans aucun doute, ça doit être ça. Dans ce cas, la vie de Nicolau serait en danger : si cette canaille a fait tuer mon mari, qu'il repose en gloire, il n'y a pas de raison pour que maintenant il ne projette pas aussi la mort de son héritier. Il est possible qu'il s'agisse d'une vengeance barbare, d'un de ces massacres cauteleux qui se pratiquent rituellement à Istanbul depuis des siècles. Elle avait fait dans un salon la connaissance de l'ambassadeur en France d'Abdul le Maudit, le sultan décrépit appelé à présider au naufrage définitif du fabuleux empire ottoman, que depuis des décennies on appelait déjà « l'homme malade de l'Europe ». Cet ambassadeur, partisan d'Enver Bey et sympathisant, par conséquent, des Jeunes Turcs, ne perdait pas une occasion de discréditer l'État qu'il disait servir et dont il percevait de fastueux émoluments : croyant être le contraire, il était en vérité une vivante illustration de la décadence et de l'effondrement moral contre lesquels lui et ses coreligionnaires prétendaient lutter. Un frisson la fit s'envelopper dans le châle de Manille que la servante avait jeté sur ses épaules. Elle tira le cordon de la sonnette ; quand Anaïs répondit à cette convocation, elle lui demanda si son fils était à la maison.

— *Oui, madame* *, fut la réponse.

— *Alors, dis-lui que je veux lui parler ; va vite* *, dit-elle.

Elle voulait être aimable avec lui, raisonner d'égal à égal ; pourtant, elle fit la moue en le voyant entrer dans le petit salon.

— Comment ! dit-elle avec une certaine stridence dans la voix, à cette heure et déjà *en robe de chambre* * ?

Nicolau se disculpa gauchement : il ne pensait pas sortir, dit-il, il avait décidé de consacrer la veillée à la lecture, mais si elle proposait autre chose...

— Non, non, c'est bien ainsi, dit-elle ; allez, va-t'en ; j'ai une migraine terrible. Je veux que personne ne me dérange d'ici demain.

Elle s'enferma à clef dans le bureau et resta à rédiger et déchirer des brouillons jusqu'à des heures avancées. Enfin, elle trouva un ton qui lui parut approprié. *Votre lettre, estimée amie, m'a causé un mélange de gratitude et d'étonnement que vous serez la première à comprendre,* écrivit-elle. *J'ai toujours été de l'avis que dans les affaires matrimoniales, ce sont les intéressés eux-mêmes qui doivent décider, guidés avant toute chose par leurs sentiments, et que ce n'est pas à nous, les mères, d'imposer notre point de vue, si désintéressé que soit le dessein qui l'inspire,* etc. La femme de don Humbert Figa i Morera lut cette lettre et comprit qu'elle avait tous les atouts en main ; quoique évasive, elle établissait un langage commun, ouvrait une perspective au dialogue et à la négociation. Avec un légitime orgueil, elle montra la lettre à son mari. Celui-ci la lut et ne comprit rien.

— Elle dit des clous pour la noce, voilà tout le commentaire qui lui vint à l'esprit.

— Humbert, ne sois pas idiot, répliqua-t-elle sarcastiquement. Le simple fait qu'elle m'ait répondu implique déjà un oui, même si elle répond pour dire que non. Ce sont des finesses de femmes.

Sa mère mit Nicolau Canals i Rataplán face au fait accompli. Lui, qui ne soupçonnait rien, qui n'avait pas vu s'accumuler la tempête, parvint à peine à improviser une faible opposition.

— Bah, bah, l'interrompit-elle en frappant nerveusement le *parquet* * du pied, qu'est-ce que tu sais de la vie ? Moi, en revanche, j'ai de l'expérience, j'ai beaucoup souffert, je suis ta mère et je sais ce qui te convient », dit-elle. Puis elle ajouta, avec une conviction visiblement feinte : « Ce qui te convient, c'est d'aller à Barcelone et de te marier avec cette fille. Rien n'empêche que vous soyez heureux.

— Mais vous savez qui sont ces gens, maman ? balbutia-t-il. Ce sont ceux qui ont fait assassiner papa.

— Racontars, coupa-t-elle. Et, de toute façon, ce n'est pas cette fille qui l'a fait. Elle devait encore téter ou peu s'en faut à l'époque. Et puis, le passé est le passé. Bien des années ont passé depuis lors : nous ne pouvons pas toujours vivre avec le passé sur le dos, non ?

Nicolau Canals i Rataplán fut se promener par les rues et revint à la tombée du jour à la maison de la rue de Rivoli. Il alla directement voir sa mère et, lorsqu'il fut avec elle, il lui dit :

— Je ne veux pas me marier, maman. Ni avec cette fille, dont je ne mets pas en doute les qualités, ni avec aucune autre. Je ne veux pas non plus aller vivre à Barcelone. Ce que je veux, c'est rester ici avec vous. Ici, à Paris, nous sommes heureux, n'est-ce pas, maman ?

Le courage lui manqua pour lui dire que non, qu'elle n'était pas heureuse à cause de lui, de sa présence précisément.

— Ça n'a rien à voir avec ce dont nous parlions précédemment, se borna-t-elle à répliquer. Tu n'as plus l'âge de vivre dans les jupes de ta mère, ajouta-t-elle.

Alors, il entrevit la vérité et ouvrit les bras pour ce qui voulait être un geste d'acquiescement.

— Si c'est la cohabitation avec moi qui vous gêne, dit-il, je peux aller vivre dans une mansarde de Montparnasse.

Après une interminable discussion, ils parvinrent à un accord : Nicolau Canals i Rataplán ferait un voyage à Barcelone, il lierait connaissance avec Margarita Figa i Clarença, et c'est seulement alors, en pleine connaissance de cause, qu'une décision définitive serait prise. Il conservait la possibilité de revenir à Paris s'il le désirait. De sa part à elle, cela équivalait à une reculade, mais elle ne trouvait pas les forces de l'obliger à plus. Il avait fallu cette cruauté, qu'elle estimait nécessaire, pour qu'elle se rendît compte de combien elle était, en dépit de tout, attachée à son fils ; elle brûlait de se libérer de lui, mais maintenant l'imminence de son départ l'emplissait de tristesse, et les pressentiments les plus funestes revenaient l'assaillir. Tous ces faits, entre-temps, étaient parvenus aux oreilles d'Onofre Bouvila qui, du fond de sa retraite volontaire, ourdissait une stratégie pour retourner une situation qui lui était si défavorable.

5

Comme première mesure, il fit repérer la demeure et suivre les pas d'Osorio, le propriétaire terrien de Luçon, et de Garnett, son agent américain aux Philippines, dont il avait fortuitement fait la connaissance à la maison de la Budallera, cette malheureuse après-midi où il avait été demander la main de Margarita Figa i Clarença. Il apprit ainsi que l'Américain logeait dans une suite de l'hôtel Colón, qui était alors situé sur la plaza Cataluña, près du paseo de Gracia ; qu'il prenait tous ses repas à l'hôtel et ne se hasardait à sortir que dans une voiture de louage fermée qui, deux fois par semaine, le mardi et le jeudi, venait le chercher à l'hôtel pour le poser à la porte d'une fumerie d'opium située à Vallcarca. Il y passait la nuit. Le matin, la même voiture de louage le reprenait à la fumerie et le ramenait à l'hôtel. Dans cette célèbre fumerie, la dernière de celles qui eurent pignon sur rue à Barcelone, se rendaient des messieurs et d'assez nombreuses dames de la bonne société ; y venaient aussi des cousettes et des midinettes. On ne savait pas encore que l'opium et ses dérivés créaient une accoutumance ; leur consommation n'était ni sanctionnée ni mal vue. Ensuite, beaucoup de ces jeunes filles, pour pouvoir se procurer un plaisir que la modicité de leurs moyens ne leur permettait pas de se payer avec la fréquence nécessaire, tombaient dans la prostitution. Généralement, les personnes qui dirigeaient des fumeries d'opium dirigeaient également des bordels clandestins où il était facile de rencontrer des mineures. Garnett tuait le reste du temps enfermé dans sa suite à lire les aventures de Sherlock Holmes, encore inconnues en Espagne mais très populaires déjà en Angleterre et aux États-Unis d'où il se les faisait envoyer par l'entremise de l'American Express. De son côté, Osorio y Clemente avait loué un appartement calle Escudellers. Dans cette rue, alors de bon ton, il vivait avec un domestique philippin pour toute aide et un loulou de Poméranie pour toute compagnie. Tous les matins, il assistait à la messe à l'église de San Justo y Pastor. Les après-midi, il se rendait à un cercle taurin[1] formé surtout de militaires en retraite, comme il était lui-même, de hauts fonctionnaires affectés à Barcelone et de policiers de grade élevé. Dans ce cercle, on jouait également aux cartes. Onofre Bouvila décida d'aborder Garnett.

1. Ce sont des réunions régulières d'*aficionados,* en général dans des cafés.

Il alla le voir à l'hôtel et lui exposa sans détour ses intentions.

— Osorio est fini, lui dit-il, il est vieux, et le climat tropical est implacable pour les vieux. S'il lui arrivait quelque chose de grave, vous pourriez manœuvrer de telle sorte que toutes les propriétés d'Osorio, qui figurent actuellement à votre nom, au lieu de passer aux mains de ses héritiers, passent aux miennes, par exemple.

L'Américain entrouvrit les paupières. Il buvait à petites gorgées un mélange de limonade, de rhum de canne et d'eau de Seltz.

— Juridiquement, dit-il enfin, l'affaire est plus compliquée qu'il n'y paraît.

— Je le sais, dit Onofre en lui montrant une enveloppe de papiers manuscrits. Je me suis procuré une copie des contrats que vous avez signés devant maître Figa i Morera.

— Oui, c'est certain, dit Garnett en feuilletant les contrats, il faudrait pouvoir compter sur la coopération de don Humbert.

— Je m'occupe de lui, dit Onofre.

— Et Osorio, qui s'occupe de lui ? dit Garnett.

— Encore moi, dit Onofre.

L'Américain dit qu'il préférait changer de sujet.

— Venez me voir d'ici trois à quatre jours, dit-il ; il faut que je réfléchisse.

Passé le délai fixé par Garnett, ils se revirent. En cette circonstance, l'Américain manifesta ses scrupules :

— S'il arrive quelque chose à Osorio... Comment avez-vous dit ?... quelque chose de grave, c'est cela ; s'il lui arrive quelque chose de grave, n'est-il pas probable que tout tendra à m'impliquer dans ce malheur ? dit-il.

Onofre Bouvila sourit.

— Si vous n'aviez pas soulevé cette objection, dit-il, j'aurais moi-même révoqué notre accord. A présent, je vois que vous êtes prudent et que vous avez bien examiné les détails de l'affaire. Je vais vous expliquer mon plan.

Quand il eut terminé de parler, l'Américain s'estima satisfait.

— Maintenant, dit-il, parlons de pourcentages.

Sur ce point aussi, ils se mirent d'accord.

— Bien entendu, dit Onofre Bouvila au moment de prendre congé, il n'y a ni n'y aura de trace écrite de ce dont nous avons parlé.

— J'ai déjà traité avec des gens comme vous, dit Garnett, et je sais qu'une poignée de main suffit.

Les deux hommes se serrèrent la main.

— Quant au silence... dit Onofre.

— J'en connais le prix, répondit Garnett. Je ne parlerai à personne.

Entre-temps, pour servir Onofre Bouvila, Efrén Castells avait recommencé à exercer en cachette de sa femme ses dons de conquérant ; il avait ainsi réussi à baratiner une femme de chambre qui travaillait chez don Humbert Figa i Morera : par elle, ils savaient tout ce qui se passait à l'intérieur, ils suivaient de près le chemin tortueux qui conduisait à la noce de la fille avec Nicolau Canals i Rataplán. Comme don Humbert l'avait prédit, la volonté de la mère l'avait emporté sur les sentiments de la fille. Margarita essayait de se rebeller, mais elle pouvait peu de chose contre les ruses et les astuces de sa mère. Celle-ci, au lieu de lui assener brutalement les choses, comme la veuve de don Alexandre l'avait fait avec son fils, lui avait arraché des concessions graduelles. Elle disposait sur ce terrain d'un avantage : elle était au courant des amours de Margarita et d'Onofre, tandis que sa fille, qui croyait qu'elle les ignorait, n'osait pas les invoquer pour expliquer l'aversion qu'elle avait pour ses plans ; elle craignait, l'eût-elle fait, de causer à Onofre un tort considérable. Si bien qu'à toutes les insinuations de sa mère, qui maintenait l'équivoque, elle ne pouvait opposer aucune raison de poids et elle devait donner son accord. Ainsi consentit-elle d'abord à ce que ses parents et la veuve de Canals i Formiga entament une relation épistolaire qui se transforma petit à petit en une série de contrats de mariage. Puis, déjà compromise par écrit, elle dut accepter que se célèbrent des fiançailles. Peu à peu, elle les laissait serrer la vis à son destin.

— Bah, ne viens pas maintenant faire des façons, lui disait sa mère quand elle avait des velléités de se refuser à quelque chose ; cela ne nous oblige à rien, et le faire est un devoir de courtoisie.

— Mais enfin, maman, vous m'avez déjà dit cela la fois d'avant et celle d'avant et encore celle d'avant. Et comme ça, sans rien faire, comme vous dites, me voici déjà au bord de l'autel.

— Sottises, ma petite, répliquait la mère. A t'entendre, on croirait que nous sommes au Moyen Age. Le dernier mot, c'est toi qui l'as, bêtasse : personne ne va t'obliger à faire ce que tu ne veux pas faire. Mais je ne vois aucune raison pour répondre aujourd'hui par une mauvaise manière à toutes les attentions qu'ont eues pour nous cette femme charmante et son fils, un jeune homme intelligent, riche et honnête.

— Et bossu.

— Ne dis pas ça avant de l'avoir vu : tu sais combien les gens aiment exagérer les défauts d'autrui. D'ailleurs, songe que la beauté physique finit par lasser. En revanche, la beauté de l'âme... est-ce que je sais...

je suppose qu'elle doit plaire chaque jour davantage, et ne m'oblige pas à continuer à parler, tout ce remue-ménage me fatigue !

Elle allait dans le couloir faire tinter une clochette avec laquelle elle appelait les domestiques, demandait une bassine d'eau vinaigrée et des serviettes de lin pour se tamponner le front et les tempes.

— A vous tous vous m'achèverez ! Quelle ingratitude, mon Dieu !

Margarita ne savait quels arguments opposer à cela. Ensuite, Efrén Castells mettait Onofre au courant de ces disputes.

— C'est bon, dit enfin Onofre Bouvila, le moment est venu pour nous de passer à l'action.

La nuit du jour convenu, ils trouvèrent la grille ouverte : la femme de chambre s'était chargée de suborner le portier, le jardinier et le garde forestier ; les chiens avaient leurs muselières. Efrén Castells transportait une échelle de cinq mètres de haut ; tous les trois pas, il devait s'arrêter pour étouffer ses rires avec son mouchoir.

— On peut savoir ce qui diable t'arrive ? demanda Onofre Bouvila.

Le géant de Calella répondit que cette situation pittoresque le faisait se ressouvenir du vieux temps :

— Quand toi et moi nous allions voler des pendules et autres objets dans les magasins de l'Exposition universelle, tu te souviens ? dit-il.

— Bah, qui pense encore à ça ? répliqua Onofre.

Onze ans avaient passé, et ce qu'ils faisaient à présent était une clownerie. Les chiens, alertés par cette discussion, se mirent à aboyer. Sur la terrasse du premier étage apparut don Humbert enveloppé dans un peignoir de soie.

— Que se passe-t-il ici ? demanda-t-il.

Le portier sortit de la guérite et ôta sa casquette.

— Ce n'est rien, monsieur, les chiens qui ont dû voir une chouette.

Quand don Humbert se fut retiré, Onofre et Efrén Castells continuèrent à avancer.

— Eh bien, à moi, il me semble que c'était hier, dit le géant.

La femme de chambre les attendait près du mur de la maison : sur le fond de lierre se détachaient la coiffe et le tablier. Elle montra la fenêtre et porta ses mains près de sa joue, feignant par ce geste l'attitude de celui qui dort. Efrén Castells appuya l'échelle au mur et en vérifia l'équilibre et la solidité.

— Vous autres, attendez-moi ici, dit Onofre. Ne bougez pas avant que je redescende.

Le géant de Calella immobilisa l'échelle pendant qu'il montait. Avec les années, il avait perdu de l'agilité, il ne voulut pas regarder en bas de peur d'avoir le vertige. Diantre ! pensa-t-il, moi aussi, il me semble que c'était hier. Un coup sur la hanche le sortit de ces réflexions : au passage, il avait heurté un barreau avec la crosse de son revolver. Il le sortit de la poche et siffla. Quand il vit qu'Efrén Castells levait la tête, il laissa tomber le revolver, que le géant attrapa au vol. Puis il continua à monter jusqu'à la fenêtre : elle était fermée ; ni la chaleur ni les considérations hygiéniques que propageaient les journaux de cette époque n'avaient fait que Margarita dormît la fenêtre ouverte. Il dut appeler à plusieurs reprises avant qu'elle ne montre un visage engourdi et étonné.

— Onofre, s'exclama-t-elle, toi ! Que signifie cette apparition inattendue ?

Onofre fit un geste d'impatience.

— Ouvre la fenêtre et laisse-moi entrer, dit-il, je dois parler avec toi.

D'en bas se firent entendre le géant et la femme de chambre :

— Eh, là-haut, parlez moins fort ! Avec ces voix, vous allez réveiller tout le voisinage.

Elle entrouvrit un peu la fenêtre et approcha son visage de cette fente : ses cheveux défaits lui tombaient sur les épaules, leur couleur cuivrée contrastait avec la blancheur de la peau de son cou ; la chaleur et le sommeil avaient collé des boucles sur son front : il ne se souvenait pas de l'avoir jamais vue si belle.

— Laisse-moi entrer, dit-il avec un accent d'ivresse dans la voix.

Elle battit des paupières avec méfiance.

— Je ne puis le faire, dit-elle en un soupir.

Cela faisait des années qu'ils ne s'étaient vus, qu'ils ne communiquaient que par lettres ; à présent, face à face, il leur était difficile de communiquer par la parole. Onofre sentit que son sang se mettait à bouillir comme cette après-midi où il avait brisé le miroir avec la statuette d'albâtre.

— C'est vrai que tu vas te marier avec un polichinelle ? demanda-t-il.

Son ton agressif lui fit peur : pour la première fois, elle comprit la gravité de ce que sa mère avait en tête à son sujet.

— Seigneur mon Dieu ! murmura-t-elle. Que puis-je faire ? Je ne sais comment l'éviter.

Onofre sourit :

— Laisse-moi faire, dit-il. Toi, dis-moi seulement si tu m'aimes.

Elle joignit les mains, doigts croisés, et les leva ainsi au-dessus de sa tête, comme si elle implorait le ciel ; elle ferma les yeux et rejeta la tête en arrière, comme elle l'avait fait des années auparavant quand il l'avait prise dans ses bras pour la première fois.

— Oh, oui ! Oh, oui, dit-elle d'une voix rauque qui paraissait jaillir du plus profond de sa poitrine, oui, mon amour, ma vie, mon homme aimé !

Il lâcha l'échelle à laquelle il était agrippé et introduisit ses bras par l'étroite fente de la fenêtre entrouverte : ses doigts déchirèrent la chemise de nuit, découvrant ses blanches épaules. Cette violence fut sur le point de lui faire perdre l'équilibre. Elle vit le danger et, l'attrapant par les bras, le tira vers elle : avec la force brute du désespoir, elle parvint à le faire passer au vol par la fenêtre ; ils se trouvèrent tous les deux sans savoir comment dans sa chambre, embrassés ; elle sentit son souffle sur ses épaules nues et se donna, défaillante mais consentante.

Cependant que jusqu'à l'aube ils consommaient cet amour si longtemps retenu, le train dans lequel Nicolau Canals i Rataplán se dirigeait vers Barcelone arrivait à Port-Bou. Là, on fit descendre tous les voyageurs pour qu'ils changent de train, étant donné que l'écartement des voies n'est pas le même en Espagne et en France. Il demanda combien de temps il faudrait avant la fin de la manœuvre et le départ de l'autre train, et on lui répondit une demi-heure, peut-être plus ; il décida de marcher sur le quai, pour s'étirer les jambes et se désengourdir. De Paris à la frontière, il avait dû partager le compartiment du wagon-lit avec un individu qui s'était dit d'abord commerçant, ensuite agent consulaire, et qui l'avait assommé d'abord par ses propos, ensuite par ses ronflements. De toute façon, se dit-il, résigné, je n'aurais pas pu trouver le sommeil. Il laissa derrière lui le bâtiment de la gare et déboucha sur une plate-forme d'où l'on voyait la Méditerranée baignée par la lumière rigoureuse et sans erreur de l'aube. Cela faisait bien longtemps qu'il n'avait mis le pied en Catalogne, et il se sentit un étranger : de Barcelone, il ne gardait avec netteté que le souvenir de son père, des après-midi où, laissant ses affaires, il l'emmenait faire des tours d'un manège éclairé par des lampions de papier, entraîné par un vieux cheval : un engin petit et crasseux qui lui semblait alors, et toujours à présent, le plus beau du monde ; contemplant cette aube claire et nette, il pensa que la fin de ses jours était proche, qu'il ne reviendrait jamais dans ce Paris de brume et de pluie qu'il avait fini par tant aimer. Il frémit d'abord, et puis il haussa les épaules : comme il était sujet à l'hypocondrie, il était habitué à ces sentiments lugubres, à ces subits accès de tristesse, il avait appris à ne pas leur accorder d'importance. Le soleil était déjà haut dans le ciel lorsque le train partit.

Efrén Castells regardait nerveusement vers la fenêtre. La vie ne va pas tarder à reprendre dans la maison, on nous découvrira dans la situation la plus compromettante du monde, et que ferons-nous ? se demandait-il. Il avait passé la nuit à monter la garde dans le jardin aux côtés de la femme de chambre, et il n'avait pas pu réfréner ses instincts. « C'est le parfum des jasmins, avait-il dit, et la douceur de ta peau. » A présent, la femme de chambre pleurait nue derrière un buisson : dans son trouble, elle ne parvenait même pas à remettre son uniforme. Ces pleurs n'étaient nullement injustifiés : le résultat de ces folies fut qu'elle tomba enceinte et perdit son emploi. Elle alla trouver Efrén Castells pour lui demander de l'aide ; celui-ci, craignant que l'incident ne vienne aux oreilles de sa femme, demanda conseil à Onofre Bouvila.

— Paye-lui ce qu'il faut et dis-lui de se taire, lui recommanda ce dernier.

C'est ce qu'il fit. Au bout du terme, un garçon naquit. Les années passant, le jeune homme, qui avait hérité de la stature et de la force de son père, devint joueur au FC Barcelone, fondé précisément l'année où il fut conçu, aux côtés de Zamora, Samitier et Alcántara. Efrén Castells essaya de rendre à Onofre le pistolet qu'il lui avait lancé du haut de l'échelle, mais il le refusa.

— A partir de maintenant, dit-il, je n'ai plus l'intention de jamais porter d'arme sur moi. Que d'autres les portent pour moi.

Nicolau Canals i Rataplán s'installa dans une chambre spacieuse et claire du Grand Hôtel d'Aragon. Il déjeunait sur le balcon, regardant à ses pieds le trafic coloré des Ramblas ; il aspirait l'arôme mêlé des fleurs, il entendait le chant varié des oiseaux : cela lui avait rendu sa bonne humeur. Je passerai ici quelques jours agréables, pensait-il, puis je retournerai à Paris. Un bref changement fait toujours du bien ; à mon retour, je retrouverai Paris avec plus de plaisir et il est probable que maman, après mon absence, me recevra avec tendresse. Les funestes pressentiments qu'il avait eus à la gare de Port-Bou lui semblaient maintenant le fruit de l'insomnie. En ce qui concerne la dernière de ses conjectures, il ne se fourvoyait pas : sa mère se repentait déjà de l'avoir laissé partir. Peu de jours après son départ, elle avait été chercher Casimir et l'avait ramené à la maison de la rue de Rivoli. « Tu seras bien ici, lui dit-elle, je m'occuperai de toi et tu pourras te consacrer à écrire. » A minuit, elle se réveilla en sursaut et vit qu'il n'était pas à son côté. Elle passa un peignoir sur sa chemise de nuit et sortit de la chambre à coucher à sa recherche. Elle le trouva dans le petit salon, debout près de la fenêtre : il semblait regarder les étoiles, ébahi. « *Qu'avez-vous, mon cher ami ?* * », lui demanda-t-elle. Comme Casimir ne répondait pas, elle vint à son côté et prit avec tendresse sa main entre les siennes. Elle s'aperçut que la main du jeune poète brûlait ; elle comprit qu'en peu de temps elle avait perdu son fils et son amant. Le jour suivant, elle écrivit une lettre à Nicolau : *Reviens à Paris,* lui disait-elle, *ce que nous sommes en train de faire est une erreur et une folie. Tu dois savoir aussi, Nicolau, mon fils,* ajoutait la lettre, *que depuis quelque temps j'ai un amant appelé Casimir, je n'ai jamais osé te parler de lui parce que je craignais ton incompréhension, en cela encore j'ai toujours été injuste avec toi. J'ai voulu te forcer à accepter cet engagement de mariage qui te répugnait comme à moi, mais je l'ai fait par égoïsme, voulant par ton départ retrouver ma liberté. A présent, Casimir se meurt de consomption et je vais me retrouver complètement seule. Les années me pèsent, et j'ai besoin de toi à mon côté,* etc. Cette lettre, qui en d'autres circonstances eût fait la joie de Nicolau, arriva trop tard.

La famille de don Humbert Figa i Morera était revenue de la propriété de la Budallera après qu'il eut écrit pour annoncer son arrivée à Barcelone. Il envoya à la femme de don Humbert un mot par lequel il se mettait à ses pieds. Ce mot était accompagné d'un bouquet de fleurs.

— On ne peut nier que ce jeune homme soit poli, dit-elle.

Le jour suivant, ils lui firent parvenir une invitation à se présenter le soir même à l'entracte à la loge de don Humbert, où serait servi un amuse-gueule froid. Il ne lui fut pas évident de deviner qu'on faisait référence sur l'invitation au Grand Théâtre du Liceo, à la séance inaugurale duquel on tenait pour acquis qu'il se proposait d'assister. Il dut envoyer un chasseur retenir une place dans une baignoire et demander au personnel de l'hôtel qu'on lui repasse à toute vitesse son frac. Étant donné son allure, il avait été très difficile de couper ce frac ; à présent, on eut beau le repasser, il avait toujours l'air d'une loque.

En arrivant à la porte du Liceo, il la trouva barrée par un triple cordon de police. Il se demanda s'il y avait eu un attentat comme celui perpétré cinq ans auparavant dans ce même théâtre par Santiago Salvador ; il en avait entendu parler souvent par les Catalans qui, à l'occasion d'un passage à Paris, venaient à la maison de la rue de Rivoli. En réalité, il s'agissait pour lors d'une visite royale, celle du prince Nicolas Ier de Monténégro qui avait daigné rehausser de sa présence cette représentation inaugurale marquant l'acmé des fêtes de la Merced. Il put s'installer dans son fauteuil alors que déjà commençait à décliner l'éclat des becs de gaz ; la pénombre envahissait peu à peu la somptueuse salle. Cette nuit-là précisément, on donnait au Liceo la première d'*Otello,* de Giuseppe Verdi. A Paris, les dernières années, il avait porté une attention enthousiaste à Claude Debussy, qu'il considérait comme le plus grand musicien de l'Histoire, après Beethoven ; il avait pieusement assisté à la première de toutes ses œuvres, à l'exception de *Pelléas et Mélisande* ; une grippe malencontreuse l'avait obligé, ces jours-là, à garder le lit ; en cette circonstance, il n'avait eu de cesse que sa mère, en dépit du froid régnant, ne se fût jetée dans la rue pour lui acheter la partition. Il avait distrait sa convalescence avec la lecture de *Pelléas et Mélisande.* A présent, la musique de Verdi lui semblait retentissante et grandiloquente. Je n'aurais pas dû venir, pensa-t-il. Lorsque les lumières s'allumèrent, il se disposa à remplir l'obligation sociale qu'il avait tacitement contractée. Ignorant de tout ce qui se rapportait à la vie mondaine de Barcelone, il dut demander dans les couloirs quelle était la loge de la famille Figa i Morera. Au fur et à mesure qu'il s'en approchait, la colère et la honte s'emparaient de lui. Qu'est-ce qui me prend d'aller manger dans la main des assassins de mon père ? se demandait-il. Il avait bon espoir que la loge serait pleine de monde et qu'ainsi sa présence passerait inaperçue. Mais, dans le petit salon attenant à la loge, il n'y avait que don Humbert et Madame, Margarita et un domestique vêtu à la Federica ; ce dernier tenait à deux mains un plateau de gâteaux et de *petits fours* *. Nicolau ne savait pas que les nombreuses personnes à qui don Humbert avait envoyé une invitation s'étaient fait excuser. Ils étaient seuls. Gauchement, il entreprit de prononcer les phrases protocolaires qu'exigeait la situation.

— Quand on vient de Paris, tout cela doit nécessairement sembler très provincial, lui dit la femme de don Humbert, prenant le plateau des mains du valet de chambre et lui offrant elle-même une petite bouchée.

— Non, madame, nullement ; c'est tout le contraire, croyez-moi, répondit-il pour remercier son amphitryone de son geste de courtoisie.

Le valet de chambre leur servit du champagne et ils burent à un heureux séjour du jeune Nicolau à Barcelone.

— Un séjour que nous espérons aussi heureux que prolongé, dit la femme de don Humbert en clignant effrontément de l'œil.

Lui, c'est un rufian rangé des voitures, pensa-t-il, elle, une harengère qui se donne des airs et la fille, une apprentie *cocotte* * que ses parents essaient de placer au prix le plus avantageux. Le gong qui annonçait la reprise immédiate du spectacle retentit alors ; il saisit ce prétexte pour commencer à prendre congé. Don Humbert le prit par le bras.

— Rien à faire, lui dit-il, restez dans notre loge. Vous voyez que nous avons de la place et vous serez mille fois plus à l'aise ici que dans une baignoire. Allons, allons, inutile de faire des objections : c'est une chose décidée.

Il ne put faire autrement que d'accepter, et prit une chaise située derrière celle de Margarita. Quand lustres et candélabres s'éteignirent et que le rideau se leva, il put voir, profilée contre la lumière que diffusaient les feux de la rampe, la courbe de ses épaules, que la robe du soir dénudait. Elle portait les cheveux tirés en un gros chignon, ceint par un diadème de perles, petites mais régulières et égales entre elles ; cette coiffure laissait découvertes la nuque et une petite partie du dos. Il planta son regard sur les épaules et se laissa emporter par la musique. Le champagne l'avait plongé dans une agréable léthargie. Plus tard, il sortit sur le balcon de l'hôtel la table et le fauteuil d'osier qu'il utilisait pour son petit déjeuner, prit l'écritoire, alluma le quinquet, aspira l'air tiède de cette nuit de début d'automne sur les Ramblas. Les derniers fiacres troublaient de temps en temps le silence. *Cette nuit,* écrivit-il, *cependant que nous écoutions l'*Otello *de Verdi dans la loge de vos distingués parents, j'ai eu la tentation de m'incliner pour baiser vos épaules. Cela eût été, je le sais, un impair inadmissible, et c'est pourquoi je ne l'ai pas fait. Cela eût été aussi l'unique façon de vous amener peut-être à m'aimer un jour, mais pour cela il eût fallu que j'eusse été différent de ce que je suis, que j'eusse été capable de suivre mon impulsion au lieu d'avoir peur sur le moment et de commettre maintenant la lâcheté de confesser ma faute par écrit. Mais, à présent, cela ne me gêne plus de vous avouer toute la vérité : à ce projet d'union conjugale qui s'est tramé, j'en suis convaincu, sans votre consentement, je n'ai donné le mien qu'avec la plus extrême réticence ; ce faisant, je ne pouvais soupçonner que cette nuit, pendant que nous écoutions l'*Otello *de Verdi, j'allais tomber amoureux de vous comme cela a été le cas, sans que dans l'affaire intervienne en rien ma volonté.* Il s'arrêta, porta le manche du porte-plume à ses lèvres, médita quelques instants et continua à écrire : *A partir de maintenant, cela complique beaucoup les choses.* Il laissa la plume, se leva, prit le quinquet, entra dans la chambre, la traversa en diagonale et leva le quinquet aussi haut que le lui permit son bras : la glace du miroir refléta son image ; il portait encore son frac. Pour la première fois dans sa vie, il envia ceux qui étaient exempts de défauts physiques visibles. Pour lui-même, il ne ressentait pas de la peine mais de l'irritation.

— Regarde-toi, quelle dégaine tu as, dit-il à mi-voix, s'adressant à la silhouette qu'il voyait dans le miroir. On dirait que tu viens de pisser dans ton pantalon...

Il retourna sur le balcon et reprit la plume : *Aujourd'hui, je sais,* continua-t-il, *que je ne reviendrai jamais à Paris.* Lorsqu'il eut fini de transcrire en désordre les idées et sensations qui se bousculaient dans sa tête, la lettre comptait de nombreuses pages. L'aube pointait et il dut passer le peignoir de la salle de bains pour se protéger de la fraîcheur et de la rosée. Il y avait déjà des passants sur les Ramblas quand, à huit heures moins le quart, il termina sa lettre, la plia sans la relire et la mit dans une enveloppe. Une femme de chambre entra avec le petit déjeuner.

— Monsieur désire le prendre sur le balcon, comme d'habitude ? lui demanda-t-elle.

— Ne vous en faites pas, dit-il, vous pouvez le laisser ici même. Je m'occuperai de tout. Vous, s'il vous plaît, faites parvenir cette lettre à l'adresse indiquée sur l'enveloppe, et assurez-vous qu'elle est remise en main propre.

— Il y a aussi une lettre pour Monsieur, dit la femme de chambre en montrant un plateau.

Il la prit en pensant qu'elle serait de sa mère. Un coup d'œil lui suffit pour savoir que c'était Margarita qui la lui envoyait.

— Vous pouvez vous retirer, dit-il à la femme de chambre.

— Et la lettre, Monsieur ?

— Je la déposerai moi-même plus tard au *comptoir* *, dit-il.

C'était aussi une longue lettre. Elle non plus n'a pas pu dormir cette nuit, pensa-t-il. Elle commençait par s'excuser d'avoir eu l'audace de lui écrire ; elle avouait avoir nourri, à l'égard de sa personne, de la droiture de ses intentions, quelque suspicion, mais cette nuit, dans la loge du Liceo, il lui avait paru *une personne éduquée, sensible et bonne ;* c'est pourquoi elle osait aujourd'hui le supplier de l'aider, disait-elle. *Cela fait des années que j'aime un homme qui m'aime aussi,* disait la lettre. *Il est d'humble origine,* ajoutait-elle, *mais je lui ai donné en secret mon cœur et autre chose que je ne puis vous dire.* La situation à laquelle sa mère, *mue sans doute par les meilleures intentions,* les avait menés les uns et les autres était équivoque et ne pouvait manquer d'être très gênante pour elle. *Si vous ne m'aidez pas dans ce mauvais pas, ma vie entière sera terminée, parce que je ne peux seule lutter contre le destin. Cela est au-delà de mes forces,* concluait-elle, *cher ami, le ferez-vous pour moi ?* Il déchira la lettre qu'il avait mis toute la nuit à écrire et en écrivit une autre plus courte. Il l'y remerciait de la sincérité qu'elle avait montrée et lui demandait de le considérer toujours à partir d'alors *comme un ami loyal et désintéressé. Je vous interdis d'employer avec moi un ton de supplique qui ne me paraît dû d'aucune façon,* ajoutait-il. *C'est moi qui vous prie d'abandonner votre attitude résignée et fataliste. Nous avons tous le devoir sacré d'être heureux, quoique parfois nous devions pour cela faire violence aux circonstances,* concluait-il. Il relut cette lettre et la trouva prétentieuse et insincère. D'autres moutures ne donnèrent pas de meilleurs résultats. Il se rafraîchit, mit une tenue de ville et descendit dans le hall de l'hôtel.

— Occupez-vous, dit-il à l'employé de la réception, de faire parvenir à cette adresse une boîte de chocolats avec ma carte.

Il griffonna quelques formules de courtoisie, par lesquelles il remerciait la famille Figa i Morera des attentions qu'elle avait eues pour lui la nuit précédente dans la loge du Liceo. Puis il demanda une voiture et se fit conduire au cimetière de San Gervasio. C'était loin de la ville et l'air était humide et lourd quand il y arriva, au milieu de la matinée. Il dut demander quelle était entre toutes ces tombes celle de son père ; quand il était mort, ils n'avaient pas assisté à l'enterrement pour des raisons de sécurité ; en réalité, ils n'avaient pas quitté Paris, où ils se trouvaient déjà depuis plusieurs jours. Maintenant, il réfléchissait : Je ne sais même pas qui s'est chargé de l'enterrement. Il imagina les assassins eux-mêmes organisant les funérailles. Il donna un pourboire au fossoyeur qui l'accompagnait, et qui ne se gênait pas trop pour lancer des coups de dent dans un sandwich graisseux. Il n'avait pas pris son petit déjeuner et il sentit la morsure de la faim ; l'idée lui vint de proposer de l'argent au fossoyeur en échange du rustique casse-croûte qu'il dévorait avec délectation ; puis il eut honte d'avoir eu cette idée pittoresque dans un lieu pareil, devant la tombe de son père qu'il venait visiter pour la première fois. « Pardonnez-moi, papa, mais je ne puis rien faire pour l'éviter », marmonna-t-il devant le mausolée, sur la porte duquel on lisait en lettres de bronze : FAMILLE CANALS. « Je suis désespérément amoureux », ajouta-t-il avec un nœud dans la gorge. Le fossoyeur était toujours à son côté.

— Il tient combien de personnes là-dedans ? demanda-t-il en désignant le mausolée.

— Autant qu'on veut, répondit l'autre.

Sans aucune raison, cette réponse le tranquillisa. Il pensa que les présages qu'il avait perçus quelques jours auparavant à la gare de Port-Bou allaient s'accomplir bientôt, ces mêmes présages qu'il avait alors écartés par le raisonnement.

— Veillez à ce que les fleurs ne manquent pas, dit-il. Je viendrai de temps en temps.

Il monta dans la voiture de place qui l'attendait sur un terre-plein. Il n'avait pas plu depuis deux semaines et les chaussures s'enfonçaient dans une poussière blanchie par le soleil. De retour à l'hôtel, on lui donna une autre lettre. Celle-là était bien de sa mère : c'était cette lettre par laquelle elle l'informait de l'existence de Casimir et de sa maladie, et l'implorait de revenir à Paris. *Les circonstances font que je dois pour l'instant remettre mon retour* sine die, répondit-il le jour même. Dans cette lettre, il formulait ses meilleurs vœux pour le prompt et total rétablissement de Casimir, qu'il n'avait pas eu le plaisir de connaître. *J'espère pouvoir combler bientôt ce manque et je pense, comme vous, qu'on doit lui prodiguer tous les soins que requiert son mal sans regarder aux dépenses,* ajoutait-il. *Disposez, maman, de tous mes biens, qui sont aussi les vôtres,* concluait-il, *mais ne me demandez pas pour le moment de revenir à Paris : je vais bientôt avoir vingt ans, et il est temps de commencer à mener une vie indépendante.* Cette même après-midi, il reçut à l'hôtel la visite de don Humbert Figa i Morera.

— Je viens vous voir, cher ami, comme avocat et comme père ; les deux à la fois, lui dit-il sans détour. Si vos intentions s'agissant de ma fille sont sérieuses, et je ne doute pas qu'elles le soient, il y a beaucoup de points dont nous devons traiter, s'agissant de votre situation et de votre fortune, je veux dire.

Nicolau Canals i Rataplán regarda son interlocuteur d'un air absent. En lui-même il pensait : Ces canailles se sont sans doute aperçues de l'effet que leur fille a produit sur moi et ils veulent faire monter le prix de la marchandise. C'est bien volontiers qu'il eût manifesté son mépris, mais il savait que cela voulait dire la perdre pour toujours. Il n'y a que la complicité de ces parents vils et cupides qui puisse me faire entrevoir une lueur d'espoir, pensa-t-il. Pourtant, ce n'était pas non plus ce qu'il voulait. La même faiblesse de caractère qui l'empêchait de renoncer à cet amour impossible et de partir sans délai pour Paris l'empêchait de la faire sienne par cette méthode qu'il jugeait blâmable. Si je l'aimais comme elle le mérite, je n'hésiterais pas à vendre mon âme au diable, pensa-t-il. L'alternative l'étourdissait, il choisit de répondre évasivement à tout, de gagner du temps. Il ne lui fut pas difficile de feindre une ingénuité qui jusqu'au jour précédent avait été authentique.

— Je croyais que ma mère et votre épouse étaient parvenues à un accord sur ce terrain, dit-il.

De toute façon, il ne pouvait aborder la question avant d'avoir eu une série d'entretiens avec ses banquiers à Barcelone, ajouta-t-il. Don Humbert se hâta de faire marche arrière : en vérité, il était venu le saluer à l'hôtel, profitant du fait qu'il passait par les environs, dit-il. Il voulait le remercier personnellement pour les chocolats qu'il avait eu la gentillesse d'envoyer et s'assurer de ce qu'il n'avait besoin de rien. Pendant qu'ils parlaient, Onofre Bouvila, qui était informé sur chaque pas de son rival, s'apprêtait à mettre son plan en pratique. Deux jours auparavant, il avait reçu un message chiffré de Garnett, l'agent américain de l'ex-gouverneur de Luçon. Il lui disait en code : *Tout est prêt, attends instructions.* Onofre Bouvila agita une clochette, un secrétaire accourut.

— Monsieur appelait ? demanda le secrétaire.

— Oui, dit-il. Je veux qu'on cherche Odón Mostaza et qu'on le fasse venir.

Le matin suivant, un bruit réveilla Nicolau Canals; sans que personne le lui dise, il sut que ce qu'il entendait était une fusillade. Ensuite résonnèrent des pas précipités et des voix : l'échange de coups de feu n'avait duré que quelques secondes. Il sauta du lit, se jeta le peignoir sur les épaules et sortit imprudemment sur le balcon de l'hôtel. Depuis le balcon voisin, un homme lui raconta ce qui était arrivé.

— Les anarchistes ont descendu un policier, lui dit-il. En ce moment même, on emmène le corps sur une brouette.

Il descendit les escaliers à toute vitesse et sortit dans la rue, mais il ne réussit à voir que le cercle de curieux qui s'était formé autour d'une flaque de sang. Tout le monde parlait à la fois, mais il ne put rien retirer de clair de ces récits confus et fragmentaires. Cet incident l'impressionna beaucoup; à partir de ce moment, il se sentit pour la première fois intégré dans la vie de la cité. L'après-midi même, il se rendit calle Ancha chez un tailleur du nom de Tenebrós et se commanda plusieurs costumes ; à la chemiserie Roberto Mas de la calle Llibreteria, il fit l'acquisition de plusieurs douzaines de chemises et autres vêtements. De retour à l'hôtel, il trouva une invitation : M. et Mme Figa i Morera le priaient de bien vouloir assister au dîner qu'ils donneraient le samedi suivant à leur domicile, qui se trouvait désormais calle Caspe. Je ne dois pas y aller, pensa-t-il une fois de plus. C'est la dernière occasion que j'aie de définir clairement mon attitude dans cette affaire incontestablement louche. Mais il se souvenait de ses épaules et il croyait mourir de tristesse. Il répondit aussitôt en disant qu'il ne manquerait pas de venir. Comme cadeau, il envoya un chardonneret dans une cage de métal doré ; on lui assura qu'il était d'une espèce très rare et recherchée ; il venait du Japon et chantait des airs exotiques, pleins de nostalgie.

6

Pendant ce temps-là, l'ignoble Osorio, ex-gouverneur de Luçon, honte de la classe militaire, reçut un paquet par le courrier. Ce paquet contenait une tortue morte ; la carapace avait été peinte en carmin. Le domestique philippin de l'ex-gouverneur pâlit en voyant la tortue. Devant lui, Osorio feignit l'indifférence, mais, l'après-midi même, il parla à l'inspecteur Marqués, un des policiers qui fréquentaient son cercle taurin.

— Chez les tribus malaises, cela veut dire vengeance.

— Il est possible que quelqu'un conserve un mauvais souvenir de votre mandat, lui dit le policier.

— Sornettes, mon ami, répliqua l'ex-gouverneur. Mon bilan est irréprochable. Il est certain que dans l'exercice de mes obligations j'ai dû m'attirer telle ou telle inimitié, mais je puis vous assurer qu'aucune des personnes que j'ai indisposées dans l'accomplissement de mon devoir n'a suffisamment d'argent pour se payer le voyage jusqu'à Barcelone.

— N'importe comment, dit l'inspecteur Marqués, ce qui est certain c'est que nous ne pouvons pas ouvrir un dossier sur le simple fait que vous avez reçu une ordure par le courrier.

Au bout de quelques jours, l'ex-gouverneur reçut un second paquet. Il y avait dedans une poule morte, déplumée et avec un ruban noir au cou.

— Le signe du *piñong,* s'exclama le domestique de l'ex-gouverneur. C'est comme si nous étions déjà morts, mon général ; toute résistance est inutile.

— J'ai parlé avec mes supérieurs de cette fameuse affaire de la tortue, dit l'inspecteur Marqués, et, comme je vous l'avais dit, ils se sont montrés réticents à l'idée d'intervenir. Ils vous suggèrent de prendre les choses du bon côté. Il est sûr que maintenant, si on ajoute à l'histoire de la tortue celle du poulet... je ne sais pas.

— Mon ami, coupa l'ex-gouverneur, la fois précédente je n'ai pas voulu donner une importance excessive à ce que j'ai estimé être une plaisanterie de mauvais goût, mais avec ce coup de la poule, croyez-moi, la chose devient un peu fort de café. Je vous prie de requérir de vos supérieurs l'intérêt et l'attention que mérite ma personne, sinon l'affaire.

Quand l'inspecteur vint lui transmettre la réponse de ses supérieurs, il trouva l'ex-gouverneur tremblant et hors de lui.

— On croirait que les âmes du Purgatoire sont venues vous rendre visite, lui dit-il.

— Trêve de plaisanteries, la chose commence à revêtir un caractère d'extrême gravité, lui dit l'ex-gouverneur.

Le matin même, il avait reçu le troisième et dernier paquet : il contenait un cochon mort vêtu d'une sorte de tunique de satin couleur aubergine. Le paquet pesait si lourd qu'on avait dû le porter en voiture à bras jusqu'à la porte de la maison de la calle Escudellers où l'ex-gouverneur vivait avec son domestique. Pour cette livraison exceptionnelle, il avait dû payer une surtaxe; il avait protesté à ce sujet : « L'affranchissement couvre le transport jusqu'au domicile du destinataire », avait-il argumenté. « Oui, mais pas l'emploi de la voiture à bras », avait-on répliqué. Quand il vit le cochon, il n'eut plus envie de continuer à discuter : il paya ce qu'on lui demandait et barricada portes et fenêtres. Il sortit d'un coffre un pistolet d'ordonnance, le chargea et se le passa dans le ceinturon, à la façon coloniale. Puis il gifla le domestique qui avait compissé son uniforme. « Un peu de courage », lui avait-il dit. « C'est comme si Son Excellence était déjà mangée », avait répondu le domestique. Quoiqu'il s'efforçât de le cacher, lui aussi était effrayé. Il savait d'expérience que les Malais étaient des gens bons, gais et d'une rare générosité, mais il savait qu'ils pouvaient aussi être violents et cruels. Du temps où il était gouverneur, il lui était arrivé de présider certaines cérémonies que le gouvernement de la métropole, pour ne pas s'aliéner la bonne volonté des cheffaillons tribaux, avait décidé d'autoriser; là, il avait vu des actes atroces de cannibalisme; il se souvenait des guerriers peinturlurés lâchant de sauvages éructations au terme de ces agapes abjectes. A présent, il les imaginait dissimulés derrière les platanes des Ramblas, dans les porches des maisons élégantes de la calle Escudellers, le terrible kriss entre les dents. C'est ce qu'il fit savoir à l'inspecteur Marqués, qui promit de transmettre textuellement les propos de l'ex-gouverneur à ses supérieurs. Il n'osait pas lui dire que ses supérieurs ne lui accordaient pas la moindre attention; il avait fait croire à tous les membres du cercle taurin que son influence dans l'institution était plus importante qu'elle n'était en réalité.

Nicolau Canals ne mangeait ni ne dormait et ressentait à tout moment une douleur indéterminée contre laquelle médecines ou distractions ne pouvaient rien. Le samedi, il parvint devant la maison de don Humbert Figa i Morera dans un extrême état de faiblesse. Un domestique en livrée engagé pour l'occasion ouvrit la portière de la voiture et l'aida à descendre ; sa canne se prit dans ses jambes, il trébucha en posant le pied sur le marchepied et le domestique dut l'attraper au vol pour le porter sur le trottoir et ramasser le haut-de-forme par terre. Il le laissa avec sa canne et ses gants à une femme de chambre dans l'entrée. Cette femme de chambre était celle qu'Efrén Castells avait séduite ; elle sentait déjà les premiers symptômes de la grossesse. Tout ça m'arrive par la faute d'un pareil gringalet, pensa-t-elle en prenant les vêtements que lui tendait Nicolau Canals i Rataplán. Tous me regardent comme si j'étais un animal étrange, pensa-t-il en remarquant le regard chargé d'intention de la femme de chambre, comme si j'étais un phénomène de foire. Il était le premier à arriver : sa ponctualité européenne n'avait pas encore été contaminée par la désinvolture espagnole. La maîtresse de maison n'était même pas prête : dans sa chambre à coucher, elle donnait ordres et contrordres aux femmes de chambre, à la couturière et au coiffeur, elle les couvrait tous d'insultes pour un oui pour un non. Don Humbert lui fit les honneurs de la maison dans un salon qui s'avérait trop grand pour les deux. Il excusa son épouse avec naturel :

— Vous savez comment sont les femmes pour ces choses-là.

Il ne put réfréner son anxiété et demanda si Margarita aussi arriverait en retard.

— Oh, dit don Humbert, elle était un peu indisposée cette après-midi, elle ne sait pas si elle pourra assister au dîner, elle m'a demandé de l'excuser auprès de vous.

Bien que sachant qu'il commettait la plus impardonnable des incorrections, il se couvrit le visage avec les mains et éclata en sanglots. Don Humbert, voyant l'indisposition de son hôte et ne sachant que faire, fit mine de ne s'apercevoir de rien.

— Venez avec moi, dit-il, nous avons du temps et je veux vous montrer quelque chose qui sans doute vous intéressera.

Il le conduisit à son cabinet et lui montra un téléphone mécanique qu'on venait de lui installer. Ce téléphone était très rudimentaire et ne permettait de parler qu'avec la chambre située de l'autre côté du patio ; il consistait en un simple fil métallique pourvu d'un cornet à chaque extrémité. Un carreau de verre avait été remplacé sur chaque fenêtre par une plaque de sapin très mince, par le centre de laquelle passait le fil. La plaque transmettait le son à sa vis-à-vis. Quand un plus long trajet faisait faire un angle au fil métallique, il fallait éviter qu'il n'entre en contact avec des objets solides, qui eussent empêché la transmission du son ; dans ce cas, on le suspendait à un autre fil. Quand ils revinrent au salon, la maîtresse de maison avait enfin paru ; elle portait une robe longue, une foule de bijoux et un parfum de giroflée très pénétrant. Elle gardait encore la beauté agressive, épanouie à présent, grâce à laquelle elle s'était ouvert un chemin dans la vie. Pour lors, elle était tout miel à la vue de Nicolau Canals i Rataplán : tantôt, voulant l'envelopper dans les rets de la séduction, elle faisait la coquette et prenait des airs de sainte nitouche, tantôt elle l'appelait « mon fils » et lui prodiguait une tendresse théâtrale et écœurante. Tant d'humiliation, pensait-il, et je ne la verrai même pas ce soir. Et il luttait pour empêcher les larmes de jaillir à nouveau de ses yeux. L'arrivée d'autres invités le tira de cette situation embarrassante. Cette fois, don Humbert Figa i Morera s'était assuré de la présence chez lui de quelques personnes. « Il est jeune et il a toujours vécu à l'étranger, avait-il dit à sa femme : il ne fera pas la différence. » Ces invités étaient un conseiller municipal corrompu qui lui devait sa charge, la seule que ses dons modestes lui permissent d'exercer impunément, et sa femme ; un prétendu marquis ruiné dont, dans un moment d'inspiration, des années auparavant, don Humbert avait racheté les dettes de jeu, et dont il se servait depuis lors pour donner de l'éclat à ses réunions, et son épouse, doña Eulalia « Tití » de Rosales ; un certain mestre Valltorta, ecclésiastique soûlographe aux sourcils très fournis, et un professeur en médecine que don Humbert rétribuait pour établir de faux diagnostics et de faux certificats, accompagné de son épouse : c'est à ce triste cercle que le condamnait la bonne société barcelonaise. Nicolau Canals répondit par des monosyllabes aux phrases qu'on lui adressait : ce qu'il eût pu dire n'intéressait personne et personne ne prit son laconisme pour de la discourtoisie. Bientôt, la conversation se généralisa et on le laissa en paix. Seule la maîtresse de maison le pressait de temps en temps de manger plus. Il laissa dans l'assiette les viandes délicieuses qu'on lui servit. Le dîner terminé, ils passèrent de nouveau tous au salon. Il s'y trouvait un piano à queue. Comme la maîtresse de maison, qui connaissait sa passion de la musique, l'en priait beaucoup, il finit par jouer quelques pièces. Il savait que personne ne lui prêtait plus attention. Il égrenait sans goût des *Études* de Chopin qu'il connaissait de mémoire.

Quand il arrêta de jouer, l'assistance lui adressa une chaleureuse ovation ; il se tourna pour remercier de ces applaudissements dont il savait l'insincérité, et le sang se gela dans ses veines en voyant qu'elle était là. Elle portait une simple robe de chambre d'organdi serrée par une large ceinture écarlate. Pour toute parure, une broche d'argent travaillé qui fermait le décolleté serrait une fleur. La chevelure cuivrée avait été nouée en une tresse. Elle s'approcha du piano et murmura quelques phrases d'excuses pour n'avoir pu assister au dîner ; elle avait souffert d'un léger vertige au milieu de l'après-midi, elle s'était sentie sans force jusqu'à ce moment. Lui croyait aveuglément à tout.

— Je vous ai entendu jouer, lui dit-elle. Je ne savais pas que vous étiez un artiste.

— Un pauvre amateur, dit-il en rougissant. Y a-t-il une pièce en particulier que vous désiriez m'entendre interpréter ?

Elle se pencha sur le piano, feignant de feuilleter les partitions. Il sentit contre son dos la chaleur de son corps, son bras nu glissa près de sa joue, sa bouche, du désir de l'embrasser, devint instantanément sèche.

— Vous n'avez pas reçu ma lettre ? l'entendit-il murmurer à son oreille. Dites-moi, pour l'amour de Dieu, ne vous a-t-on pas donné à l'hôtel la lettre que je vous ai envoyée ?

Du coin de l'œil, il vit le regard suppliant de la jeune fille et feignit de concentrer son attention sur le clavier.

— Si, dit-il enfin.

— Alors, dit-elle, que me répondez-vous ? Puis-je compter sur votre générosité ?

Il fit un effort surhumain pour parler :

— Je ne suis pas maître de mes actes, dit-il, je ne dors pas, je ne mange pas, je me sens mal à toute heure ; quand je ne vous vois pas, j'éprouve une douleur au fond de la poitrine, l'air me manque, j'étouffe et je crois que je vais mourir.

— Alors ? insista-t-elle, quelle est votre réponse ?

Juste ciel, pensa-t-il, elle n'a pas écouté un seul mot de ce que je viens de dire.

Trois coups de revolver tirés depuis une voiture fermée atteignirent le général en retraite Osorio y Clemente, ex-gouverneur de Luçon, alors qu'il sortait d'entendre la messe dans l'église de San Justo y Pastor. Il venait de descendre la dernière marche de l'escalier du temple et il tomba mort sur le dallage de la place. Par la fenêtre de la voiture, quelqu'un lança un bouquet de fleurs blanches qui tomba à quelques mètres du cadavre. Ensuite, des témoins oculaires relatèrent le plus pittoresque de l'affaire : que le domestique philippin du défunt, à peine eut-il entendu la première détonation, se mit à courir jusqu'au bout de la place ; là, il fit quelque chose de surprenant : il s'accroupit, sortit de sa poche un bâton courbe, d'environ trente centimètres de long, et l'introduisit dans un trou ; il put ainsi soulever la plaque métallique qui donnait accès au réseau des égouts, dans lequel il disparut définitivement. La police soutint ensuite que cette conduite prouvait sa participation au crime, sa complicité et sa préméditation ; d'autres personnes dirent qu'après que son maître eut reçu le corps de la tortue, il avait commencé à préparer sa fuite ; il avait localisé et mémorisé l'emplacement de toutes les plaques métalliques dans la partie de la ville où ils avaient l'habitude de déambuler ; il portait toujours sur lui le bâton courbe, qu'il s'était procuré lui-même.

Peu de jours avant que se produise cet événement, le señor Braulio s'était senti subitement inquiet sans qu'il pût préciser le pourquoi de son inquiétude. J'ai un pressentiment fatal, se dit-il en regardant dans le miroir. Ces dernières années, il avait grossi ; à présent, il avait l'air d'une matrone quand il se déguisait en femme ; qui plus est, il s'était laissé pousser une courte moustache de style teuton qui, travesti, lui donnait un aspect plus comique que sensuel. Même ceux qui autrefois se plaisaient à ses facéties lui faisaient à présent des remarques désobligeantes. D'autres voyaient dans sa conduite des symptômes de vieillissement, de ce qu'on appelait alors le ramollissement cérébral. Certains attribuaient ce ramollissement aux coups reçus pendant les nuits de bringue. Tous pensaient au cas du boxeur danois Anders Sen, dont les journaux avaient abondamment parlé à la suite de sa récente visite à Barcelone. Pendant des années, ce boxeur avait défié les champions de France, d'Allemagne et du Royaume-Uni ; il avait toujours perdu, les autres lui avaient mis la tête au carré. A présent, on le promenait de ville en ville ; à Barcelone, on l'exhiba dans un baraquement de chaume et de toile édifié puerta de la Paz, comme un cas digne d'intérêt scientifique ; c'est ce que disait la publicité ; en réalité, sous le prétexte de ce supposé intérêt scientifique, des sans-scrupules exploitaient son malheur ; il était retombé en enfance : il agitait un hochet avec ses battoirs et buvait du lait dans un biberon. Moyennant un réal, on pouvait entrer le voir et lui poser des questions ; pour une peseta, on pouvait simuler un combat de boxe avec lui. C'était encore un costaud, avec un tour thoracique considérable et des biceps colossaux, mais ses mouvements étaient très lents, ses jambes soutenaient à peine le poids du corps et il était pratiquement aveugle en dépit du fait qu'il n'eût que vingt-quatre ans. Bien sûr, tel n'était pas le cas du señor Braulio, qui jouissait d'une excellente santé ; seule son apparence extérieure s'était tassée avec l'âge et la retraite forcée que lui avait imposée Onofre Bouvila ; en même temps s'étaient accentués ses manies et sa pusillanimité, de même que ses brusques changements d'humeur. Pour lors, c'était Odón Mostaza qui le préoccupait. Sans travail et plein d'argent, le malfrat s'adonnait désormais à une vie chaque jour plus dissolue. Quand il le tançait, il lui répondait grossièrement : « Tu es une enflure, lui disait-il, tu as passé ta vie à mettre ton cul aux enchères à la Carbonera, et à présent tu viens me balancer des sermons. — C'est comme ça que j'ai perdu ma femme et ma fille, répliquait l'ex-hôtelier. Deux pauvres innocentes ont dû payer pour mes folies. » Mais Odón Mostaza continuait à ne pas l'écouter. Un jour, il apprit qu'Onofre Bouvila voulait le voir ; il courut à son bureau sans perdre un instant. Les deux compères, émus, se serrèrent dans leurs bras, se donnèrent de sonores claques dans le dos.

— Ça fait des siècles que nous ne nous voyons plus, dit Odón Mostaza. Depuis que tu es devenu un bourgeois, il n'y a plus moyen. Ah, quelle époque, alors ! s'exclama le malfrat. Tu te souviens de quand nous avons affronté Joan Sicart ?

Onofre le laissa parler, il l'écoutait en souriant. Quand l'autre se tut il lui dit :

— Il faut redescendre dans l'arène, Odón ; nous ne pouvons pas nous endormir sur nos lauriers ; j'ai besoin de toi.

A présent, ce fut au visage du malfrat de s'éclairer d'un sourire de loup.

— Grâces soient rendues à Dieu, dit-il. Mes outils commençaient à s'oxyder, de quoi s'agit-il ?

Onofre Bouvila baissa la voix pour que personne ne pût entendre ce qu'ils tramaient. Les gardes du corps de l'un et de l'autre montaient la garde à côté.

— Une affaire simple, j'ai pensé à tout, ça va te plaire, lui dit-il.

Le jour dit, Odón Mostaza sortit de très bonne heure, prit une voiture de place et se fit conduire aux environs de la ville. Lorsqu'ils parvinrent en un lieu déterminé, il braqua le cocher avec son revolver et lui ordonna de descendre. Un de ses hommes sortit de derrière un arbuste et avec une corde ligota le cocher des pieds à la tête ; puis il lui remplit la bouche d'étoupe et le bâillonna. Ils lui bandèrent les yeux avec un chiffon et lui donnèrent un coup sur la nuque qui lui fit perdre connaissance. Le malfaiteur qui était sorti de derrière l'arbuste passa la capote du cocher et grimpa sur son banc. Odón Mostaza remonta dans la voiture et tira les rideaux ; il ôta la barbe postiche et les lunettes fumées qu'il s'était mises pour qu'ensuite le cocher, dans le pire des cas, ne puisse pas l'identifier. Il avait un alibi en béton. Sur les

Ramblas, il acheta un bouquet de lys comme Onofre Bouvila lui avait dit de le faire. Les fleurs exhalaient dans la voiture un arôme si intense qu'il crut en avoir la nausée. Je vais gerber, pensa-t-il. Cependant, il vérifiait le bon fonctionnement du revolver. Les cloches de l'église carillonnaient lorsque la voiture entra sur la place. Peu de fidèles sortaient de la messe, parce que c'était un jour ouvrable. Il écarta un peu les rideaux et passa le canon du revolver par l'ouverture. Quand il vit paraître l'ex-gouverneur accompagné de son domestique philippin, il visa avec calme. Il attendit qu'il achève de descendre les escaliers et tira trois fois. Seul le Philippin réagit aussitôt. La voiture se remit en marche. Alors, il se souvint des fleurs et frappa le toit pour que le cocher s'arrête, il prit le bouquet de lys sur le siège et le lança avec force par la fenêtre. A présent, on entendait des cris et des courses : tous cherchaient à se mettre à l'abri.

Au bout de quelques jours, la police judiciaire l'arrêta alors qu'il sortait d'un bordel dans lequel il avait passé la nuit. Comme il se savait à l'abri de tout soupçon, il n'opposa pas de résistance ; il traitait les agents avec tant de civilité qu'ils comprirent aussitôt la moquerie.

— Moque-toi tant que tu veux, Mostaza, lui dit le brigadier, cette fois, tu vas régler toute l'addition.

Lui faisait la bouche en cœur et lui envoyait des baisers, comme s'il se fût agi d'un tapin et non d'un brigadier. Cela exaspérait le brigadier. Les agents, qui connaissaient sa réputation, ne le lâchaient pas des yeux ; ils le braquaient avec leurs mousquetons et se tenaient prêts à lui tomber dessus à coups de matraque. Certains d'entre eux étaient très jeunes ; avant d'entrer dans la police, ils avaient déjà entendu parler d'Odón Mostaza, le terrible malfrat : à présent, ils le menaient, prisonnier et menotté, en présence du juge. Quand celui-ci lui demanda où il avait été tel jour à telle ou telle heure, il répondit avec beaucoup d'aplomb : il dévidait la trame de mensonges qu'il avait tissée avec Onofre Bouvila, l'alibi qu'il gardait en réserve précisément en prévision de telles questions. Le juge répétait les questions plusieurs fois et le greffier transcrivait des réponses toujours identiques, que le juge lisait ensuite avec surprise.

— Tu prétends te moquer de moi aussi ? lui dit à la fin le juge.

— Que Votre Seigneurie garde ces procédés pour les demi-sel, les socialistes, les anarchistes et les pédés, dit l'homme de main. Je suis Odón Mostaza, un professionnel avec beaucoup d'années d'expérience ; et je ne parlerai plus.

Au bout d'un moment, voyant que l'interrogatoire recommençait comme s'il eût parlé à un sourd ou à un idiot, il ajouta :

— Votre Seigneurie prétend se faire un nom à mes dépens ? Sachez que d'autres ont essayé avant. Tous voulaient être le juge qui mettrait Odón Mostaza derrière les barreaux ; ils rêvaient de voir leur nom et leur portrait dans les journaux. Tous se sont ridiculisés.

Ce juge-là s'appelait Acisclo Salgado Fonseca Pintojo y Gamuza ; c'était un homme de trente-deux ou trente-trois ans, voûté, au cou épais, à la barbe drue et au teint pâle. Il parlait avec lenteur et levait les sourcils quand on lui disait quelque chose, comme si tout lui causait de l'étonnement.

— Dites où vous vous trouviez tel jour à telle heure, répéta-t-il.

Odón Mostaza perdit les pédales.

— Cessons cette comédie grotesque ! cria-t-il dans le palais de justice, sans se soucier du fait que d'autres détenus pussent l'entendre. Qu'est-ce que vous voulez de moi ? De l'argent, peut-être ? Eh bien, je n'ai pas l'intention de vous donner un réal, que Votre Seigneurie le sache dès à présent. Je connais la combine : si aujourd'hui je vous donne cent, demain vous me réclamerez mille. Vous ne pouvez rien faire. Vous n'avez ni preuves ni témoins, mon alibi est parfait. En plus, tout le monde sait que ce sont des Philippins qui ont tué l'ex-gouverneur Osorio.

Le juge leva les sourcils d'un air de perplexité.

— Quel ex-gouverneur ? demanda-t-il, quels Philippins ?

Odón Mostaza eut du mal à comprendre qu'on ne l'accusait pas de l'assassinat de l'ex-gouverneur Osorio, mais de la mort d'un jeune homme appelé Nicolau Canals i Rataplán dont il n'avait jamais entendu parler. Le matin de ce jour fatal, un homme enveloppé dans une cape et coiffé d'un chapeau mou à large bord qui cachait son visage était passé devant le comptoir du Grand Hôtel d'Aragon à une telle vitesse que le réceptionniste n'avait pu s'interposer. Quand il mit sur ses traces des employés de l'hôtel et deux gardes qui patrouillaient sur ce secteur des Ramblas, très fréquentées à cette heure-là, l'intrus avait déjà disparu dans les étages. On ne le trouva jamais. Certains dirent qu'il s'était laissé glisser le long de la façade de l'hôtel, qu'il transportait sous sa cape une corde terminée par un croc au moyen de laquelle il avait effectué sa descente ; d'autres, alléguant qu'aucun passant ne témoigna avoir vu pareille chose, affirmèrent qu'il avait acheté plusieurs employés de l'hôtel. De son passage fugace, il n'avait laissé d'autre trace que le cadavre de Nicolau Canals i Rataplán qu'il avait frappé de trois coups de couteau, tous mortels. Le lendemain, il fut enterré dans le mausolée familial à côté des restes de son père, également assassiné. Sa mère n'assista pas à l'inhumation. C'était le dernier rejeton de cette branche de la famille Canals. A présent, le juge lui montrait le chapeau mou et la cape. Pendant qu'il était au bordel, la police avait perquisitionné chez lui : ils avaient trouvé ces vêtements ainsi qu'un couteau à quatre crans d'arrêt sur la lame duquel, bien qu'elle eût été lavée, on pouvait encore distinguer des traces de sang. Déconcerté, il continua à nier l'évidence. Il répétait avec obstination l'histoire de la tortue, de la poule et du cochon. *L'accusé,* dit le juge dans son rapport d'instruction, *délire de toute évidence.* On l'obligea à se mettre la cape et le chapeau et à se présenter ainsi devant le réceptionniste de l'hôtel, dont le juge avait demandé la comparution. Les deux pièces d'habillement s'avérèrent être à sa taille et le réceptionniste affirma que cet individu était celui-là même qu'il avait vu passer comme un éclair devant le comptoir. En lui promettant de lui graisser la patte, il obtint qu'un employé du palais fasse parvenir un message au señor Braulio : *Je ne comprends rien à ce qui se passe, mais ça m'a l'air de sentir le roussi,* y disait-il. Le señor Braulio vint trouver Onofre Bouvila.

— Nous ferons en sorte que le meilleur pénaliste d'Espagne s'occupe de l'affaire, dit ce dernier.

— Ne vaudrait-il pas mieux résoudre cet imbroglio en douce ? demanda le señor Braulio. Avant que toute cette salade ne prenne un caractère officiel ?

L'avocat qui prit en charge la défense s'appelait Hermógenes Pallejá ou Palleja, il disait venir de Séville et venait de s'inscrire au barreau de Barcelone où il voulait ouvrir un cabinet, chose que finalement il ne fit pas. La majeure partie des témoins dont le défenseur sollicita la déposition ne répondirent pas aux convocations : c'étaient des femmes de mauvaise vie et elles avaient disparu quand la police judiciaire fut les chercher ; comme elles n'avaient pas de papiers et qu'elles n'étaient connues que par des surnoms, il leur suffisait de changer de domicile et de surnom pour effacer toute trace de leur passage. Les trois qui, elles, déposèrent à l'audience causèrent une impression déplorable. Elles dirent s'appeler la Cochonne, la Pétasse et Romualda la Tastebite ; elles ne se gênaient pas pour montrer leur mollet à la barre, elles faisaient de l'œil au public, elles employaient un langage effronté et pouffaient de rire pour n'importe quelle vétille. Elles disaient au ministère public : « Oui, mon amour », « Non, ma vie », etc. Le président d'audience dut les rappeler à l'ordre plusieurs fois. Toutes les trois affirmèrent avoir été avec l'accusé le matin du jour fatal, mais devant les questions du procureur et même de la défense, elles se dédirent et finirent par avouer qu'elles se trompaient de date, d'heure et de personne. Odón Mostaza, qui n'avait jamais vu pareils débris et sentait que leur intervention était néfaste, voulut parler avec son avocat mais celui-ci, prétextant d'autres tâches urgentes, n'alla pas le voir au cachot du palais de justice où on l'avait transféré de sa prison pour la durée du procès. Ce palais de justice, inauguré pendant la décennie précédente, était situé dans ce qui avait été l'enceinte de l'Exposition universelle, où Odón Mostaza avait lié connaissance de façon expéditive avec Onofre Bouvila, dans lequel il mettait maintenant ses espoirs de salut. Mais celui-ci ne donnait aucun signe d'inquiétude : quand le señor Braulio, qui ne vivait plus, et suivait quotidiennement les incidents du procès dans les rangs du public entassé dans la salle, venait le consulter, il lui donnait n'importe quelle excuse pour ne pas le recevoir, ou bien, s'il le recevait, il déviait la conversation vers d'autres thèmes. Dans ses conclusions provisoires, qu'il transforma en réquisitions définitives, le procureur avait demandé la peine maximale pour l'accusé. Finalement, le tribunal rendit sa sentence : il condamnait Odón Mostaza à mort.

— Patience, lui dit l'avocat, nous ferons appel.

C'est ce qu'il fit, mais en outrepassant les délais fixés par la loi ou en présentant si mal les pourvois que les hautes instances les rejetaient pour vice de forme. Isolé dans sa cellule, le malfrat se désespérait. Il cessa de manger et c'est à peine s'il dormait ; quand il parvenait à trouver le sommeil, des cauchemars l'assaillaient, il s'éveillait en poussant des cris. Les gardiens de la prison, où il avait été transféré de nouveau, le faisaient taire, ils se moquaient de ses peurs et parfois entraient dans sa cellule pour lui flanquer de cruelles raclées. Finalement, il se produisit en lui une transformation : il comprit qu'il devait, en payant pour ce crime qu'il n'avait pas commis, se racheter des nombreux qui étaient restés impunis. Il vit là la main du Dieu Tout-Puissant et, de mécréant et fanfaron qu'il était, il devint pieux et humble. Il demanda avec insistance à voir l'aumônier de la prison, à qui il confessa ses fautes innombrables. Le souvenir de sa vie passée, du bourbier de vices dans lequel il s'était ébattu pendant tant d'années, le faisait pleurer d'affliction. Quoiqu'il eût reçu l'absolution des mains du confesseur, il n'osait pas se présenter devant le Créateur. « Aie confiance en son infinie miséricorde », lui disait le confesseur. Dorénavant, il portait toujours une robe violette avec un cordon gris pendant au cou.

Le señor Braulio retourna voir Onofre Bouvila. Lorsqu'il fut en sa présence, il tomba à deux genoux sur le tapis et ouvrit les bras en croix.

— A quoi rime cette bouffonnerie ? lui demanda Onofre.

— Je ne pars pas d'ici avant que tu ne m'aies entendu, répondit-il.

Onofre Bouvila pressa une sonnette.

— Que personne ne nous dérange », dit-il au secrétaire qui passa la tête. Quand le secrétaire eut fermé la porte, il alluma un cigare, se cala sur sa chaise. « Dites-moi de quoi il s'agit, señor Braulio.

— Tu sais bien pourquoi je viens, dit-il. C'est une crapule, mais c'est aussi ton ami ; dans les moments difficiles, il a toujours été à ton côté. Tu n'as pas connu d'homme plus loyal. Ni moi, ajouta-t-il la voix brisée, d'homme plus beau.

— Je ne vois pas à quoi rime ce préambule, dit-il.

— Je comprends que tu aies voulu lui donner une bonne leçon. Je suis sûr qu'il aura enregistré une fois pour toutes. Je réponds de lui dans l'avenir, dit le señor Braulio.

— Et que voulez-vous que je fasse ? dit-il. J'ai mis au travail les meilleurs avocats d'Espagne, j'ai remué ciel et terre, je suis prêt à demander sa grâce à Sa Majesté...

— Onofre, ne me dis pas ça à moi, interrompit le señor Braulio. Ça fait bien des années que je te connais. Tu étais un morveux quand tu as débarqué sans le sou à ma pension. Je sais que tu as monté toute cette farce parce que tu es méchant, qu'il n'y a chose ni personne que tu ne sois disposé à sacrifier pour obtenir ce que tu veux, et parce qu'au fond tu as toujours envié Odón Mostaza. Mais, cette fois, tu es allé trop loin et tu vas devoir faire marche arrière, que tu le veuilles ou non. Regarde comme je suis : à genoux, je viens t'implorer de sauver la vie de ce malheureux ; comme une Mater dolorosa, j'ai le cœur traversé de sept poignards ; fais-le pour lui ou fais-le pour moi. » Voyant qu'Onofre ne répondait pas, il laissa tomber les bras avec découragement et se releva. « C'est bien, dit-il, tu l'auras voulu. Écoute : ces jours-ci, j'ai fait des recherches ; je sais que Garnett et toi, avec l'aide de don Humbert Figa i Morera, vous avez trafiqué les contrats de procuration signés par Osorio et qu'à présent tous ses biens aux Philippines sont pratiquement ta propriété. Je sais aussi que des gens à ta solde ont acheté dernièrement une tortue, une poule et un cochon et qu'ils ont expédié par la poste des paquets volumineux. Tous ces faits ne disculperont pas Odón du crime qu'on lui impute. Au contraire, une enquête sur la mort d'Osorio finirait par mettre en évidence sa culpabilité, mais on ne peut tuer personne deux fois et Odón, c'est comme s'il était déjà mort. Mais il pourrait en entraîner d'autres dans sa chute. Tu sais à quoi je fais allusion, conclut-il.

Onofre ne cessa pas de sourire ni de tirer de parcimonieuses bouffées de son cigare.

— Ne vous mettez pas dans cet état, señor Braulio, dit-il enfin. Je vous ai déjà dit que j'ai fait pour mon ami Odón Mostaza tout ce qui est humainement possible. Par malheur, mes démarches n'ont pas donné le résultat souhaité. En revanche, cherchant à obtenir la libération d'un prisonnier, par pur hasard j'ai obtenu celle d'un autre. Là, dans ce tiroir, j'ai la remise de peine, signée, de votre fille Delfina. Ne croyez pas que j'ai pu l'obtenir sans argent ni sans interventions, dans la mesure où les autorités, alléguant des considérations d'ordre public que je partage personnellement, refusaient de l'accorder. Aujourd'hui, heureusement, la chose est arrangée. Ne serait-il pas dommage que cet ordre de remise de peine ne sorte pas d'ici ?

Confronté à semblable alternative, le señor Braulio baissa la tête et sortit du bureau sans mot dire ; les larmes ruisselaient en abondance sur ses joues.

Deux congréganistes de l'archiconfrérie du Sang Très Pur de Notre-Seigneur Jésus-Christ placèrent le Christ de la confrérie, éclairé par six cierges, dans la chapelle des condamnés à mort. Conformément à leurs règles, ils portaient cape et capuche, ceinture de cuir noir et rosaire et l'écu de l'archiconfrérie cousu comme marque distinctive sur la poitrine. Cette archiconfrérie, à qui il revenait d'assister le condamné au long de ses dernières heures et de se charger ensuite du cadavre si aucun parent ne le réclamait, s'était installée à Barcelone en 1547 dans la chapelle du Saint-Sacrement, connue communément sous le nom de chapelle du Sang, de l'église de Nuestra Señora del Pino ; elle était précisément domiciliée tout récemment encore au numéro 1 de la plaza del Pino. Odón Mostaza priait le dos courbé, le front contre le sol froid et humide. Il se trouvait dans un lieu isolé de la prison, séparé déjà du monde extérieur ; seuls pouvaient lui rendre visite les autorités compétentes, le médecin de la prison, les prêtres et les membres de l'archiconfrérie et, par disposition expresse de la loi, un notaire *au cas où le condamné désirerait laisser un testament ou passer quelque acte oral.* Chaque minute paraît un siècle, pensa-t-il, mais les minutes et les siècles semblent courir à la même vitesse. Dans la prison, le silence régnait : les promenades avaient été suspendues ainsi que les autres opérations internes *qui eussent pu troubler le nécessaire recueillement.* Dans la cour s'étaient déjà rassemblées les personnes qui devaient assister à l'exécution, c'est-à-dire *le secrétaire judiciaire, les représentants des autorités gouvernantes et judiciaires, le directeur et les employés* *de la prison qu'il désignera, les prêtres et individus de l'association caritative qui assistera le condamné et trois habitants désignés pa*ɪ *l'*alcalde, *pourvu qu'ils s'y prêtent volontairement.* Les exécutions avaient cessé de se faire en public peu d'années auparavant, par ordonnance royale du 24 novembre 1894. Cette mesure avait suscité de vives critiques : *Ainsi,* lisons-nous, *la peine de mort a perdu en Espagne son exemplarité, sans bénéfice ni compensation aucune, étant donné que les récits de la presse non seulement excitent la curiosité, mais encore entourent le criminel d'une pernicieuse auréole.* A présent, les trois habitants regardaient attentivement le bourreau qui vérifiait le bon fonctionnement du garrot. Cet instrument consistait en une chaise pourvue d'un haut dossier d'où sortait un tourniquet terminé par un collet de fer à la manière d'un licou ; appliqué à la gorge du condamné, il la comprimait jusqu'à produire la mort par strangulation. Sa Majesté don Fernando VII avait, par brevet royal du 28 avril 1828 et *pour laisser dans la mémoire une marque faste de l'heureux anniversaire de la reine,* aboli l'exécution par pendaison pratiquée jusqu'alors dans toute l'Espagne, et disposé que dorénavant seraient exécutés *par le garrot ordinaire les condamnés appartenant à l'état commun, par le garrot vil les condamnés pour délits infamants et par le garrot noble les gentilshommes.* Les condamnés au garrot ordinaire étaient menés à l'échafaud en *caballería mayor,* c'est-à-dire à dos de mule ou de cheval, et portaient la capuche cousue à la tunique. La capuche, comme son nom l'indique, était une sorte de cape avec un capuchon et une traîne, qui se passait par-dessus les autres habits et se portait normalement pendant les deuils. Les condamnés au garrot vil étaient conduits à l'échafaud en *caballería menor,* soit à dos d'âne, ou encore traînés, si la sentence en décidait ainsi, et avec la capuche flottante. Enfin, les condamnés au garrot noble étaient conduits en *caballería mayor* sellée et revêtue d'une housse noire. Ces distinctions avaient perdu tout leur sens depuis que les exécutions avaient cessé d'être publiques.

Quand la porte s'ouvrit, Odón Mostaza ne voulut pas lever le visage du sol. Quatre mains le soulevèrent par les aisselles. Une voix murmurait : « Seigneur, aie pitié de mon âme. » Il répétait la phrase machinalement pour ne pas penser. Il ouvrit les yeux au moment où ils sortaient à l'air libre. Devant lui allaient les membres de l'archiconfrérie et les congréganistes portant le Christ qui avait été jusqu'alors dans la chapelle. Il vit la lumière blafarde d'une aube sans nuage. Il pensa : qu'est-ce que ça pouvait bien lui faire à lui, désormais, que le soleil se lève ou non ce jour-là et les jours qui suivraient. Au fond de la cour, il vit le garrot, le groupe de témoins et le bourreau, un peu en retrait. Un des témoins jeta au sol la cigarette qu'il fumait et l'écrasa sous sa chaussure. Il vit un cercueil de bois sombre, le couvercle appuyé contre le mur. Les genoux lui manquèrent, mais les gardiens qui le tenaient par les aisselles empêchèrent qu'il ne tombe par terre. Que ça ne soit pas dit, pensa-t-il. Il redressa le dos et leva la tête. Vous pouvez me lâcher, voulut-il dire, mais la voix ne sortit pas : il émit un ronflement qui venait du fond de la poitrine. Étant donné les circonstances, on ne peut pas demander plus, plaisanta-t-il *in petto*. Chaque pas qu'il faisait sans tomber lui paraissait un triomphe. La *hopa,* la tunique des condamnés, traînait sur le pavé de la cour. On la lui avait mise au moment d'entrer dans la chapelle. En vertu de la loi, ces tuniques étaient toujours noires, sauf pour les régicides et les parricides, qui en portaient une jaune avec un bonnet de la même couleur, l'une et l'autre maculés d'incarnat. La tunique ressemblait à une soutane et à se voir ainsi vêtu, quelques heures auparavant, il s'était senti humilié. Jusqu'à présent, j'avais toujours choisi moi-même mes vêtements, avait-il plaisanté avec ses geôliers. Si on avait attendu quelques mois pour l'exécuter, il n'aurait pas eu ce motif de se plaindre parce que le port de la *hopa* pour les condamnés à la peine suprême fut supprimé par la loi du 9 avril 1900. Il s'assit sur la chaise et se laissa attacher avec une courroie. Le membre de l'archiconfrérie qui portait le crucifix l'approcha de ses lèvres. Il ferma les yeux et pressa les lèvres contre le crucifix. Il ne vit pas quelqu'un faire un geste discret de la main. Ensuite, en application des dispositions légales, fut dressé un procès-verbal succinct de l'exécution, que contresignèrent tous les présents. Les membres de la confrérie enlevèrent le cadavre pour l'inhumer : dans la bière, ils lui croisèrent les mains sur la poitrine et lui mirent entre les doigts un rosaire de métal argenté. Ils lui fermèrent les paupières et remirent de l'ordre dans la chevelure que le vent avait dérangée. A le voir, ils murmuraient entre eux : « Vraiment, il n'y avait pas dans tout Barcelone d'homme plus beau que celui-là. »

A la même heure, à l'autre bout de la ville, la porte latérale de la prison pour femmes s'ouvrait pour laisser sortir Delfina. Le señor Braulio l'attendait dans une voiture fermée, arrêtée devant les sombres murs. En la voyant passer le seuil de la prison, il descendit péniblement de voiture. Sans rien dire, ils s'embrassèrent en pleurant.

— Comme tu es maigre, ma fille, dit le señor Braulio au bout d'un moment.

— Et vous, père, vous tremblez ? Vous allez bien ? dit-elle.

— Ce n'est rien, fille, dit l'ex-hôtelier ; l'émotion, peut-être. Viens, monte dans la voiture, allons à la maison, partons d'ici sans plus attendre. Comme tu es maigre ! Bah, peu importe, je m'occuperai de toi. Ça te surprendra de voir combien j'ai changé.

Un mois après l'exécution d'Odón Mostaza, Onofre Bouvila demanda de nouveau la main de sa fille Margarita à don Humbert Figa i Morera, qui cette fois la lui accorda immédiatement et sans réticence.

Chapitre 5

1

Le XIXe siècle, qui était né de la main de Napoléon Bonaparte le 18 brumaire de 1799, s'achevait à présent sur le lit de mort de la reine Victoria. Au-dehors de la chambre royale, les rues de l'Europe avaient résonné en leur temps des sabots des chevaux de la garde impériale, des canons d'Austerlitz, de Borodino, de Waterloo et d'autres champs de bataille également célèbres. A présent, on entendait seulement le va-et-vient des métiers, le ronronnement et les détonations du moteur à explosion. Cela avait été, relativement, un siècle économe en guerres ; très riche, au contraire, en nouveautés : un siècle de prodiges. A présent, l'humanité passait le seuil du XXe siècle avec un frémissement. Les changements les plus importants étaient encore à venir, mais les gens étaient fatigués de tant de bouleversements, d'ignorer à ce point ce qu'amènerait le lendemain ; ils voyaient désormais les transformations avec méfiance et parfois avec crainte. Il ne manquait pas de visionnaires pour imaginer comment serait le futur, ce qu'il réservait à ceux qui parviendraient à le voir. L'énergie électrique, la radiophonie, l'automobilisme, l'aviation, les progrès médicaux et pharmacologiques allaient tout changer de fond en comble : les communications, les transports, beaucoup d'autres aspects de la vie ; la Nature serait confinée dans certaines zones, le jour et la nuit, le froid et le chaud seraient domestiqués ; le cerveau humain contrôlerait le hasard à sa guise ; il n'y avait pas de barrière que l'esprit d'invention ne pût franchir : l'homme pourrait changer de taille et de sexe à volonté, se déplacer dans les airs à des vitesses inouïes, se rendre invisible à sa convenance, apprendre une langue étrangère en deux heures, vivre trois cents ans ou plus ; des êtres très intelligents viendraient de la Lune, des planètes ou d'autres corps célestes plus éloignés nous rendre visite, comparer leurs appareils avec les nôtres et nous montrer pour la première fois leurs formes pittoresques. Dans ces rêves, on imaginait le monde comme une Arcadie peuplée d'artistes et de philosophes, dans laquelle personne n'aurait à travailler. D'autres prophétisaient malheurs et tyrannies et rien d'autre. L'Église catholique ne cessait de rappeler à qui voulait l'entendre que le progrès ne suivait pas toujours les voies marquées par la volonté de Dieu expressément manifestée dans ses apparitions et communiquée au Souverain Pontife, dont l'infaillibilité avait été proclamée le 19 juillet 1870. Dans son aversion du progrès, l'Église n'était pas seule : la majorité des rois et princes du monde partageait cette inquiétude ; ils voyaient dans les changements la brèche par laquelle allait se glisser la subversion de tous les principes, le héraut qui annonçait la fin de leur ère. Seul le kaiser était d'avis différent : il contemplait avec ravissement les canons de cinquante tonnes et plus encore qui sortaient sans cesse de l'usine Krupp et il pensait : Dieu bénisse le progrès s'il me sert à bombarder Paris. Au milieu de ces considérations et d'autres passaient les années. Une après-midi du mois d'août 1913, sur le port de Barcelone, Onofre Bouvila pensait précisément à la fugacité du temps. Il était venu là superviser les opérations de déchargement de certaines caisses dont le contenu ne correspondait pas au connaissement. Les autorités douanières avaient été averties et leur autorisation dûment achetée à prix d'or, mais il ne voulait rien laisser au hasard. Pendant qu'il regardait distraitement l'accostage du bateau, il se rappelait le jour où il avait été chercher du travail sur ce même quai. A cette époque, presque tous les bateaux étaient des voiliers, et lui était encore un gosse ; à présent, il voyait se balancer doucement cheminées et mâts contre la lumière crépusculaire de cette après-midi du printemps finissant, et il allait atteindre la quarantaine. Seul et grave, il regardait les navires amarrés. Un commis en vêtement de grand deuil vint lui dire que les caisses étaient sur le point d'être hissées hors de la cale.

— Les emballages ont-ils été abîmés ? demanda-t-il distraitement.

Des informations reçues par différents canaux, il avait inféré qu'il y aurait bientôt la guerre ; si c'était le cas, si ses prévisions s'accomplissaient, celui qui serait en situation d'approvisionner le marché en armes gagnerait une fortune immense en peu de temps. Pour le moment, il faisait entrer en contrebande en Espagne des prototypes de fusils, d'obus, de grenades, de lance-flammes, etc. Ses agents rôdaient déjà dans les chancelleries d'Europe. Il n'avait pas l'exclusivité de cette idée : il devrait forger de nouvelles alliances, s'attirer des inimitiés, déjouer des pièges et détruire les concurrents ; il devrait aussi compter avec les espions des futures nations belligérantes qui commençaient déjà à s'infiltrer dans Barcelone, comme dans les autres villes du monde. Pourquoi est-ce que je fais tout ça ? se demanda-t-il. Son premier fils était un idiot. Né avec le siècle, sous les meilleurs auspices, il montra vite qu'il ne serait jamais normal. Il végétait maintenant dans les Pyrénées près de Lérida, à la charge d'une institution religieuse qu'Onofre finançait avec libéralité, mais sur les vastes domaines de laquelle il n'avait pas voulu mettre les pieds. Un second fils était mort-né. Deux filles avaient suivi. L'amour pour sa femme, qui avait auparavant résisté à tant d'épreuves, qui l'avait poussé à commettre des actes si extrêmes, n'avait pas surmonté ces échecs répétés. A présent, elle avait grossi ; elle se consolait de l'abandon dans lequel elle vivait en mangeant des gâteaux et du chocolat à toute heure ; il se trouvait toujours quelqu'un pour lui offrir les friandises les plus tentantes, croyant par ce biais s'attirer sa bienveillance à lui. C'est à ces hommages et à la flatterie constante dont il était l'objet que se voyaient sa richesse et son pouvoir ; pour le reste, il continuait à être un marginal. Les notables de la ville l'admiraient non tant pour la façon dont il avait su gagner son argent que pour la façon dont il savait le dépenser. Pour eux, l'argent constituait une fin en soi ; entre leurs mains, ça n'avait jamais été un moyen de contrôler le pouvoir ; jamais l'idée ne leur était venue de l'utiliser pour prendre en main les rênes du pays, pour infléchir la politique gouvernementale dans un sens conforme à leurs postulats. Si parfois il leur était arrivé de pénétrer dans le petit monde de la politique centrale, ils l'avaient fait avec réticence, pour se rendre peut-être aux prières de la Couronne ; dans ces occasions, ils avaient agi en bons administrateurs, avec efficacité, sans desseins, contre les intérêts de la Catalogne qu'auparavant ils défendaient, y compris contre leurs propres intérêts. Peut-être parce qu'au fond ils s'étaient toujours considérés comme un monde à part, détaché du reste de l'Espagne dont pourtant ils ne voulurent ou ne surent ou ne furent pas autorisés à se passer. Peut-être parce que tout était arrivé trop vite : il leur avait manqué du temps pour se sédimenter comme classe, pour mûrir comme entité économique. Maintenant, ils étaient sur le point de s'épuiser sans avoir jeté de racines dans l'Histoire, sans avoir modifié le cours de l'Histoire. Lui, en revanche, dépensait des deux mains, avec arbitraire ; cet arbitraire et d'autres contradictions semaient le désarroi et l'incertitude. A présent, il écoutait l'entrechoquement des gréements, le craquement des bordages, le clapotement de l'eau contre les œuvres mortes des bateaux. Beaucoup de ces bateaux amenaient et emmenaient ses marchandises des Philippines et d'autres lieux ; certains étaient à lui. Tout cela ne l'avait pas racheté de ses origines obscures aux yeux de la société. Ils venaient à lui parce qu'ils avaient besoin de lui, mais, ensuite, ils feignaient de ne pas le reconnaître, son nom était toujours omis sur les listes.

Un an auparavant, voici ce qui était arrivé : un groupe de notables présidé par le marquis d'Ut, une vieille connaissance à lui, était venu lui rendre visite, se faisant annoncer avec beaucoup d'emphase ; non sans détour, ils lui avaient exposé le motif de cette cérémonie inutile : la plupart des présents avaient déjà été en relations d'affaires, souvent illicites, avec lui, ils avaient mangé dans sa main ; à présent, ils faisaient une fois de plus comme s'ils l'avaient oublié, ils se livraient à une pantomime protocolaire.

— A quoi dois-je l'honneur ? leur demanda-t-il.

Ils se cédaient mutuellement le siège, se prodiguaient d'interminables civilités. « C'est à vous de parler. — Non, non, sûrement pas, parlez, vous, vous le ferez mieux », se disaient-ils. Lui attendait patiemment, étudiant leurs visages : certains d'entre eux avaient fait partie du Conseil de direction de l'Exposition universelle ; ils étaient déjà des potentats quand lui se glissait à la pointe de l'aube dans l'enceinte de l'antique citadelle pour distribuer de la propagande anarchiste et vendre une lotion capillaire de son invention. La plupart, cependant, étaient déjà morts : Rius y Taulet, peu de temps après la fermeture de l'Exposition, en 1889 ; en 1905, Manuel Girona i Agrafel, qui avait été commissaire royal du concours et avait payé de sa poche la nouvelle façade de la cathédrale, le fondateur de la Banque de Barcelone dont la faillite avait plus tard ruiné tant de familles, disloquant la classe moyenne catalane ; Manuel Durán i Bas, en 1907, etc. Ceux qui restaient en vie étaient déjà vieux ; aucun d'entre eux ne se doutait que cet homme qui les observait à présent avec ironie et dédain les avait vus passer, enfant, caché derrière des sacs de ciment, comme un cortège inaccessible.

— Nous sommes venus, lui dirent-ils, parce que nous avons des preuves surabondantes de votre amour pour Barcelone, cette ville que vous honorez de votre présence et de vos activités ; et aussi parce que nous connaissons votre proverbiale générosité.

— Dites-moi de quoi il s'agit, dit-il d'un air goguenard.

— Le problème est le suivant », répondirent-ils sans se troubler : c'étaient tous de vieux crocodiles. « Nous avons reçu notification du ministère des Affaires extérieures du fait qu'une personne de sang royal, membre d'une maison régnante, visitera à brève échéance la cité comtale. C'est une visite à caractère privé, raison pour laquelle, du point de vue officiel, il n'y a pas de financement, vous voyez ce qu'on veut dire. D'un autre côté, nous ne pouvons permettre, et le ministère lui-même l'a souligné, exprimant en cela le sentiment de Sa Majesté le Roi, que Dieu le garde, nous ne pouvons permettre, donc, que cet illustre visiteur ne soit pas accueilli comme il convient. En deux mots : le séjour et les loisirs de l'illustre visiteur et de ses accompagnateurs, tout au moins c'est ce qui nous a été donné à comprendre, c'est à nous de les payer de notre poche.

Il demanda avant tout de qui il s'agissait. Après beaucoup d'hésitations, ils lui dirent sous le sceau du secret qu'il s'agissait de la princesse Alix de Hesse, petite-fille de la reine Victoria, plus connue à présent sous le nom d'Alexandra Fiodorovna, épouse du tsar Nicolas II. Ce renseignement le laissa froid : il n'éprouvait pas le moindre intérêt pour les Romanov, qu'il considérait comme des bons à rien ; en revanche, il suivait avec curiosité l'aventure des conspirateurs maximalistes, Lénine, Trotski et les autres, sur les agissements desquels le tenaient renseigné ses informateurs à Londres et Paris, leurs lieux de résidence du moment, et dont, en prévision de futures affaires, il avait parfois songé à financer les projets insensés. L'entrevue lui paraissait absurde. Quel intérêt cela a-t-il pour moi de répondre à la demande de ces individus ? se dit-il. A quoi cela me sert-il de m'attirer leurs bonnes grâces ? Il savait qu'ils n'étaient pas idiots : au contraire, beaucoup d'entre eux comptaient parmi les financiers les plus perspicaces. Mais tous à part lui étaient ignorants de ce qu'ils n'avaient pas sous le nez, de ce qui se passait au-delà des portes de leur bureau ; ils ne connaissaient rien de ce monde de misérables, de fous et d'aveugles qui vivait et se reproduisait dans l'obscurité des ruelles. Lui le connaissait bien : les derniers temps, il avait perçu la pulsation de la révolution naissante.

— Laissez-moi cela, dit-il. Je m'occuperai de tout.

En descendant les escaliers, ils prononçaient encore des discours de remerciement. Une longue file de voitures les attendait pour les conduire à leurs hôtels particuliers du paseo de Gracia. Une pluie fine faisait reluire les capotes des voitures et les harnachements des bêtes. Un halo jaunâtre se formait autour des fanaux à gaz et des lanternes des voitures. Du porche, il répondit aux saluts en agitant la main. Toute ma fortune et tout mon prestige iront à mes filles, songeait-il, et aux michetons qui les mettront au lit. Ça m'apprendra à me marier avec une idiote.

A présent, la tsarine et sa suite débarquaient incognito puerta de la Paz. La pluie qui avait commencé à tomber l'après-midi de l'entrevue avait cessé quelques heures auparavant. Les cimes des luxuriants platanes, dont une brise humide et désagréable agitait les branches, se reflétaient dans les flaques.

— Mauvaise journée pour accueillir Son Altesse Impériale, marmonna le marquis d'Ut.

Tous deux fumaient dans la voiture de ce dernier, un Broughman d'acajou tiré par quatre chevaux anglais. Derrière attendait une armée de fiacres et de pataches loués pour conduire la suite aux chambres qui avaient été réservées au Ritz. Il ne répondit pas au commentaire du marquis : deux jours avant, il avait reçu une lettre signée Joan Bouvila. Il pensa que c'était son père, mais en la lisant il découvrit que celui qui lui écrivait était son frère, dont il avait oublié jusqu'à l'existence. Dans cette lettre, il lui disait que son père se trouvait à la dernière extrémité. *Hâte-toi si tu veux le voir en vie,* lui disait-il. Il n'avait pas vu son père depuis la brève visite qu'il avait faite à la maison durant l'automne 1907, pour l'enterrement de sa mère. Pendant la veillée funèbre, il s'était aperçu que le petit Joan n'était pas là. Son père lui dit qu'il était en train de faire son service militaire en Afrique, où il y avait toujours des conflits avec les Mores. Au retour du cimetière, les voisins les avaient laissés seuls pour la première fois. « Je ne sais pas ce qu'il adviendra de moi, maintenant », avait dit l'Américain. Il ne dit rien. L'Américain parcourait avec des yeux scrutateurs la pièce dérangée par les visites, comme s'il espérait la voir réapparaître derrière un meuble. « Je ne soupçonnais même pas qu'elle fût malade, dit-il au bout d'un moment. Elle était un peu voûtée et elle mangeait sans appétit dernièrement, mais je n'ai pas su voir d'autres symptômes, s'il y en a eu. Une après-midi, en revenant à la maison, je l'ai trouvée morte sur cette petite chaise, celle qu'elle utilisait d'habitude, devant le feu ; l'eau de la marmite ne bouillait pas encore, si bien que ça ne devait pas faire longtemps qu'elle était morte ; pourtant, quand je lui ai pris la main, j'ai vu qu'elle était froide comme la glace. » Cependant que l'Américain parlait, il avait ouvert les portes, furetant partout. Comme la plupart des femmes de la campagne, sa mère ne jetait jamais rien, la maison était un magasin d'inutilités : il trouva des lambeaux de vieux couvre-lits, des ustensiles de cuisine percés, une quenouille brisée et de la nourriture pour les fourmis. Maintenant, il se souvenait des privations qu'ils avaient endurées ensemble, tous les deux, quand il était parti à Cuba en les laissant seuls. « Des affaires importantes me réclament à Barcelone, dit-il à voix haute, je dois partir déjà. » En descendant du train à la gare de Bassora, il avait bêtement demandé l'oncle Tonet, le postillon. Quelqu'un finit par lui dire que cela faisait bien des années que le postillon était mort. Il avait loué une calèche qui attendait à présent devant la maison, entourée de poussins et de poules. « Il est l'heure de partir », répéta-t-il. L'Américain continuait à parler, l'air de rien : « J'ai pensé, tu sais... » Le caquètement des poules et le bourdonnement des mouches bleues soulignaient le silence qui se produisit quand il cessa de parler. « J'ai pensé, ajouta-t-il quand il vit que son fils ne l'encourageait pas à continuer, que je pourrais aller avec toi à Barcelone. Tu sais que la vie de la campagne ne m'a jamais beaucoup plu ; je suis plutôt un homme de la ville, et à présent que me voilà seul... » Onofre regarda sa montre, prit son chapeau et sa canne et se dirigea vers la porte ; l'Américain le suivait pas à pas. « Tu sais que je suis quelqu'un d'un certain niveau, je ne suis pas un simple péquenot, dit-il ; je suis sûr que tu pourrais trouver un travail pour moi, que je pourrais t'aider modestement dans tes affaires ; en travaillant, je ne serais pas une charge économique. » Il sortit de la maison les yeux rivés sur la calèche. Le cocher, qui paraissait somnoler sous une nuée de mouches à l'ombre d'un figuier, se leva quand il le vit sortir et courut à la voiture. Il n'avait pas débridé le cheval ; il était prêt à partir. « A vos ordres », dit-il. C'était un homme aux épaules larges et à la tête ronde, tondue ; il avait combattu à Cuba sous les ordres du général Weyler. « Vraiment, dit l'Américain, tu as beaucoup d'occupations ; je pourrais consacrer toute ma journée aux enfants. — Je suis sûr, répondit-il en grimpant sur le siège, que Joan ne tardera pas à revenir d'Afrique. Quand Joan reviendra, tout sera de nouveau normal. Je ferai agir des gens à Madrid pour qu'on le démobilise sans tarder. » Le cocher détacha les rênes, desserra le frein de la calèche et leva son fouet. L'Américain s'agrippa avec force au mollet de son fils : « Onofre, au nom de ce que tu as de plus cher, ne me laisse pas seul ; je ne sais pas vivre seul, je ne sais pas m'occuper de moi-même, je ne survivrai pas un hiver entier assis au coin du feu, sans personne à qui parler. S'il te plaît, je t'en prie », dit-il. Onofre glissa la main dans la poche intérieure de sa veste et en sortit tout l'argent qu'il portait sur lui ; sans le compter, il le tendit à l'Américain : « Avec ça, vous pourrez vivre largement jusqu'à ce que Joan revienne », dit-il. L'Américain ne voulait pas prendre l'argent. « Allons, père, prenez-le, dit-il avec impatience. J'en retirerai en arrivant à Bassora. » L'Américain obéit, lâcha le mollet qu'il tenait agrippé des deux mains pour prendre l'argent. Onofre fit un geste impérieux au cocher et ils partirent au trot.

Un visage éclairé par une lanterne à huile se montra à la fenêtre de la voiture du marquis d'Ut.

— Don Onofre, vous pourriez venir un petit moment ? Nous avons surpris un individu qui rôdait par ici, dit le survenant.

— Que se passe-t-il ? voulut savoir le marquis.

L'homme, de toute évidence un agent de Bouvila, ne daigna pas répondre.

— Toi, reste dans la voiture au cas où Son Altesse descend, dit-il au marquis. Je vais voir de quoi il s'agit et je reviens tout de suite.

Il se mit à marcher derrière l'homme qui levait haut la lanterne pour lui éclairer le chemin, ils allaient évitant les rouleaux de corde, sautant entre les flaques. Ils parvinrent à un groupe formé de cinq hommes en secouant un sixième. Ce dernier avait perdu ses lunettes dans la bagarre.

— Laissez-le, ordonna-t-il. Qui est-ce ?

— Nous ne le savons pas, lui répondirent-ils. Nous l'avons fouillé, mais il n'a pas d'arme sur lui ; seulement un canif.

Onofre Bouvila dévisagea l'infiltré, lui demanda comment il avait réussi à pénétrer sur le quai.

— Ce n'est pas difficile, répondit l'autre tout en essayant de défroisser sa veste en lui donnant de vigoureuses claques. Il y avait trop de surveillance.

A son accent, on voyait qu'il n'était pas étranger ; il n'avait pas l'air non plus d'un menchevik ni d'un nihiliste ni de quelqu'un qui eût intérêt à causer du tort à la tsarine. Il lui demanda qui il était et ce qu'il faisait là ; l'autre dit être journaliste, il cita le quotidien pour lequel il travaillait.

— En passant par les Ramblas, j'ai remarqué des préparatifs, dit-il. J'ai supposé qu'arrivait quelqu'un d'important ou de dangereux, si bien que j'ai trompé la surveillance et je me suis caché derrière des ballots. Malheureusement, j'ai été découvert et maltraité. Qu'allez-vous faire de moi maintenant ? ajouta-t-il d'un ton de défi.

— Oh, rien, absolument rien, dit Bouvila. En réalité, vous ne faisiez qu'accomplir votre devoir d'informateur. Dans ce cas, pourtant, j'aimerais vous demander instamment de ne rien révéler de ce que vous avez vu. Je suis disposé à vous indemniser des préjudices que ce malheureux incident a pu vous causer, bien sûr.

Ce disant, il tira plusieurs billets de banque de la poche intérieure de sa veste, en compta trois et fit le geste de les remettre au journaliste, qui les repoussa.

— Je ne suis pas quelqu'un qu'on achète, monsieur, s'exclama-t-il.

— Il ne s'agit pas de cela, dit Bouvila, c'est un simple geste d'amitié. J'ai dans cette affaire un intérêt très personnel.

— C'est bien ainsi que je le rapporterai dans ma chronique, dit le journaliste sur un ton de menace.

Onofre Bouvila se borna à sourire avec condescendance.

— Je le laisse à votre appréciation, dit-il. J'aurais préféré que nous nous fussions mieux entendus. Je me suis toujours bien entendu avec les journalistes : je suis Onofre Bouvila.

— Ah, excusez-moi, señor Bouvila, dit le journaliste. Comment pouvais-je soupçonner ? J'ai accidentellement perdu mes lunettes... Pardonnez tout ce que j'ai dit et tenez pour acquis mon silence inébranlable.

On avait parlé pour la première fois de ses affaires dans la presse en septembre 1903, à la suite de certaines expropriations confuses, d'une des innombrables transformations du port de Barcelone qui ne furent jamais menées à bien : certaines personnes avaient tiré de cette affaire des bénéfices inexplicables. Quand il lut l'article, il fit parvenir une note au journaliste qui l'avait écrit : *J'aimerais beaucoup avoir avec vous un échange d'impressions,* y disait-il. A quoi le journaliste répondit par une autre note très brève : *Fixez vous-même le lieu et l'heure, mais faites en sorte que ça ne soit pas au petit matin à San Severo.* Il faisait ainsi clairement allusion au piège que, des années auparavant, il avait tendu dans ce lieu à Joan Sicart, et qui avait coûté la vie à ce dernier. Onofre Bouvila ne se tint pas pour offensé : *Vous n'êtes pas si important,* répondit-il. *Venez me voir à mon bureau ; je suis convaincu que nous pourrons parvenir à un accord.* Le jour suivant, le journaliste comparut.

— Fixez le prix de votre silence, et finissons-en au plus vite, lui dit-il quand il l'eut devant lui. Je n'ai pas de temps à perdre.

— Qui vous a dit que j'étais à vendre ? lui demanda le journaliste avec un léger sourire.

— Vous me connaissez parfaitement, vous savez ce que vous pouvez attendre de moi, lui répondit-il. Si vous ne l'étiez pas, vous ne seriez pas venu.

Le journaliste griffonna des chiffres sur un papier et le lui tendit : c'était une somme exorbitante, destinée à l'irriter : une véritable provocation.

— Vous vous sous-estimez, dit Bouvila en souriant. J'avais prévu une somme plus élevée ; prenez-la.

D'un tiroir, il sortit une épaisse enveloppe qu'il remit au journaliste.

Celui-ci jeta un coup d'œil au contenu de l'enveloppe, garda le silence quelques secondes, se leva sans rien dire, mit son chapeau et sortit du bureau. Au premier coin de rue, quatre hommes lui tombèrent dessus ; ils lui prirent l'enveloppe et son propre argent, celui qu'il avait emporté en sortant de chez lui pour s'acquitter des dépenses du jour. Puis ils lui cassèrent les deux jambes.

Quand le journaliste fut parti, Onofre voulut revenir à la voiture du marquis d'Ut, mais à ce moment-là le cortège se mit en mouvement. Les pataches passaient à côté de lui dans un brinquebalement de vitres et un bruit de quincaillerie ; il dut chercher refuge entre des ballots amoncelés sur le quai pour ne pas être écrasé par ces voitures bourrées jusqu'au toit. Des chèvres qui passaient la tête par un carreau lui frôlèrent le visage de leurs barbes ; il put sentir nettement leur haleine fétide.

— Que diable font ici ces chèvres ? demanda-t-il en haussant sa voix pour couvrir les bêlements plaintifs.

Le moujik qui les gardait lui donna des explications qu'il ne comprit pas. Finalement, un individu aux traits bouffis, habillé en hussard, lui cria en mauvais français que Son Altesse le Tsarévitch, qui accompagnait sa mère dans ce voyage, se méfiait du lait que dans d'autres pays on pourrait verser dans son thé. Même le fourrage des chèvres venait en balles des steppes lointaines. On amenait aussi le mobilier favori de la tsarine : son lit, ses armoires à glace, ses divans, son piano et son bureau, cent six coffres de vêtements et autant de chaussures et de chapeaux. Il dut attendre que le convoi ait fini de passer pour abandonner son refuge improvisé. Il se retrouva finalement seul sur le quai : dans la mêlée, à dessein ou non, personne n'était demeuré pour l'attendre. Il avait les souliers, les guêtres et le bas des pantalons couverts de boue ; des éclaboussures avaient même atteint sa redingote. Il trouva son haut-de-forme enfoncé dans un tas de fumier, et l'y laissa. Sur les Ramblas, il prit une voiture de place qui le conduisit chez lui ; là, il se changea à toute vitesse cependant qu'on lui préparait le tilbury le plus rapide de son écurie. Néanmoins, il arriva au Ritz quand le banquet qu'il avait lui-même organisé et payé venait de commencer. Il courut à la table d'honneur, où l'on voyait la tsarine, le tsarévitch, le prince Youssoupov et d'autres hôtes illustres entourés de leurs amphitryons catalans. En arrivant à la table, il s'aperçut qu'il ne restait pas une chaise libre, ni un couvert réservé pour lui. Le marquis d'Ut, se rendant compte de sa surprise, se leva et lui murmura à l'oreille :

— Que fais-tu ici planté comme un ahuri ? Ta place est là-bas, à la table 3.

Il protesta à mi-voix :

— Mais je veux m'asseoir ici, au côté de la tsarine !

— Ne dis pas de bêtises, chuchota le marquis, l'inquiétude peinte sur le visage. Tu n'appartiens pas à la noblesse, veux-tu offenser Son Altesse Impériale ?

A présent, il se remémorait ces scènes cependant que les grues hissaient au-dessus du pont du bateau les terribles *Howitzer* allemandes et des canons disproportionnés qu'on n'avait encore jamais vus sur aucun champ de bataille : c'était les canons antiaériens, qu'il avait réussi à sortir à grands frais des casernes de l'état-major français. Il éprouvait, à contempler ces emballages extravagants, un frisson de satisfaction. Ces derniers temps, il n'avait plus que rarement ces sensations ; la majeure partie de l'année, il s'ennuyait. La nuit, chez lui, enfermé dans sa bibliothèque, entouré de centaines de livres qu'il n'avait pas l'intention de lire jamais, il fumait des havanes et se souvenait avec nostalgie de ces nuits déjà lointaines passées à faire la bringue, quand lui et Odón Mostaza, dont il regrettait désormais la mort, voyaient l'aube pointer à travers les fenêtres embuées d'une maison close, entourés de bouteilles vides, de restes de nourriture, de jeux de cartes et de dés, de femmes nues qui dormaient pelotonnées contre les murs et de vêtements épars dans toute la pièce, épuisés et heureux, avec l'innocente griserie de la jeunesse.

2

A Madrid, Son Excellence Mohammed Torres transpirait abondamment. Habitué à la brise atlantique qui rafraîchissait les patios fleuris de son palais de Tanger, il étouffait dans le palais d'Orient où il avait atterri, de retour d'une entrevue à Paris avec Clemenceau. Son parfum de musc donnait des nausées à don Antonio Maura. Le sultanat avait jusqu'alors maintenu une indépendance précaire grâce à la rivalité de la France et de l'Angleterre ; à présent, l'Allemagne prétendait installer des bases navales sur les côtes marocaines, ouvrir des marchés à ses manufactures : devant cette éventualité, les deux puissances rivales avaient signé un pacte en avril 1904, et maintenant la France projetait de s'emparer du Maroc, envoyant balader sultan et grand vizir, et d'en faire un prolongement de l'Algérie. S. M. Alphonse XIII, qui écoutait avec intérêt les plaintes du ministre des Affaires extérieures du sultan, trouva que la solution du problème était bien simple.

— Te laisse pas faire, petit, proposa-t-il.

— Votre Majesté est perspicace, dit l'émissaire d'Abdul Aziz, mais nous ne pouvons renoncer au protectorat d'aucune grande puissance sans risque grave pour le trône et même pour la tête de mon seigneur, Sa Majesté le Sultan Abdul Aziz.

— Qu'en pensez-vous, don Antonio ? dit le roi en s'adressant à celui qui était alors président du Conseil des ministres.

Don Antonio Maura se trouvait devant un dilemme : maintenir la présence espagnole en Afrique impliquait de continuer à vivre sur un nid de guêpes, une entreprise téméraire pour un pays appauvri, meurtri par les récents désastres coloniaux ; y renoncer revenait à perdre les dernières bribes de prestige dans le concert des nations. C'est ce qu'il exposa succinctement à Sa Majesté.

— Moi, je m'en balance, répondit celle-ci.

Don Antonio Maura l'emmena dans un coin pendant que Mohammed Torres admirait un diptyque monumental accroché au mur : Judith et Salomé y rivalisaient entre elles, paraissant se montrer mutuellement leurs trophées sanguinolents ; des bouches livides du Baptiste et d'Holopherne pendaient des langues tuméfiées. Il se souvint que le Prophète avait interdit la représentation graphique de la figure humaine. Le roi et le président du Conseil des ministres revenaient de leur conciliabule.

— Sa Majesté était d'avis d'abandonner le Maroc à son sort, dit ce dernier, mais je suis parvenu à l'en dissuader. La faculté de compréhension de Sa Majesté est proverbiale. » Le ministre des Affaires extérieures du sultan fit trois salamalecs. « Je l'ai aussi mise au courant des autres aspects du problème. En effet, depuis la perte de Cuba, l'armée n'a plus rien à faire et les militaires inactifs sont toujours un danger : ils s'ennuient, ils ne montent pas en grade, ils durent trop longtemps. Je lui ai parlé aussi des concessions minières et des investissements espagnols dans le territoire.

Le ministre porta la main droite à son cœur. S. M. Alphonse XIII, qui avait à l'époque dix-huit ans, lui donna une claque sur l'épaule.

— On va montrer au Mohammed de quel bois on se chauffe, dit-il.

A présent, cinq ans plus tard, les mères des conscrits qui devaient partir pour l'Afrique recommençaient à manifester à la gare, comme elles l'avaient fait du temps de la guerre de Cuba, elles s'asseyaient sur les traverses et ne laissaient pas partir le train. Les dames d'une association catholique, qui étaient venues à cette même gare distribuer des crucifix à la troupe, pressaient le mécanicien et le chauffeur de leur rouler dessus. « Je ne sais pas si les chers petits seront contents de voir que nous coupons leurs mères en rondelles », répliquèrent-ils. « Vive Maura ! », « A bas Maura ! », criaient les uns et les autres. C'était un lundi poisseux du mois de juillet 1909. Voyant que les choses prenaient mauvaise tournure, le marquis d'Ut se présenta chez Onofre Bouvila.

— Nous sommes perdus », s'exclama-t-il. Il avait les cheveux hirsutes, non gominés, et la cravate dénouée. « Le gouverneur civil refuse de décréter l'état de siège, la racaille est maîtresse des rues, les églises brûlent et Madrid, comme d'habitude, nous a abandonnés.

Onofre Bouvila lui présenta un coffret de cuir repoussé plein de havanes. Le marquis déclina gracieusement l'offre.

— Il ne se passera rien, rassure-toi, lui dit Onofre. Le pire qui puisse arriver est qu'ils brûlent ton palais. Ta famille est à la campagne ?

— En villégiature, dit le marquis, à Sitges.

— Et le palais, il est assuré ?

— Bien sûr.

— Alors, tu vois. Crois-moi, lui conseilla-t-il, va passer quelques jours avec ta femme et tes enfants.

— J'y avais pensé, mais je ne peux pas : j'ai un conseil d'administration demain », dit le marquis. Puis il réfléchit. « Maintenant, je pense que j'ai fait une folie en restant, dit-il.

Onofre Bouvila servit deux verres de xérès sec.

— Excellent pour calmer les nerfs, dit-il. A ta santé.

De la rue parvint la détonation d'un coup de canon. Serait-il possible que ce soit la révolution ? pensa-t-il. Il se souvint des jours lointains où il annonçait cet avènement parmi les ouvriers de l'Exposition universelle. Il était alors jeune et très pauvre et il souhaitait que tout ce qu'il prédisait ne s'accomplisse jamais ; à présent, il était riche et se sentait vieux, mais il ne put empêcher qu'un éclair d'espoir lui illumine l'âme. Enfin ! pensa-t-il. On va voir ce qui arrive vraiment.

— A la tienne, dit le marquis en levant son verre.

Il but d'une gorgée tout le vin, rota et se sécha les lèvres du dos de la main. Onofre Bouvila admirait ces manières désinvoltes. Lui n'a rien à prouver, pensa-t-il.

— Toi, qu'est-ce que tu penses ? dit le marquis.

— Que t'en semble ? répondit-il en allumant un havane et en aspirant la fumée avec une apparente délectation. Moi, je n'ai pas de conseil d'administration, et pourtant je ne suis pas parti. Je n'ai pas l'intention de quitter Barcelone. Que veux-tu qu'il arrive ? ajouta-t-il en voyant les traits contractés du marquis. Ils sont quatre pelés, ils n'ont ni armes ni chefs. Laisse-les jouer ; ils n'ont pas d'autre atout que notre peur. » Il se souvenait de cette manifestation à laquelle il avait participé il y avait plus de vingt ans ; il se souvenait de la garde civile, des chevaux et des sabres, des canons chargés à mitraille jusqu'à la gueule. Il ne fit pas part de ces souvenirs au marquis. « Suppose un instant qu'ils parviennent à l'emporter, continua-t-il.

Il regarda par la fenêtre : dans le ciel bleu intense de cet après-midi d'été s'élevait une colonne de fumée noire. Mentalement, il situa l'incendie dans le Raval : peut-être San Pedro de las Puellas, peut-être San Pablo del Campo (c'était cette dernière église qui brûlait).

— Tu sais ce qui se passerait ? Ils seraient obligés de venir implorer notre aide ; au bout de quelques heures, le chaos serait absolu, ils auraient encore plus besoin de nous qu'ils n'en ont besoin aujourd'hui. Souviens-toi de Napoléon.

Le marquis dut rire contre son gré, et lui s'éloigna par prudence de la fenêtre : il avait vu une compagnie de soldats passer en courant avec les mousquetons en bandoulière ; certains tenaient une pelle à la main, d'autres un pic : c'étaient des sapeurs. Il se demanda où ils allaient comme ça : ceux qui construisaient des barricades, c'étaient les ouvriers.

— Le temps n'est pas encore venu, ajouta-t-il en s'asseyant de nouveau dans le fauteuil. Mais, un jour, il viendra, Ambrosi, et pas dans si longtemps que toi et moi ne puissions le voir. Ce jour-là éclatera la révolution universelle, et l'actuel ordre des choses, basé sur la propriété, l'exploitation, la domination et le principe de l'autorité bourgeoise et doctrinaire, disparaîtra ; il ne restera pas pierre sur pierre, d'abord en Europe, et ensuite dans le reste du monde. Au cri de « Paix aux travailleurs, liberté pour tous les opprimés et mort aux gouvernants, aux exploiteurs et contremaîtres de tout genre », on détruira tous les États et toutes les Églises, de même que toutes les institutions et toutes les lois religieuses, juridiques, financières, policières et universitaires, économiques et sociales, pour que tous ces millions d'êtres humains, qui vivent aujourd'hui bâillonnés, esclaves, torturés et exploités, se retrouvent libres de leurs guides et bienfaiteurs officiels et officieux et puissent enfin respirer en pleine liberté, en associations et individuellement.

Le marquis le regardait avec des yeux exorbités.

— Qu'est-ce que tu dis ? demanda-t-il.

Onofre Bouvila éclata de rire.

— Rien. J'ai lu ça dans une brochure qui est tombée entre mes mains dans le temps. J'ai une mémoire étonnante : je me souviens textuellement de tout ce que je lis. Ma femme et les petites sont à la Budallera, ajouta-t-il sur le même ton, dans la maison de mes beaux-parents. Reste dîner ; de toute façon, aujourd'hui, tu ne pourrais pas aller au club.

Ils étaient en train de dîner lorsque les surprit un fracas qui allait augmentant : le sol tremblait, les lustres oscillaient, les pendentifs de cristal tintinnabulaient et la vaisselle dansait sur la table. Le majordome, qu'ils envoyèrent voir ce qui se passait, revint en disant que s'avançait dans la rue un régiment de cuirassiers avec ses cuirasses blanches, ses panaches noirs et les sabres dégainés appuyés à l'épaulette.

— Ils ont fait sortir la cavalerie lourde, murmura le majordome. Peut-être la chose est-elle plus grave que ce que Monsieur pensait.

— Tu devras rester dormir », dit-il au marquis. Celui-ci acquiesça. « Je peux te laisser une de mes chemises de nuit ; j'espère qu'elle t'ira.

— Ne t'en fais pas, dit le marquis en lorgnant du coin de l'œil la femme de chambre qui desservait. Je me réchauffe à ma façon.

Toute la nuit résonnèrent au loin les coups de canon, le crépitement des mitrailleuses, les coups de feu isolés des francs-tireurs. Le matin suivant, quand ils se réunirent dans la salle à manger pour prendre le petit déjeuner, des cercles sombres entouraient les yeux gonflés du marquis d'Ut. La presse quotidienne n'était pas arrivée. Le majordome les informa que les commerces n'avaient pas ouvert : la ville était paralysée et toutes les communications avec le monde extérieur interrompues.

— Ça ne durera pas, dit-il. La dépense est-elle bien approvisionnée ?

— Oui, Monsieur, dit le majordome.

— Quelle horreur ! s'exclama le marquis. Assiégés par la populace et moi qui n'ai rien pour me changer !... » Il fixa des yeux la femme de chambre qui lui servait le café ; elle rougit et détourna le regard. « Tu peux me prêter un peu d'argent ? demanda-t-il à Bouvila.

— Tout ce que tu veux, dit celui-ci. Pourquoi en as-tu besoin ?

— Pour donner une gratification à cette délicieuse créature, dit le marquis en désignant la femme de chambre du pouce. Autre chose : je te suggère de la congédier aujourd'hui même.

— Pourquoi ?

— Fade au lit, dit le marquis.

Onofre Bouvila lut sur le visage de la femme de chambre l'angoisse la plus intense. Elle ne devait pas avoir plus de quinze ans ; elle venait d'arriver de son village, mais elle était fine de traits et de manières, ce pour quoi elle avait été affectée au service de la table et non à des tâches plus grossières. Elle savait que, s'il faisait ce que suggérait le marquis, il ne lui resterait d'autres solutions que le bordel ou l'indigence.

— Comment t'appelles-tu ? lui demanda-t-il.

— Odilia, pour vous servir, répondit-elle.

— Tu te plais dans la maison, Odilia ? lui demanda-t-il.

— Oui, Monsieur, dit-elle, beaucoup.

— Dans ce cas, voici ce que nous allons faire, dit-il en s'adressant au marquis. Toi, tu fais l'économie de ta gratification, puisque tu n'as pas été satisfait ; Odilia reste ici et je lui double ses gages, qu'en penses-tu ?

Il ne le faisait pas par générosité ; pas non plus par calcul, parce qu'il ne croyait pas à la gratitude humaine : il voulait seulement montrer à son hôte que chez lui il faisait ce qui lui plaisait. Le marquis et lui se regardèrent fixement dans les yeux pendant un moment. Finalement, le marquis éclata de rire. Ainsi se passa cette semaine qui recevrait plus tard le qualificatif de « tragique [1] ». Ils jouaient aux cartes et passaient de longs moments à parler ; le marquis avait une conversation agréable et il était en outre pour Onofre Bouvila une source très précieuse de renseignements : il n'y avait pas de famille aristocratique à laquelle le marquis d'Ut ne fût apparenté et dont il ne connût les histoires intimes. Il n'était pas difficile de lui tirer les vers du nez : rien ne lui plaisait autant que de rapporter des faits et gestes avec un grand luxe de détails. Ce recueil d'anecdotes banales offrait à Onofre des meurtrières par où épier ce monde hermétique, poussiéreux et quelque peu triste, dont les portes lui seraient toujours fermées. Ensuite, la nuit, après dîner, ils envoyaient le majordome sur la terrasse ; s'il revenait en disant qu'il n'y avait pas de danger, ils montaient fumer les cigares et boire le cognac accoudés à la balustrade, contemplant le flamboiement des incendies. A la fin, lassés de cette monotonie, ils envoyèrent un message humoristique au gouverneur civil : *Mets fin à cette situation, nous commençons à manquer de cigares,* lui disaient-ils. Ce fut une semaine très agréable ; Onofre crut alors avoir retrouvé les liens incomparables de l'amitié masculine. Maintenant, il voyait le marquis

1. La répression fit une centaine de morts, dont l'anarchiste Francisco Ferrer, fondateur de l'École moderne, fusillé trois mois plus tard, en octobre 1909.

assis à la table d'honneur, à côté de la tsarine, et il comprenait que tout ça avait été un rêve fugace.

Au-dessus de la table avait été tendu une espèce de baldaquin de soie incarnat couronné par les armes des Romanov; les murs du salon avaient également été revêtus de draperies de soie ; à chaque coin avait été placé sur une console mobile un groupe en stuc spécialement sculpté pour l'occasion; du plafond pendaient six lustres portant chacun trois couronnes de bougies; en comptant les lustres et les candélabres, c'étaient quatre mille bougies de cire d'abeille qui illuminaient le salon ; les couverts étaient d'argent à toutes les tables et d'or à la table d'honneur ; la vaisselle, de porcelaine de Sèvres. Voyant cette splendeur dont il connaissait le coût exact, il se remémorait la semaine tragique. Il était perdu dans ces pensées, étranger aux festivités, quand la voix profonde de son voisin de table le fit sursauter :

— Vous êtes en train de penser à la révolution, monsieur, l'entendit-il dire.

Il le remarqua pour la première fois : c'était un homme d'une quarantaine d'années, grand et maigre, aux traits rudes, paysans, pas désagréables; une barbe emmêlée lui tombait jusqu'au haut du sternum ; il portait une soutane indigo qui le faisait paraître encore plus grand et maigre, et répandait une intense odeur de vinaigre, d'encens et de brebis. De son aspect général et de son regard pénétrant et halluciné, il déduisit qu'on l'avait assis à côté d'un de ces moines ignorants, rustres, rusés, superstitieux et fanatiques, serviles jusqu'à l'abjection, qui parviennent souvent à s'incruster dans la suite des puissants. Il apprit ensuite qu'il s'appelait Grigori Efremovitch Raspoutine ; il bénéficiait alors de la protection de la tsarine parce qu'il avait guéri l'hémophilie du tsarévitch quand les médecins y avaient renoncé. On racontait sur lui des choses extraordinaires : qu'il avait des pouvoirs hypnotiques et prophétiques, qu'il lisait dans la pensée et qu'il faisait des miracles à volonté. Son influence à partir de cette époque allait aller augmentant, dominer la cour et se muer en véritable tyrannie ; avec le temps, il distribuerait charges et honneurs, un avenir pas si lointain le verrait faire et défaire carrières et fortunes jusqu'à ce qu'une conspiration dirigée par ce même prince Youssoupov (qui en ce moment dégustait au Ritz la *escudella i carn d'olla*[1]) l'assassine en 1916. Peu après, exactement comme il l'avait prédit, éclaterait la

1. Sorte de pot-au-feu catalan.

révolution qui verrait la fin des Romanov dans la forteresse d'Ekaterinbourg[1], mais, pour lors, tandis qu'il accompagnait la tsarine dans son voyage à Barcelone, cette influence en était encore à ses débuts. Son commensal raconta à Onofre Bouvila comment, quelques années auparavant, il avait été le témoin de ce dimanche sanglant de triste mémoire : sur un balcon du second étage du palais d'Hiver, il portait la grande-duchesse Anastasia, encore presque bébé, et tenait le tsarévitch par la main ; du balcon voisin, le grand-duc Serge faisait des agaceries aux enfants. « Raspoutine, couvrez-les bien, il fait très froid », lui disait-il de temps en temps. C'était alors lui la personnalité la plus influente, parce qu'il jouissait de la complète confiance du tsar Nicolas. En février de cette même année, un anarchiste du nom de Kaliaev avait lancé une bombe au passage du carrosse dans lequel il voyageait. Du carrosse, des chevaux et du grand-duc il n'était resté qu'un tas de décombres fumants. Depuis une fenêtre du premier étage, le grand-duc Vladimir, délibérant avec l'état-major, décidait minute par minute de ce qu'il convenait de faire. « Agissons avec subtilité », dit-il. Quand la manifestation déboucha sur la place, il la laissa avancer. « Que demandent-ils ? », interrogea le tsar. « Une Constitution, altesse », lui répondit-on. « Ah », fit le tsar. Le grand-duc Vladimir ordonna d'ouvrir le feu sur la manifestation. En quelques minutes, elle se débanda. « Je crois que cette fois on a fait du bon boulot », dit-il. Sur la place restèrent plus de mille cadavres. Aujourd'hui, le moine lunatique regrettait de n'avoir pu décider du cours des choses ce jour-là.

— Je sais comment éviter la révolution, dit-il.

Il mangeait avec voracité, comme un ogre. Onofre Bouvila se montra intéressé. Au fur et à mesure qu'ils parlaient, sa première impression se confirmait, mais la personnalité du fou l'attirait inexplicablement.

— Onofre Bouvila, c'est vous ?

Il regarda l'homme qui l'interpellait sur le quai : un visage rustique, sec et sillonné de rides prématurées, les yeux enfoncés, le cheveu rare. Il dit que oui.

— Je suis Joan, dit l'homme du quai.

Les deux frères se serrèrent la main froidement. Joan Bouvila avait vingt-six ans lorsqu'il vit son frère pour la seconde fois ; ils se rencontrèrent pour l'enterrement du père, mort la nuit d'avant.

1. En fait, dans un sous-sol de la maison Ipetiev.

— C'est malheureux que tu ne sois pas arrivé à temps, lui dit-il. Il n'a pas cessé de t'appeler jusqu'au dernier moment.

Onofre ne répondit pas. Le vétéran de la guerre de Cuba, celui-là même qui l'avait conduit de la gare à sa maison quelques années auparavant, quand la mère était morte, venait à sa rencontre : il le reconnaissait encore, en dépit du temps écoulé, lui dit-il, il voulait être le premier à lui offrir ses services.

— Nous irons à pied, dit Joan, nous sommes à deux pas.

Onofre donna un pourboire au cocher :

— Pour votre bonne mémoire, dit-il.

Joan observa ce geste d'un œil désapprobateur. La chapelle ardente avait été installée dans l'oratoire des religieuses qui tenaient l'asile de vieillards de Bassora. Cet asile occupait un édifice massif, aux murs de pierre et au toit d'ardoise, toutes les fenêtres avaient des grilles et le jardin était entouré d'un haut mur. Des deux côtés s'élevaient des bâtiments d'habitation. Les pensionnaires s'étaient mis aux fenêtres pour le voir passer sur le sentier du jardin.

— Je ne sais pas comment ils ont découvert que vous veniez, dit la mère supérieure qui était venue les accueillir à la grille. Dans ces endroits, il n'y a pas de secret. Ne vous étonnez pas d'être si attendu, ajouta-t-elle sur le ton de la confidence. Votre pauvre père, dans ses rares moments de lucidité, ne faisait que parler de vous à tout le monde. La sœur Socorro, qui s'est occupée de lui depuis son arrivée au centre, peut vous le dire. N'est-ce pas, ma sœur ? dit-elle en s'adressant à une nonnette au visage ovale et à la peau très blanche, presque transparente, qui les avait rejoints dans le vestibule ombreux.

La nonnette baissa les yeux en présence d'Onofre et de son frère Joan ; elle ouvrit la bouche, mais ne dit rien.

— Dans ces occasions, il répétait toujours la même chose, continua la mère supérieure. A savoir, que vous viendriez le chercher ; il croyait fermement que vous étiez sur le point d'arriver. Alors, disait-il, il irait avec vous à Barcelone, où vous vivriez dans le confort et le luxe. Cela a conduit certains petits vieux, entraînés par leur crédulité, à l'envier, à lui en vouloir. Ils semblaient voir une espèce de morgue dans son attitude ; mais, comme je l'ai dit, cela n'arrivait qu'occasionnellement. Votre père était un homme à l'imagination très vive. J'irais jusqu'à dire fiévreuse.

Cependant qu'elle parlait, ils parcouraient des couloirs immenses, déserts. Sur les côtés, il y avait des portes fermées. Le sol carrelé frappait par sa propreté, il reflétait les silhouettes comme un bassin d'eau calme. En tournant à un coude, ils butèrent contre une robuste religieuse qui frottait à genoux le carrelage. Elle portait un tablier gris sur son habit. Le sol récemment lavé exhalait une odeur piquante. Quand ils furent arrivés à la chapelle, Onofre regarda avec abattement ce visage émacié qu'il voyait à présent dans la bière, éclairé par la lumière tremblante de deux cierges : ce visage inexpressif de parchemin qui annulait tous ses souvenirs précédents.

— Vous pouvez fermer le cercueil, dit-il.

— Pendant son séjour chez nous, dit la mère supérieure, en dépit de ce que je viens de vous dire, il s'était fait quelques amis parmi les vieux. Ils aimeraient assister au répons, si vous l'autorisez.

Deux religieuses amenèrent un groupe de vieux qui traînaient les pieds en marchant. Tous n'avaient pas connu l'Américain de son vivant, mais ils avaient trouvé des arguties pour s'adjoindre au triste troupeau et ne pas laisser échapper ce divertissement inespéré. Tous étaient habillés de guenilles.

— Nous dépendons de la charité, c'est pourquoi notre situation pécuniaire est angoissante, dit la mère supérieure.

Quand la cérémonie fut terminée, et qu'ils se disposaient à sortir pour aller au cimetière, la sœur Socorro le tira par la manche.

— Venez, chuchota-t-elle, je vais vous montrer une chose.

Il se laissa conduire jusqu'à une porte étroite peinte en bleu. La nonnette ouvrit la porte avec une énorme clef qu'elle portait accrochée à son habit par un ruban. La porte donnait sur un placard obscur. La nonnette entra dans le placard et en ressortit avec un fouillis de tiges d'osier à la main.

— Nous apprenons aux malades à tresser des paniers, lui dit-elle. Votre père a fait ça : il n'avait pas beaucoup d'habileté manuelle et n'est jamais allé au-delà. En vérité, il était déjà très mal quand votre frère nous l'a amené, il y a presque un an. C'est lui qui a payé l'osier ; en réalité, il vous appartient.

Au retour du cimetière, il emmena son frère manger dans ce même restaurant où, bien des années auparavant, son père et lui avaient rencontré par hasard Baldrich, Vilagrán et Tapera. Les deux frères prirent leur soupe en silence. Pendant qu'ils attendaient le premier plat, Onofre dit :

— J'avais l'intention de venir, mais ça m'a été impossible. J'avais un dîner avec la tsarine, rien moins.

— Je ne sais pas ce qu'est une tsarine, dit Joan. Je ne te reproche rien non plus ; tu n'as pas d'excuses à me présenter.

— Bien sûr, dit Onofre, tous les frais que tu as eus sont pour moi.

— Mon idée est de vendre les terres, dit Joan comme s'il n'avait pas entendu ce que son frère venait de lui dire. J'aurai besoin pour ça de ton consentement, par écrit. » Il regarda fixement Onofre. Il déduisit de son silence que celui-ci voulait entendre la suite avant de se prononcer. « Ensuite, j'irai à Barcelone. Ne me dis rien, se hâta-t-il d'ajouter, voyant que son frère se disposait à parler.

Onofre reconnut en lui une expression caractéristique de sa mère. A eux deux, ils avaient fait un sort à la cruche, quoique Onofre eût à peine bu deux gorgées.

— Ne crie pas, lui dit-il. Nous sommes connus ici ; tout le monde nous observe.

— Je m'en fous ! cria Joan.

— Tu vois comme tu es ? dit Onofre en souriant. Pas si malin que tu le crois. Calme-toi et écoute le plan que je suis venu exprès te proposer. » Il tapa dans ses mains et demanda au garçon de remplir de nouveau la cruche. « Je sais très bien ce que tu penses ; bien que nous nous connaissions à peine, nous ne pouvons pas être si différents. Par force, nous devons nous entendre bien. Tu en as assez de travailler la terre, n'est-ce pas ? Assez de la campagne. Comment te contredirais-je, moi ? » Il lui passa la cruche ; il remarqua que Joan buvait mécaniquement ; au fur et à mesure qu'il buvait, l'éclat de ses yeux enfoncés s'éteignait. « La terre ne donne rien, ça je le sais bien. La richesse est dans les forêts. C'est à ça qu'on va se consacrer à partir de maintenant : aux forêts. La forêt ne demande pas de travail, elle pousse toute seule. Il n'y a rien d'autre à faire que de veiller à ce que personne ne vienne avant faucher le bois. Pour le bois, on paie de véritables fortunes dans les villes, mais il faut que quelqu'un soit ici pour surveiller la forêt, la source de notre richesse.

— Je ne sais pas qui tu veux rouler avec ces plaisanteries, dit Joan. Les forêts sont à tout le monde ; personne ne peut se les approprier.

Il avait baissé la voix ; lui non plus ne pouvait échapper au magnétisme d'Onofre Bouvila : maintenant, face à face, la haine accumulée durant toutes ces années paraissait passer à un second plan, il était vaincu malgré lui par un mélange de curiosité et de cupidité.

— Jusqu'à présent, elles ont été à tout le monde, dit Onofre, c'est-à-dire, strictement à personne ; mais si la vallée entière devenait une entité publique, si au lieu d'être une paroisse c'était une commune, toutes les terres qui ne seraient pas propriété privée, toutes les terres de personne seraient terres communales, elles seraient soumises à l'administration de la municipalité, c'est-à-dire du señor *alcalde*... Ça te plairait d'être *alcalde*, Joan ?

— Non, dit Joan.
— Eh bien, tu peux encore changer d'avis, dit Onofre.

Cette conversation, le désir inexplicable de se gagner son frère, qu'il connaissait à peine, dans les yeux de qui il lisait seulement un ressentiment brutal, lui avaient coûté beaucoup d'argent et d'innombrables démarches dont il se souvenait à présent. L'apparition subite de deux carabiniers sur le quai le fit sursauter. Voyant l'effet que causait leur présence, ils portèrent la main à leur casquette :
— Pardonnez, don Onofre, ce n'était pas notre intention de vous faire peur, dirent-ils. On cherche du tabac débarqué en contrebande.
Il n'avait pas revu Joan depuis le jour de l'enterrement : il n'avait pas assisté à son entrée en fonction comme *alcalde,* ni ne savait rien de son administration ; périodiquement, le bois et le liège dont les montagnes de cette zone étaient riches arrivaient à ses magasins de Pueblo Nuevo. Et pourtant, pensait-il maintenant, je n'ai plus de famille, aucun lien de sang hormis Joan, un fils imbécile et deux filles chichiteuses. Seuls les insensés tranchent définitivement leurs racines, pensa-t-il.

3

A peine le repas terminé, son frère et lui s'étaient quittés. Entre eux persistait la froideur du moment où ils s'étaient rencontrés, mais ils étaient parvenus à un accord. A présent, il marchait seul par les rues de Bassora. Joan avait pris le chemin du retour à deux heures et demie, profitant des heures de jour qui restaient ; son train, en revanche, ne partait qu'à huit heures. Cette ville qui l'avait ébloui lorsqu'il était enfant lui paraissait maintenant laide et sans attrait ; l'atmosphère, pestilentielle ; les passants qu'il croisait, grossiers. La suie s'est introduite dans leur cerveau, pensa-t-il. Sans qu'il se le propose, sans qu'il en soit conscient, ses pas le menèrent à une rue bordée d'arcades ; il entra dans une maison, monta au premier étage et sonna ; une femme à l'air timide et pieux ouvrit, à qui il demanda si un taxidermiste n'avait pas vécu là autrefois. Elle l'invita à passer dans l'entrée. Si, lui dit-elle, ce taxidermiste dont il parlait était justement son père ; en réalité, il vivait encore, très vieux désormais, mais cela faisait plusieurs années qu'il n'exerçait plus son métier, lui dit-elle. Ils vivaient tous les deux, père et fille, des économies de celui-ci, modestement mais sans problèmes. Il demanda au taxidermiste, en présence de qui il fut introduit, s'il se souvenait avoir empaillé un singe, il y avait de cela bien des années, question à laquelle l'autre répondit immédiatement que oui : au long de sa vie professionnelle, il n'avait pas eu l'occasion d'empailler d'autre singe que celui au sujet duquel il se renseignait aujourd'hui, lui dit-il. Il se souvenait que ç'avait été un travail difficile, parce qu'il ignorait l'anatomie du singe et parce qu'en outre il s'agissait d'un spécimen petit, aux os excessivement fragiles ; c'est pourquoi il avait apporté beaucoup de soin à ce travail, lui expliqua-t-il, il y avait consacré beaucoup d'heures, mais en fin de compte il l'avait très bien réussi ; il le reconnaissait sans fausse modestie. Ensuite, les mois avaient passé sans que réapparût le propriétaire du singe ; de lui aussi, il se souvenait avec précision, bien que plusieurs dizaines d'années se fussent écoulées depuis : c'était un homme vêtu de blanc, avec un chapeau de paille et une canne de jonc, qu'accompagnait un enfant.

— Vous voyez si j'ai la tête claire pour mon âge, conclut le vieux taxidermiste.

— Père, ne faites pas d'efforts, dit la femme.

En aparté, elle expliqua à Onofre Bouvila qu'il s'excitait facilement et qu'après il ne pouvait pas dormir avant des heures indues.

— Qu'est-il advenu du singe ? lui demanda-t-il, ignorant les prières de la fille.

Le vieux fit un visible effort pour se souvenir. Il l'avait gardé pendant un temps dans une armoire pour le préserver de la poussière. Puis, convaincu que personne ne viendrait plus le réclamer, il l'avait placé sur une console dans l'atelier, en guise d'enseigne. Et ensuite ? Ensuite, il ne se souvenait pas, dit-il. La fille vint à son aide.

— Si, père, le señor Catasús l'a gardé, vous ne vous en souvenez pas ?

— Ah, oui, dit le taxidermiste retraité.

Le señor Catasús et son beau-frère avaient l'habitude de lui amener des pièces de gros gibier pour qu'il les empaille : c'étaient ses meilleurs clients.

— Jamais moins qu'un chevreuil, dit-il ; quelquefois, un sanglier.

Ils avaient vu le singe et s'en étaient entichés ; cela faisait déjà des années qu'il était là, sur la console. Il n'avait estimé manquer à aucun principe en offrant le singe à des clients si exceptionnels.

La famille Catasús vivait en dehors de la ville, dans une demeure que le vétéran de la guerre de Cuba, qu'il trouva à la station de voitures contiguë à la gare, affirma connaître bien. Arrivé à cette maison, il remit sa carte de visite à la domestique. Cependant qu'il attendait dans le vestibule, il se dit qu'il était en train de commettre une bêtise. Des décisions absurdes découlent toujours des résultats catastrophiques, se dit-il. Peut-être vaudrait-il mieux renoncer maintenant à cette idiotie sentimentale, pendant qu'il en est encore temps, réfléchit-il. Catasús lui-même vint à sa rencontre. C'était un bonhomme d'une soixantaine d'années, ventripotent, jovial et bon enfant.

— Bouvila, lui dit-il, quel honneur !

Il avait beaucoup entendu parler de lui ; ils avaient des connaissances communes ; la nouvelle du banquet offert quelques jours auparavant à la tsarine était aussi parvenue à ses oreilles, lui dit-il.

— Ici, en province, ces choses font toujours beaucoup de bruit, avoua-t-il en riant avec simplicité.

Mais à quoi devait-il le plaisir de cette visite ?

— Une affaire privée », répondit Onofre. Il la lui exposa en peu de mots. « Cela vous semblera absurde que je montre aujourd'hui tant d'intérêt pour ce singe, conclut-il.

— Non, non, nullement, répondit Catasús avec sympathie, il y a juste que je regrette de ne pouvoir vous obliger comme je l'aurais aimé.

Il lui raconta comment son beau-frère, un certain Esclasans, propriétaire d'une distillerie, ayant vu un jour le singe chez le taxidermiste, eut l'idée de baptiser une eau-de-vie du nom d'*Aguardiente del mono*[1] ; il avait déjà obtenu que le taxidermiste lui offre le singe, dont il se proposait d'utiliser l'image comme réclame du produit, lorsque l'avocat qui s'occupait de ses affaires à Barcelone lui écrivit pour l'informer du fait que cette appellation commerciale avait été déposée précédemment ; par pure coïncidence, il y avait sur le marché un anis qui portait le même nom. Pendant un certain temps, le singe était devenu le jouet des enfants ; quand ceux-ci grandirent, il fut mis au rancart au grenier ; en fin de compte, abîmé et mangé aux mites, il avait été jeté aux ordures.

— Il est tout de même remarquable, dit Catasús au terme de son récit, qu'après tant de temps vous ayez pu reconstituer intégralement la destinée de ce singe. » Il regarda l'horloge à balancier comme s'il était désireux de se débarrasser de lui sans plus tarder et qu'il ne savait pas comment faire. Lui était également à la recherche d'une formule qui lui permît de quitter la demeure. « Mais je vois qu'il y a encore plus de

1. Eau-de-vie du singe. Les lecteurs d'*Au-dessous du volcan* se souviennent sûrement de l'*anis del mono,* dont il est question un peu plus bas.

deux heures avant le départ de votre train et nous sommes à deux pas de la gare, comme on dit. Entrez, je vous en prie. Nous serions très heureux que vous partagiez avec nous une modeste collation. Comme vous voyez, nous avons une réunion de famille.

Il se laissa conduire dans une vaste salle à manger, à plafond à caissons et meubles de chêne, dans laquelle se trouvaient douze ou treize personnes. Catasús se mit à faire les présentations, auxquelles il porta à peine un intérêt passager. Certains des convives étaient des fils de Catasús, avec leurs épouses respectives, d'autres, des parents plus ou moins proches. En dernier lieu, il lui présenta un personnage pittoresque nommé Santiago Belltall.

— Santiago est inventeur, dit-il pour toute référence.

De l'accent d'ironie qu'il crut percevoir dans sa voix comme des regards de complicité rieuse que lui lancèrent les membres de l'assistance, il inféra qu'il s'agissait d'un de ces parents pauvres ou malchanceux, extravagants et quelque peu niais, qui finissent par devenir par inadvertance les bouffons de leur entourage. Santiago Belltall, dont le nom devait être attaché pour toujours à sa vie, avait alors vingt-huit ans, mais il faisait le double de son âge : il avait l'aspect mal nourri et épuisé de l'homme qu'une obsession empêche de manger et de dormir ; la chevelure de paille, raide et graisseuse, les yeux globuleux et humides, le nez long et la bouche large, aux lèvres fines et aux grandes dents, accentuaient son aspect dérisoire ; une vieille veste de laine maintes fois ravaudée, une cravate effilochée et de couleur criarde, un pantalon trop court et des espadrilles de chanvre ne contribuaient pas non plus à susciter le respect. Bien qu'on vît à l'évidence qu'il subsistait grâce à la charité d'autrui, c'est à peine s'il goûtait aux brioches et aux sucreries qui se trouvaient à sa portée sur la table. Tous les deux se regardèrent longuement. Un moment, il crut voir devant lui cet autre jeune homme lunatique, qu'il n'avait jamais réussi à connaître vraiment, qui avait émigré à Cuba la tête pleine de rêveries et en était revenu l'âme brisée et les rêveries intactes. Cette image se superposait fugitivement à celle de la triste dépouille à l'enterrement de laquelle il venait d'assister. Cette idée illogique lui traversa la tête : J'ai cherché un singe inexistant sans savoir pourquoi je le faisais ; maintenant, le sort m'offre cet idiot à la place. Avant qu'ils aient pu échanger quelque chose de plus que les formules convenues, Catasús se mit à raconter l'histoire du singe ; il fut interrompu par un des commensaux qui affirma que les singes étaient des animaux d'une rare intelligence. Il avait lu dans un livre de voyages que les anciens Égyptiens, bien qu'ils ne crussent pas en Dieu, adoraient les singes, ajouta-t-il. Un autre dit savoir de bonne source qu'en Chine et au Japon, à la différence de ce qui, selon le premier, arrivait dans l'ancienne Égypte, on mangeait de la viande de singe ; c'était considéré là-bas comme un véritable délice, ajouta-t-il. Un troisième dit que ça n'était encore rien : dans une région d'Amérique du Sud, on mangeait de la chair de caïman et de serpent. Un autre dit que c'était probablement au Chili. Une sœur de son père, dit-il, s'était mariée avec un commerçant en laines et tous deux avaient émigré au Chili. Sa femme le reprit, disant que ces parents auxquels il faisait allusion n'avaient pas émigré au Chili mais au Venezuela. Il était dommage, commenta-t-elle, que ce fût elle qui dût se souvenir de ces choses alors qu'en réalité ce n'étaient pas des parents à elle, si ce n'est par alliance. Celui qui avait commencé à parler des serpents rapporta la façon de les préparer : une fois que le serpent était mort, dit-il, on le coupait avec une égoïne, on en faisait des tronçons d'à peu près une paume de long ; ensuite, avec un fil et une aiguille, on cousait les extrémités de chacun de ces morceaux et on les faisait frire dans la graisse ou dans l'huile comme si c'étaient des *butifarras*[1] ; ça et les céréales constituaient l'ordinaire des habitants de cette région d'Amérique du Sud. Une dame dit que des taches blanches étaient apparues sur sa peau. Une autre lui recommanda d'aller prendre les eaux à Caldas de Bohí. Un jeune homme ajouta qu'on lui avait raconté que les rues de Paris étaient pleines d'automobiles, qu'il était fréquent de voir dans les rues de Paris des chiens et des chats et jusqu'à des ânes tués par les charges des automobiles. La mode de l'automobile, apostilla un monsieur d'un certain âge qui, jusqu'alors, s'était abstenu d'intervenir dans la conversation, ne manquerait pas de causer le malheur de nombreuses familles. Sur ce point, presque tout le monde fut d'accord. Catasús dit que, même si c'était le cas, on ne pouvait lutter contre le progrès, surtout sur le terrain scientifique. Ainsi passait la soirée. Onofre Bouvila ne disait rien. Du coin de l'œil, il observait Santiago Belltall, qui se taisait aussi ; à la différence de lui, cependant, il ne faisait pas le moindre effort pour feindre de l'intérêt pour ce qui se disait : il pensait à ses affaires ; de temps en temps, ses yeux prenaient une vivacité inattendue : il avait alors l'air dangereux, mais, comme personne ne le regardait, personne ne s'en apercevait ; d'autres fois, son front s'assombrissait et la tristesse se peignait dans ses yeux ; cela aussi passait inaperçu des autres. Entre une expression et la suivante s'écoulaient parfois quelques secondes durant lesquelles la lassitude

1. Sortes de saucisses catalanes.

pouvait se lire sur son visage. Lui, de son côté, ne se rendait pas compte non plus de l'analyse à laquelle le soumettait à la dérobée le nouveau venu. Cette situation fut brusquement interrompue par l'entrée d'un enfant dans la salle à manger. Cet enfant, qui ne devait pas avoir plus de trois ou quatre ans et allait encore vêtu d'une barboteuse festonnée, courut cacher sa tête dans le giron de sa mère et éclata en pleurs sonores et inextinguibles. A la fin, elle parvint à le calmer et à lui faire dire, au milieu des hoquets et des sanglots, la cause de ces larmes.

— María m'a battu, dit-il.

De sa main grassouillette, il montrait la porte qu'il avait laissée ouverte en entrant. De l'autre côté de la porte, il y avait un hall circulaire, vide de tout mobilier et illuminé par une lucarne. Au centre de cette pièce, il put voir de son siège une enfant maigre et dégingandée. Elle portait une chemise courte et râpée qui laissait à découvert des jambes malingres dans des bas sales et reprisés. Il sut immédiatement qui elle était. Se rendant compte qu'elle était observée avec tant d'intérêt, la gamine lui décocha un regard méfiant. Il vit, en dépit de la distance, qu'elle avait des yeux ronds couleur de caramel. Santiago Belltall s'était déjà levé et avait franchi en quelques enjambées la distance qui le séparait de sa fille. Sans égard pour les préceptes de la correction, il se leva aussi et se posta à la porte. Il essayait d'écouter le dialogue entre l'inventeur et sa fille. Catasús s'était placé derrière lui.

— Ne vous inquiétez pas, Bouvila, dit-il. Ça arrive invariablement à chaque fois qu'ils viennent. Elle n'a pas tous les torts. María a sept ans et commence à comprendre trop de choses. C'est un âge difficile dans les circonstances où elle se trouve.

— Et la mère ? demanda-t-il.

Catasús haussa les épaules en fermant à demi les yeux : Mieux vaut ne pas en parler, signifiait-il par là. Un bruit sec les fit tourner la tête. Belltall venait de donner une gifle à sa fille. Un homme violent, pensa-t-il. La petite faisait des efforts pour garder l'équilibre et surtout pour ne pas pleurer. Mais elle l'adore, pensa-t-il aussi, peut-être pour cela même. La violence est sa faiblesse, pensa-t-il. L'inventeur était revenu dans la salle à manger. Il était très pâle : il se mit à balbutier des excuses incohérentes qui n'en finissaient pas ; il mélangeait les mots, provoquant l'hilarité de ses auditeurs. Onofre Bouvila, qui était à côté de lui, lui posa la main sur l'épaule, il sentit sous la paume les os de sa clavicule.

— Partez et emmenez la gamine, lui murmura-t-il à l'oreille.

L'inventeur lui adressa un regard chargé de férocité auquel il répliqua par un sourire tranquille : Du calme, voulait-il dire, tu ne me fais pas rire mais tu ne me fais pas peur non plus ; je pourrais te faire tuer, mais je préfère te défendre. Il lui glissa sa carte dans la poche de la veste. Santiago Belltall ne se rendit pas compte de ce geste ; il se libéra brusquement de sa main, prit sa fille et se dirigea vers la porte opposée du hall en la tiraillant sans ménagement. Il profita de cet incident pour prendre congé lui aussi. Il remercia beaucoup de l'hospitalité qu'on lui avait offerte. Sur le chemin de la gare, la voiture de place qui l'emmenait dépassa l'inventeur et sa fille. Ils discutaient tous les deux avec animation. Sachant qu'aucun des deux ne le remarquerait, il se retourna et resta à les observer jusqu'à ce que la voiture tourne à un coin de rue.

A présent, plusieurs millions d'hommes s'apprêtaient à se tuer dans les tranchées de Verdun et de la Marne et lui veillait à ce qu'ils ne manquent pas de moyens pour le faire. Un an avait passé depuis cette rencontre : il ne se souvenait déjà plus de Santiago Belltall et de sa fille. Les grues avaient posé les canons sur les chariots ; les sangles de fixation des bâches qui les recouvraient avaient été passées dans les anneaux latéraux. Un attelage de huit mules les tirait sur le quai jusqu'au Bogatell[1]. Des hommes munis de torches ouvraient la marche, d'autres guidaient les mules en tirant les licous, d'autres protégeaient le convoi pistolet en main.

4

Les automobiles ne circulaient plus dans les rues de Paris, comme l'avait dit le neveu de Catasús ; à présent régnaient l'obscurité et le sinistre silence. Cela faisait quatre ans que la guerre ne cessait pas en Europe ; tous les hommes avaient été mobilisés ; pendant ce temps, les usines restaient au repos, personne ne cultivait les champs et on avait sacrifié jusqu'à la dernière tête de bétail pour donner à manger aux troupes. S'ils n'avaient pu compter sur leurs empires coloniaux respectifs et sur les fournitures en provenance des pays neutres, les combattants auraient dû déposer les armes un à un, vaincus par

1. Plage et quartier populaires de Barcelone.

l'inanition, jusqu'à ce que le dernier, celui qui aurait disposé de la plus longue autonomie en munitions et ravitaillement, eût pu se proclamer maître du monde. Beaucoup à Barcelone se réjouissaient de cette situation tragique. A présent, quiconque avait quelque chose à vendre pouvait devenir riche du jour au lendemain, se retrouver millionnaire en un clin d'œil, d'un seul coup. La ville était un grouillement permanent : de l'aube d'un jour jusqu'à ce que paraisse le soleil du suivant, sans trêve à la Lonja et au Borne, dans les consulats et légations, les officines commerciales et les banques, les clubs et les restaurants, les salons et les loges et foyers, dans les salles de jeu, les cabarets et les bordels, les hôtels et auberges, dans une ruelle sinistre, le cloître désert d'une église, la chambre à coucher d'une pute parfumée et haletante se croisaient les offres, se fixaient des prix au culot, se pratiquaient des enchères, se refilaient des pots-de-vin, se proféraient des menaces, partout on avait recours aux sept péchés capitaux pour conclure des marchés ; ainsi l'argent courait-il de main en main, si vite et en telle abondance que le papier remplaça l'or, la parole le papier, et la pure imagination la parole : beaucoup croyaient avoir gagné des sommes extraordinaires que d'autres croyaient avoir dépensées sans que la réalité ratifie ces idées ; sur les tables de poker, de baccara et de *chemin de fer**, des fortunes véritables ou simulées changeaient de propriétaire plusieurs fois en quelques heures ; les mets les plus exquis (chose inconnue jusqu'alors en Espagne) se mangeaient sans façons (on cite le cas de collations de caviar servies à des taureaux), et il n'y avait pas d'aventurier, de joueur ni de femme fatale qui ne vînt à Barcelone pendant ces années-là. Seul Onofre Bouvila paraissait indifférent à ces fastes. C'est à peine s'il se laissait voir en public. Les rumeurs les plus absurdes couraient à son sujet : certains disaient qu'à force de gagner de l'argent il avait perdu la raison ; d'autres, qu'il était gravement malade. D'autres rumeurs étaient plus imaginatives : on raconta sérieusement qu'il suivait le conflit heure par heure et qu'il avait offert à l'empereur de lui acheter le trône des Habsbourg si, comme il pensait qu'il adviendrait, l'Autriche perdait la guerre. On dit aussi qu'il avait financé la révolte qui avait déposé le tsar de Russie ; qu'en paiement de cette manœuvre l'Allemagne avait déposé cent kilos d'or en barres à son nom dans une banque suisse et lui avait accordé le titre d'archiduc. Rien de tout cela n'était sûr. Une armée privée d'agents et d'informateurs le tenait au courant de ce qui se passait sur les champs de bataille et dans les quartiers généraux, dans les tranchées et à l'arrière ; il en savait trop ; la guerre avait cessé de l'intéresser. En revanche, il distinguait de sombres nuages à l'horizon.

Il disait que le pire était encore à venir ; en l'occurrence, il se référait à la révolution et à l'anarchie. Des ruines fumantes qu'était devenue l'Europe, il voyait en imagination surgir une masse famélique et vindicative, disposée à reconstruire la société sur la base de l'ordre, de l'honnêteté et de la justice distributive. Il considérait la civilisation occidentale comme un objet de sa propriété et il se désespérait à imaginer son anéantissement. Il se mit à penser qu'il était appelé à empêcher que pareille chose advînt. Il croyait que ce destin historique singulier lui était réservé. Il est impossible que ma vie ait été pour rien une succession de choses extraordinaires, se disait-il. Il avait débuté dans les pires conditions et à force d'efforts il avait réussi à devenir l'homme le plus riche d'Espagne, un des plus riches du monde probablement. Maintenant, il se croyait appelé à remplir une mission de portée plus haute, il se considérait comme un nouveau messie. En ce sens, on pouvait dire en effet qu'il avait perdu la raison. Il laissait dorénavant ses affaires prospérer par inertie et il consacrait jours et nuits à élaborer un plan pour sauver du chaos la face de la Terre. Pour cela, il disposait de son argent, de son énergie indomptable, de son manque de scrupules et de l'expérience acquise au long de sa vie. Il lui manquait seulement une idée qui articulât ces éléments hétérogènes. Comme cette idée ne lui venait pas aisément à l'esprit, sa mauvaise humeur allait augmentant : il frappait ses subordonnés à coups de canne sous n'importe quel prétexte ; sa femme et ses filles le voyaient à peine. Enfin, le 7 novembre 1918, deux jours avant la proclamation de la République de Weimar, l'idée qu'il avait poursuivie dans ses rêveries cristallisa sous ses yeux de la façon la plus inattendue.

Le pauvre señor Braulio ne recouvra pas la santé que lui avait fait perdre la mort de l'homme qu'il avait aimé. Il s'était retiré de toute activité, et vivait en tête à tête avec sa fille Delfina dans une modeste petite maison à deux étages et jardin située dans une rue tranquille de l'ancienne villa de Gracia, dorénavant intégrée au périmètre urbain de Barcelone dont l'*Ensanche* l'enveloppait en grande partie. Aucun des deux ne sortait de la maison en dehors d'occasions comptées. Delfina allait tous les matins au marché de la Libertad ; elle y faisait les courses presque sans dire un mot : elle montrait du doigt ce qu'elle voulait et payait ce qu'on lui demandait sans la moindre discussion. Les marchandes, qui ignoraient la terreur qu'elle avait répandue jadis sur un autre marché, la tenaient pour une cliente modèle. Ensuite, père et fille apparaissaient à la fin de l'après-midi, se tenant par le bras, sur la plaza del Sol, ils faisaient à pas lents le tour de la place, sous les acacias, et revenaient à la maison sans avoir échangé une parole avec quiconque, ni même entre eux. Ils feignaient de ne pas apercevoir les saluts et les phrases aimables que leur adressaient des voisins mus en partie par la cordialité et en partie par le désir d'entamer une conversation banale qui permît de percer le mystère entourant le couple. A la fin de la promenade, ils fermaient la grille du jardin avec chaîne et cadenas. Depuis la rue, on pouvait voir encore pendant des heures de la lumière aux fenêtres. Puis ces lumières s'éteignaient aux environs de dix heures. Ils ne recevaient ni visite ni correspondance, ils n'étaient abonnés à aucun quotidien ni périodique. Ils n'avaient pas non plus mis les pieds, fût-ce une fois, à la paroisse. Cette retraite obstinée devait nécessairement donner lieu à conjectures : il était communément admis que le señor Braulio possédait une rente considérable, qu'à sa mort, qui ne pouvait manquer de se produire bientôt, sa fille jouirait intégralement de cette rente : ce qui faisait de Delfina un bon parti, une proie convoitée par les chasseurs de dot. Mais ceux qui au début essayèrent de s'approcher d'elle se heurtèrent à une barrière d'indifférence et de silence; ils renoncèrent vite. A présent, les années passaient pour elle avec la lenteur inexorable et gelée d'un glacier; on disait d'habitude dans les conversations qu'elle attendait que son père meure pour entrer dans un ordre religieux, auquel elle apporterait ses rentes en dot. Alors, disait-on, quand les portes du cloître se fermeront derrière elle, nous aurons perdu pour toujours la possibilité de savoir qui elle était et quelle tragédie a ruiné sa vie.

A la fin octobre 1918, ce couple dont les curieux avaient tant désiré percer le secret cessa d'être vu sur la plaza del Sol. Au bout de plusieurs jours, les rumeurs endormies depuis des années se réveillèrent. Pauvre homme, il sera malade, dit-on. On prophétisa qu'il ne tarderait pas à mourir; on l'avait vu très diminué les dernières fois qu'il était sorti se promener; il portait déjà la mort peinte sur le visage, disait-on. A présent, tout le monde faisait des diagnostics rétrospectifs. Quelqu'un suggéra que ce pourrait être elle la malade. Cette possibilité excita la curiosité du quartier. Un médecin arriva en *cabriolet**. Delfina vint en personne ouvrir le cadenas qui fermait la grille. Ah, c'est lui le malade, dirent les curieux, c'est bien ce qu'on supposait. Puis arrivèrent à la maison deux autres médecins. Ils ont réuni une consultation, déduisit-on. Cette consultation marqua le début d'un défilé ininterrompu de spécialistes, d'infirmières et de soignants. Delfina continuait à aller tous les matins au marché de la Libertad. Les marchandes lui demandaient comment évoluait la santé de son père, formulaient des vœux pour son prompt rétablissement ; Delfina montrait du doigt ce qu'elle voulait, payait et s'en allait sans rien dire. Le mois d'octobre et la première semaine de novembre passèrent dans cette incertitude. Une routine nouvelle et inquiète avait remplacé la routine ancienne et tranquille de la maison et de ses habitants. Les curieux voyaient enfin récompensée une attente de plusieurs lustres. Au milieu de l'expectative générale apparut un jour une merveilleuse automobile. Ils reconnurent immédiatement l'homme qui en descendit, dont ils n'avaient cessé de voir la photo dans la presse. Ils se demandaient quelle relation pouvait exister entre le magnat rapace et arrogant et ce couple reclus et timide. Elle l'a fait appeler, dit quelqu'un, mais personne ne lui prêta attention : tous avaient couru voir de près l'automobile : les sièges étaient de cuir rouge ; les couvertures de voyage, de zibeline ; les trompes et les phares, d'or massif ; le mécanicien qui la conduisait portait un cache-poussière gris à col d'astrakan ; le laquais, une casaque verte à galons dorés.

Depuis la grille, on ne pouvait pas voir la maison : personne n'avait élagué les arbres ni arraché les mauvaises herbes. Dans le jardin poussaient un palmier, un laurier, plusieurs cyprès et un amandier centenaire, presque fossile. A la droite de l'amandier, il y avait un bassin boueux et, sur ce bassin, un dauphin ébréché et noirci, couvert de broussailles, de la bouche duquel ne coulait plus une seule goutte d'eau. Un vol de libellules multicolores y voltigeait. Par contraste avec le jardin, la maison paraissait nette et il n'y avait ni ornements ni tableaux aux murs, ni rideaux aux fenêtres entrebâillées. Tout reluisait, mais cette apparence était fausse : il n'y avait de propre et d'ordonné que ce que la pénombre permettait de voir : au-delà de cet espace restreint, délimité par la pâle lumière que laissaient filtrer volets et persiennes, tout était poussière et décrépitude : les toiles d'araignées avaient envahi tous les recoins, les mites dévoraient les vêtements sales et repoussants, les cafards s'engraissaient de résidus pourris de nourriture ; chaque jour, ils se reproduisaient par milliers dans le garde-manger. Cet affreux contraste était l'image de Delfina, la matérialisation de sa dégradation.

— Ce n'est pas moi qui t'ai fait venir mais mon père. Il voulait te voir pour la dernière fois, dit-elle du sein de l'obscurité.

Elle était venue ouvrir la grille, le visage couvert d'un voile épais. Elle ne voulait pas qu'il vît son visage avant qu'elle ne lui révèle la vérité. Maintenant, à l'intérieur de la maison, elle semblait un fantôme. Onofre Bouvila regretta de n'avoir pas d'arme sur lui ou d'avoir laissé dans l'automobile le laquais qui les portait pour lui. C'était la première phrase qu'il lui entendait prononcer, mais il reconnut immédiatement la voix caractéristique de la soubrette.

— Mais personne ne t'a obligé à venir. Tu dois savoir pourquoi tu as accepté cette entrevue, ajouta-t-elle. Monte le voir et n'aie pas peur : il y a une infirmière avec lui. Je t'attends ici.

Il grimpa une volée d'escalier ; sur plusieurs marches, le revêtement de marbre avait sauté, laissant à nu une poutrelle couverte de rouille. Se guidant sur une phosphorescence qu'il apercevait, il marcha jusqu'à l'unique porte ouverte sur le palier. Il entra et vit un lit à baldaquin sur lequel gisait le señor Braulio. Sur la table de nuit, un arc voltaïque protégé par un écran de gaze diffusait une clarté violacée ; à cette lumière, le visage du gisant acquérait une blancheur de pétales de fleurs. L'infirmière ronflait dans un fauteuil. Il n'eut pas besoin de s'approcher du lit pour savoir qu'il était mort depuis déjà plusieurs heures. Il fit le tour de la chambre : à l'extrémité opposée au lit, il y avait une coiffeuse de laque à incrustations d'ivoire. Sur la coiffeuse, il vit plusieurs pots de crèmes, onguents et fards, des pinces, un retourne-cils et une collection de peignes et de brosses. Du cadre du miroir ovale pendait une mantille de dentelle noire. Dans le premier tiroir, il trouva une *peineta* d'écaille. Dans les dernières années de sa vie, le señor Braulio avait l'habitude de s'enorgueillir d'avoir servi de modèle à Isidro Nonell pour ses célèbres portraits de gitanes. A présent, Nonell était mort et on ne pouvait pas vérifier la véracité de cette affirmation absurde. A côté de la *peineta,* il y avait un couteau très affilé : sa vie infortunée s'était écoulée entre l'illusion et la violence. Il sentit une main sur son épaule et fut sur le point de crier.

— Je ne t'ai pas entendue entrer », dit-il le souffle court. Delfina ne répondit pas. « Il était déjà mort quand tu m'as fait appeler, n'est-ce pas ? » Il voulait savoir mais n'obtint toujours pas de réponse. « Et, à cette infirmière, que lui as-tu donné ? interrogea-t-il de nouveau.

Delfina haussa les épaules.

— La dernière fois que nous nous sommes vus, commença-t-elle à dire, je t'ai annoncé qu'un jour je te révélerais un secret. Maintenant, je peux te le révéler, puisque nous ne nous rencontrerons plus jamais : mon père mort, il n'y a plus de raison.

— Je ne sais pas de quel secret tu me parles, dit-il sèchement.

Un long silence suivit : ce secret avait occupé toutes les pensées de Delfina pendant les douloureuses années d'enfermement et ensuite, pendant les années grises de réclusion volontaire, ç'avait été l'unique chose qui l'avait maintenue en vie. A présent, elle constatait qu'il ne s'en souvenait pas ni n'avait à aucun moment éprouvé la moindre curiosité. De toutes les réactions possibles qu'elle avait construites dans son imagination et ensuite modifiées et retouchées jusqu'à créer une véritable littérature imaginaire faite de variantes d'un seul épisode, celle-ci était la seule qu'elle n'eût jamais envisagée. Alors, toutes ces années avaient filé en vain. Dans le silence qui régnait dans la chambre, elle évoqua une fois de plus cette scène unique avec laquelle elle avait passé sa vie entière, elle vit pour la dernière fois cette image rebattue ; elle sentit mécaniquement comment il déchirait la chemise de nuit effrangée qu'elle lavait et repassait tous les jours pour cette occasion ; elle voyait depuis le matelas son corps nu et trempé de sueur, la méchanceté brillant dans ses yeux à la lumière incertaine de cette aube printanière de 1888 qui pointait derrière la fenêtre noircie de la mansarde de la pension. Elle avait attendu cette visite pendant des mois, le secret consistait simplement dans cette révélation dérisoire. Elle l'avait aimé dès l'instant où elle l'avait vu traverser l'entrée. Pendant ces mois, elle avait entendu ses pas discrets sur le palier de l'étage inférieur ; elle s'était levée toutes les nuits et était sortie de sa chambre, incapable de dormir et de supporter cette attente interminable ; elle avait dû se cacher chaque fois que son père sortait faire la foire. Maintenant, elle revivait ses mains sur sa taille et le picotement et l'âpreté sur ses lèvres ; elle s'évanouissait au souvenir de ses dents sur sa chair ; ensuite, dans la prison, elle voyait le temps qui passait effacer de ses seins les marques de morsures et les bleus de ses cuisses et de ses mollets ; alors, elle croyait mourir de désir et en même temps de mélancolie et de désespoir. Le secret consistait en ceci : que les machinations qu'il avait ourdies et menées à bien pour obtenir qu'elle fût à lui avaient été superflues : elle se serait donnée sans hésitation s'il l'avait ordonné. C'est pour ça qu'elle avait fait passer l'affreux Belzébuth par la fenêtre de la mansarde : par cet acte cruel et douloureux, elle éliminait l'obstacle qui le retenait. Elle avait choisi ce moment pour lui révéler le secret ; après, elle serait de nouveau à lui, pour un instant. Ensuite, elle avait prévu de se donner la mort, elle avait dans sa poche un poison très puissant. Ainsi mettrai-je fin à mon existence misérable, songeait-elle. A présent, ce plan avait été ruiné par une simple phrase. La première fois, elle avait voulu se donner à l'homme qu'elle aimait et elle avait été brutalement violentée, il lui avait volé sa reddition ; aujourd'hui, trente ans après, la manifestation de ses sentiments avait été pour la seconde fois étouffée par son indifférence avant de voir le jour. Avant de parler, elle tira des deux mains le voile qui lui recouvrait le visage.

— Tu n'as pas changé, lui dit-il.

Et, sur ce, il se tint pour quitte.

Mais il ne lui prêtait déjà plus une attention que sollicitaient d'autres événements d'importance : l'Allemagne était sur le point de se rendre ; ce pays auquel allaient au fond ses sympathies gisait en ruines. Plus de deux millions d'Allemands étaient morts dans la guerre ; quatre autres millions avaient été blessés, rendus inaptes à n'importe quelle fonction. Là-bas régnait maintenant la sédition. Quelques jours auparavant, les marins de la base de Kiel s'étaient mutinés, les socialistes avaient proclamé une république autonome en Bavière, Rosa Luxemburg et ses spartakistes semaient le désordre, créaient des soviets cependant que les modérés négociaient l'armistice dans le dos du kaiser réfugié en Hollande. Le Saint Empire gisait exsangue comme le señor Braulio sur son lit de mort. Il n'y avait plus que lui qui gardât le souffle et les moyens nécessaires pour ressusciter ce cadavre spirituel, victime de sa propre histoire, de l'héroïsme inconséquent de ses dirigeants. Confronté à cette situation, il n'éprouvait guère d'intérêt pour les tribulations de Delfina ; il ne voyait rien derrière ces silences théâtraux, le souvenir de cette nuit heureuse qui était en train de devenir cendre entre ses doigts à elle n'était pour lui qu'une référence vague et anecdotique. C'est ce qu'il voulait lui dire quand il remarqua l'éclat délirant de ses pupilles couleur de soufre, où se lisait la catastrophe de cet élan étouffé qu'il n'avait pas compris ; il revécut l'anxiété de ces nuits lointaines, quand, de passion pour elle, son cœur battait la chamade. C'est à cet instant que cristallisa son idée. Il acheva de lui arracher le voile avec impatience : le tulle tomba lentement au sol. A la lumière de l'arc voltaïque qui palpitait près du défunt, il étudia, haletant, son visage. Avec des doigts tremblants, elle commença à défaire les agrafes de sa robe. Quand elle fut en jupons, elle leva les yeux pour voir ce qu'il faisait et le trouva plongé dans ses réflexions. Son corps ne suscitait plus en lui le moindre désir.

— Que veux-tu faire avec moi ? demanda-t-elle.

Il se borna à faire un sourire oblique. Il y avait des années de cela, le marquis d'Ut avait débarqué à l'improviste chez lui pour lui faire une proposition peu commune : « Tu veux te faire pisser dessus par un chien ? », lui avait-il demandé. C'était une soirée d'hiver, froide et désagréable : il pleuvait par intermittence et les rafales de vent faisaient tambouriner la pluie contre les vitres. Il s'était réfugié dans la bibliothèque, comme il avait coutume de le faire. Des souches brûlaient dans la cheminée ; le flamboiement du feu agrandissait démesurément l'ombre du marquis qui s'en était approché pour réchauffer ses os transis d'humidité. Il portait un frac sur une chemise à boutons de corail. « Bon, répondit-il, accorde-moi dix minutes et je serai prêt. » La voiture du marquis attendait dans la rue. Sous la pluie, ils traversèrent la ville d'un bout à l'autre, jusqu'à déboucher sur une placette triangulaire formée par la confluence de deux rues. C'était la plaza de San Cayetano ; on n'y voyait aucun passant et les maisons, dont les fenêtres avaient été fermées à cause de la pluie et du froid, paraissaient inhabitées. Le postillon qui précédait toujours, monté sur un cheval blanc, l'attelage du marquis sauta à terre ; ce faisant, il mit les deux bottes dans une flaque. Menant son cheval par la bride, il se dirigea vers un portail de bois auquel il frappa du manche de sa cravache. Au bout de quelques instants, l'ouverture d'un judas fit jaillir une lame de lumière. Le postillon dit quelque chose, écouta la réponse et fit des signes en direction de l'attelage. Le marquis d'Ut et Onofre Bouvila mirent pied à terre, coururent jusqu'au portail en évitant les flaques et les torrents d'eau que les gouttières déversaient sur la place. Le portail s'ouvrit sur leur passage dès qu'ils furent devant ; puis, à peine furent-ils entrés, il se referma, laissant le postillon dehors. Les deux hommes se drapèrent dans leur cape pour cacher leur identité avant d'ôter leur haut-de-forme. Ils se trouvaient dans un vestibule éclairé par des torches ; sur les murs chaulés, il y avait des taches d'humidité et des lambeaux de ce qui avait été autrefois des flammes de papier. Au-dessus de l'ouverture qui, au fond du vestibule, donnait accès à un corridor ténébreux, on pouvait voir une monumentale tête de taureau : le poil brillait à cause de l'humidité, un des yeux de verre était manquant et deux petits chiffons décolorés fixés par une broquette tenaient lieu de cocarde. Celui qui leur avait ouvert était un homme d'une cinquantaine d'années ; il marchait en claudiquant comme s'il avait une jambe plus courte que l'autre ; en réalité, sa boiterie était due à un accident du travail : une machine lui avait brisé la hanche une vingtaine d'années auparavant. A présent, inapte au travail, il gagnait sa vie par les moyens les plus divers. « Vos Grâces arrivent à temps », dit-il avec une solennité dans laquelle ne se remarquait pas le moindre soupçon d'ironie. « Nous sommes sur le point de commencer. » A sa suite, ils passèrent dans le couloir obscur et débouchèrent dans une salle carrée qu'illuminaient les flammes bleuâtres émises par des becs de gaz placés au sol, et délimitant un espace semi-circulaire, une sorte de scène à laquelle ils servaient de rampe. Dans la salle, il y avait plusieurs hommes, tous avec le bas du visage masqué ; certains esquissaient à la dérobée des signes maçonniques auxquels le marquis répondait avec la même dissimulation. Le taulier sauta par-dessus les petites flammes et se plaça au milieu de la scène ; étant donné sa boiterie, il fut à deux doigts de se brûler une jambe de pantalon. Cet incident provoqua des rires nerveux dans l'assistance. Il demanda le silence et l'attention ; ayant obtenu les deux choses, il parla en ces termes : « *Excelentísimos señores,* si vous n'y voyez pas d'inconvénient nous allons commencer. A la fin de la séance mes filles vous offriront des rafraîchissements », ajouta-t-il avant de sauter de nouveau le cercle et de disparaître derrière des rideaux. Quelques secondes plus tard, les lumières s'éteignirent, la salle resta plongée dans l'obscurité. Au bout d'un moment, cette obscurité fut trouée par un faisceau de lumière grisâtre qui traversait la salle de part en part pour aller buter contre le mur chaulé. Sur ce mur, situé du côté de la scène improvisée, des formes aux contours imprécis apparurent dans le faisceau de lumière ; on eût dit des reproductions des taches d'humidité qu'il y avait dans le vestibule. Puis les taches commencèrent à bouger et quelques murmures se firent entendre dans l'assistance. Les taches prirent graduellement une forme reconnaissable : les spectateurs virent devant eux un fox-terrier grand comme le mur entier qui paraissait les observer avec la même curiosité qu'eux mettaient à l'observer, lui. C'était comme une photographie, mais elle bougeait comme l'eût fait un chien vivant : elle tirait la langue et agitait les oreilles et la queue. Au bout de quelques secondes, le chien se mit de profil, leva une des pattes de derrière et commença à pisser. Les spectateurs coururent vers la porte pour ne pas être aspergés. Dans l'obscurité totale qui s'était de nouveau emparée de la salle, la fuite dégénéra en collisions, chutes et coups sur la tête. Finalement, le retour de la lumière rétablit le calme. A présent, les trois filles du taulier se trouvaient sur la scène : elles étaient toutes les trois très jeunes et assez jolies, et les robes qu'elles portaient pour l'occasion laissaient découverts leurs bras rondelets et leurs chevilles sveltes. Leur apparition fut accueillie par des marques d'allégresse modérée : le spectacle avait d'abord intrigué et ensuite déçu ces messieurs. Ni la beauté des trois jeunes filles ni l'audace de leur costume ne suffiraient pour sauver la fête : les consommations seraient peu nombreuses et le rendement global de la soirée, limité.

On attribue diverses paternités au cinématographe, comme à beaucoup d'autres progrès contemporains. Plusieurs pays veulent aujourd'hui être le berceau de cette invention si populaire. Quoi qu'il en soit, ses premiers pas furent prometteurs. Ensuite vint le désenchantement. Cette réaction était due à un malentendu : les premiers qui eurent l'occasion d'assister à une projection ne confondirent pas ce qu'ils voyaient sur l'écran avec la réalité (ainsi que le prétend la légende inventée *a posteriori*), mais avec quelque chose d'encore plus fort : ils crurent voir des photographies en mouvement. Cela les conduisit à penser la chose suivante : que grâce au projecteur on pouvait mettre en mouvement n'importe quelle image. *Bientôt la* Vénus de Milo *et la chapelle Sixtine, pour ne citer que deux exemples, s'éveilleront à la vie sous nos yeux stupéfaits,* lisons-nous dans une revue scientifique de 1899. Une chronique d'une rigueur douteuse parue cette même année dans un journal de Chicago rapporte ce qui suit : *Alors, l'ingénieur Simpson fit quelque chose d'incroyable : à l'aide du Kinétoscope, dont nous avons déjà parlé mille et une fois dans ces mêmes pages, il parvint à douer de mouvement son album de photos de famille. Quelle ne serait pas la stupeur des amis et parents de voir se promener tranquillement sur la table de la salle à manger l'oncle Jaspers, enterré depuis bien des années dans le cimetière paroissial, avec son paletot et son chapeau haut-de-forme, ou le cousin Jeremy, mort héroïquement à la bataille de Gettysburg.* En août 1902, c'est-à-dire trois ans après ces nouvelles loufoques, un journal de Madrid se faisait l'écho de la rumeur selon laquelle un imprésario de cette capitale était parvenu à un accord définitif avec le musée du Prado l'autorisant à présenter dans un spectacle de *variétés* * les *Ménines* de Velázquez et la *Maja desnuda* de Goya ; le démenti que le journal lui-même fit paraître le lendemain ne suffit pas pour arrêter le torrent de lettres pour ou contre cette initiative, une polémique qui durait encore en mai 1903. A ce moment-là, pourtant, ce qu'était réellement le cinématographe était déjà du domaine public : un sous-produit de l'énergie électrique, une curiosité sans application dans aucun domaine. Pendant quelques années, le cinématographe mena une vie larvaire : relégué dans des locaux comme celui de la placette de San Cayetano, où le marquis d'Ut avait amené Onofre Bouvila, il ne remplissait pas d'autre fonction que celle de miroir aux alouettes à l'intention d'une clientèle intéressée fondamentalement par d'autres passe-temps. Puis il tomba dans un discrédit absolu. Les rares locaux que quatre naïfs exploitants ouvrirent à Barcelone durent fermer leurs portes au bout de peu de mois : ils n'étaient fréquentés que par des vagabonds qui profitaient de l'obscurité pour piquer un somme à l'abri.

L'estropié se protégeait, dans l'encadrement du portail, de la pluie qui avait redoublé ces dernières heures. Il tenait dans la main droite une lampe à huile que de temps en temps il levait et faisait osciller au-dessus de sa tête. Un éclair illumina la place de San Cayetano, sur laquelle ouvrait son local : il vit les arbres courbés par le vent et la chaussée noyée par un torrent d'eau opaque. Au milieu de la place, il vit aussi deux chevaux noirs qui piaffaient, effrayés par le fracas de l'orage. L'obscurité et le tonnerre l'avaient empêché de s'apercevoir de leur arrivée : à présent, ils étaient déjà là. De la voiture descendirent deux hommes à qui il ouvrit en grand. Éclairant le vestibule et le corridor avec la lampe à huile, il conduisit les deux visiteurs à ce même salon où, quelques années auparavant, il avait projeté le film du chien incontinent. A présent, la machine de projection, dont l'achat relevait plus de la lubie que du bon sens, gisait oubliée à la cave ; il la dépoussiérait seulement de temps en temps pour projeter des films exécrables, venus de Dieu sait où, goûtés du marquis et d'autres originaux qui en parlaient ensuite en les qualifiant de « très instructifs ». En réalité, les films de ce genre étaient seulement obscènes et dégradants.

La salle de projection avait recouvré son apparence originelle : sofa de peluche grenat, plafonnier avec des perles de verre chatoyant, fauteuils de cuir, guéridons de marbre, et un piano droit avec des appliques de bronze ; la fille aînée, dont les années avaient fait une beauté sereine et bien en chair, en jouait de ses doigts languides et grassouillets ; sa cadette avait démontré des dons particuliers pour la pâtisserie ; la benjamine ne savait rien faire, mais gardait sur sa physionomie la fraîcheur de l'adolescence.

— La nuit est terrible, commenta l'estropié, ça ne m'étonnerait pas qu'il y ait des inondations, comme tous les ans. J'ai fait allumer la salamandre : les chambres seront réchauffées dans dix minutes. Si vous voulez, je peux aussi vous offrir une primeur : ma fille, la cadette, vient de sortir du four un kilo de *panellets*[1].

Onofre Bouvila déclina l'offre. Son accompagnateur ne fit pas tant de manières ; par signes, émettant des sons gutturaux qui emplirent l'estropié de crainte, il indiqua que lui était disposé à accepter. Cependant qu'il rassasiait sa gloutonnerie, l'estropié retourna répondre à de furieux appels à la porte d'entrée.

— Entrez, Votre Grâce, l'entendirent-ils dire au fond du corridor. Ces messieurs sont déjà arrivés.

1. Petits gâteaux ronds à l'amande qu'on mange à Barcelone le 1er novembre, jour de la Toussaint.

Un troisième homme, qu'Onofre Bouvila reconnut immédiatement au port et à la démarche, entra dans la salle dissimulé dans sa cape.

— Messieurs, commença Onofre, étant donné que nous n'attendons personne d'autre, je crois que nous pouvons nous découvrir. Je réponds de la discrétion de tous les présents.

Pour donner l'exemple, il dégrafa son collet et jeta sa cape sur le sofa. Les deux autres l'imitèrent : c'était le marquis d'Ut et Efrén Castells, le géant de Calella. Ils prirent beaucoup de temps à échanger des salutations. Puis Onofre Bouvila leur dit :

— Je me suis permis de vous convoquer par cette nuit infernale parce que ce que je vais vous exposer à quelque chose d'infernal. Et quelque chose aussi du contraire...

A ce point, Efrén Castells l'interrompit pour lui dire de ne pas l'assommer avec des circonlocutions.

— Ou on en vient au fait, menaça-t-il, ou je me mange un autre kilo de *panellets* et je vais dîner.

Onofre le tranquillisa d'un sourire amical.

— Ce que je vais vous proposer est quelque chose d'éminemment pratique, assura-t-il, mais cela exige un préambule. Je m'efforcerai d'être très bref. Vous n'ignorez pas la situation pathétique dans laquelle se trouve l'Europe.

Il peignit à traits vifs ce panorama de désolation qui le préoccupait tant ces derniers temps ; ce à quoi le marquis objecta que ce qui pouvait arriver au reste de l'Europe était le cadet de ses soucis et que, si la France et l'Angleterre disparaissaient de la surface de la terre avec tous leurs habitants, il serait le premier à fêter l'événement. Onofre Bouvila essaya de lui faire comprendre que l'ère des nationalismes acharnés était passée, que les temps étaient autres. Le marquis se mit en colère :

— Voilà que tu veux nous faire la propagande de l'Internationale socialiste ? demanda-t-il.

Voyant que le ton de la discussion montait, Efrén Castells intervint. Avec sa bouche pleine de massepain et de pignons on ne comprenait rien à ce qu'il disait, mais sa carrure n'admettait pas la réplique : les esprits s'apaisèrent à l'instant.

— Comme preuve de ce que j'affirme, j'avancerai seulement ceci, continua à argumenter Onofre Bouvila quand il put reprendre la parole. A présent, la guerre se termine : que va-t-il nous arriver ? Nous avons créé une industrie de guerre pour laquelle d'un seul coup, du jour au lendemain, comme on dit, il n'y a plus de demande. Qu'est-ce que cela veut dire ? Cela veut dire la faillite des entreprises, la fermeture des usines et le licenciement des travailleurs ; sans parler des séquelles inévitables : les émeutes et les attentats. Vous me direz que nous avons déjà affronté des problèmes similaires dans le passé et que nous avons su les résoudre. Moi je vous dis que cette fois les choses vont prendre une dimension sans précédent. Ce phénomène ne restera circonscrit à l'intérieur d'aucune frontière : ce sera un mouvement à l'échelle universelle. Ce sera cette Révolution dont nous avons tant entendu parler.

La fille aînée de l'estropié s'était assise au piano ; le marquis d'Ut dodelinait de la tête au rythme d'une barcarolle. La benjamine était allongée sur le sofa ; elle avait posé les pieds sur le guéridon et la jupe lui remontait presque aux genoux : elle laissait voir avec abandon l'empeigne des bottines et les bas de soie. Efrén Castells se décrochait la mandibule à ce spectacle.

— C'est pour nous faire avaler ces prophéties que tu nous as donné rendez-vous précisément dans cet endroit ? demanda-t-il.

Bouvila sourit sans répondre : il savait que le marquis d'Ut n'aurait pas permis que quelqu'un pût le surprendre en semblable compagnie en dehors d'un endroit de cet acabit ; sans cela, il ne se serait jamais rendu à une entrevue comme celle qu'ils avaient maintenant.

— Tu peux t'absenter si tu le veux, dit-il au géant. Nous avons le temps.

Efrén Castells fit un geste à la fille et tous deux disparurent derrière un rideau de boules de bois qui cachait dans la pénombre la porte d'une chambre. Le tintement des boules suffit pour réveiller le marquis. Il demanda où était Castells. Onofre Bouvila montra le rideau et fit un clin d'œil. Le marquis s'étira et dit :

— Et que faisons-nous, toi et moi, d'ici qu'il revienne ?

— On peut parler, dit Onofre Bouvila. A son retour, je vous mettrai au courant du plan que j'ai élaboré. C'est important qu'Efrén Castells donne son accord à tout, parce que c'est lui qui devra sans le savoir assumer tout le risque de l'affaire. Si bien que nous deux devons faire comme si nous étions d'accord. Qu'il croie que nous partons tous les trois unis dans l'entreprise ; qu'il ne soupçonne pas qu'il est un pur instrument entre nos mains. S'il y avait une divergence quelconque, nous l'aplanirions ensuite toi et moi en privé, comme nous l'avons toujours fait.

— D'accord, dit le marquis qui éprouvait une passion atavique pour les conspirations, mais de quel bon Dieu de plan s'agit-il ?

— Je vous l'exposerai après, dit Onofre.

A ce moment précis le géant de Calella faisait sa réapparition suivi de la fille. Le marquis se leva aussitôt.

— Je reviens tout de suite, murmura-t-il entre ses dents.

Il prit la fille par le bras et l'entraîna vers le rideau. Efrén Castells s'écroula dans son fauteuil et alluma une cigarette.

— Pourquoi as-tu fait venir ce polichinelle efféminé ? demanda-t-il en désignant du menton le siège que le marquis venait de laisser vacant.

— Sa collaboration est essentielle à la bonne marche de notre plan, répondit Bouvila. Toi, fais voir que tu es d'accord avec moi en tout ce que je proposerai. S'il nous voit unis, il n'osera pas l'ouvrir. En cas de divergence entre toi et moi, nous pourrons l'aplanir après en privé, comme nous l'avons toujours fait.

— Ne t'en fais pas, dit le géant, mais ce fameux plan, en quoi consiste-t-il ?

— La ferme ! dit Bouvila en indiquant du regard la porte de la chambre que camouflait le rideau. Le voilà.

Sa Sainteté le Pape Léon XIII avait décidé de reprendre les choses en main, de partir en guerre contre certains courants d'opinion et certaines attitudes éthiques qui avaient fleuri à la faveur des temps modernes et que la politique de son prédécesseur, S.S. Pie X, avait favorisés. Avec cet objectif *in mente,* il s'enferma dans ses appartements.

— Que personne ne me dérange, dit-il au capitaine de la garde suisse chargé de la permanence de nuit.

Il écrivit jusqu'à l'aube et donna au monde l'encyclique *Immortale Dei.* Cela se passait en 1885 ; à présent, plus de trente ans après, Onofre Bouvila se souvenait de ce dimanche de son enfance où il avait entendu la lecture de cette encyclique dans la paroisse de San Clemente. Comme il convenait à l'importance du texte, on en donna d'abord lecture en latin. Les paroissiens, tous les habitants de la vallée, hommes et femmes, grands et petits, malades ou en bonne santé, écoutèrent cette lecture debout, tête baissée, mains croisées sur le ventre. Puis ils se signèrent et s'assirent sur les bancs de bois. Cela faisait toujours un grand vacarme, parce que les bancs n'étaient pas vissés au sol et que leurs pieds n'étaient pas de taille égale. Lorsque le silence fut revenu, le recteur, ce don Serafí Dalmau des mains de qui Onofre avait reçu les eaux du baptême, lut de nouveau le texte infaillible de l'encyclique en castillan [1] (le catalan n'avait pas encore été réintroduit dans le rituel ecclésiastique ; en Catalogne, beaucoup de gens croyaient en conséquence que le castillan et le latin étaient deux

1. Rappelons que *el castellano,* le castillan, c'est ce que nous appelons « l'espagnol ».

formes d'une même langue d'origine divine), puis il s'efforça sans succès, mais avec beaucoup de prolixité, d'en tirer au clair la signification. A côté d'Onofre était assise sa mère. Pour assister à la messe, elle s'était mis son habit de gala : une robe noire, imprimée, avec des fleurs minuscules qu'aujourd'hui il croyait voir se superposer aux communiqués de guerre qui lui arrivaient du front occidental, qui le tenaient informé des ravages causés par les sous-marins allemands dans les eaux de l'Atlantique, de l'entrée des États-Unis d'Amérique dans la guerre européenne. Il lui toucha la main et, lorsqu'il eut attiré son attention, lui demanda de quoi il s'agissait.

— C'est une chose que nous écrit le pape, lui dit sa mère, pour que nous lui obéissions en tout ce qu'il dit.

— Une lettre ? », demanda-t-il de nouveau. Et, devant le geste affirmatif de sa mère : « C'est l'oncle Tonet qui l'a amenée ?

— Bien sûr, qui veux-tu que ce soit ? chuchota la mère.

— Et il nous l'envoie à nous expressément ? demanda-t-il encore au bout d'un moment, quand cette question lui vint à l'esprit.

— Ne sois pas idiot, répliqua sa mère, il l'envoie au monde entier. Il ne sait rien de nous, même pas que nous existons, ajouta-t-elle.

— Mais il nous aime quand même, dit Onofre répétant ce que le recteur lui avait inculqué à coups de férule.

— Qui sait ! avait répliqué la mère.

Cela faisait neuf ans que son père était parti à Cuba ; mais ce n'était pas cela qui à ce moment-là (et moins encore à présent qu'il se souvenait) occupait l'esprit d'Onofre Bouvila : il savait que le pape vivait à Rome ; à partir de là, les connaissances géographiques avaient cédé la place à l'imagination : il croyait que Rome était un lieu très lointain, un château ou un palais bâti sur une montagne mille fois plus élevée que celles qui entouraient la vallée, où l'on ne pouvait accéder qu'en traversant le désert à dos d'une de ces trois bêtes : cheval, chameau ou éléphant. Ces images venaient des illustrations du livre d'histoire sainte que le recteur utilisait à l'appui de son enseignement. Que, depuis un lieu si chimérique, le Saint-Père pût faire parvenir sa lettre en un rien de temps à l'humble paroisse de San Clemente, dont il ignorait même l'existence, voilà ce qui, alors, l'avait rempli de stupeur. A présent, se remémorant cet épisode, la même stupeur qu'alors l'envahissait. « Voilà le pouvoir ! », s'exclamait-il à voix basse quand il se savait seul dans son bureau. Seul ce pouvoir omniprésent peut dresser des digues contre les forces de la subversion qui menacent le monde. Mais ce même pouvoir avait été réservé exclusivement à l'Église, et l'Église paraissait dormir sur ses lauriers, déchirée par ses dissidences internes, sans cap ni capitaine. Et pourtant seule l'Église pouvait pénétrer jusque dans l'endroit le plus reculé ; jusque dans le coin le plus oublié du foyer le plus solitaire, de la chaumière la plus misérable du globe terrestre, il y avait une image fixée au mur, une invocation qui présupposait acceptation et obéissance. Et tout ça, se disait-il avec admiration, Jésus-Christ l'avait fait vingt siècles auparavant, avec une bande de malheureux pêcheurs de Galilée. Il ne savait pas, même alors, avec toute l'information dont il disposait, où se trouvait la Galilée ; même si toute sa fortune en eût dépendu, il eût été incapable de la situer sur la mappemonde. Cela le préoccupait. Ensuite, d'autres avaient essayé de reproduire ce plan : Jules César, Napoléon Bonaparte, Philippe II... Tous avaient connu la défaite et l'échec les plus humiliants ; ils s'étaient fiés uniquement à la force des armes et avaient dédaigné la force spirituelle capable de créer un lien invisible, de maintenir rassemblées ces milliers de millions de particules destinées par elles-mêmes à se désagréger dans des directions opposées, à se répandre par l'espace infini, à se heurter les unes aux autres. Mais maintenant, lui, Onofre Bouvila, retisserait cette trame, à partir d'une semence spirituelle, il ferait germer un puissant arbre aux branches infinies et aux racines infinies.

La plus jeune fille de l'estropié pleurait dans la cuisine. Au cours de cette nuit, elle avait dû supporter quatre fois les exigences dépravées du marquis et neuf fois les charges colossales d'Efrén Castells. Cela lui avait occasionné une légère hémorragie et de fortes douleurs ; sa sœur aînée avait dû abandonner le piano pour la remplacer dans la chambre. A présent, elle aidait son autre sœur à cuire des *panellets,* dont le géant avait déjà consommé quatorze kilos en dépit du fait que les pignons lui causaient, à l'entendre, des attaques aiguës de priapisme. Dans l'encadrement de la fenêtre, on pouvait voir poindre le jour, un ciel plombé, chargé de pluie. Des cercles noirs entouraient les yeux du marquis. En dépit des interruptions, Onofre Bouvila avait fini de leur exposer son plan. Ni le marquis ni le géant de Calella n'y avaient rien compris, pas plus qu'ils n'avaient compris ce qu'on attendait d'eux en ce qui concernait ce plan ou son exécution. L'un et l'autre nourrissaient de sérieux doutes sur le bon sens de leur ami. Aucun, pourtant, n'osait rien dire : ils craignaient que le moindre commentaire ne débonde de nouveau cette cascade d'inepties solennelles à laquelle ils avaient été exposés durant d'interminables heures. Onofre Bouvila souriait : la veille ne semblait pas avoir affecté son humeur. Maintenant, la négociation commençait, et il savait qu'il finirait par parvenir à ses fins.

Ainsi débuta le projet le plus ambitieux de sa vie ; son plus grand échec aussi. Depuis le début, tout alla mal, tout alla de travers. Finalement, ses amis et alliés lui tournèrent le dos et il se retrouva seul.

5

Une file d'automobiles s'était formée dans la ruelle : le soleil d'hiver scintillait sur les radiateurs, un nuage blanc solitaire voguait sur les garde-boue qui reflétaient le ciel bleu. Les automobiles avançaient de quelques mètres et s'arrêtaient, elles restaient un petit moment immobiles et recommençaient à avancer de quelques autres mètres. En arrivant au fond de la ruelle, elles tournaient à droite. Elles entraient dans une autre ruelle plus étroite encore, dans laquelle le soleil n'avait jamais donné. Là, à quelques mètres du tournant, elles s'arrêtaient finalement devant une porte de fer sur laquelle on voyait une minuscule lampe à gaz, pour lors éteinte, puisqu'il était midi. Un portier en redingote, haut-de-forme et boutons dorés, ouvrait la porte de l'automobile, ôtait son haut-de-forme lorsque descendait le passager, se cassait en deux, fermait la porte, se replaçait le haut-de-forme sur la tête, portait un sifflet à ses lèvres et le faisait retentir. A ce signal, le mécanicien mettait l'automobile en marche, et la suivante dans la file venait occuper sa place devant la porte. Et ainsi de suite. Quand l'automobile qui venait de partir parvenait à la fin de cette seconde ruelle, elle tournait une autre fois à droite, comme précédemment, et prenait une nouvelle ruelle, très courte celle-là, qui débouchait sur une place. Là, les automobiles qui étaient déjà passées devant le portier, qui avaient déposé leurs occupants devant la porte, attendaient sous les acacias d'être de nouveau appelées par le sifflet. Un bistrot situé à l'un des angles de la place avait sorti sur le trottoir des tables et des chaises, et quelques parasols à rayures bleues, jaunes et rouges. La brise agitait les franges des parasols. On y servait aux mécaniciens de la bière et du vin à l'eau gazeuse et, s'ils le souhaitaient, des olives farcies, des anchois au vinaigre, des patates au piment doux cuites à l'étouffée, des sardines en escabèche, etc. Au fur et à mesure que les automobiles s'entassaient sur la place, le nombre des mécaniciens qui prenaient l'apéritif dans ce bistrot allait en augmentant. A midi et demi, la place était pleine d'autos ; il n'en serait pas rentrée une de plus. Par chance, toutes celles qui devaient arriver étaient arrivées et leurs occupants, après en être descendus avec l'aide du cérémonieux portier, avaient été menés de la porte de fer jusqu'à leurs sièges par des demoiselles dont l'apparence ne pouvait manquer d'attirer puissamment leur attention. Ce n'était pas qu'elles ne fussent jeunes ni, peut-être, jolies. Elles portaient des robes droites qui leur tombaient des épaules comme des cylindres attachés par des bretelles de cordonnet, sans marquer le buste ni la ceinture ; ces robes étaient pailletées de blanc et s'arrêtaient à un ou deux centimètres au-dessus du genou ; si bien que se trouvaient découverts non seulement les bras des demoiselles, de l'épaule aux ongles, mais encore leurs jambes, des jambes longues, musculeuses et nerveuses, qui eussent mieux convenu à un cycliste qu'à une dame digne de ce nom. A ces extravagances s'ajoutait un maquillage bigarré, un vrai barbouillage, et une chevelure très courte et raide serrée par un ruban de soie de quelque deux centimètres de haut. Les messieurs n'en revenaient pas. « Vous avez vu ces épouvantails ? se disaient-ils. Avec ces dégaines, on ne sait pas si c'est à voile ou à vapeur. Grand Dieu ! De nos jours, il n'y a plus moyen de savoir si ce sont des hommes ou des femmes. Si ça continue comme ça, on ne saura plus à quel saint se vouer. Que voulez-vous, mon ami ? ce sont les caprices de la mode. Mais laissez-moi seulement vous dire que si un jour je vois ma fille avec ce genre de frusques, je l'envoie se rhabiller d'une paire de claques. Tout ça aura des conséquences, vous verrez. » Ça commençait mal, telle était l'opinion. Le marquis d'Ut regrettait maintenant d'avoir cautionné de sa réputation semblable spectacle, il se repentait de s'être laissé persuader par l'obstination d'Onofre Bouvila. Aucun des deux n'était pour le moment visible dans la salle. C'était Efrén Castells, qui avait officiellement invité, qui faisait face. Le géant de Calella jouissait d'une bonne réputation parmi les gens bien de Barcelone : il était supérieurement sérieux dans toutes ses activités, prudent dans ses initiatives et, dans les paiements, ponctuel et rigoureux. On ne l'avait jamais vu mêlé à aucun scandale, ni économique ni d'aucun autre genre. Il était considéré comme un père de famille exemplaire ; on lui connaissait des histoires, sa passion des jupons était proverbiale et on lui prêtait à mi-voix des prouesses dans ce domaine, mais on n'attribuait cela qu'à l'exubérance de sa nature. Il était généreux sans prodigalité, ce qui plaisait ; il donnait sans ostentation à des œuvres de bienfaisance et était devenu un collectionneur de tableaux avisé et respecté des critiques, des artistes et des marchands. A présent, il mettait cette réputation en jeu devant ceux qui la faisaient.

— Je ne voudrais pas être dans sa peau, murmura le marquis.

Onofre Bouvila ne le contredit pas : tous deux espionnaient ce qui se passait dans la salle depuis une loge, derrière une jalousie. Le parterre s'était presque complètement rempli. Beaucoup des membres de l'assistance s'apercevaient maintenant qu'ils se trouvaient à l'orchestre d'un théâtre dans lequel ils avaient pénétré par la porte de derrière, par l'entrée des artistes. « Que faisons-nous ici ? se demandaient-ils. Une représentation privée ? Et à midi ? Diable ! » Deux projecteurs convergents illuminèrent la scène. Devant le rideau baissé se trouvait Efrén Castells : dans cette situation surélevée, et vêtu d'une jaquette, il semblait plus grand encore qu'il n'était. Un plaisantin commença à chanter *El gegant del Pi ara balla, ara balla*[1] ; au milieu de grands rires, toute l'assistance fit chorus.

— Ça va être une rigolade à n'en plus finir, marmonna le marquis depuis son poste d'observation. Si j'étais à sa place, je serais déjà mort de rage.

Onofre Bouvila sourit :

— Il a le cuir plus épais que tu ne t'imagines, dit-il.

Il se le rappelait réclamant à grands cris la lotion capillaire magique qu'il vendait, lui. Il lui donnait ensuite une peseta pour sa collaboration. C'est la même chose aujourd'hui, pensait-il, c'est toujours la même chose. Sa grosse voix lui permit d'imposer le silence sans difficulté lorsqu'il vit qu'ils s'étaient fatigués de chanter ; ils ne savaient plus comment continuer la plaisanterie et étaient disposés à l'écouter.

— Chers amis ! commença-t-il. Permettez-moi de vous tutoyer[2] ; je suis un homme simple, vous me connaissez : il n'y en a pas un seul d'entre vous qui ne puisse dire de moi : Dans ses affaires, il a toujours fait passer l'amitié avant l'esprit de lucre. Je ne vous ai pas convoqués pour vous demander de l'argent. (Tous, à présent, se regardaient entre eux avec méfiance. Onofre Bouvila fit un clin d'œil au marquis : « Je t'avais dit qu'il saurait combattre ce taureau, lui dit-il. — L'important est qu'il sache le tuer à la première estocade », répondit le marquis.) Je ne veux pas non plus vous faire perdre votre précieux temps par de creux bavardages. Je ne suis pas éloquent et j'ai toujours préféré utiliser avec vous le langage simple et pratique de la sincérité. Je vous demande seulement un moment d'attention. Je vais vous montrer quelque chose que vous n'avez jamais vu avant aujourd'hui ! quelque

1. « Voilà le géant del Pino qui danse », chanson populaire de la *Fiesta mayor* du 24 septembre, au cours de laquelle dansent des géants représentant chaque quartier.

2. On sait qu'au pronom français *vous* de la deuxième personne du pluriel correspondent deux pronoms espagnols, *vosotros* et *ustedes*. *Tutear,* tutoyer, c'est ici employer le *vosotros,* plus familier, pluriel de *tú*. Ce « tutoiement », au pluriel, ne peut évidemment être rendu en français.

chose que vous n'avez jamais vu avant aujourd'hui ! répéta-t-il pour couper court aux plaisanteries que cette phrase ambiguë avait suscitées dans l'auditoire. Mais ce que vous allez voir sous peu pour la première fois, vous le verrez ensuite des milliers et des centaines et des douzaines de fois. (« Qu'est-ce que c'est que cette pagaille ? dit le marquis. — Les chiffres ne sont pas son fort, dit Bouvila ; laisse-le faire. ») Aujourd'hui vous allez avoir le privilège de cette exclusivité : vous savez ce que cela signifie dans le monde du commerce, inutile de me remercier. Je ne vous en dis pas plus : les lumières vont s'éteindre tout de suite. N'ayez pas peur, il ne se passera rien ; que personne ne bouge de son siège. Je reviendrai après et vous expliquerai à quoi rime l'affaire. Merci de votre attention.

Cependant qu'il quittait la scène, le rideau se levait, actionné par un moteur électrique. Quand il eut fini de s'ouvrir, on vit que l'ouverture de la scène avait été fermée par un écran énorme et sans jointures visibles, fait d'un matériau qui ne semblait être ni du métal ni de la toile, mais un mélange des deux, comme de l'amiante. Puis les lumières s'éteignirent, comme l'avait annoncé Efrén Castells, on entendit le ronronnement d'une machine et un piano, dont quelqu'un jouait derrière l'écran.

— Malédiction ! s'exclama quelqu'un dans le public. Ils vont nous projeter un film !

Cette admonition sema la panique.

— Si c'est celui du chien, je me taille, cria quelqu'un.

Les voix couvraient le son du piano. Sur l'écran, on commençait à distinguer les premières images. La scène qu'elles montraient avait apparemment été tournée dans une maison d'humble condition, guère plus qu'une cabane délabrée à la lumière contrastée d'une bougie. Adossé au mur du fond, il y avait un grabat étroit et défait ; au centre, une table et quatre chaises ; sur la table, une boîte à couture, des pelotes, des bobines, des ciseaux et des coupons. L'ensemble suggérait au spectateur une vie sordide de privations. Cela provoqua une grande hilarité dans l'assistance. Assise à la table, tournant le dos aux spectateurs, on voyait à présent une femme vêtue de noir. Il s'agissait apparemment d'une femme d'âge moyen, plutôt épaisse. Ses épaules s'agitaient, une série de convulsions secouait sa carcasse, sa tête ébouriffée oscillait : on voulait par là transmettre au public une sensation de souffrance. Quelqu'un cria :

— Qu'on lui donne du tilleul !

Ce bon mot déchaîna un éclat de rire général.

— Dieu nous garde, murmura le marquis.

— Du calme, dit sèchement Onofre Bouvila.

Sur l'écran, la femme tendait les bras vers le toit de la cabane, faisait mine de se lever et s'écroulait de nouveau sur sa chaise, comme si ses articulations la lâchaient ou son courage ou les deux à la fois. Au parterre, le hourvari allait croissant ; il n'y avait pas de geste de la femme qui ne fît sans raison monter d'un ton les rires de tous les spectateurs. Efrén Castells fit irruption dans la loge dissimulée où se trouvaient Onofre Bouvila et le marquis d'Ut ; même dans l'obscurité régnante, on pouvait distinguer leurs yeux exorbités.

— Onofre, pour l'amour de Dieu, gémit-il, fais arrêter la projection à l'instant même !

— Celui qui fait ça, je le fais fusiller, dit Bouvila les mâchoires serrées.

— Mais tu ne vois pas comment rient ces maudits ? fit le géant.

Les sanglots lui secouaient la carcasse, comme à la femme du film. Onofre s'accrocha aux revers de la jaquette d'Efrén Castells, il se mit à le secouer dans la mesure où l'inégalité des forces le permettait :

— Depuis quand as-tu perdu ton courage ? lui balança-t-il au visage. Tais-toi et attends.

A ce moment-là, ils se rendirent compte que les rires se calmaient. Ils coururent à la jalousie et jetèrent un regard anxieux sur l'écran : la femme affligée s'était enfin levée de sa chaise, elle s'était retournée ; son visage emplissait l'écran. Le public s'était tu en effet : comme venait de l'annoncer Efrén Castells, il voyait pour la première fois ce que pendant des années le monde entier verrait partout à toute heure : le visage chagrin d'Honesta Labroux.

Physiquement, elle ne pouvait être moins gracieuse. A cette époque, où passait le goût de la belle plante, hyperbolique et sinueuse, et où commençait la mode de la jouvencelle androgyne, étroite et syncopée, elle arborait un corps catégorique, lourd et quelque peu hommasse, des traits vulgaires, des airs maniérés et des expressions affectées, des minauderies melliflues. Sa mise était ringarde. Tout en elle était vulgaire et de mauvais ton. Pourtant, entre 1919 et 1923, date à laquelle elle arrêta le cinéma, rares furent les jours où on ne vit pas sa photo dans les journaux, où on ne parla pas d'elle ; toutes les revues illustrées publiaient des reportages (qu'elle n'accepta jamais) et des interviews (qu'elle n'accorda à personne). Dans les vingt kilos de correspondance qu'elle recevait chaque jour, il y avait des déclarations d'amour et des propositions matrimoniales ; et aussi des suppliques déchirantes, des menaces macabres, de révulsives obscénités, des promesses de suicide si l'expéditeur n'obtenait pas telle ou telle faveur, des malédictions, des injures, des chantages, etc. Pour échapper au siège des admirateurs et des psychopathes, elle changeait fréquemment de domicile, et ne se rendait jamais dans un lieu public ; en réalité, personne qui ne fît partie de son entourage ne pouvait se vanter de l'avoir vue ailleurs qu'à l'écran. Le bruit courait qu'on la tenait enfermée, soumise à une surveillance très étroite vingt-quatre heures par jour, qu'on ne la laissait sortir que pour aller tourner aux studios, à l'aube, menottée et bâillonnée et avec un sac sur la tête, pour que même elle ne pût savoir de façon certaine où elle vivait et quels chemins elle empruntait. C'est le prix de la gloire, disait-on. Cette aura de mystère qui l'entourait, le secret qui enveloppait sa véritable identité et son passé contribuaient à rendre plus vraisemblables les vingt-deux longs métrages qu'elle tourna durant sa brève et fulgurante carrière. Il ne nous en est resté que des bouts en très mauvais état. Apparemment, ils étaient tous identiques au premier. Loin d'éloigner le public, cette monotonie était de son goût ; la moindre variante était immédiatement reçue dans la salle avec des marques de colère, parfois des démonstrations de violence matérielle. S'il y eut une évolution dans sa filmographie, celle-ci consista en une descente graduelle aux abîmes de la sensiblerie. Exécrable actrice, elle suffoquait, branlait du chef et gesticulait de la façon la plus horrible cependant que Marc-Antoine perdait par sa faute la bataille d'Actium et qu'un aspic qui ressemblait à une chaussette s'apprêtait à envenimer ses spectaculaires nichons ; cependant que son amant mourait de tuberculose et que de très sournois Chinois versaient un somnifère dans son verre dans le dessein de la vendre au harem d'un sultan efféminé et bouffon ; qu'un mari alcoolique et flambeur la rossait à coups de ceinture après lui avoir annoncé qu'il avait joué et perdu sa vertu sur le tapis vert ; qu'un gaucho lui révélait, au moment même d'être pendu, que sa mère c'était elle et non la femme scélérate par la faute de qui il avait quitté le couvent. Dans ces films, tous les hommes étaient cruels, toutes les femmes insensibles, tous les prêtres fanatiques, tous les médecins sadiques et tous les juges implacables. A tous, elle pardonnait lors de ses sirupeuses et interminables agonies.

— Mais qui ces bêtises peuvent-elles bien intéresser ? avait dit le marquis d'Ut quand il lui eut lu le synopsis du premier de ces longs métrages que ses studios répétèrent ensuite jusqu'à la nausée. Il s'était enfermé dans son bureau et y avait travaillé seul pendant des jours et des nuits. Il avait tout conçu : les situations, les scènes, les décors, les costumes, il n'avait négligé aucun détail. Au bout de quelques jours, sa femme voulut savoir ce qui se passait, elle se rendit au bureau et trouva la porte fermée. Alarmée, elle frappa.

— Onofre, c'est moi ; ça va ? Pourquoi ne me réponds-tu pas ?

Comme seul le silence lui répondait, elle avait commencé à frapper la porte de ses poings, frénétiquement ; les serviteurs, alertés par le vacarme, étaient accourus. Se voyant entourée par la domesticité, elle cria :

— Onofre, ouvre ou je fais défoncer la porte !

Menace qui s'attira cette réplique tranquille :

— J'ai un revolver à la main et je tire sur le premier qui revient m'importuner.

— Mais, Onofre, insistait-elle bien qu'elle sût qu'il était capable de faire ce qu'il annonçait, cela fait deux jours que tu n'as ni mangé ni bu.

— J'ai tout ce qu'il me faut, dit-il.

Une femme de chambre demanda l'autorisation de parler avec Madame ; elle lui fut accordée et elle dit avoir apporté au bureau sur ordre de Monsieur des provisions et de l'eau pour deux semaines. Elle dit avoir apporté aussi du linge de rechange et tous les pots de chambre dont disposait le faïencier du quartier. Monsieur lui avait dit de ne rien en dire à personne, qu'il ne voulait être dérangé sous aucun prétexte. L'autre se mordit les lèvres et se borna à dire :

— Vous auriez dû m'informer avant.

Elle avait cru percevoir une moquerie dans la voix de la femme de chambre ; elle croyait à présent lire une lueur de défi dans ses yeux noirs. Elle n'a pas plus de quinze ou seize ans, pensa-t-elle, et elle me traite déjà comme si j'étais la domestique et elle la patronne. Elle vivait dans la conviction que tout le monde se moquait d'elle, dans son dos et en face aussi bien. Il me trompe évidemment avec celle-là, pensa-t-elle. Sûr qu'elle sent l'ail et le lait caillé et que ça lui plaît ; il préfère ces odeurs aux parfums français et aux sels de bain que j'utilise quotidiennement. Sûr qu'ils se fourrent dans le lit et se couvrent la tête avec le drap pour s'enivrer de l'odeur que répandent leurs corps après avoir haleté comme deux locomotives. Ils doivent le faire plusieurs fois, comme cette nuit où il est entré dans ma chambre par la fenêtre, en escaladant le mur de la maison de papa. Sûr qu'il lui a raconté, il aura profané le secret de cette première nuit en le racontant à toutes celles qu'il a eues ensuite. Et avec cette histoire ils se seront bien payé ma tête jusqu'à l'aube. Elle aurait dû la flanquer à la porte sans plus balancer, pensa-t-elle, mais elle n'osait pas mettre cette idée à exécution. Elle le prendra pour un affront, pensait-elle, elle comprendra le vrai motif de ce renvoi, et elle m'insultera devant les autres domestiques ; elle se dira : Au point où j'en suis, inutile de prendre des gants, elle me traînera dans la boue, elle me dira des noms d'oiseaux, elle racontera tout et je serai la risée de la domesticité. Puis elle le lui dira ; lui ne me désavouera pas, mais il l'installera dans un appartement et il ira la voir tous les soirs ; sous n'importe quel prétexte, il restera passer la nuit entière avec elle ; il dira ensuite qu'il a dû travailler toute la nuit, comme il a fait si souvent. En réfléchissant ainsi, elle ne se rendait pas compte que cette pusillanimité était précisément la première chose qui lui avait fait perdre son amour. Deux semaines après ces événements, cette même femme de chambre vint lui dire que Monsieur sortait de sa retraite. Elle était en train de goûter avec sa fille aînée et la couturière lorsque entra la femme de chambre porteuse de la nouvelle. Elle avait déjà oublié sa jalousie et sa haine et pensa en la voyant : Cette petite est d'une grande fidélité, il faudra faire quelque chose pour la récompenser. Par cette attitude incohérente, elle voulait montrer à tous qu'elle n'était pas mesquine mais magnanime. Sa fille et la couturière étaient aussi des poids lourds. Les trois hippopotames se hâtaient à présent par les couloirs. Lorsqu'elles arrivèrent devant la porte du bureau, il venait d'en sortir. Pendant ces quinze jours, il ne s'était ni lavé ni peigné ni rasé ; il avait très peu dormi et à peine touché à la nourriture. Il ne s'était pas non plus changé. Il était émacié et se déplaçait de façon hésitante, comme s'il venait de se réveiller d'un rêve profond et bouleversant ou se remettait d'une transe. Une odeur insupportable sortait du bureau. Cette puanteur courait par les couloirs comme une âme en peine, effrayant les bonnes.

— Agusti, prépare-moi un bain, dit-il au majordome.

Il ne semblait pas s'être aperçu de la présence de sa femme, de sa fille et de la couturière. Il tenait à la main une liasse de papiers manuscrits couverts de ratures et de corrections. Il arrêta d'un geste impérieux des bonnes qui accouraient, munies de seaux et de serpillières, pour remettre le bureau en état.

— Inutile de nettoyer, nous changeons de maison, dit-il.

A présent, Honesta Labroux prêtait sa figure et ses expressions à ce scénario, elle incarnait ces fantaisies qui avaient suscité les doutes du marquis d'Ut. Il s'était mis en colère quand celui-ci avait dit qu'il ne voyait pas qui toutes ces sottises pourraient intéresser.

— Tout le monde, avait-il répondu abruptement.

En effet, maintenant le public pleurait. Ces hommes d'affaires si posés ne pouvaient retenir leurs larmes. Ils dirent ensuite que cette réaction insolite ne se serait pas produite si n'avait joué la magie d'Honesta Labroux. Nous ne saurons jamais en quoi consistait cette magie. Dans une lettre écrite à une date bien ultérieure, Pablo Picasso affirme que le magnétisme de cette femme résidait dans son regard, dans ses yeux mesmériques. Opinion qui pourrait confirmer la rumeur rapportée plus tard par certains biographes de ce peintre : à savoir que Picasso l'aurait connue personnellement, que, ébloui, il l'aurait enlevée dans la camionnette de livraison d'une blanchisserie (avec l'aide et la complicité de Jaume Sabartés), qu'il l'aurait emmenée avec lui au village de Gòssol dans le Berguedà[1] et rendue saine et sauve aux studios au bout de deux ou trois jours ; pendant ces deux ou trois jours, il aurait réalisé plusieurs esquisses et commencé un portrait ; ces œuvres seraient à l'origine des tableaux très cotés de ladite « période bleue ». Plus improbable encore que cette aventure est celle qu'une revue lui prêta avec Victoriano Huerta. Ce général félon, qui avait usurpé la présidence du Mexique après avoir fait assassiner Francisco Madero et Pino Suárez, avait ensuite vécu un temps à Barcelone, quand la révolte dirigée par Venustiano Carranza, Emiliano Zapata et Pancho Villa l'eut obligé à se démettre et à prendre la fuite. Ivrogne et bagarreur, il fréquentait les gargotes du Barrio chino. Quand il était à jeûn, il conspirait et organisait son retour. Des agents allemands machinaient une manœuvre de diversion qui détournât les yeux des États-Unis de la guerre en Europe ; dans cette affaire, ils comptaient utiliser Huerta comme appeau. Ils lui fournirent le plan qu'il cherchait ; avec l'argent accumulé pendant le peu de mois de son passage à la présidence, et qui était pour lors déposé dans la cave d'une banque suisse, ils avaient acheté pour lui des armes et des munitions à Onofre Bouvila. Celui-ci avait touché l'argent et expédié la marchandise demandée, mais il avait aussi fait parvenir notification de l'envoi au gouvernement américain. Le chargement avait été intercepté dans le port de Veracruz ; pour ça, on avait dû faire débarquer les *marines* et causer de nombreuses victimes dans la population civile. Les armes ayant été gardées à la disposition de Bouvila, il les avait revendues à Carranza, qui luttait à présent contre Villa et Zapata, ses anciens alliés. Selon la revue, à cette époque, alors qu'elle ne s'était pas encore lancée dans le cinéma, mais qu'elle travaillait déjà pour Onofre Bouvila, Honesta Labroux avait, une nuit, dansé pour Huerta ; ce dernier s'était instantanément épris d'elle, il lui avait offert des sommes d'argent incalculables, lui avait promis d'instituer une nouvelle fois la monarchie, à son retour au Mexique, pour la couronner impératrice, comme

1. Région montagneuse du nord de la Catalogne, capitale Berga.

la malheureuse Charlotte[1]; tout cela en vain. Cette scène, selon la revue, s'était produite dans la *suite** que le traître occupait à l'hôtel International. Cet hôtel était celui-là même qu'on avait construit dans le temps incroyable de soixante-six jours pour accueillir les visiteurs de l'Exposition universelle de 1888. Le plafond et les murs de la *suite** qu'occupait Huerta présentaient divers impacts de balles ; la direction de l'hôtel lui avait fait à ce sujet de sérieuses remontrances, d'autant plus qu'il maltraitait le personnel verbalement et physiquement, et qu'il ne payait pas. Cette nuit d'amour, on dit qu'il allait déchaussé, la braguette ouverte, et que sa chemise déboutonnée laissait voir un tricot de corps jaunâtre et troué : avec cette dégaine, il était difficile de croire à ses promesses. Il est probable que cette histoire, comme celle de Picasso, est apocryphe. En réalité, Picasso alla passer quelques mois à Gòssol en 1906, et Victoriano Huerta était mort alcoolique en 1916 dans une prison d'El Paso, Texas. A cette époque, Honesta Labroux n'avait pas encore été rendue célèbre par Onofre Bouvila, son nom de scène n'avait même pas été inventé : elle vivait encore recluse avec le señor Braulio dans une modeste petite maison de Gracia, attendant que meure son père pour se donner pour la seconde fois à l'homme de sa vie et la quitter ensuite.

Celui qui la dissuada d'exécuter ce geste mélodramatique fut précisément celui à cause de qui elle l'avait conçu, dont l'intervention, bien des années auparavant, l'avait réduite à ces extrémités, sans un mot, par le seul effet de ce regard mauvais et glacé qui la première fois, dans la mansarde de la pension, l'avait subjuguée et terrifiée et poussée à commettre sans raison le plus abominable des crimes. En une seule nuit, alors, sa mère était morte et, toujours par sa faute, la cellule anarchiste à laquelle elle appartenait avait été démantelée ; la majorité de ses membres étaient morts par la suite dans les fossés de Montjuich : du coup, sa conscience avait sombré dans le sang. Aujourd'hui, cette douleur, cette souffrance sans limites se lisaient dans ses yeux couleur de soufre : cela n'avait pas échappé à Onofre Bouvila. Il savait aussi qu'à partir de la seconde moitié du XIXe siècle la notion du temps avait radicalement changé là où la révolution industrielle avait laissé sa marque. Avant cette époque, le temps dont était faite la vie d'un être humain n'était pas mesuré : si les circonstances le demandaient ou le rendaient souhaitable, une personne pouvait travailler des jours et des

1. Femme de Maximilien de Habsbourg, dont Napoléon III fit un éphémère empereur du Mexique. Après qu'il eut été fusillé, Charlotte devint folle.

nuits entiers sans s'arrêter ; puis elle demeurait oisive pendant d'aussi longues périodes. En conséquence, les divertissements se prolongeaient pendant un temps qui nous paraît aujourd'hui démesuré : la fête de la vendange ou celle de la moisson pouvaient durer une ou deux semaines. De la même façon, un spectacle théâtral, sportif ou tauromachique, une réunion religieuse, une procession ou un défilé pouvaient durer cinq, huit ou dix heures, ou plus ; les participants pouvaient y assister sans interruption ou s'en aller, ou aller et venir, à volonté. A présent, tout cela avait changé : tous les jours, on commençait à travailler à la même heure, on arrêtait le travail à la même heure, etc. Il n'était pas besoin d'être augure pour savoir comment seraient les jours et les heures de la vie d'une personne, de l'enfance à la vieillesse ; il suffisait de savoir à quoi elle travaillait, quel était son métier. Cela avait rendu la vie plus agréable, éliminé bon nombre de troubles, dégagé beaucoup d'inconnues ; les philosophes pouvaient désormais s'exclamer : L'horaire, c'est la destinée. En revanche, cela exigeait d'importants réajustements : tout, à présent, devait être régulier, rien ne pouvait être laissé au hasard ou à l'inspiration du moment. Cette régularité, à son tour, n'était pas possible sans la ponctualité. Jusqu'à présent, la ponctualité n'avait rien été ; maintenant, elle était tout. Maintenant, il fallait cravacher un cheval fatigué ou réfréner les ardeurs d'un cheval fougueux pour que la voiture arrive à destination au moment prévu, ni un peu avant ni un peu après. On accordait tant d'importance à la ponctualité que certains hommes politiques basaient leur propagande électorale sur elle : Votez pour moi et je serai ponctuel, disaient-ils aux électeurs. On ne vantait plus les paysages, les œuvres d'art ou la cordialité des habitants des pays étrangers, mais la ponctualité dont ils faisaient montre ; des pays où autrefois presque personne n'allait en voyage recevaient à présent un flot de visiteurs désireux de vérifier par eux-mêmes la traditionnelle ponctualité de leurs citoyens, établissements et transports publics. Cette mise en ordre n'aurait pu se faire à si grande échelle si l'énergie électrique n'y avait aidé : ce fluide continu et invariable garantissait régularité et ponctualité en tout. Un tramway mû par l'énergie électrique ne dépendait plus de la santé, voire de la bonne volonté de quelques mules pour accomplir son trajet avec une précision d'horloge ; désormais, les usagers du tramway s'amusaient à se dire : Sachant l'heure qu'il est, je sais combien de temps il faut pour qu'arrive le tramway. Ces changements n'avaient pas pu se faire non plus en un clin d'œil ; ils s'étaient faits graduellement : d'abord, les choses les plus nécessaires ; ensuite, les superflues. Les distractions et divertissements, par conséquent, étaient restés pour la fin : les courses de taureaux continuaient à durer des heures ; si un taureau se révélait décidé ou vicieux, s'il tuait les chevaux au fur et à mesure que ceux-ci apparaissaient dans l'arène, la corrida du dimanche après-midi pouvait se prolonger jusque tard le lundi. En 1916, à Cadix, il y eut une corrida fameuse qui commença le dimanche et se termina le mercredi sans que le public abandonne l'arène. A la suite de cela, les ouvriers des chantiers navals perdirent leur emploi ; il y eut des grèves et des émeutes, quelques couvents brûlèrent et les ouvriers furent réintégrés, mais il apparut clairement que les choses ne pouvaient continuer de cette façon. Onofre Bouvila le savait parfaitement.

Avant de retomber sur Delfina, avant qu'elle ne se retrouve en jupons et ne se jette ainsi dans ses bras en le regardant avec ces yeux de soufre qui devaient changer le cours de ses pensées, l'idée que le cinématographe pût être ce divertissement nouveau que cherchait l'humanité lui était déjà venue plusieurs fois à l'esprit. Le cinématographe réunissait trois caractéristiques favorables : il fonctionnait grâce à l'énergie électrique, il ne permettait pas la participation du public et il était absolument invariable dans son contenu. Ah ! pensait-il, pouvoir offrir un spectacle toujours identique, qui commence toujours à la même heure et se termine exactement à l'heure fixée, toujours la même également ! Tenir le public assis, dans le noir, en silence, comme s'il dormait, comme s'il rêvait : une manière de produire des rêves collectifs ! C'était son idéal. Mais non, c'est trop beau, ce ne sera pas possible, pensait-il. Il avait vu le film du chien et un ou deux autres et ne pouvait faire autrement que de donner raison aux pessimistes. Personne, en effet, n'allait voir un film s'il n'y avait autre chose aussitôt après, si la projection n'était pas suivie de sardanes ou de courses en sac, si on ne lâchait pas une vachette ou si on ne faisait pas griller des côtelettes. On n'ira pas loin comme ça, se disait-il. En réalité, ce qu'il pensait, d'autres le pensaient aussi au même moment. En 1913 avait été tourné en Italie le premier film conçu comme un grand spectacle. Ce film, qui s'appelait *Quo vadis ?*, tenait en cinquante-deux bobines et dont la projection durait deux heures un quart, ne fut jamais donné en Espagne pour une raison si étrange qu'elle mérite bien une digression.

En 1906 avait débuté dans un théâtre de variétés de Paris une danseuse qui serait ensuite appelée à connaître une réputation internationale ; elle était hollandaise et s'appelait Margaretha Geertruida Zelle, mais elle se faisait passer pour une prêtresse indienne et avait adopté le nom de Mata Hari. Comme toutes les danseuses de son genre, elle recevait beaucoup de propositions, mais aucune plus étrange que celle qu'un homme lui fit une nuit d'été de l'année 1907.

— Ce que je vais vous demander est un peu spécial, lui dit-il en lissant sa moustache gominée, quelque chose que probablement personne ne vous a jamais demandé.

Mata Hari passa la tête par-dessus le paravent derrière lequel elle avait ôté la tunique d'organdi et la ceinture d'argent, améthystes et turquoises qui constituaient son costume.

— Je ne sais si je serai assez exotique pour toi, chéri, dit-elle dans un français assaisonné d'accent hollandais.

L'homme se mit le monocle à l'œil gauche lorsqu'elle sortit de derrière le paravent. Sa visite avait été précédée par l'envoi d'un bouquet de roses (six douzaines) et d'un collier de brillants. Elle portait maintenant le collier en signe d'acceptation et un kimono sur l'épaule duquel était brodé un dragon noir et or. Dans cet appareil, elle s'assit devant le miroir circulaire de la coiffeuse, dans la glace duquel princes, banquiers et maréchaux avaient vu se refléter ses yeux que la luxure faisait briller comme des braises. D'un geste alangui, elle ôtait les bagues prétendument sacrées qui faisaient partie de la parure sacerdotale, elle les déposait dans une cassette de bois de santal ; certaines reproduisaient des têtes de mort.

— Et ce que tu attends de moi, ça peut se dire ? demanda-t-elle avec coquetterie.

— A l'oreille », dit-il. Il s'approcha si près que la pointe de sa moustache laissa une petite cicatrice sur sa joue ; dans ses yeux ce n'était pas le désir qui brillait, mais le calcul froid. « Je représente le gouvernement allemand, chuchota-t-il, et je veux vous proposer de vous faire espionne.

Cette conversation parvint aussitôt à la connaissance des services de renseignements anglais, français et américains. La réputation de Mata Hari comme espionne dépassa vite sa réputation de danseuse, les contrats se mirent à pleuvoir du monde entier et sa cote en vint à dépasser celle de Sarah Bernhardt, chose qui eût été impensable quelques années auparavant. La rivalité entre les deux divas fut pendant longtemps la fable du Tout-Paris. Ainsi, lorsque, en 1915, Sarah Bernhardt dut être amputée d'une jambe, on dit qu'elle s'exclama : « Voilà que je pourrai enfin danser avec autant de grâce que Mata Hari. » Cette dernière se produisit une fois à Barcelone, au Théâtre-Lyrique, avec plus de succès de curiosité que de critique. Finalement, les services secrets alliés décidèrent de se débarrasser d'elle et ils lui tendirent un piège. Un jeune officier d'état-major feignit d'être tombé dans ses filets comme tant d'autres avant lui ; il la couvrit de cadeaux, on les vit partout ensemble : chevauchant au bois de Boulogne, déjeunant et dînant dans les restaurants les plus luxueux, dans une loge à l'Opéra, à l'hippodrome de Longchamp, etc. Elle ne lui demanda jamais comment il pouvait mener ce train de vie avec la solde modeste d'un officier ; peut-être tint-elle pour acquis qu'il disposait de rentes additionnelles, d'une importante fortune personnelle ; peut-être répondait-elle par un amour sincère à son amour feint : on ne peut expliquer autrement qu'une espionne si expérimentée ait mordu à un hameçon si conventionnel. Une nuit, alors qu'ils reposaient tous les deux dans ce lit entre les draps duquel le cours de la guerre avait souffert tant de vicissitudes, il lui dit subitement qu'il devait s'absenter une semaine, peut-être deux.

— Je ne pourrai vivre si longtemps sans toi, dit-elle. Où que tu doives aller, n'y va pas.

— La patrie l'exige de moi, dit-il.

— Ta patrie est ici, entre mes bras, répliqua-t-elle.

Il finit par lui révéler la nature de la mission qui l'arrachait à ce nid d'amour : il devait aller à Hendaye. Là, il intercepterait un film que les Bulgares essayaient de faire parvenir aux agents allemands détachés à San Sebastián. Quand ils arriveraient à Hendaye, il les aurait précédés : le film serait entre ses mains et les agents seraient appréhendés et fusillés sur le quai de la gare. A peine eut-il fini de parler qu'elle le frappa à la tête avec une statuette de Shiva, le dieu cruel, le principe destructeur : le jeune officier tomba par terre, le visage couvert de sang. Croyant l'avoir tué, Mata Hari jeta sur sa chemise de nuit un manteau de *renard argenté* *, elle se mit une toque et des caoutchoucs et monta dans la Rolls-Royce noire de vingt-quatre chevaux-vapeur qu'elle possédait (en plus de trois autres automobiles et d'une motocyclette bicylindre). Tout cela lui avait été offert par de hautes personnalités de la vie publique de France et d'autres pays, tout cela avait été payé avec l'argent du contribuable. Dès qu'elle fut sortie, l'officier se releva avec agilité et courut à la fenêtre ; de là, il fit signe aux agents postés en face de la maison. Il n'était pas mort ni même blessé : en prévision de cette circonstance, les services secrets français avaient remplacé tous les objets contondants de la chambre par des copies de caoutchouc, et lui avaient fourni diverses capsules d'encre rouge avec lesquelles simuler le saignement. A présent, la Rolls-Royce sillonnait les champs neigeux de Normandie. La voie ferrée courait à côté de la route. Au loin, elle distingua un panache de fumée horizontal : c'était le train qui se dirigeait vers Hendaye à toute vapeur.

Cette poursuite était suivie depuis les airs par un aéroplane dans lequel se trouvaient le bel officier et trois agents. Accélérant de façon presque suicidaire, l'automobile avait réussi à se rapprocher, déjà elle était côte à côte avec le fourgon de queue. L'audacieuse espionne était debout sur le marchepied de la Rolls-Royce : elle avait déchiré sa chemise de nuit et attaché le volant avec les lambeaux pour éviter des changements brusques de direction, et elle avait également posé une pierre ramassée dans le fossé sur la pédale des gaz. Avec le rouge à lèvres, elle écrivit sur le pare-brise : *Adieu, Armand !** C'était le nom de l'officier qu'elle croyait avoir sacrifié à son devoir. Elle sauta du marchepied et attrapa d'une main la rampe de fer qui fermait la plate-forme du wagon. Elle vit, de là, la Rolls-Royce poursuivre sa course frénétique, quitter la route et s'arrêter finalement dans un champ. Cette Rolls-Royce, qui miraculeusement ne subit aucun dommage dans l'affaire, peut être vue aujourd'hui encore dans le petit *musée de l'Armée** qu'il y a à Rouen. A l'intérieur du fourgon, à la faible lueur d'une lanterne sourde, elle essaya de repérer le film dont il lui avait parlé. Elle pensait trouver un ou deux bouts de celluloïd, à peine une douzaine de photogrammes. Au lieu de quoi, elle tomba sur plusieurs colonnes de boîtes cylindriques : c'étaient les cinquante-deux bobines de *Quo vadis ?* Quand les agents firent irruption dans le fourgon, ils la trouvèrent éreintée, les mains en sang ; le vent qui entrait par la porte ouverte avait fait voler sa toque et emmêlait sa chevelure bouclée : elle avait réussi à jeter sur la voie vingt bobines sur cinquante-deux, que la neige désormais ensevelissait. C'est ainsi que le film n'arriva jamais à destination et ne put être projeté sur les écrans espagnols. La guerre avait paralysé la production dans toute l'Europe, on ne refit plus de film comme celui-ci : il dépendait désormais d'Onofre Bouvila de ressusciter cette industrie, mais il ne savait pas comment jusqu'à ce que le sort voulût que Delfina croisât de nouveau son chemin.

6

Accompagnée de l'écho lointain du tonnerre, l'averse était revenue ; elle fouettait les volets et tambourinait sur la verrière qui couvrait la cour. Dans la cuisine, les trois filles de l'estropié s'étaient endormies, appuyées contre le mur tiède, tendrement embrassées entre elles.

Pendant ce temps-là, dans le salon, les trois hommes poursuivaient leur discussion.

— Tu es fou, lui dit Efrén Castells.

Il était le seul qui osât lui dire des choses pareilles ; lui ne se fâchait pas. Il lissa de l'ongle les photos qu'il avait tirées de la poche de sa veste et disposées sur la table pour que ses interlocuteurs les voient.

— Je dois vous prévenir que les photographies ne lui rendent pas justice, leur dit-il. Je m'en suis moi-même rendu compte au début. Je l'ai fait grossir de vingt kilos pour voir si comme ça son aspect s'arrangeait un peu, si elle gagnait un peu en... comment dirais-je ?... en présence physique, peut-être.

Il l'avait amenée à la propriété d'Alella qu'il avait louée uniquement à cette fin ; elle convenait à ses plans parce qu'elle était entourée d'une haie de cyprès taillés, très haute et épaisse. Il lui dit qu'elle avait beaucoup souffert.

— Ce qu'il te faut maintenant c'est du repos, lui dit-il. Cela fait des années que tu t'es occupée de ton père, qu'il repose en gloire ; le moment est venu que quelqu'un s'occupe de toi.

A ces raisonnements, Delfina ne sut en opposer d'autres : elle avait passé beaucoup d'années en prison ; puis elle avait vécu dans un isolement absolu, se consacrant en effet à son père malade et dérangé. Elle était habituée à ne pas disposer de sa vie, elle ne pouvait imaginer d'échappatoire à l'obéissance aveugle, en dehors de la mort, elle ne concevait pas d'autre issue. Lorsqu'il la mena à la propriété, s'y trouvaient déjà un chauffeur, une cuisinière et une femme de chambre. Cela ne la surprit pas qu'il y eût un chauffeur mais pas d'automobile, ni que cette domesticité occupât les chambres de l'étage noble tandis qu'elle était reléguée dans l'appartement du dessus, exposé aux quatre vents.

— Ce sont des gens d'absolue confiance, lui dit-il. Je leur ai donné des instructions, ils savent ce qu'il faut faire ; tu n'as à t'occuper de rien, fais seulement ce qu'ils t'indiqueront.

Elle réussit juste à le remercier. En son for intérieur, elle pensait : Peut-être est-ce comme si nous étions mariés ; c'est ce qui doit le plus ressembler au fait d'être mariée avec un homme comme ça.

Pendant les mois qui suivirent, elle se borna à remercier qui lui adressait la parole. Le matin, la femme de chambre la réveillait et lui servait au lit un copieux petit déjeuner : omelette au chorizo, charcuteries, purée de pommes de terre, toasts à l'huile et un litre de lait chaud. Puis elle l'habillait et la laissait dans le jardin, à se prélasser dans un fauteuil d'osier, à l'ombre d'un mimosa. Elle lui couvrait les épaules avec un châle d'angora de couleur jaune criard : les papillons et les abeilles, attirés par la couleur, venaient se poser dessus. Puis elle mangeait et faisait la sieste. Elle se réveillait alors que le soleil était déjà bas, quand on lui servait du thé ou du chocolat avec des gâteaux. Elle faisait alors une courte promenade dans le jardin, discrètement suivie par le chauffeur. Au début, un des premiers jours, elle avait essayé de lier conversation avec ce chauffeur.

— Onofre n'a pas dit s'il viendrait me voir ? avait-elle demandé.

Le chauffeur la regarda de haut en bas avant de répondre.

— Si vous voulez parler de Monsieur, dit-il d'un ton persifleur, ce n'est pas l'habitude de Monsieur de me tenir informé de ses projets, ni la mienne de dire à Monsieur ce qu'il doit faire.

Il m'a remise à ma place, pensa-t-elle ; elle le remercia et continua sa promenade. Un autre jour, elle voulut écarter les cyprès de la haie pour voir la rue mais le chauffeur la poussa de côté. Cela la préoccupa moins que le fait de ne pas savoir s'il viendrait ou non la voir. En réalité, il ne venait pas la voir parce qu'il était enfermé dans son bureau à écrire le scénario du film dont elle devait être la vedette. Cependant qu'il faisait cela, ses séides continuaient à gaver Delfina. La nuit, ils lui administraient un somnifère pour qu'elle dorme de nombreuses heures d'une traite. Elle ne s'apercevait pas qu'elle mangeait exagérément : elle avait eu tellement faim dans la prison qu'elle avait perdu tout sens des proportions, de la mesure : si, à nouveau, on lui avait donné un quignon de pain, un peu de fromage rance, un hareng ou un morceau de morue en saumure, cela lui aurait semblé bien ; les festins pantagruéliques qu'on lui faisait ingérer lui paraissaient également bien : elle ne comprenait pas que dans la vie il y avait des choix, ni qu'il était parfois au pouvoir des personnes de les exercer : sa volonté avait été annulée. C'est peut-être pour cela aussi qu'elle continuait à l'aimer. Finalement, elle décida de lui écrire une lettre, de lui dire dedans ce qu'elle n'avait pas réussi à lui dire en présence de son père. Quand elle l'eut écrite, elle la donna à la femme de chambre en la priant de la mettre à la boîte le plus vite possible. Cette nuit-là, à la cuisine, les employés commencèrent à lire la lettre, dont ils ne comprenaient pas le contenu. C'étaient trois rufians qui accomplissaient leur service le plus mal qu'ils pouvaient. L'un ou l'autre était toujours ivre, quand ce n'étaient pas les trois à la fois. Quoiqu'ils se détestassent mutuellement, ils étaient toujours ensemble, incapables de passer un instant privés de compagnie. Le chauffeur forniquait alternativement avec la femme de chambre et avec la cuisinière ; parfois, quand ils avaient excessivement bu, il le faisait avec les deux en même temps. Dans ces occasions, les deux femmes se battaient pour lui, elles se tiraient par la tignasse, se griffaient et se mordaient avec férocité. Les cris et le vacarme qui accompagnaient ces orgies bestiales finissaient par réveiller Delfina ; comme elle était encore sous l'influence du somnifère, elle ne parvenait pas à recouvrer complètement la perception : alors, elle croyait être encore en prison, où des hurlements infernaux la réveillaient toutes les nuits. Là-bas aussi, elle était parvenue, les années passant, à triompher de la gêne que lui causaient ces hurlements en les intégrant à ses rêves. Elle s'en rendait compte à présent. *Cette nuit-là,* avait-elle écrit dans la lettre qui ne parvint jamais entre ses mains, *moi aussi j'ai voulu crier, mais je me suis contenue. Ce cri s'est installé en moi et depuis lors je l'entends toutes les nuits. Je ne dis pas cela pour te faire un reproche : ce n'est pas seulement un cri de douleur; c'est aussi un cri de félicité sans limites. En tout cas, il m'ôte la paix que le sommeil pourrait apporter à ma vie : je n'espère plus d'autre repos que la mort. Mais non, je ne veux pas feindre un courage qui me fait défaut, à toi je ne puis mentir : dans ma vie j'ai passé par des moments difficiles, parfois j'ai senti l'envie de renier la grandeur de mon destin, qui a été de t'aimer. Ce que je te dis maintenant n'est pas non plus un reproche. J'ai toujours pensé que si tu n'étais pas comme tu es, si tu avais agi de façon différente, ma vie aurait été différente de ce qu'elle a été, et il n'y a rien qui puisse me causer autant de douleur, autant d'effroi que cette pensée : qu'un seul instant de ma vie aurait pu être autrement, parce que cela signifierait qu'en cet instant je ne t'aurais pas aimé autant que je t'ai aimé. Je n'envie personne ni n'échangerais ma place avec celle de personne, parce que personne ne peut t'avoir aimé autant que je t'ai aimé.* En lisant cette lettre, les domestiques laissèrent tomber des gouttes de vin sur le papier.

— Mince, quelle contrariété, firent-ils, que dira Monsieur Onofre quand il verra ces taches ?

Pour ne pas être découverts, ils jetèrent la lettre au feu.

— Je dois partir, dit le marquis d'Ut.

Il se leva avec difficulté : ses articulations avaient été affectées par la veille et la pluie.

— Tu n'as rien à ajouter ? dit Onofre Bouvila.

Le marquis consulta la pendule et fronça le sourcil; puis il pensa qu'en réalité rien ne réclamait sa présence nulle part, et il le défronça.

— Si nous avons tenu jusque-là, je peux bien rester jusqu'à la fin, dit-il en soupirant.

Onofre Bouvila sourit avec reconnaissance.

— Assieds-toi et dis-moi ce qui te préoccupe, lui dit-il.

Le marquis se caressa les joues et les trouva râpeuses.

— Il y a une chose que je ne comprends pas, dit-il finalement.

Il parlait en traînant un peu la voix ; les idées parfois lui échappaient ; la fatigue ne lui permettait pas de se concentrer, chose qui lui était déjà difficile dans des conditions parfaites. Pour lors, il était resté ébahi en voyant la photographie de Delfina : une matrone attifée, debout sur fond de cyprès, appuyée sur son ombrelle, regardant en l'air avec une expression vide. Il laissa la photographie, il fit claquer en même temps ses lèvres et ses doigts.

— Voyons, dit Onofre avec patience.

— Qu'est-ce que je fabrique dans cette histoire ? dit le marquis d'Ut.

Si tous les hommes d'affaires savaient que tôt ou tard ils devront mourir, peut-être l'activité économique en serait-elle paralysée dans le monde entier. Par chance, ce n'était pas le cas du marquis d'Ut. Franc-maçon, combinard et libertin, le marquis était en son for intérieur un conservateur intransigeant ; son défaut absolu d'opinion avait un poids énorme dans les cercles les plus réactionnaires du pays. Ces petits groupes, formés d'aristocrates, de propriétaires terriens, de quelques éléments de l'armée et du clergé, exerçaient sur la vie politique de la nation une influence décisive dans le sens de la non-décision : ils n'intervenaient en rien, si ce n'est pour empêcher que se produisent des changements ; ils se bornaient à porter témoignage de leur existence et à prévenir l'opinion publique de ce qui pourrait arriver (quelque chose de tragique) si leur immobilisme à outrance était contrarié. Ils étaient comme des lions endormis au milieu d'une bergerie. En réalité, ils ne soutenaient aucune idéologie : toute tentative de rationaliser leur attitude était mal reçue ; cela eût signifié, à leurs yeux, remettre en question la droiture, la justesse, la nécessité de cette attitude, enfin une brèche dans l'ordre naturel des choses. Que d'autres se justifient, disaient-ils, nous, nous n'en avons nul besoin, parce que nous avons raison. Toute innovation, même si elle coïncidait avec leurs intérêts, les horrifiait ; l'accepter leur paraissait un suicide. Sur ce terrain, toute discussion avec l'un d'eux s'avérait impossible. Onofre Bouvila le savait par expérience ; parfois, il avait suggéré au marquis d'Ut l'opportunité d'introduire de petites réformes dans tel ou tel secteur aux seules fins d'éviter des maux majeurs. A cette perspective, le marquis perdait les pédales.

— Pourquoi foutre veux-tu changer le monde, *hombre ?* répliquait-il. Qui crois-tu être ? Dieu Tout-Puissant ? Bah, les choses ne sont-elles pas bien comme elles sont ? Tu es riche et, en définitive, une fois qu'on est vieux il n'y a plus rien derrière : occupe-toi de tes oignons et ceux qui viendront après, qu'ils se débrouillent !

Ses arguments étaient peu consistants, mais il n'y avait aucune force au monde capable de l'en faire démordre. Le fait qu'en outre ces propositions subversives vinssent d'Onofre Bouvila ne faisait que le conforter dans ses principes :

— Au bout du compte, lui disait-il, tu es sorti de rien, tu es un paysan à qui on a permis de gagner de l'argent à la pelle : et maintenant tu as la grosse tête, tu crois avoir voix au chapitre, tu te vois déjà mener la danse, eh ?

C'était à ses yeux la preuve qu'il fallait à l'avenir avancer avec plus de précaution, être plus strict. Le fait qu'il fût capable de dire ces insolences à son ami, dont il ne refusait jamais la généreuse hospitalité, à qui il devait d'importantes faveurs et de grosses sommes d'argent, suscitait l'admiration et l'envie d'Onofre Bouvila. Avec lui non plus il ne pouvait pas se considérer comme offensé.

— Pourquoi êtes-vous si butés? se bornait-il à répondre suavement. Avec votre inflexibilité, vous allez provoquer votre propre destruction.

Ce à quoi le marquis répliquait par des cris et des gesticulations d'énergumène ; il annonçait que sa patience était à bout et que, si la conversation continuait à prendre ce tour, il se verrait obligé d'envoyer ses témoins à Onofre Bouvila. A ces moments-là, le marquis n'eût pas hésité à le tuer sans faire de manières. Comme, pour le marquis et ses coreligionnaires, l'ordre existant était quelque chose de naturel, tout désordre était nécessairement externe au système et devait être éliminé de n'importe quelle façon. Dans ces circonstances, ils recouraient toujours à l'exemple de l'organisme malade et de l'amputation : une métaphore confuse que ne comprenaient ni les sociologues ni les chirurgiens.

— Louis XVI disait la même chose quand on vint l'avertir de ce qui se passait dans les rues de Paris, dit Onofre Bouvila dans l'intention de déconcerter son interlocuteur plus par jeu que pour une autre raison.

Mais le marquis d'Ut avait répondu, imperturbable, que tous les Français étaient des fils de putes et qu'il se battait l'œil de ce qui pouvait arriver à un Français.

— Même si c'est le roi ? avait contre-attaqué Onofre Bouvila.

— Ah non, ça non, dit le marquis en se levant. Que personne n'attaque la maison d'Orléans en ma présence, et si la conversation continue à prendre ce tour je me verrai obligé de t'envoyer mes témoins. A toi de voir.

A présent, pourtant, les choses avaient pris une autre tournure : ce qui s'était passé en Russie, en Autriche-Hongrie et jusqu'en Allemagne même ne pouvait être pris à la légère. Seul un changement profond et audacieux permettrait que tout continue comme avant.

— Et ce changement profond et audacieux consiste à faire ça ? dit le marquis. Des films avec ce phoque ?

Onofre Bouvila continuait à sourire, conciliant : il n'était pas encore disposé à exposer au marquis la véritable portée de ses plans.

— Fais-moi confiance, lui dit-il. Je te demande seulement ceci : ne mettez pas la troupe dans la rue ; convaincs les tiens que je ne suis pas fou et que j'agis de bonne foi. Accordez-moi un délai de grâce : je vous montrerai ce que je peux faire. Mais il faut que pendant ce temps le calme règne dans vos rangs. S'il se produisait de légers désordres, laissez la masse se divertir, faites comme si vous ne remarquiez rien : tout ça fait partie de mon plan.

— Je ne peux pas m'engager à ce point, dit le marquis.

La fatigue l'avait conduit à une attitude défensive qui ne lui était pas coutumière.

— Je ne te demande pas non plus de le faire, dit Onofre Bouvila. Seulement d'en parler à tes amis. Tu le feras au nom de notre vieille amitié ?

— Laisse-moi y réfléchir, dit le marquis.

On ne pouvait lui en demander plus, c'est pourquoi Onofre n'insista pas.

A présent, les confrères du marquis d'Ut remplissaient le théâtre, et celui-ci, Bouvila et Efrén Castells épiaient leurs réactions depuis la loge dissimulée.

— On dirait que tout va bien, dit le géant de Calella.

Onofre Bouvila fit un signe affirmatif. Il ne pouvait en être autrement, se dit-il en lui-même. Une fois de plus, son intuition avait fonctionné. Quand on l'emmena au studio cinématographique, Delfina n'opposa pas de résistance ni ne donna des marques de curiosité ; on aurait pu aussi bien l'emmener n'importe où. Ce studio cinématographique avait été construit sur un terrain situé entre San Cugat et Sabadell, non loin de l'endroit où se trouvent aujourd'hui les bâtiments de l'université autonome de Barcelone. Le coût de sa construction avait été très élevé parce que toute l'équipe technique avait été importée de divers pays. Deux pionniers du cinématographe catalan étaient intervenus dans l'opération ; Fructuoso Gelabert et Segundo de Chomón ; aucun des deux, cependant, n'avait voulu réaliser le film qu'Onofre Bouvila avait conçu : le projet leur paraissait sans queue ni tête. Finalement, on fit affaire avec un vieux photographe sans travail, radin et acariâtre, originaire d'Europe centrale, du nom de Faustino Zuckermann. Ce choix ne fut pas malencontreux : dès le début, cet homme se pénétra sans difficulté du projet. Il fut tyrannique avec Delfina, il n'y eut pas de séance de tournage où il ne la fît pleurer pour une raison ou pour une autre. Il était alcoolique et sujet à de subites attaques d'une colère incontrôlable. Dans ces circonstances, il fallait le laisser seul, fuir son voisinage pour ne pas recevoir un mauvais coup : une fois, il cassa trois doigts de la main à une couturière, une autre, il ouvrit d'un coup de chaise la tête d'un coursier. L'atmosphère d'abjection que ce personnage et d'autres semblables créaient dans le studio était du goût d'Onofre Bouvila : il savait que sur ce terrain éclorait une fleur plus délicate et odorante. Les résultats se firent attendre ; les premiers essais furent des échecs. Le retard technologique que Barcelone accusait dans ce domaine était encore phénoménal. La première pellicule à être tournée mit trois mois à sortir du laboratoire. Quand on l'eut finalement révélée, on vit qu'elle était inutilisable : certaines séquences étaient trop obscures et d'autres si lumineuses qu'elles blessaient les yeux des spectateurs, elles restaient plusieurs heures imprimées sur la rétine ; dans d'autres séquences, d'amorphes taches ocre voltigeaient sur l'écran ; dans certaines, le mouvement s'était inexplicablement inversé, tout allait à rebours : les gens reculaient, remplissaient leurs verres avec un liquide qu'ils sortaient de leur bouche, etc., il y en avait, en plus, qui marchaient au plafond tandis que les autres le faisaient par terre. Ce désastre n'entama pas la résolution d'Onofre Bouvila. Il ordonna de brûler tout ce celluloïd inutile et de recommencer le tournage à l'instant même. On lui répondit que Faustino Zuckermann n'était pas en condition de travailler, qu'il ne tenait pas debout.

— Qu'il tourne assis, répondit-il.

Sur ce point, beaucoup de réalisateurs célèbres l'imitèrent par la suite. Pour ce second tournage, il fallut tout refaire, parce que les décors et les costumes du tournage antérieur avaient été brûlés aussi. Cette mesure avait été expressément décidée par Onofre Bouvila lui-même pour que rien de ce qui se faisait dans le studio ne filtre à l'extérieur. Maintenir le secret était essentiel pour lui. Des menaces terribles pesaient sur le personnel du studio ; en contrepartie, les rémunérations étaient très élevées. Finalement, on vint lui dire que la seconde pellicule était prête, qu'il pouvait la visionner s'il voulait dans une salle de projection située à l'intérieur même du studio. A ces mots, il laissa tomber tout ce dont il était en train de s'occuper et se fit conduire là-bas dans une automobile aux vitres fumées. Ce film était celui qui tirait à présent des larmes aux oligarques rassemblés dans le théâtre grâce à l'intercession du marquis d'Ut. A la fin de cette première projection privée, il avait fait paraître devant lui Faustino Zuckermann. Le vieux photographe répandait une odeur insupportable de vin rouge et d'oignon cru ; son haleine paraissait émaner du centre de la Terre.

— Je te félicite, lui avait-il dit. Tout ce que je voulais y est ; dans ce regard, il y a tout : les espoirs et les terreurs de l'humanité.

Les yeux injectés que Faustino Zuckermann tenait fixés sur lui avec une obstination d'ivrogne le convainquaient qu'il avait visé juste : Les deux font la paire, pensa-t-il, le même désir et le même désespoir. D'ici peu s'éteindra cette lumière qui brille encore au fond de leurs regards, elle se transformera en braises d'abord puis en tas de cendre froide, mais cet ultime instant aura été fixé pour toujours sur le celluloïd, pensa-t-il.

Chapitre 6

1

L'homme qui vint à sa rencontre avait passé cet âge à partir duquel on porte sur soi, en plus de la marque des années, celle des circonstances de la vie. Il n'avait pas un seul cheveu sur la tête, qui était sphérique et couleur d'argile sombre ; ses traits étaient rabougris et ses yeux d'un bleu très pur. Il portait un pantalon de cotonnade rayée tenu par une corde nouée à la ceinture, une blouse de flanelle décolorée et des espadrilles. Il s'appuyait pour marcher sur une canne noueuse et portait, passé dans la corde qui lui faisait office de ceinture, un couteau à cran d'arrêt si long que, par contraste, il paraissait inoffensif. Un repoussant petit chien à grosse tête, queue très courte et pattes chétives allait collé à ses talons. Le chien ne détournait pas les yeux de son maître, lequel tournait les siens, de temps en temps, vers le chien, comme s'il y cherchait une approbation à ce qu'il faisait ou disait. L'homme avait maintenant remis sa casquette et tournait le dos à Onofre Bouvila.

— Ayez la bonté de me suivre, monsieur, lui dit-il. C'est par ici. Le chemin n'est pas fameux, je crois que vous vous en êtes déjà aperçu.

Onofre Bouvila se mit à marcher derrière l'homme et le chien. Le chauffeur qui l'avait amené jusqu'à la clairière fit semblant de les suivre, mais il l'arrêta d'un geste.

— Reste là, lui dit-il, et ne t'inquiète pas si je tarde à revenir.

Le chauffeur s'assit sur le marchepied de l'automobile, posa sa casquette à côté de lui et se mit à rouler une cigarette cependant que les deux hommes et le chien s'enfonçaient dans un sentier que les broussailles cachèrent aussitôt. En dépit de ses années, l'homme avançait avec beaucoup d'aisance à travers les racines, les pierres et les broussailles. Onofre Bouvila, en revanche, devait souvent s'arrêter parce qu'une ronce s'était agrippée à la toile de sa veste. Dans ces cas-là, l'homme revenait sur ses pas, coupait la ronce avec son couteau et faisait mille excuses à Onofre Bouvila qui considérait déjà son costume comme perdu.

L'industrie cinématographique qu'il avait créée en 1918 atteignit son plein développement deux années plus tard, à la fin de 1920 : ce fut son moment de splendeur, son apogée ; ensuite, les choses commencèrent à se gâter. En 1923, à la stupeur générale, il céda sa part à Efrén Castells, avec qui il avait été associé dès le début, et il annonça qu'il se retirait de cette affaire et également de toutes les autres. Ceux qui le connaissaient bien ou, à défaut de quelqu'un qui pût s'en flatter, ceux qui avaient avec lui de fréquentes relations furent moins surpris par sa décision, dont ils croyaient rétrospectivement entrevoir les premiers indices dans l'annonce subite de sa volonté de changer de domicile. Ils se souvenaient à présent de ce moment : Ce n'était pas, pensaient-ils, le fait du hasard qu'il eût coïncidé avec le point de départ de son projet le plus ambitieux ; ils y voyaient la conviction intime, peut-être inconsciente, de ce que ses plans grandioses devaient fatalement déboucher sur un échec.

— C'était l'ancienne entrée de service, dit l'homme. Monsieur me pardonnera de le faire passer par ici, mais c'est l'endroit le plus praticable, le seul qui nous permettra d'entrer sans sauter le mur.

Dans sa recherche obstinée, il avait vu des centaines de maisons, mais rien ne l'avait préparé à ce qu'il trouvait ici. Cette demeure, située dans la partie haute de la Bonanova[1], avait appartenu à une famille dont le nom semblait être parfois Rosell et parfois Roselli. La maison avait été bâtie à la fin du XVIIIe siècle, mais il demeurait peu de chose de cette première construction depuis l'agrandissement de 1815. De cette année-là datait aussi le jardin. Romantique dans sa conception et quelque peu extravagant dans sa réalisation, il mesurait approximativement quinze hectares. Sur son côté sud, à gauche de la maison, il y avait un lac artificiel alimenté par un aqueduc de style romain qui amenait l'eau directement du rio Llobregat ; le lac se vidait à son tour par un canal qui entourait le jardin et passait devant la maison et sur lequel il était possible de faire naviguer des yoles ou des barques à fond plat, à l'ombre des saules, des cerisiers et des citronniers qui poussaient sur ses deux rives. Plusieurs ponts permettaient de franchir le canal : le pont principal, à trois arches, entièrement construit en pierre, condui-

1. Ancienne villégiature qui est aujourd'hui un quartier élégant de Barcelone.

sait jusqu'à l'entrée même de la maison ; le pont dit « des nénuphars », un peu plus petit que le précédent, avec un parapet de marbre rose ; celui de Diane, ainsi appelé à cause de la statue de cette déesse, issue des ruines d'Ampurias, qui le gardait ; le pont couvert, en bois de teck ; le pont japonais, qui faisait avec son reflet dans l'eau une circonférence parfaite, etc. Le lac et le canal avaient été peuplés de poissons très divers et remarquables ; on avait aussi amené d'Amérique centrale et de l'Amazonie quelques espèces rarissimes de papillons, qu'on était parvenu à acclimater au prix d'efforts énormes et en faisant preuve de connaissances inhabituelles dans la Catalogne de cette époque. Plus tard, en 1832, à la suite d'un voyage en Italie, où la chose était à la mode, et d'où la famille était originaire à moins qu'elle ne s'y fût installée au temps de la domination catalane sur la Sicile et le royaume de Naples (époque à laquelle, probablement, le nom de famille avait souffert diverses mutations comme celle déjà signalée), et où se rendaient les rejetons de la branche installée à Barcelone chaque fois que sonnait pour l'un d'entre eux l'heure de contracter mariage (sans que le caprice ni l'inclination intervinssent en cela, mais bien le désir explicite, la stratégie manifeste et réitérée de ne pas s'allier à d'autres familles catalanes, ce qui à leurs yeux eût conduit tôt ou tard au démembrement du patrimoine), on avait ajouté au jardin une grotte très admirée en son temps ; elle comportait deux parties ou salles ; la première, immense, avec une voûte de dix mètres de haut et de curieuses formations de stalactites et de stalagmites minutieusement façonnées en plâtre stuqué et porcelaine, et la seconde, plus extraordinaire encore, de taille réduite et dépouillée d'ornementation, mais située sous la surface du lac, dont on pouvait regarder le fond à travers une ouverture de la paroi rocheuse obturée par une vitre de cinquante centimètres d'épaisseur : lorsque la lumière du soleil pénétrait jusqu'au fond du lac, on pouvait y voir les algues et les coraux, les bancs de poissons et un couple de tortues géantes amenées de Nouvelle-Guinée, qui survécurent au changement d'habitat et, conformément à l'habitude de l'espèce, atteignirent un âge avancé, bien avant dans le XXe siècle, sans toutefois parvenir à se reproduire.

— Mon père, dit l'homme, avait été veneur au service de la famille Rosell ; après, quand il fut devenu sourd, il devint garde forestier. On peut dire, monsieur, que je suis né au service de la famille Rosell.

En plus de ces merveilles, le jardin possédait d'innombrables recoins, pavillons, kiosques, fabriques et serres, des avenues mystérieuses, au tracé délibérément confus, par lesquelles le promeneur pouvait s'égarer sans crainte, aux détours desquelles il pouvait tomber inopinément sur la statue équestre de l'empereur Auguste ou les graves figures de Sénèque ou Quintilien sur leurs piédestaux respectifs, à travers les haies desquelles on pouvait entendre des conversations secrètes, surprendre des rendez-vous amoureux et épier des baisers passionnés à la lumière de la lune. Sur les pelouses que portaient sept terrasses échelonnées au flanc de la montagne évoluaient des couples de paons royaux et de grues égyptiennes.

— Mais le premier office que je me souvienne avoir rempli, dit l'homme, c'est celui de page de Mademoiselle Clarabella, alors que j'avais six ans. Mademoiselle Clarabella devait en avoir treize ou quatorze à l'époque, si ma mémoire ne me trompe pas. Bien qu'elle parlât plusieurs langues, Mademoiselle Clarabella s'adressait toujours à la domesticité en italien ; nous ne comprenions jamais les ordres qu'elle nous donnait. Ma fonction, d'ailleurs, ne présentait pas de difficulté : j'étais celui qui était chargé de mener promener les sept petits chiens qu'elle avait. Sept chiens, monsieur, de pure race, tous différents, vous auriez dû les voir.

La maison avait trois étages, avec chacun une superficie de mille deux cents mètres carrés ; la façade principale, orientée au sud-ouest, regardant vers Barcelone, comptait onze balcons à chacun des étages supérieurs et dix portes-fenêtres autour de la porte d'entrée au rez-de-chaussée. Entre les balcons, les fenêtres, les lucarnes, les verrières, les tabatières, les miradors et les portes, il y avait dans la maison un total de deux mille six vitres, ce qui faisait de leur entretien un travail constant. Ces vitres étaient à présent cassées, l'intérieur de la maison était dévasté et le jardin transformé en forêt. Les ponts étaient tombés, le lac s'était vidé, la grotte s'était effondrée, toute la faune exotique avait été dévorée par les nuisibles et les rats qui régnaient désormais sur le domaine ; yoles et voitures n'étaient plus qu'un tas de débris amoncelés dans les remises ouvertes à tout vent, et l'écu de la famille Rosell, une excroissance à peine sur la frise de la porte principale, était rongé par les intempéries et couvert de moisissure.

— Racontez-moi ce qui est arrivé, dit Onofre Bouvila.

Ils avaient non sans risque passé le pont et se trouvaient devant la porte d'entrée. L'homme s'assit sur un lion de pierre à qui manquaient la tête et la queue. Le chien s'étendit à ses pieds. L'homme posa le menton sur ses mains croisées sur le pommeau de la canne et il soupira profondément. Onofre Bouvila sut qu'il allait entendre une histoire de plus, longue et étrange.

— Quoique la famille Rosell eût pour coutume, comme on sait, monsieur, de ne jamais se marier en Catalogne, commença l'homme, de ne pas s'allier à des compatriotes, ce qui excita toujours la malveillance, comme si le fait d'être né sur le même sol et sous le même soleil donnait le droit de disposer de la vie privée et même sentimentale des autres, ou de la juger, si ce n'est pas pire, comme je vous le disais, monsieur, elle n'était pas dédaigneuse ni repliée sur elle-même, pas du tout, c'était tout le contraire. Il était rare le jour où je ne croisais pas un visiteur lorsque, à la fin de l'après-midi, je me retirais après avoir passé les deux heures réglementaires à donner de l'exercice aux chiens, comme on m'avait commandé de faire, même les mois chauds, sur la pelouse qu'il y avait là-bas, monsieur, qui était la première à recevoir l'ombre de ces peupliers, beaucoup plus hauts aujourd'hui qu'à l'époque, c'est sûr : tant d'années ont passé depuis, monsieur, que les arbres qui ont vu mes promenades d'alors, qui ont été témoins de mes rêves d'enfant, ils sont morts.

Il parlait avec des phrases assez longues, comme s'il lui en coûtait de se souvenir ou de rapporter à un étranger ce dont il se souvenait ; par moments, il restait immobile, enfermé en lui-même : il rougissait alors comme un collégien et sa peau, naturellement rougeâtre, prenait une tonalité encore plus sombre, presque indigo. Ce mauvais moment passé, il secouait la tête et, levant une main du pommeau de la canne à laquelle il se cramponnait fermement, il désignait ces étendues à l'abandon comme si à l'appel de sa mémoire elles allaient redevenir les pelouses soignées du temps jadis. Alors, il croyait y voir encore marcher les gens et passer les attelages.

— Quel n'était pas mon travail en ces occasions, poursuivit-il, pour retenir les chiens qui, d'excitation et d'envie de jouer, tiraient sur leur laisse. Et il n'était pas rare qu'ils finissent par venir à bout de ma résistance et, minuscules comme ils étaient, mais moi aussi j'étais petit et peu dégourdi, par me traîner sur le gazon frais, aboyant et bondissant, et moi pleurnichant pour la joie du visiteur qui surprenait un instant cette scène comique avant que son attelage ne prenne le pont et que les deux ventaux de la porte ne s'ouvrent devant lui pour laisser libre l'entrée de la demeure.

Il abandonna l'homme à son discours et pénétra dans le vestibule. La lumière entrait à flots par les fenêtres sans volets ni rideaux. Le sol était couvert de feuilles mortes. Quelques articles dépareillés et aléatoires avaient survécu au pillage : une balle aux couleurs vives, un vase de bronze, une chaise, etc. L'absence des autres était évidente et pesante. Il songea au nombre d'objets qu'il fallait pour faire une maison ;

certains de ces objets étaient composés de nombreuses parties qu'il fallait assembler précautionneusement. Si on traduisait cela en heures de travail, une demeure comme celle-ci requérait des vies entières ; sa destruction faisait de ces vies un investissement inutile, un gaspillage, pensa-t-il avec une mentalité de financier. Il fut tiré de cette réflexion par la voix de l'homme qui l'avait silencieusement rejoint et continuait maintenant sans préavis son récit.

— Et les fêtes, monsieur ! Et les bals et les kermesses !

Du bout de sa canne, il poussa les feuilles qui couvraient le sol et dégagea un pied et le début d'un mollet féminin sur une mosaïque. S'il avait continué, il aurait sûrement dégagé une scène mythologique couvrant la surface entière du vestibule, mais, pour ce faire, il lui eût fallu plusieurs heures de travail. Il s'en tint là et continua à décrire longuement ces galas et soirées d'antan cependant qu'ils parcouraient salons après salons. Comme on pouvait le penser, dit-il, on ne le laissait pas participer à ces fêtes, en général nocturnes, mais il s'échappait de sa chambre, en chemise, pieds nus en dépit de la fraîcheur de la nuit, et se cachait en un lieu d'où il pût voir sans être vu. Ces escapades étaient facilitées par l'agitation causée par les fêtes : dans ces occasions, toute la domesticité était très occupée, et personne ne pouvait faire attention à un morveux comme lui, expliqua-t-il. Les martinets avaient fait leur nid dans les lambris du salon des miroirs et les souris s'ébattaient le long des moulures. Ce spectacle parut l'attrister encore plus. Il se tut un instant et, quand il parla de nouveau, ce fut rapidement, comme s'il voulait en finir vite avec cette visite qui de toute évidence lui était douloureuse, peut-être parce qu'il la faisait en compagnie d'un étranger, pour la première fois depuis longtemps.

— Un jour d'été, monsieur, dit-il, un terrible jour d'été, en rentrant de ma promenade du soir avec les chiens, je trouvai la maison transformée en un tourbillon et tout le monde affolé et agité, ce qui me fit penser, à première vue, qu'on était en train de préparer une autre grande fête, et pourtant ce n'était pas possible, puisqu'on avait récemment eu deux grandes fêtes presque coup sur coup, à savoir la kermesse de la Saint-Jean et la visite de la compagnie du théâtre San Carlo de Naples, que Monsieur Rosell, profitant de la relâche estivale, avait invitée à venir donner devant sa famille et quelques intimes *le Nozze di Figaro* de Monsieur Mozart, événement qui avait entraîné un remue-ménage considérable, puisqu'il avait fallu loger et servir les chanteurs, le chœur et l'orchestre tout comme le reste du personnel du théâtre, enfin environ quatre cents personnes sans compter les instruments et les costumes, après quoi on pensait que pendant un bon moment on n'allait pas s'embarquer dans des histoires de cette importance, et pourtant ça ne devait pas être le cas, puisque j'étais là, sans en croire mes yeux, au milieu d'un bataillon de maçons, de charpentiers, de plâtriers et de peintres, enfin tout l'indispensable pour commencer à préparer une fête digne de ce nom. Excité par ce spectacle imprévu, je courus à l'intérieur de la maison, suivi par mes sept chiens, à la recherche de quelqu'un qui pût m'informer sur ce qui se passait ou allait se passer, et je tombai finalement sur une économe avec laquelle j'avais, je crois, un certain degré de parenté, les mariages n'étant pas rares entre domestiques des deux sexes d'une même maison, ce qui, soit dit en passant, était parfois à l'origine de situations pittoresques, comme le fait que ma tante au second degré fût en même temps ma cousine germaine, enfin ça n'a rien à voir, et toujours est-il que cette économe à qui j'étais apparenté à un certain degré, sans même qu'il soit impossible, maintenant que j'y pense, que ce fût ma mère, attendu que mon père, les rares fois où il sortait du bois, dormait avec elle, ce qui bien sûr ne prouve rien, et qui était, pour lors, ma peut-être mère, en train de plumer un faisan dont elle venait de raccourcir proprement la tête avec la hachette qu'elle tenait encore entre les genoux, elle me raconta que cette après-midi-là était arrivé un cavalier enveloppé dans une capote et coiffé d'un tricorne de feutre déjà anachronique à l'époque, et que, sautant à terre avant même que son cheval eût achevé sa course effrénée, et sans prendre le temps de l'attacher ou de remettre les brides au palefrenier que le bruit des sabots sur le pont avait fait accourir, circonstance dont le cheval avait profité pour plonger dans le canal, il avait murmuré à l'oreille du majordome un mot de passe qui lui avait aussitôt ouvert les portes de la maison et valu une entrevue précipitée avec Monsieur Rosell, qu'on avait sans autre forme de procès réveillé de sa sieste, après quoi celui-ci avait ordonné qu'on prépare le nécessaire pour donner cette nuit même (cette nuit même !) un grand bal en l'honneur d'un hôte illustre dont le nom, cependant, n'avait pas été révélé au personnel. L'émissaire était reparti sur-le-champ avec sur ses talons des messagers chargés de délivrer de vive voix les invitations, dit l'économe, ma peut-être mère. « Mais de qui s'agit-il ? », lui demandai-je avec la curiosité insatiable de mon âge tendre, ce à quoi maman répondit qu'elle ne pouvait me le dire, que c'était un secret, et que, quand bien même elle y consentirait, cela ne me tirerait pas d'embarras, étant donné que ce nom, qu'elle-même avait entendu en écoutant aux portes et en captant des syllabes détachées que portait le vent, m'était totalement inconnu, d'après elle, mais j'insistai tant, faisant appel à ses sentiments maternels, à supposer que nos véritables liens les permissent et ensuite qu'elle en eût, qu'elle dut finalement céder et m'apprendre que la personne en l'honneur de qui se faisaient ces préparatifs n'était autre que le duc Archibaldo María, dont la famille Rosell soutenait depuis bien des années les prétentions au trône d'Espagne.

Il y avait peu de feuilles mortes au premier étage ; la saleté y était plus profonde, paraissant provenir des objets eux-mêmes. Comme la saleté s'accumule, pensa Onofre Bouvila ; je ne sais pas ce qui se passerait en général si tout le monde ou presque tout le monde ne nettoyait pas un peu chaque jour la part de planète que le sort lui a allouée. Peut-être est-ce là en vérité l'authentique destin de l'humanité, peut-être Dieu a-t-il mis l'homme sur la terre pour qu'il la maintienne un peu propre et présentable, peut-être pour cette raison tout le reste est-il seulement une chimère.

— Se prononcer en faveur de tel ou tel candidat au trône n'était pas en ces temps-là le résultat d'un penchant, une simple prédilection comparable à celle qu'on pourrait aujourd'hui éprouver pour un *torero,* mettons, mais une attitude politique engagée dont les conséquences pouvaient être irréparables si la fortune était contraire dans les guerres intestines livrées au nom de ces causes, poursuivit l'homme. Toujours est-il, ajouta-t-il au bout d'un moment, que le prétendant en question, celui dont la visite nous avait été annoncée, avait promis dans un document incompréhensible, mélange de catalogue, de harangue et de programme, appelé on ne sait pourquoi « édit » et promulgué à Montpellier, de concéder à la Catalogne une indépendance restreinte ou quelque chose de ce style, un régime calqué, paraît-il, sur celui qui liait et lie toujours aujourd'hui l'Inde à la couronne britannique. C'est pour cette vague promesse que la famille Rosell avait jeté vie et fortune sur le tapis. Et voilà que ce prétendant annonçait à l'improviste sa venue, créant une alternative insoluble, étant donné que, d'un côté, il fallait accueillir l'hôte comme l'exigeait son rang réel ou possible, tandis que, d'un autre, il fallait maintenir à tout prix la clandestinité qui par force entourait son voyage, d'autant plus que les autorités constituées et les bandes rivales avaient d'un commun accord mis sa tête à prix, problèmes qui s'ajoutaient à ceux causés par la précipitation pour mettre à l'épreuve l'imagination, le raffinement, le *savoir-faire** de la famille.

A présent, le sol était couvert de minuscules fragments de porcelaine qui crissaient sous les pas des deux hommes. Ramassant un de ces fragments et l'approchant de ses yeux, il s'aperçut qu'il provenait, comme les autres, d'un service de Sèvres ou de Limoges, qu'il se plut à imaginer de pas moins de deux cents couverts sans compter les soupières, les saucières, les plats et les compotiers.

— Puisque la salle à manger est au rez-de-chaussée, dit-il, comment cette vaisselle est-elle venue finir ici ?

Il aurait encore demandé qui l'avait cassée, s'il avait su qui interroger. Perdu dans ses souvenirs, l'homme ne répondit pas.

— Dès que nous le vîmes, nous comprîmes que cet homme ne pouvait amener que le malheur sur cette maison, dit-il. Le duc Archibaldo María avait alors quarante ou quarante-cinq ans et avait toujours vécu en exil. Cette vie furtive et errante avait fait de lui un homme crapuleux et amoral. L'état d'ébriété dans lequel il se trouvait le fit tomber de cheval en passant le pont. Je ne crois pas qu'il fut même en mesure de voir les yoles qui voguaient sur le canal et à bord desquelles des domestiques, élevant des candélabres et des chandeliers, créaient un cercle de lumières mobiles. Son aide de camp, un individu surnommé Flitán, à l'air de bohémien, sauta de sa selle avec une agilité d'écuyer de cirque et aida le duc à se relever, le traîna jusqu'au parapet du pont sur lequel Son Altesse se plia pour vomir cependant que Mademoiselle Clarabella, exécutant les instructions que lui avait données son père et les gestes que le maître de danse avait passé toute l'après-midi à lui apprendre, ployait le genou dans la plus gracieuse des révérences et lui offrait sur un coussin de soie à damiers un lis et une reproduction en or ou en quelque autre métal doré de la clef de la maison... Je ne sais pas si je vous ai déjà dit, monsieur, que c'était une nuit d'été très chaude, une nuit terrible. Le duc ne s'était pas rasé depuis plusieurs jours ni lavé depuis plusieurs mois, ses vêtements répandaient une odeur aigre, une morve épaisse lui pendait au nez et, lorsqu'il riait, chose qu'il faisait avec plus de férocité que de joie, il montrait des dents pointues et véreuses : jamais maison royale ne fut plus mal représentée. Il soupesa d'un air de connaisseur la clef en or qu'il passa ensuite à son aide de camp, jeta le lis par terre et pinça la joue de Mademoiselle Clarabella, qui s'empourpra aussitôt, répéta machinalement son salut et, faisant demi-tour, courut se cacher derrière sa mère.

Ils montèrent au second étage par un escalier de la rampe duquel ne subsistaient plus que quelques montants de bois fendus perpendiculaires aux degrés. Alors que jusqu'à présent l'homme s'était déplacé à travers la maison avec lenteur, traînant les pieds et s'attardant à chaque halte, lorsqu'il fut arrivé en haut, il fit un écart et se plaça devant Onofre Bouvila, comme s'il voulait lui couper le passage.

— C'est ici qu'étaient les chambres à coucher de la maison », expliqua-t-il de façon incongrue : jusqu'à ce moment, il n'avait donné aucune indication concernant l'ancienne distribution des pièces. « Je veux dire, les chambres à coucher des maîtres, se hâta-t-il d'ajouter craignant avoir commis une incorrection. Le personnel, bien sûr, dormait en haut, dans l'attique : c'était la partie de la maison la plus chaude en été et la plus froide en hiver mais, en contrepartie de ces inappréciables inconvénients, c'était aussi celle qui jouissait de la meilleure vue sur l'ensemble du domaine. C'est là aussi que je dormais. Ma chambre était séparée des autres... Je ne dis pas ça pour la ramener : en réalité, je dormais avec les sept chiens de Mademoiselle Clarabella ; mais ce qui est sûr, c'est que je ne partageais pas ma chambre avec d'autres domestiques, comme c'était l'habitude, ce qui m'épargnait les quolibets, coups de fouet et actes de sodomie, pas complètement, bien sûr, mais enfin la plupart des jours ; au total, je crois pouvoir dire que tant que j'ai vécu ici je n'ai été victime de quolibets, coups de fouet ou actes de sodomie qu'à peu près une fois par semaine, ce que ne peuvent pas dire d'autres dans ma condition. Le reste du temps, on me laissait tranquille. Alors, j'avais l'habitude de m'asseoir sur le rebord de la fenêtre, les pieds pendant au-dehors, et de regarder les étoiles ; d'autres fois, je regardais vers le bas, vers Barcelone, dans l'espoir de voir un incendie, étant donné que sans ça la ville restait obscure, au point qu'il était impossible, de ma tour de guet, de deviner que là-bas dans le lointain il y avait une ville populeuse. Ensuite est venue la lumière électrique et les choses ont changé, mais à ce moment-là personne n'habitait plus dans cette maison. Venez, monsieur, dit-il brusquement en tirant Onofre par la manche, montons à l'attique et je vous montrerai où était ma chambre, celle que je vous dis. Laissons pour le moment ces pièces qui n'offrent pas le moindre intérêt. Croyez-moi.

Le toit avait cédé en plusieurs endroits : on voyait le ciel à travers. Par les trous entraient et sortaient en zigzaguant les chauves-souris qui vivaient à présent dans l'attique. Celles qui n'étaient pas en train de virevolter dormaient tête en bas, pendues aux poutres. De gros rats aux poils raides comme des piquants couraient par terre, capables de tenir tête à un chat et même d'en venir à bout. Prévoyant, l'homme prit son petit chien dans ses bras.

— Cette nuit-là, je ne pouvais dormir, continua-t-il comme s'il n'avait à aucun moment interrompu son récit. La musique de l'orchestre qui animait le bal parvenait jusqu'à ma chambre. Suivant l'habitude dont j'ai déjà parlé, je regardais par la fenêtre. En bas, de l'autre côté du pont, sur l'esplanade qu'il y avait là, on pouvait voir, faiblement illuminées par les myriades d'étoiles qui cloutaient le firmament de cette nuit d'été, de cette terrible nuit, monsieur, les voitures dans lesquelles étaient venus les invités choisis, tous partisans acharnés du duc, inutile de le dire, et, plus loin, sur les flancs de la montagne, une multitude de petites lumières qui bougeaient doucement, comme une bande de lucioles paresseuses, mais qui n'étaient pas des lucioles, mon Dieu non, mais les lanternes avec lesquelles s'éclairaient les troupes du général Espartero qui, averti par un traître, maudit soit-il, de la présence du duc, avait ordonné d'encercler le domaine. Par une ironie du destin, personne ne s'était aperçu de ce piège en dehors de moi, pauvre innocent, et qu'est-ce que je pouvais, avec mes six ans, comprendre aux règles de la trahison et de la guerre ? Laissez-moi respirer, monsieur, et je reprendrai aussitôt cette histoire.

Il fit ce qu'il annonçait et se sécha les yeux avec un mouchoir à carreaux qu'il sortit de sa poche. Puis, sans rime ni raison, il sécha aussi les yeux du petit chien, qui détourna la tête. Il remit aussitôt le mouchoir dans sa poche et reprit :

— Je restai à écouter la musique jusqu'à ce que, vaincu par le sommeil, je rentre dormir. Je ne sais quelle heure il pouvait être lorsque je me réveillai en sursaut. Les chiens qui dormaient avec moi s'étaient réveillés avant moi et se promenaient inquiets dans la chambre, ils grattaient les portes, mordillaient la natte qui couvrait le sol et gémissaient comme s'ils flairaient des périls indistincts dans l'air. Dehors, il régnait une nuit noire. Je regardai par la fenêtre et vis que les voitures étaient parties et que les petites lumières qui auparavant m'avaient distrait étaient à présent éteintes. J'allumai un bout de chandelle et je sortis dans le couloir en chemise et pieds nus, enfermant derrière moi les chiens dans la chambre, qu'ils n'aillent pas s'échapper et courir partout dans la maison, qui avait l'air endormie. Par ce même escalier que vous voyez, monsieur, je descendis au second étage. Je ne sais quelle idée m'y conduisait. Soudain, une main m'attrapa le bras et une autre me ferma la bouche, m'empêchant ainsi aussi bien de fuir que d'appeler à l'aide. La chandelle tomba au sol, et fut aussitôt récupérée par quelqu'un. Revenu de ma stupeur, je vis que celui qui me tenait n'était autre que le duc Archibaldo María, et celui qui avait récupéré la chandelle qui éclairait à présent son visage diabolique, le barbare Flitán, un poignard entre les dents, ce qui me plongea dans une indicible angoisse. « Ne crains rien, entendis-je le duc murmurer à mon oreille, me soufflant au visage une haleine empuantie et si chargée d'alcool que je crus en perdre connaissance. Tu sais qui je suis ? », me demanda-t-il ; ce à quoi je répondis en hochant légèrement la tête.

Cette réponse lui parut satisfaisante, puisqu'il ajouta alors : « Si tu sais qui je suis, tu dois savoir aussi que tu dois m'obéir en tout. » Et, comme je recommençais à acquiescer par signes, il me demanda si je savais où se trouvait la chambre de Mademoiselle Clarabella. Ma réponse affirmative provoqua entre les deux hommes un rapide échange de regards et de sourires dont je ne compris aucunement le sens. « Alors, mène-moi jusque-là sans perdre de temps, dit le duc, parce que Mademoiselle Clarabella m'attend. J'ai un petit message pour elle », ajouta-t-il un instant après en accompagnant ses paroles d'un grossier éclat de rire auquel fit écho l'aide de camp. Naturellement, j'obéis. Devant la porte, ils me rendirent la chandelle et m'intimèrent de retourner immédiatement à ma chambre. « Endors-toi tout de suite et ne raconte à personne ce qui s'est passé, m'avertit le duc, où je dirai à Flitán de te couper la langue. » Je revins à toute vitesse à ma chambre, sans me retourner une seule fois. Je m'arrêtai devant la porte : la rencontre m'avait laissé à l'âme une angoisse que je ne parvenais pas à m'expliquer. Au fond du couloir de l'attique, où je me trouvais, dormait l'économe qui pouvait être ou ne pas être ma mère. Sur la pointe des pieds, j'entrai dans la chambre qu'elle partageait, comme je l'ai déjà dit avant, avec d'autres employées, je m'approchai de son lit et la secouai. Elle entrouvrit les yeux et me regarda avec colère. « Que diable fabriques-tu ici, maudit morpion ? », me dit-elle entre ses dents, et je craignis qu'en fin de compte elle ne fût pas ma mère, auquel cas il ne me restait plus à attendre d'elle qu'une bonne volée. Pourtant, je répondis : « J'ai peur, maman. — Ça va, dit-elle en abandonnant son air irascible, reste si tu veux, mais pas dans mon lit. Tu ne vois pas que cette nuit j'ai de la compagnie ? », ajouta-t-elle en portant son index à ses lèvres et en désignant ensuite un homme qui ronflait à ses côtés et qui n'était pas, soit dit en passant, mon père le garde forestier, ce qui ne prouve rien non plus, bien sûr, moyennant quoi je m'étendis sur la natte, au pied du lit, et je me mis à compter les pots de chambre que je pouvais voir de là. Je me réveillai une autre fois brutalement : ma mère me secouait. Toutes les domestiques et les hommes qui pour la raison qu'on voudra se trouvaient aussi dans la pièce couraient d'un côté à l'autre, cherchant leurs vêtements à la faible clarté qui tombait du toit par la lucarne. Je demandai ce qui se passait et ma mère me donna une chiquenaude pour toute explication. « Ne pose pas tant de questions et dépêchons-nous », dit-elle. Elle avait jeté un fichu sur sa chemise de nuit et, me traînant à sa suite, sortit comme ça dans le couloir. Les escaliers retentissaient et vibraient sous les pas précipités du personnel qui descendait se rassembler au sous-sol. C'est là que nous vîmes Monsieur et Madame Rosell. Lui portait encore son habit de cérémonie ou bien il se l'était remis. De la main droite, il tenait un sabre dégainé tandis que son bras gauche entourait d'un geste protecteur les épaules de Madame Rosell qui pleurait contre son plastron. Elle portait une grande robe de chambre de velours bleu. Passant à côté de Monsieur, je l'entendis murmurer : « *Povera Catalogna !* » Je regardai de tous côtés pour voir si au milieu de la débandade je distinguais Mademoiselle Clarabella, chose que ma petite taille rendait difficile à l'extrême. J'entendis aussi ceux qui m'entouraient dire que les troupes du général Espartero venaient de passer le pont et qu'elles ne tarderaient pas à enfoncer la porte d'entrée. Comme pour corroborer cette affirmation, des coups terribles résonnèrent au rez-de-chaussée, juste au-dessus de nos têtes. Je cachai la mienne dans la forêt de genoux qui m'entourait. Monsieur Rosell dit d'une voix calme : « Vite, vite, ne traînons pas, il y va de notre vie. » Nous entrions tous dans une resserre où j'avais toujours vu conserver des haricots, des lentilles et des pois chiches dans des barils de bois clair cerclés de fer. Je n'en revenais pas : je n'avais jamais soupçonné que tant de gens pussent entrer dans un espace si restreint. En m'approchant, je compris ce qui se passait : il y avait en effet, à même le sol, une trappe généralement cachée sous les barils, mais à présent ouverte, par laquelle se glissaient ceux qui entraient dans la resserre. Cette trappe conduisait à un passage secret, dont seuls les maîtres avaient connaissance, et par lequel on pouvait fuir lorsque la demeure se trouvait complètement encerclée, ce qui était le cas. Ma mère me fit des signes de la main : Ne reste pas à traîner, allons, cours, paraissait me dire ce geste. Je l'aurais suivie, monsieur, si je ne m'étais pas soudain souvenu que j'avais laissé les sept petits chiens enfermés dans ma chambre des heures auparavant, quand j'avais fait cette première sortie qui s'était terminée avec la rencontre du duc. Il fallait que j'aille les chercher, me dis-je, sous peine d'encourir le mécontentement de Mademoiselle Clarabella. Sans y réfléchir à deux fois, je tournai les talons et grimpai en courant les quatre étages qui séparaient le sous-sol de l'attique.

Onofre Bouvila se mit à la fenêtre et regarda vers le bas. Buissons et arbustes avaient effacé les limites du domaine : une masse verte s'étendait maintenant à ses pieds jusqu'aux confins de la ville. On voyait, clairement délimités, les villages que la ville avait dévorés ; puis venait l'*Ensanche,* avec ses arbres et ses avenues et ses maisons fastueuses ; plus bas, la vieille ville, à laquelle, après tant d'années, continuait à l'attacher un sentiment d'identité. Enfin, il vit la mer. Sur les bords de la ville, les cheminées des zones industrielles fumaient contre le ciel obscur du crépuscule. Dans les rues éclosaient les lumières au rythme tranquille des allumeurs de réverbères.

— Le reste de l'histoire ne m'intéresse pas, dit-il sèchement en jetant sur l'homme, par-dessus son épaule, un regard autoritaire. Je garde la maison.

2

Que ce fût pur hasard ou concordance délibérée, le naufrage de l'empire cinématographique d'Onofre Bouvila coïncida avec la fin de la reconstruction de la demeure qu'il avait acquise. Avec une inépuisable ténacité, sans ménager le temps, l'énergie ni l'argent, il fit démolir l'intérieur de la maison pour tout remettre ensuite là où cela avait ou devait avoir été. Pour ce faire, il ne disposait pas de description ni de plan ni d'autre guide que la mémoire incertaine de l'homme au petit chien. Il écoutait avec une patience infinie les opinions des architectes, historiens, décorateurs, ébénistes, artistes, dilettantes et charlatans qui accouraient dans le but de résoudre les problèmes concrets qui ne cessaient de se présenter : sur chaque question, ils émettaient des avis contradictoires. Après avoir écouté ces avis, qu'il rétribuait avec munificence, il prenait la décision qu'il estimait la meilleure, sans se laisser jamais mener par ses préférences. Ainsi voyait-il petit à petit ressusciter la maison et le jardin, les écuries et les remises, le lac et le canal, les ponts et les pavillons, les massifs de fleurs et le verger. A l'intérieur de la maison, plafonds et sols étaient restaurés, si ce qui en subsistait le permettait, ou bien créés là où le temps s'était acharné sur l'œuvre humaine jusqu'à la rendre méconnaissable. Il distribua les éclats de porcelaine et de cristal parmi ses agents et les dépêcha dans tous les coins du monde à la recherche d'objets jumeaux de ceux dont ils provenaient ; ces agents, qui peu d'années auparavant avaient parcouru les mêmes villes proposant au plus offrant des obus et des mortiers, faisaient désormais tinter les clochettes au linteau des sous-sols humides où vivaient orfèvres et antiquaires. Il fit venir à Barcelone des peintres et des sculpteurs de tous les ateliers et mansardes, et des restaurateurs de tous les musées et pinacothèques du monde entier. Un morceau de vase pas plus grand que la paume de la main fit deux fois le voyage de Shanghai. Il fit venir des chevaux d'Andalousie et du

Devonshire, les harnacha et les attela à des répliques de voitures construites spécialement pour lui en Allemagne. Tous pensaient qu'il était fou, qu'il avait perdu la raison : personne ne comprit ce qui le poussait à s'enfermer dans cet insoluble casse-tête. Sur ce point, personne ne pouvait le contredire ; ni l'opportunité, ni la commodité, ni l'économie n'étaient des arguments qu'il fût disposé à prendre en considération : chaque chose devait être exactement comme elle avait été avant, du temps de la famille Rosell dont il n'avait jamais cherché, au demeurant, à retrouver la trace. Lorsque quelqu'un manifestait de la surprise, lui demandait comment il se faisait que lui, qui essayait de remplacer la religion ancestrale par le cinéma, se consacrât à présent à la recréation d'une chose incompatible avec le progrès, une chose que le progrès même avait irréversiblement laissé en arrière, il se bornait à sourire et répondait : « Précisément. » Il n'y avait pas moyen de l'en faire démordre. Cette œuvre colossale dura plusieurs années.

Un jour, cependant qu'il visitait la demeure, il lia conversation avec un décorateur. Ce décorateur lui dit qu'il avait cherché en vain une figurine de majolique de faible valeur ; au cours de ses démarches, cependant, il avait entendu dire que peut-être il pourrait la trouver à Paris, dans un établissement donné, mais il avait préféré renoncer plutôt que de continuer à dépenser pour cette figurine un argent et des efforts à son avis disproportionnés. Onofre Bouvila se fit donner l'adresse de cet établissement à Paris, fit congédier le décorateur, grimpa dans l'automobile qui l'attendait sur le pont et dit au chauffeur :

— A Paris.

Il n'avait jamais quitté la Catalogne. Même Madrid, où il maniait tant d'affaires, il n'y était jamais allé. Pendant le voyage, il somnola sur le siège de l'automobile. En passant la frontière, comme il faisait frisquet, il voulut acheter une couverture de voyage pour s'envelopper les jambes, mais on ne voulut pas la lui vendre : il n'avait pas sur lui d'argent français. Il continua sans couverture jusqu'à Perpignan : là, une banque lui avança ce dont il avait besoin et lui remit une lettre lui permettant de retirer de l'argent à volonté où qu'il fût. Il commença à pleuvoir à la sortie de Perpignan ; durant tout le voyage, il ne cessa de pleuvoir. Ils dormirent dans une ville qui se trouva sur leur chemin au coucher du soleil. Le matin suivant, ils reprirent la route. En arrivant à Paris, ils s'en furent directement à l'adresse que lui avait donnée le décorateur incompétent : il y trouva en effet la figurine de majolique et l'acheta pour un prix dérisoire. La figurine en poche, il se fit conduire à l'hôtel de luxe le plus proche et emménagea dans la *suite royale**. Il était dans la baignoire lorsque le gérant entra, vêtu d'une jaquette. Il portait un gardénia au revers. Il venait demander à *Monsieur** Bouvila s'il désirait quelque chose de particulier. Il ordonna qu'on lui serve le dîner dans la *suite** et qu'on fournisse une compagnie féminine au chauffeur, qui occupait une autre chambre à un autre étage.

— Une journée très dure l'attend demain, commenta-t-il.

Le gérant de l'hôtel fit un geste compréhensif. Et *Monsieur**, dit-il ensuite, n'avait-il pas besoin aussi d'un peu de compagnie ?

— Discrète et serviable, dit Onofre en essayant d'imaginer ce qu'eût fait dans cette situation son ami le marquis d'Ut.

Le gérant leva les mains au ciel.

— *C'est la spécialité de la maison** ! s'écria-t-il. *Elle s'appelle Ninette**.

Plus tard, lorsque Ninette se présenta à la *suite**, elle le trouva étendu sur le lit, habillé et profondément endormi. Elle lui ôta ses souliers, lui déboutonna le gilet et le col de chemise et tira sur lui la couverture. En allant éteindre la lumière, elle vit sur la table de nuit une enveloppe sur laquelle il avait écrit : *Pour vous**. Dedans, il y avait une liasse de billets. Ninette reposa l'enveloppe et les billets sur la table de nuit, éteignit la lumière et sortit de la *suite** sans faire de bruit.

Voyager est ennuyeux et en plus ce n'est pas instructif comme on dit, pensa-t-il le jour suivant. Le gérant de l'hôtel lui suggéra d'écourter son retour en allant à Barcelone en aéroplane : il n'y avait pas encore de service régulier entre les deux villes, mais si l'argent n'était pas un obstacle, dit le gérant, tout dans ce monde pouvait s'arranger. Il se fit conduire à l'aérodrome et négocia avec un pilote belge la location d'un biplan. Le chauffeur partit pour Barcelone par la route et Onofre et le pilote montèrent dans l'avion. Des vents contraires les menèrent à Grenoble. De là, ils parvinrent à gagner Lyon, où ils se ravitaillèrent en carburant et burent, pour se réchauffer, plusieurs cognacs à la buvette de l'aéroport. En franchissant les Pyrénées, il s'en fallut d'un cheveu qu'ils n'eussent un accident sérieux. Finalement, ils atterrirent sains et saufs à l'aérodrome de Sabadell. A sa grande surprise, il constata qu'Efrén Castells et le marquis d'Ut l'attendaient sur la piste d'atterrissage.

— Caramba, comme je vous suis reconnaissant d'être venus, dit-il.

Ils lui criaient quelque chose, mais il n'entendait rien : tant d'heures de vol l'avaient laissé temporairement sourd. De même allait-il d'un pas hésitant ; le géant de Calella le portait presque.

— Ce que je ne comprends pas, c'est comment vous avez su que j'arrivais ici aujourd'hui, ajouta-t-il.

Ils l'avaient cherché partout. Par l'intermédiaire des banques, ils avaient suivi sa trace jusqu'à Paris ; de là, le gérant de l'hôtel les avait informés télégraphiquement de ses aventures : *Bibelot acheté Monsieur baigné Ninette déçue Monsieur envolé* *, avait-il câblé. A présent, ils se dirigeaient tous les trois vers Barcelone dans l'automobile d'Efrén Castells. Assis sur le strapontin, celui-ci pressait le chauffeur. Il demanda pourquoi tant de hâte.

— A cause de quelque chose d'important, dit Efrén Castells. Par la faute de ta stupide escapade, nous avons déjà perdu un temps précieux.

Il disait cela avec une gravité peu conforme à son tempérament.

— Mettons-nous les cagoules, dit le marquis.

Il tira de sous le siège une boîte rectangulaire de bois marqueté et de celle-ci trois cagoules noires ornées de la croix de Malte. Ils devaient maintenant se baisser pour que la pointe des cagoules ne s'écrase pas contre le toit de l'automobile. Celle-ci arrêta sa course folle sur les pentes du Tibidabo, en face d'une bâtisse de brique rouge couronnée de fausses tours, de créneaux et de gargouilles. Deux hommes qui portaient un fusil en bandoulière ouvrirent la grille et la refermèrent lorsque l'automobile l'eut franchie. Ils descendirent face à la porte principale de l'édifice, montèrent les marches du perron quatre à quatre et pénétrèrent dans un vestibule circulaire, très haut de plafond, dans lequel résonnaient leurs pas précipités. Sur leur passage, les portes s'ouvraient et se fermaient ; des domestiques vêtus de culottes courtes, le visage recouvert d'un loup de satin blanc, leur faisaient des révérences et leur montraient le chemin qu'ils devaient suivre. Ils débouchèrent finalement dans une salle dont une table longue et étroite occupait le centre. Plusieurs autres cagoulards étaient assis autour de cette table. Onofre Bouvila, le marquis d'Ut et Efrén Castells s'assirent dans trois fauteuils monacaux qui étaient libres. Celui qui présidait demanda d'une voix cassée :

— Nous sommes tous là ? » Un murmure affirmatif répondit à cette question. « Alors, commençons », dit le président en se signant. Tous les participants imitèrent son geste, après quoi le président reprit : « A ce chapitre extraordinaire sont venus des représentants de nos frères de Madrid et de Bilbao, à qui j'ai l'honneur et le plaisir de souhaiter la bienvenue à Barcelone. » Un ronronnement suivit cette formalité. Puis le président frappa la table avec un petit maillet et continua en ces termes : « Je suppose que vous êtes tous au courant de la situation.

En 1923, la situation sociale s'était détériorée jusqu'à en arriver à un point à partir duquel, selon certains, « on ne pouvait plus revenir en arrière ». Il n'y avait qu'Onofre Bouvila pour être en désaccord avec ce diagnostic pessimiste.

— Nous avons toujours vécu dans une situation sociale critique, disait-il. Le pays est ainsi et il n'y a rien à y faire. » Il était d'avis qu'en dépit de tout, au fond, il ne se passait rien de grave : « Laissons les choses suivre leur cours, elles s'arrangeront naturellement d'elles-mêmes, sans violence qui ne soit strictement indispensable.

Lui, les choses comme elles étaient, confuses et embrouillées, lui allaient, ce n'était pas en vain qu'il était arrivé, à leur faveur, à la position qu'il occupait alors. Le marquis d'Ut et ses confrères, en revanche, étaient d'un avis contraire : ils avaient hérité de la position dont ils jouissaient et ils vivaient dans la crainte continuelle de la perdre ; n'importe quelle mesure extrême leur paraissait justifiée si elle avait pour objectif de garantir leur stabilité. Le fantasme du bolchevisme leur ôtait le sommeil. Ah, pensait Onofre Bouvila quand la discussion lui faisait envisager semblable éventualité, si le bolchevisme triomphait ici comme en Russie, je serais Lénine. Il avait une confiance sans limites dans sa capacité à surmonter n'importe quel obstacle et à tirer profit de n'importe quelle difficulté. Cela, cependant, il ne pouvait le dire au marquis d'Ut ni à ses confrères avec lesquels il était à présent réuni.

— Il faut être bien idiot pour laisser les choses en venir à ces extrémités irréversibles, se borna-t-il à dire.

— La situation actuelle est comme la fable de la cigale et de la fourmi, répliqua le marquis en élevant beaucoup la voix. Les basses classes demandent une chose et nous on la leur donne ; le lendemain, elles viennent nous demander une autre chose et nous on la leur donne encore. Et comme ça jusqu'à ce que la populace finisse par penser : C'est le moment. Ce jour-là, elle se soulève en armes, nous passe au fil de l'épée, met nos têtes au bout d'une pique et là-dessus tout pue la sardine.

Cette analyse de la situation fut corroborée par des murmures d'approbation. Le cagoulard qui était assis à la droite d'Efrén Castells ajouta que l'ouvrier était enragé et qu'il ne se contentait plus de demander la Lune.

— Ce qu'il veut à présent c'est nous couper la tête, dit-il. Nous couper la tête, violer nos filles, brûler les églises et fumer nos cigares, précisa-t-il.

Tous les cagoulards frappèrent la table de leurs poings. Ce bruit dura un moment ; quand il cessa, Onofre Bouvila reprit la parole.

— Je sais ce que veulent les ouvriers, dit-il suavement. Ce qu'ils veulent, c'est devenir des bourgeois. Et ça, qu'est-ce que ça a de mal ? Les bourgeois ont toujours été nos meilleurs clients. » Il y eut un murmure de désapprobation. Le sort de la classe ouvrière était le cadet de ses soucis mais il n'aimait pas qu'on le contredise : il décida de livrer bataille bien qu'il sût que la décision finale était irrévocablement prise d'avance. « Écoutez, dit-il, vous pensez que l'ouvrier est un tigre assoiffé de sang, tapi dans l'attente d'une occasion pour vous sauter à la gorge ; une bête qu'il faut tenir à distance par tous les moyens. Moi je vous dis, au contraire, que la réalité n'est pas comme ça : au fond, ce sont des personnes comme nous. S'ils avaient un peu d'argent, ils courraient s'acheter ce qu'ils fabriquent eux-mêmes. la production suivrait une spirale ascendante.

Un des cagoulards l'interrompit pour dire qu'il avait déjà entendu en une autre occasion cette théorie économique :

— Je ne l'ai pas comprise, dit-il, mais elle m a paru néfaste ; après, j'ai su qu'elle venait d'Angleterre, avec ça tout est dit.

Quelqu'un signala que ce n'était pas le moment de s'embarquer dans une discussion académique :

— Chacun peut soutenir la théorie économique qu'il préfère, dit-il, mais les faits sont les faits !

Le marquis d'Ut dit que la situation était semblable à la fable de la cigale et de la fourmi.

— Ou peut-être, ajouta-t-il au bout d'un moment alors que personne ne l'écoutait plus, à celle de l'âne joueur de flûte.

Onofre Bouvila intervint de nouveau.

— La situation est entièrement entre nos mains, dit-il. Si nou. satisfaisons les revendications de l'ouvrier dans les limites du raisonnable, il nous mangera dans la main ; en revanche, si nous nous montrons inflexibles, quelle garantie avons-nous que sa réaction ne sera pas violente et démesurée ?

— La garantie de l'armée », dit un autre cagoulard qui, jusqu'à présent, n'était pas intervenu dans le débat. Il parlait d'une voix timbrée qui n'était pas inconnue d'Onofre. « L'armée est précisément disposée à intervenir aux moments les plus nécessaires. Quand la patrie est en danger, par exemple.

Onofre Bouvila laissa tomber par terre le crayon avec lequel il jouait et, en se baissant pour le ramasser, il en profita pour regarder sous la table. Il vit ainsi que celui qui parlait portait des bottes à hautes tiges. Sale affaire, pensa-t-il. A présent, je sais qui c'est.

— Quand règne le chaos, c'est alors que l'armée doit imposer l'ordre et la discipline, parce que le chaos est un danger authentique pour la patrie, et la mission sacro-sainte de l'armée est de courir au secours de la patrie quand la patrie en a besoin, continua ce cagoulard. » Il avait un certain accent de conviction dans sa voix ; il avait aussi un certain entêtement éthylique qui rendait ses raisons irrécusables. « Que notre devise contre le chaos soit discipline, contre le désordre ordre, contre le laxisme ordre et discipline.

Il mit fin par cette proclamation à son intervention que suivit un silence respectueux.

— Je suppose, dit finalement Onofre Bouvila, qu'il va falloir cracher au bassinet.

Depuis le marchepied du wagon, le général se retourna pour saluer les cagoulards qui étaient allés lui dire adieu à la gare. Voyant le quai plein de cagoulards, le général se frotta les yeux et fit une moue d'incrédulité. Ça ne peut pas être le *delirium tremens,* pensa-t-il, pas encore. Puis il se souvint de ce qu'il était en train de faire ici et du motif de leur présence. Il redressa le dos, le train siffla au même moment.

— *Caballeros,* on fera de moi des boulettes ou alors demain je commanderai en Espagne, dit-il d'une voix solennelle.

Les cagoulards souriaient sous leurs capuces : ils avaient télégraphié à leurs banques et ils doutaient que le coup d'État pût échouer. Sur le quai, il n'y avait ni voyageurs ni porteurs : la gare avait été encerclée par des forces d'infanterie ; des troupes à cheval patrouillaient dans la ville. Mitrailleuses et pièces d'artillerie légère avaient été disposées dans les quartiers ouvriers et aux centres névralgiques. Le silence régnait désormais à Barcelone.

En quittant la gare, il demanda à Efrén Castells de le conduire chez lui, parce qu'il n'avait pas d'automobile. Le géant de Calella hésita avant de répondre.

— Bien sûr, dit-il enfin, il ne manquerait plus que ça : monte.

Onofre Bouvila soupira de soulagement : il n'aurait pas aimé être descendu sur les escaliers de la gare. Une fois dans l'automobile, il se sentit relativement en sécurité.

— Pendant un instant, j'ai pensé que tu allais me laisser en plan, avoua-t-il à Efrén Castells.

— Nous sommes amis, lui répondit le géant.

Ils ôtèrent leurs cagoules et se regardèrent. Il sentit une pointe de tristesse dans sa poitrine : il se souvenait de l'ours barbu qu'il avait connu à l'Exposition universelle et il voyait à présent les traits affaissés d'un financier chauve, prématurément vieilli. Il faudrait voir ma dégaine à moi, pensa-t-il en passant ses doigts dans sa crinière. Loin de ces souvenirs, Efrén Castells lui suggéra de se cacher pendant quelques jours.

— Toi aussi tu crois que je cours un risque ? lui demanda-t-il.

Efrén Castells secoua la tête affirmativement. Il n'était pas très malin, dit-il, mais sa manière de voir était qu'il ne fallait pas exclure cette possibilité.

— Primo n'est pas sanguinaire, ajouta-t-il. S'il ne tient qu'à lui, il n'y aura pas d'effusion de sang. Le plus probable est que tout se passera bien et qu'on ne remarquera même pas le changement. Mais il peut arriver, dit le géant dont le visage s'assombrit sous l'effet non pas tant de la préoccupation que de l'effort que lui coûtait un aussi long développement, il peut très bien arriver qu'en débarquant à Madrid il rencontre de la résistance ; non de la part des civils, mais du fait d'autres militaires qui aspirent comme lui au pouvoir. Même une guerre civile est possible. Tu es très puissant et Primo sait qu'il ne peut compter sur ta loyauté sans réserve. Ce soir, tu t'es montré peu prudent, lui reprocha-t-il. Quel besoin avais-tu de dire ces bêtises ?

— C'est que je les pense, dit Onofre Bouvila en regardant avec tendresse son ami, et que je suis trop vieux pour continuer à dissimuler. Mais, quoi qu'il en soit, cette fois tu as raison : je vais aller en France. Je viens de découvrir Paris : ça m'a semblé un endroit affreux, mais je m'adapterai s'il le faut.

— Ils ne te laisseront pas passer la frontière, dit Efrén Castells.

— L'avion à bord duquel je suis venu ne repartira pas avant l'aube, dit-il. Si, après être passés chez moi, tu me mènes à Sabadell et n'en dis rien à personne, tu m'auras rendu un service immense.

— D'accord, dit le géant, mais je t'emmènerai directement à Sabadell : inutile de perdre du temps. A cette heure, Primo ou un autre peuvent déjà être à ta recherche.

— Peut-être, répliqua-t-il, mais nous passerons d'abord à mon bureau : nous avons quelques affaires à conclure toi et moi.

Et, comme Efrén Castells lui disait que le moment n'était pas opportun, il répliqua :

— Il n'y en a pas d'autre.

Il descendit à la porte de sa maison et retint le géant de la main pour l'empêcher de descendre de l'automobile.

— Va chercher mon beau-père, lui dit-il. Sors-le du lit et amène-le ici par la peau du cou s'il le faut. Il ne tient plus ensemble, mais il nous faut un avocat.

Il fit très attention en entrant dans la maison : il ne voulait pas réveiller sa femme ni ses filles ; la perspective d'adieux larmoyants lui crispait les nerfs à l'avance. Le pire serait qu'elles se mettent en tête de me suivre en exil, pensa-t-il cependant qu'il cherchait à tâtons le cordon. Il tira dessus et fit comparaître le majordome en chemise et bonnet de nuit.

— Inutile de t'habiller, lui dit-il. Allume la cheminée du bureau.

Le majordome se gratta la nuque.

— La cheminée, monsieur ? Mais nous sommes début septembre.

Cependant que le majordome plaçait des brandes dans la cheminée et y appliquait une allumette, il enleva son veston, retroussa les manches de sa chemise, sortit un revolver du tiroir et vérifia qu'il était chargé. Puis il le posa sur la table et renvoya le majordome.

— Prépare-moi un café, mais fais attention que personne ne se réveille : je ne veux pas être interrompu. Ah, dit-il en retenant le majordome alors que déjà il s'en allait, dans un instant arriveront don Efrén Castells et don Humbert Figa i Morera. Fais-les passer directement dans mon bureau.

Une fois seul, il se mit à ouvrir systématiquement tiroirs et classeurs. Il sortait des papiers, les feuilletait et dans certains cas les jetait au feu. De temps en temps, il remuait les cendres avec le tisonnier. Minuit sonna à une horloge à balancier d'un salon. Le majordome entra pour lui annoncer l'arrivée d'Efrén Castells et de don Humbert Figa i Morera.

— Qu'ils entrent, dit-il.

Son beau-père était en larmes. Il portait un pardessus sombre sous lequel se montrait un pyjama rayé. Depuis la mort de sa femme, sa cervelle s'était ramollie : il ne comprenait plus rien à ce qui se passait autour de lui. Ce qu'Efrén Castells avait tenté de lui expliquer n'était pas rentré dans son esprit : il avait seulement entendu que son gendre devait fuir le pays et il pleurait en pensant au sort qui pouvait attendre sa fille et ses petites-filles.

— Onofre, Onofre, c'est vrai ce que me raconte cette espèce d'animal, que le gouvernement de García Prieto tombe et que tu dois partir en France pour ne pas te faire descendre ? demanda-t-il en entrant dans le bureau. *Ay,* Dieu du ciel, Dieu du ciel, et ma pauvre fille et mes fifilles, qu'est-ce qui va leur arriver maintenant ? Je le disais bien à ma femme, qu'elle repose en paix, que nous ne faisions pas bien de marier la petite avec toi, que ç'aurait été un bien meilleur parti pour elle d'épouser ce petit bossu, tu te souviens de qui je parle, Onofre ? Ce jeune homme si bien élevé et si timide, qui vivait à Paris, comment s'appelait-il ?

Onofre tranquillisa son beau-père : il ne se passait rien, lui dit-il. Le capitaine-général de Catalogne était parti pour Madrid quelques heures auparavant.

— Les garnisons de Catalogne et d'Aragon le soutiennent, dit-il à son beau-père. Reste à voir ce qui va se passer à Madrid. S'il rencontre une opposition, il peut y avoir la guerre, mais je pense qu'en réalité l'affaire est dans le sac : ni l'état-major ni le roi ne vont l'affronter. La fine fleur du pays l'appuie, affirma-t-il sans ironie. Je suis avec eux et ils devraient le savoir, ajouta-t-il avec tristesse, mais ils n'ont pas confiance en moi. En réalité, ils me craignent plus que la classe ouvrière ; je suis celui qu'ils haïssent le plus. » Il alluma un cigare tout en réfléchissant et dit : « Ce qui est en train de se passer, j'aurais dû le prévoir. » Le 30 octobre 1922, les chemises noires avaient fait leur fameuse entrée à Rome. A présent, un an plus tard, le 13 septembre 1923, don Miguel Primo de Rivera y Orbaneja se proposait de suivre les pas de Mussolini. Il ne pouvait dans cette affaire compter sur des millions de partisans; c'est pourquoi il devait recourir à l'armée. « C'est ça la différence entre les deux, dit Onofre. Primo n'est pas un mauvais homme, mais il est un peu idiot et, comme tous les idiots, soupçonneux et timoré. Il ne durera pas. Mais, tant qu'il dure, je dois me mettre à l'abri, conclut-il. Don Humbert, asseyez-vous à cette table, prenez du papier et une plume et rédigez un acte de cession : je veux transmettre mes affaires à Efrén Castells ici présent.

— Quelle absurdité es-tu en train de dire ? s'exclama don Humbert Figa i Morera.

Le majordome appela à la porte : il amenait le service à café qu'Onofre lui avait demandé, mais il s'était permis d'ajouter deux tasses pour le cas où don Efrén et don Humbert en voudraient aussi.

— On dirait que la nuit va être longue, susurra-t-il.

Des rumeurs étaient déjà parvenues à ses oreilles. L'atmosphère de tension se répandait à travers les rues comme un brouillard rasant ; des pigeons voyageurs sillonnaient le ciel ; les meneurs des mouvements subversifs couraient dans les égouts à la recherche de planques : anarchistes, socialistes et catalanistes se croisaient à l'intersection de deux conduites pestilentielles, ils se reconnaissaient à la lueur verdâtre de leurs lanternes respectives, se saluaient laconiquement et continuaient leur chemin.

— C'est la seule façon d'éviter une possible saisie, dit Onofre Bouvila.

— Mais ce que tu me demandes est impossible, comment allons-nous estimer tous tes biens ? protesta don Humbert Figa i Morera.

— Attribuez-leur n'importe quelle valeur : un prix symbolique, quelle importance ? dit Onofre. L'important est que tout reste en de bonnes mains.

Après avoir fait des calculs et discuté un moment, ils fixèrent d'un commun accord une somme en livres sterling que le géant de Calella s'engagea à virer le jour même sur l'un des comptes bancaires dont Onofre disposait en Suisse. Don Humbert Figa i Morera sanglotait à mesure qu'il donnait forme judirique à cet accord. A plusieurs reprises, il dut interrompre son travail pour dire qu'il lui semblait être en train d'assister au démembrement de l'empire ottoman, événement récent qui l'avait empli de chagrin. Il déclara qu'il avait toujours senti une profonde attirance pour cet empire ; ce sentiment était inexplicable, parce qu'il ne savait pas où se trouvait l'empire ottoman et ignorait tout à son sujet, mais le nom évoquait pour lui, dit-il, des échos de faste et de magnificence. Onofre le pressa de continuer le travail sans plus s'égarer.

— Le jour va bientôt poindre, dit-il. » Il fallait qu'alors il soit déjà loin. « Vous vous chargerez de porter le contrat chez le notaire et de le faire légaliser, dit-il à son beau-père. Je vous confie à tous les deux la charge et la sauvegarde de ma famille, ajouta-t-il sur un ton neutre qui n'empêcha pas que don Humbert éclatât de nouveau en sanglots.

Finalement, les actes de cession furent signés par les parties contractantes et par don Humbert et le majordome comme témoins. Cela étant fait, Efrén Castells accompagna Onofre à Sabadell. Ils laissèrent don Humbert à la maison : quand sa fille se réveillerait, il se chargerait de justifier l'absence d'Onofre et de tempérer les craintes qui pourraient l'assaillir. L'automobile filait à présent par les rues désertes : le ciel pâlissait, mais les allumeurs n'osaient pas sortir faire leurs rondes et les réverbères continuaient à éclairer comme si c'était nuit noire. Sur le chemin, ils rencontrèrent seulement un gamin chargé de journaux : on lui avait ordonné de faire la distribution comme tous les jours ; ainsi le pays apprendrait-il ce qui s'était passé quelques heures auparavant à Madrid. Les militaires y avaient acclamé Primo de Rivera, le gouvernement avait présenté sa démission au roi et celui-ci avait chargé Primo de Rivera de la formation du nouveau cabinet. Le journal reproduisait en une la liste des généraux membres du cabinet et annonçait que toutes les garanties constitutionnelles étaient suspendues pour le moment. Une bonne part des autres pages du journal étaient censurées.

En arrivant à l'aérodrome, ils durent attendre un moment l'apparition du pilote, qui était un peu perplexe : de l'hôtel où il avait passé la nuit jusqu'à l'aérodrome, il avait été arrêté huit fois par autant de patrouilles ; finalement, la garde civile l'avait escorté jusqu'à l'avion.

— *Parbleu, on n'aime pas les Belges, ici**, s'exclama-t-il avec irritation en tombant sur Onofre Bouvila.

Celui-ci dit qu'il désirait retourner à Paris, ce qui causa une vive satisfaction au pilote, qui s'était déjà résigné à faire le voyage en solitaire. Efrén Castells et Onofre s'étreignirent, et il se hissa dans l'appareil, qui décolla sans plus attendre. Cela faisait une demi-heure qu'ils volaient quand Onofre dit au pilote d'incliner un peu vers la gauche. Le pilote lui dit que par cette route on n'allait pas à Paris.

— Je le sais, répondit-il, mais nous n'allons pas à Paris : faites ce que je dis et je vous paierai le double.

Ce raisonnement convainquit le pilote : l'aéroplane décrivait maintenant des cercles entre les montagnes, au-dessus d'une vallée couverte de brouillard. A mesure qu'ils descendaient, Onofre Bouvila donnait des instructions au pilote : « Attention à cette pente, il y a là des chênes très élevés. Obliquez plutôt par là, pour voir si nous pouvons suivre le cours du ruisseau », etc. Finalement, ils aperçurent entre les lambeaux de brume une aire récemment battue. Alors que l'avion touchait le sol s'éleva une bande d'oiseaux noirs qui picoraient les gerbes entassées sur l'aire. Ils étaient si nombreux qu'un instant ils obscurcirent le soleil. Onofre Bouvila donna au pilote un billet à ordre qu'il pouvait tirer sur n'importe quelle banque française, sauta de l'avion et lui indiqua comment continuer son voyage sans se perdre. Sans arrêter le moteur, le pilote fit faire demi-tour à l'appareil, roula un peu sur l'aire et décolla en laissant derrière lui un tourbillon de poussière et de paille. Une heure plus tard, Onofre Bouvila arrivait à la porte de la maison dans laquelle il était né ; un paysan, avec sa femme et ses huit enfants, y vivait à présent. A ses questions, ils répondirent que le *señor alcalde* vivait dans une maison neuve, près de l'église. Onofre crut reconnaître le paysan et sa femme, mais eux ne le reconnurent pas.

3

A son appel accourut une femme qui semblait avoir dans les trente ans, aux traits intelligents, un peu rustiques, mais non dépourvus de charme. Elle portait un mouchoir noué sur la tête pour protéger ses cheveux de la poussière et tenait dans la main gauche un plumeau avec lequel elle venait de s'escrimer. Onofre pensa que son frère avait dû se marier sans le lui communiquer. La femme le regardait avec plus de surprise que de prévention : Cela indique qu'il ne lui a jamais parlé de moi, pensa-t-il. A haute voix, il dit :

— Je suis Onofre Bouvila. » La femme cilla. « Frère de Joan, ajouta-t-il.

La femme changea d'expression.

— Monsieur Joan est en train de dormir, lui dit-elle, mais je vais l'aviser tout de suite de votre présence.

On voyait à son ton que ce n'était pas la femme de Joan. C'est peut-être sa poule, une concubine, pensa Onofre. Elle n'a pas l'air non plus célibataire ; peut-être une jeune veuve qui avait désespérément besoin d'un homme ; protection, sécurité économique et tout ça. Comme elle l'avait laissé seul à la porte, il entra dans le vestibule. Au-dessus de la porte voûtée qui ouvrait le corridor, il y avait un carreau d'azulejo encadré sur lequel on pouvait lire : *Ave Maria.* Le vestibule sentait la poussière, sans doute celle que la femme avait soulevée avec son plumeau. Une lampe, un porte-parapluies de fer forgé et quatre chaises à dossier droit en formaient tout le mobilier. Quatre portes donnaient sur le couloir : deux de chaque côté. La femme frappait en ce moment à l'une d'elles. Quand elle eut fini, elle dit :

— Monsieur Joan, votre frère est ici.

Elle parlait à mi-voix, mais sans essayer de ne pas se faire entendre d'Onofre. Au bout d'un moment, une voix caverneuse répondit de l'intérieur de la chambre. La femme écouta attentivement, collant l'oreille à la porte, puis elle se tourna vers Onofre :

— Il dit qu'il se lève tout de suite, que vous l'attendiez, lui dit-elle.

De la main qui tenait le plumeau, elle fit un tout petit geste : elle montrait la salle à manger, visible à l'autre bout du couloir. Obéissant à ce geste, Onofre prit le couloir. La femme s'effaça. Dans la salle à manger, il y avait une table carrée et sur la table une lampe en verre dépoli. Les chaises étaient adossées au mur. Il y avait aussi un buffet sombre, une desserte recouverte de marbre blanc et une salamandre, en fer mais avec des pièces de faïence émaillée : ce qui donnait à la salle à manger un air d'aisance. Au-dessus de la desserte était pendue au mur une Sainte Cène de bois sculpté. En face de la porte voûtée, une croisée vitrée donnait sur un patio rectangulaire, au fond duquel se trouvaient de minuscules cabinets ; un magnolia et une azalée y poussaient. La cuisine était à droite de la salle à manger. Tout avait l'air propre, ordonné et froid. Cependant qu'Onofre contemplait cela, la cloche de l'église sonna si près qu'il sursauta. La femme, qui l'avait observé depuis le couloir, eut un petit rire.

— Je suppose que c'est une affaire d'habitude », dit-il. Elle haussa les épaules. « Tu vis dans cette maison ? demanda-t-il.

Elle montra une des portes. Ce n'était pas la même que celle à laquelle elle venait de frapper, mais cela n'excluait ni ne prouvait rien, pensa-t-il.

A ce moment, son frère apparut dans le couloir. Il était pieds nus et portait un pantalon de velours usé et une blouse bleu marine à demi boutonnée. Il se grattait la tête des deux mains. Il traversa la salle à manger sans rien dire, comme s'il n'avait vu ni son frère ni la femme ; il sortit dans le patio et s'enferma dans les cabinets. La femme était rentrée dans la cuisine. Elle remplissait un seau métallique avec l'eau que crachait un robinet. Bien que la nuit précédente il eût dormi dans un des hôtels les plus élégants de Paris, le fait qu'il y eût de l'eau courante dans son village lui causa une enivrante sensation de bien-être matériel. Lorsque le seau fut plein, la femme le souleva par l'anse et le sortit dans le patio ; puis elle revint à la cuisine et commença à allumer le feu avec des éclats de bois et du charbon, des allumettes et un éventail de paille tressée. Comme tout est lent, ici, continuait à penser Onofre. Il lui arrivait de faire des transactions importantes en moitié moins de temps que celui écoulé depuis son arrivée dans cette maison. Ici, en revanche, le temps n'a aucune valeur, se dit-il. Son frère sortit des cabinets en boutonnant son pantalon. Il se lava les mains et le visage dans l'eau du seau ; puis il le prit et jeta l'eau dans les cabinets. Cela fait, il laissa tomber le seau sur le sol du patio et entra dans la salle à manger, cependant que la femme quittait la cuisine pour aller récupérer le seau.

— Tu es venu en automobile ? demanda Joan à son frère.

— En aéroplane, répondit Onofre avec un sourire.

Joan le regarda quelques secondes les lèvres froncées.

— Si tu le dis, ça doit être vrai, soupira-t-il. Tu as pris ton petit déjeuner ? » Onofre secoua négativement la tête. « Moi non plus, dit

Joan. Comme tu vois, je viens de me lever; cette nuit, je me suis couché tard.

Il parut sur le point de raconter pourquoi il avait veillé, mais il resta la bouche ouverte et ne dit rien. De la cuisine sortait une odeur de pain grillé. La femme posa sur la table de la salle à manger une planche avec diverses espèces de charcuterie et un couteau de montagnard planté dans le bois. A la vue des charcuteries, il sentit un douloureux creux à l'estomac et s'aperçut que cela faisait de nombreuses heures qu'il n'avait rien mangé.

— Attaque sans crainte, lui dit Joan, interprétant correctement son expression, tu es chez toi.

Onofre se demandait si ce serait vrai. Il désirait maintenant plus que tout que cela le fût. Après tant d'années de lutte, il lui semblait être revenu au point de départ : c'est ce qu'il fit savoir à son frère. La femme avait sorti de la cuisine un plat rempli de pain grillé. Sur une assiette en terre, elle mit une burette d'huile, un pot de sel et des gousses d'ail pour assaisonner le pain grillé. Enfin, elle sortit une bouteille de vin rouge et deux verres. Ce vin eut la propriété de remonter Joan, de lui communiquer une loquacité que son frère ne lui connaissait pas. Lorsque le petit déjeuner prit fin, il était presque midi. Ses yeux se fermaient de sommeil. Son frère lui indiqua qu'il pouvait occuper une des chambres; quoiqu'ils n'en eussent pas parlé, ils savaient tous les trois qu'il était venu ici pour un séjour d'une durée indéfinie. La chambre qu'il lui assigna était celle que la femme avait désignée auparavant, lorsqu'il lui avait demandé si elle habitait dans la maison ; cette coïncidence fit qu'il s'endormit en tournant et retournant la question dans sa tête. Il y avait dans la chambre une commode rustique et vieille qu'il reconnut immédiatement : c'était la commode dans laquelle sa mère rangeait les vêtements. Il pensa ouvrir un des tiroirs, mais il n'osa pas le faire en cet instant, de peur qu'on ne l'entende de la salle à manger. Les draps sentaient le savon.

Pendant les jours qui suivirent son arrivée, il passa son temps à vivre à sa fantaisie : il mangeait et dormait quand l'envie l'en prenait, faisait de longues promenades dans la campagne, parlait avec les gens ou les évitait; personne ne l'embêtait. Sa présence au village avait aussitôt cessé d'être un secret. Tous avaient entendu parler de lui ; ils savaient qu'il était parti il y avait bien des années vivre à Barcelone ; on disait de lui que là-bas il était devenu riche, mais même cela n'excitait pas la curiosité populaire ; tous, plus ou moins, avaient entendu raconter l'histoire de Joan Bouvila, le père des deux frères, ou s'en souvenaient personnellement : s'il était parti à Cuba et en était revenu en prétendant être à la tête d'une fortune qui s'était ensuite révélée inexistante, il n'y avait pas de raison de penser que son fils n'était pas à présent en train de faire la même chose, se disaient-ils. Cette incertitude était du goût d'Onofre, qui la cultivait. Au demeurant, il n'était pas sûr que ceux qui le supposaient sans le sou n'eussent pas raison : en son for intérieur, il croyait qu'Efrén Castells et son beau-père auraient profité de son absence pour le déposséder de tout; probablement don Humbert Figa i Morera aurait-il trafiqué les contrats comme il l'avait fait à son instigation, des années auparavant, s'agissant des propriétés d'Osorio, l'ex-gouverneur de Luçon. A l'époque, c'était arrivé à Osorio; à présent, c'était son tour, disait-il philosophiquement. Son frère le regardait avec ironie quand il l'entendait s'exprimer de cette façon.

— Toute une vie de travail pour ça, lui disait-il.

— Bah, avait-il l'habitude de répondre, ça m'aurait coûté autant de travail d'être balayeur ou mendiant.

Il commençait seulement maintenant à apercevoir le véritable caractère de la société brutale dans laquelle il se mouvait avec tant d'autorité et d'apparente aisance. Le cynisme candide des jeunes années avait dorénavant cédé la place au pessimisme horrifié de l'âge mûr.

— Tu as toujours été un imbécile, lui disait son frère dans ces moments de désarroi. Maintenant, je peux enfin te le dire en face.

Ces sorties intempestives le laissaient indifférent; il n'y avait que les détails apparemment insignifiants pour accaparer son attention : le poêle éteint dans un coin de la pièce, les changements de lumière dus au passage d'un nuage dans le rectangle de ciel qu'encadrait le patio, le bruit de pas dans la rue, l'odeur de bois brûlé, l'aboiement lointain d'un chien, etc. Dans d'autres occasions, l'indifférence philosophique dont il faisait montre faisait place à une indignation subite : alors, il insultait son frère. Joan ne se rendait qu'à demi compte de ces accès : il était alcoolique et ne passait que deux à trois heures par jour dans un état de lucidité relative; pendant ce laps de temps, il expédiait avec astuce et malhonnêteté les affaires de la mairie. Les gens du village s'étaient résignés à cet état de choses : ils considéraient que c'était ça le progrès et s'arrangeaient pour qu'il les affecte le moins possible. Joan Bouvila n'avait jamais essayé de faire de sa charge autre chose qu'un moyen de vivre sans travailler, mais, même dans une communauté si petite, la réalité politique avait fini par dépasser ses modestes prétentions : il se trouvait à présent à la tête des forces vives de la localité. Ces forces vives étaient plus nombreuses qu'Onofre ne l'avait pensé au début : le recteur, le médecin, le vétérinaire, le pharmacien, le maître d'école et les propriétaires du bistrot et de la taverne. Depuis qu'Onofre était parti, le village avait considérablement grandi. Ces notables, eux, savaient qui il était, et chacun à sa façon tentait de se gagner sa confiance : ils le flattaient abjectement et permettaient qu'il manifeste ouvertement le mépris dans lequel il les tenait. Il n'y avait de soirée qu'il ne reçût à la maison la visite de l'une ou de l'autre de ces canailles de bas étage. Ces visites causaient des souffrances indescriptibles au recteur, un petit curé jeune, gauche, cupide et hypocrite, qui avait fustigé en chaire la femme qui vivait avec Joan. A présent, à cause de la présence d'Onofre dans cette même maison, il se voyait obligé non seulement de venir comme les autres, mais encore d'en remettre dans les marques de courtoisie pour elle. Onofre et son frère se divertissaient à ses dépens.

— Écoutez, *mosén,* lui disait Onofre, j'ai lu l'Évangile plusieurs fois avec attention et nulle part je n'ai vu écrit que Jésus-Christ dût travailler pour manger, quel genre d'enseignement est-ce là ?

Devant ces blasphèmes, le curaillon se mordait les lèvres, baissait les yeux et méditait une vengeance impitoyable. Onofre, qui pouvait sans difficulté lire dans ses pensées, avait du mal à se retenir de rire. Les autres se montraient plus habiles. Le pharmacien et le vétérinaire étaient des chasseurs passionnés : à eux deux, ils possédaient plusieurs lévriers et autres chiens de race et une demi-douzaine de fusils. Certaines fois, ils invitaient Onofre et Joan à les accompagner dans leurs sorties. Comme Joan était toujours ivre, sa compagnie s'avérait très dangereuse. De son côté, le propriétaire du bistrot recevait chaque semaine des journaux par la camionnette qui faisait maintenant le trajet entre le village et Bassora. Par ce biais, Onofre Bouvila suivait le cours des événements politiques qui avaient provoqué son exil ; ces journaux qui tiraient leurs informations d'autres journaux donnaient des nouvelles toujours dépassées et souvent fausses. Cela ne semblait pas gêner les lecteurs ; d'ailleurs, les nouvelles politiques occupaient une place secondaire dans ces journaux, qui accordaient la préséance aux événements locaux et autres informations plus banales. Cette transposition des valeurs irritait Onofre ; au bout d'un certain temps, cependant, il commença à penser que cet ordre de priorité n'était peut-être pas aussi absurde qu'il lui semblait au début. C'était lui, maintenant, qui trouvait futile tout ce qui, jusqu'à ces temps derniers, lui avait semblé très important. Il se faisait ces réflexions pendant les moments de tranquillité, quand il parvenait à éviter les parasites obséquieux qui le harcelaient et qu'il se réfugiait dans les cachettes de son enfance. Beaucoup de ces cachettes n'existaient plus; d'autres, peut-être, continuaient à exister, mais il ne sut pas les retrouver; d'autres, enfin, étaient dans des endroits impraticables à son âge. Celles qu'il trouva étaient petites et mesquines; c'était son imagination d'enfant qui en avait fait des endroits enchantés, gros de périls et de merveilles. Maintenant, au contraire, il les voyait telles qu'elles étaient : au lieu de l'émouvoir, cela l'exaspérait et le déprimait. Il n'y avait que le ruisseau qui conservât à ses yeux tout le mystère de ses souvenirs. Il était venu là presque tous les jours avec son père, quand celui-ci était revenu de Cuba; à présent, il ne se passait pas non plus de jour sans qu'il se rendît au ruisseau : il s'asseyait sur une pierre et regardait courir l'eau et sauter les truites, il écoutait ces bruits clairs, qui semblaient toujours au bord d'être des paroles. Sur les arbustes qui poussaient sur l'autre rive, des draps étaient souvent étendus le matin; ils séchaient au soleil, qui faisait ressortir leur blancheur blessante pour les yeux sur le fond sombre des arbustes. Les odeurs de la campagne l'enivraient aussi. A la ville, les odeurs, comme les personnes, lui semblaient individualistes et agressives; la plus pénétrante s'y imposait aux autres : émanations d'une usine, parfum d'une dame, etc. A la campagne, au contraire, les odeurs les plus diverses se mêlaient pour former une seule odeur qui imprégnait l'air : ici, sentir et respirer étaient une même chose. Le chemin qui menait au ruisseau était déjà couvert de feuilles mortes et au pied des arbres poussaient des champignons de diverses formes et couleurs : c'était l'automne. Onofre se laissait envahir par ces sensations qui faisaient venir à lui des souvenirs très lointains et imprécis; ils traversaient, fugaces, sa mémoire, comme ombres d'oiseaux en vol. Quand il voulait suivre la piste de l'un d'eux, il se retrouvait perdu dans une brume épaisse; il avait alors une sorte de rêverie récurrente : il croyait reconnaître la main de sa mère ou de son père qui s'efforçaient de le guider vers un point plus lumineux et sûr. Mais ces mains n'arrivaient jamais à saisir la sienne. Dans un tiroir de la commode, dans la chambre qui lui avait été attribuée chez son frère, il avait trouvé un carré de laine grossière qui avait appartenu à sa mère. Elle l'avait utilisé en guise de châle, précisément pour les traîtres jours d'automne. Maintenant, la laine était devenue dure et râpeuse et sentait l'humidité et la poussière. Onofre, lorsqu'il était la proie des souvenirs et des rêveries, sortait de la commode le châle qui avait appartenu à sa mère et s'asseyait en l'étendant sur ses genoux. Il restait comme ça durant des heures, caressant distraitement le châle. A ces moments-là, il pensait que peut-être, s'il n'avait pas choisi en son temps la vie aventureuse qu'il avait menée, il aurait pu jouir d'une vie riche d'affections et de tendresse. Ce n'était pas le mal qu'il avait causé qui lui donnait des remords, mais le fait d'avoir subordonné à d'autres objectifs ce qui serait maintenant de doux souvenirs. Cette douleur, d'ailleurs tardive, était très égoïste.

Une après-midi, alors qu'il revenait du ruisseau, il vit un homme appuyé contre le tronc d'un arbre à l'écart du sentier qu'il suivait ; la tête baissée sur la poitrine, il semblait endormi, mais sa posture avait quelque chose d'anormal qui l'incita à quitter le sentier pour s'en approcher. A la soutane, on voyait que c'était le recteur, ce jeune petit curé contre qui il aimait lancer des diatribes impies. Avant d'arriver à côté de lui, il savait déjà qu'il était mort ; un examen un peu plus attentif lui révéla que cette mort n'était pas due à des causes naturelles : quelqu'un lui avait déchargé une arme de gros calibre dans la poitrine, probablement un fusil de chasse ; là où le coup l'avait atteint, le sang coagulé avait collé la soutane. Il avait aussi du sang sur la main droite, le front et la joue, quoique là il ne présentât pas de blessures : sans doute, au moment où il avait reçu le coup, avait-il porté sa main à la poitrine puis au visage ; il était alors tombé mort. Quoique la violence ne le prît pas au dépourvu, la découverte de ce crime le troubla beaucoup ; le fait que c'eût été précisément lui qui eût découvert le cadavre lui parut être un avertissement du destin ou le fruit d'une machination criminelle qui l'unît macabrement au curaillon assassiné. Cette paix intérieure qu'il avait cru trouver dans le village avait été désormais brisée sans rémission. Il quitta en courant le lieu du crime et ne s'arrêta pas avant d'être arrivé à la porte de la maison de son frère. Il était assis à boire du vin dans la salle à manger cependant que la femme préparait le dîner dans la cuisine. Quand il eut retrouvé son souffle et informé son frère de ce qui était arrivé, il remarqua que la femme avait abandonné sa besogne et écoutait avec attention son récit, appuyée à l'encadrement de la porte de la cuisine. Il y eut entre son frère et elle un échange de regards qui ne lui échappa pas. Depuis le jour de son arrivée, il avait eu l'occasion de la fréquenter et il avait découvert sans surprise que c'était en réalité elle qui exerçait le pouvoir dans cette maison. Presque toutes les nuits, après qu'elle eut couché Joan, à qui l'alcool permettait rarement de passer conscient le cap de minuit, et comme la boisson le mettait au contraire, lui, dans un état d'anxiété incompatible avec le sommeil, ils s'asseyaient tous les deux, Onofre et la femme, qui ne semblait pas avoir besoin de repos, en tout cas pas de ce repos méthodique dont la majeure partie des gens, et surtout les hommes, ont besoin à toutes les étapes de leur vie, dans la salle à manger ou, si la nuit était chaude et moins humide que d'habitude, dans le patio, envahi à cette heure par l'arôme épais des azalées, et là ils devisaient calmement, quelquefois jusqu'à des heures avancées. Sans être quelqu'un d'intelligent, la femme possédait cette faculté féminine de savoir sans l'avoir cherché des choses que les hommes ignoreront toujours, quelque effort qu'ils fassent pour les découvrir ; à travers les apparences, elle était capable de voir une réalité dépouillée à laquelle elle faisait participer Onofre. Grâce à elle, il avait appris que sous l'harmonie fictive qui régnait dans le village bouillaient de basses passions et des haines enracinées dans le passé, des jalousies et des trahisons ; d'après elle, les paysans de cette vallée étaient des êtres dégradés par des maladies congénitales, des êtres froids et sans cœur qui laissaient les vieux mourir d'inanition, pratiquaient l'infanticide et torturaient par pur plaisir les animaux domestiques. Lui refusait par principe de croire à ces propos, qu'il supposait inspirés par le ressentiment général qui sautait aux yeux chez elle ; il n'excluait pas non plus la possibilité que ces sombres révélations correspondissent à un calcul plus ou moins délibéré de sa part. De toute façon, ce qu'elle lui disait produisait en lui un malaise qui aggravait son état général de désarroi. Parfois, suivant l'exemple de son frère, il cherchait dans la boisson le repos que la conscience paraissait attachée à refuser à son corps. Une de ces fois, il se réveilla dans son lit au chant du coq et découvrit avec stupeur que la femme dormait paisiblement à son côté : il ne se souvenait pas de ce qui était advenu auparavant pendant la nuit. Lorsqu'il la réveilla pour le lui demander, elle fit une moue mais ne répondit pas. Il la fit sortir du lit d'abord puis de la chambre avec pertes et fracas et se prit à songer aux conséquences possibles de cet événement inattendu : que ce fût lui qui eût commis une imprudence ou qu'on l'eût mystifié, il était certain que les choses avaient pris une tournure indésirable. Néanmoins, il ne pouvait s'empêcher d'admirer l'audace de la femme, pour laquelle il commençait à éprouver une attirance plus dangereuse à la longue que les bêtises occasionnelles que l'alcool pouvait le pousser à commettre. Il n'y avait bien sûr aucune spontanéité dans son comportement, qui ne correspondait nullement à une espèce d'innocence naturelle : elle savait bien quelle était sa situation dans cette maison et quelle était la réaction que cette situation provoquait dans le village ; mais ce n'était pas non plus une personne calculatrice et intrigante : elle se bornait à exploiter les très maigres avantages dont elle jouissait, à jouer ses pauvres atouts avec la froideur apparente du joueur professionnel qui sait que sa survie dépend à parts égales du hasard et de son habileté.

Pendant tout ce temps et en dépit de la confiance qu'ils s'étaient mutuellement accordée, Onofre n'avait pas réussi à tirer au clair la véritable nature des relations qu'elle entretenait avec son frère. Il savait qu'elle était veuve, comme il l'avait supposé au début, et que c'était la nécessité qui l'avait fait entrer au service de Joan ; le reste demeurait plongé dans le mystère. Tout paraissait indiquer que l'éthylisme de son frère excluait de cette relation l'élément charnel mais, dans ce cas, quelle raison avait-elle de maintenir devant le village une équivoque qui lui causait du tort, mais à laquelle elle paraissait consentir ? Probablement attend-elle patiemment l'occasion de le prendre dans ses filets, pensait Onofre. Elle sait que tôt ou tard il y tombera ; alors, elle sera la mairesse et elle se dédommagera de toutes ces années d'humiliation et d'amertume. Le pessimisme le plus noir l'envahissait quand il pensait à cela. Nous autres les pauvres, se disait-il, nous n'avons qu'une alternative, l'honnêteté et l'humiliation ou la méchanceté et le remords. Voilà ce que pensait l'homme le plus riche d'Espagne. Plus tard, il apprit que le mari de cette femme était mort lui aussi de mort violente ; malgré son insistance, elle refusa de lui fournir plus de détails à ce sujet. Cette révélation partielle déclencha toutes sortes d'imaginations dans sa tête : peut-être n'était-elle pas du tout étrangère à cette mort violente, bien qu'elle ne parût en avoir retiré aucun profit matériel ; peut-être son propre frère était-il compromis dans un crime qui l'enchaînait désormais indissolublement à cette femme. La vie à la maison devenait de plus en plus pesante. Puis se produisit l'incident déjà rapporté, et il se sentit plus anxieux qu'avant ; il se disait qu'en commençant avec lui une relation qu'elle savait à l'avance non viable et nécessairement éphémère elle essayait seulement de forcer Joan à dissiper l'ambiguïté de leur situation, mais cette explication logique ne dissipait pas la peur croissante d'être victime d'une conspiration. A présent, la signification du regard que Joan et la femme avaient échangé, après avoir entendu ce qui était arrivé, lui échappait complètement. Quand il fit remarquer à son frère que le recteur était mort des suites d'un coup de fusil de chasse, ce qui circonscrivait la liste des assassins possibles au vétérinaire et au pharmacien, qui possédaient la licence pour les armes de chasse, son frère lui répondit par un éclat de rire : il n'y avait pas de maison dans la vallée qui n'eût son petit arsenal illicite, lui dit-il. Cette augmentation subite du nombre des suspects l'inquiéta : rumeurs et conjectures allaient commencer, dans lesquelles il ne manquerait pas de se voir impliqué. Ses disputes avec le recteur étaient de notoriété publique ; elles n'avaient revêtu aucun caractère de sérieux, elles avaient été pour lui un pur passe-temps, mais il était très possible que les mauvaises langues en dénaturent la portée ; les commérages leur attribueraient une inimitié réciproque. Les soupçons qui retomberaient sur lui pourraient aussi être renforcés par l'aversion notoire qui avait toujours existé entre le recteur et la femme : cette éventuelle ramification de l'affaire établissait un autre lien entre lui et elle. La situation était très compliquée. En réalité, ce n'était pas le risque de se voir inculpé d'un crime qu'il n'avait pas commis qui le préoccupait ; il était trop habitué à échapper à l'inculpation pour des crimes vraiment commis pour que la mort d'un petit curé de campagne parvînt à lui couper l'appétit. Ce qui le troublait, c'était de penser que ce crime ne se serait jamais produit en son absence ; c'était lui qui avait fourni au coupable l'espoir d'un alibi et un stimulant. A la recherche de la paix, il avait amené discorde et violence dans la vallée ; il avait empoisonné l'atmosphère. Il ne pouvait échapper à son destin : une fois commencé ce chemin, il ne pouvait éviter de le parcourir jusqu'au bout. Le lendemain, il quitta le village dans la camionnette de Bassora. On avait retrouvé ce matin-là le corps sans vie du recteur, mais l'idée n'était venue à personne de le retenir dans le village ou de mettre en question son droit à s'en aller ; c'était à ses yeux la preuve palpable du fait que tous croyaient à sa culpabilité. Son frère se sépara de lui avec la même désinvolture qu'il avait mise à accueillir sa venue ; dans cette inexpressivité, Onofre lut le délaissement le plus absolu. La femme non plus ne manifesta aucun sentiment devant son départ, mais ses yeux avaient la sécheresse que laissent des pleurs abondants, que produit le désespoir le plus profond. Serait-il possible qu'en fin de compte un début d'amour sans avenir eût été l'unique motif de ses actes, et tout le reste le fruit de mon imagination tourmentée ? méditait-il dans la camionnette.

4

De retour chez lui, il trouva sa famille en proie à une grande agitation. Cela faisait plusieurs jours qu'elle le cherchait désespérément ; le croyant à Paris, on avait téléphoné au consulat et à l'ambassade espagnole dans cette ville et à tous les hôtels d'un certain niveau, et on s'était mis en contact aussi avec les autorités françaises. Le trouble causé par ces mesures drastiques éclipsait à présent la surprise provoquée par son retour : personne ne semblait faire attention à lui. Finalement, il obtint que quelqu'un lui explique la raison de cette sollicitude inusuelle : un jeune homme bien de sa personne et de très bonne famille avait demandé sans crier gare la main de sa fille cadette, qui à l'époque venait juste d'avoir dix-huit ans. Voilà la lutte pour mes dépouilles qui commence, pensa-t-il. Il n'estimait pas beaucoup ses filles : il supposa qu'il aurait affaire à un coureur de dot, mais il s'était déjà résigné à cette éventualité. Il ne pouvait prendre la chose à la légère, cependant, c'est pourquoi il donna des instructions pour qu'on convoque le prétendant l'après-midi même à son bureau. Puis il se retira prendre du repos. Le majordome le réveilla pour lui annoncer la visite d'Efrén Castells. Le géant fit irruption dans le bureau avec une serviette remplie de papiers : il venait parler affaires. Cette perspective le découragea.

— Tu as bien fait de disparaître, commença-t-il ; ils en voulaient vraiment à ta tête. » Le géant de Calella fit un geste de désarroi et poussa un soupir : Heureusement, ce premier moment d'exaltation était passé désormais. « C'est parti comme c'est venu, dit-il.

Pendant quelques jours, même lui ne s'était pas senti en sûreté. De mystérieuses automobiles parcouraient les rues à des heures avancées de la nuit ; d'autres fois, au beau milieu des heures d'affluence, la ville était soudain plongée dans le silence et l'immobilité ; les gens parlaient à voix basse. Puis tout était revenu à la normalité. Le géant ouvrit la serviette et commença à en tirer des liasses de papiers.

— Je viens te rendre des comptes... commença-t-il à dire.

Onofre Bouvila l'interrompit d'un geste :

— On a le temps, dit-il.

Efrén Castells insista pour le mettre au courant de la situation économique particulière dans laquelle ils se trouvaient tous les deux.

— Au début, ils voulaient tout te prendre, dit le géant. Puis ils ont vu les contrats que nous avions signés, et ils n'ont plus su que faire : on pouvait voir la stupeur et l'indignation se peindre sur leurs visages. (Ces mêmes personnes qui n'auraient pas hésité à envoyer Onofre à la mort étaient restées paralysées devant quelques documents légalisés ; cette apparente contradiction ne le surprit pas.) Ils ont appelé leurs avocats à la rescousse et ils ont discuté de la question, des jours et des nuits ; ils ne voyaient pas où planter les dents. Ils ont désespérément sollicité ma collaboration. Je suis resté ferme. A la fin, nous sommes parvenus à un accord : je leur ai promis que je continuerais à me charger de tes affaires ; eux, en échange, ont promis de respecter mon indépendance ; j'ai aussi dû leur promettre que j'obtiendrais ton consentement à cet accord : c'est de ça que tout dépend maintenant, dit le géant.

Puis il garda un silence respectueux.

— J'ai été mis à la retraite, c'est ça ? dit Onofre Bouvila.

— Ça n'aura qu'un temps, dit Efrén Castells.

A huit heures, le prétendant de sa fille se présenta tout rougissant à son bureau. Il avait l'air fragile et peu intelligent, et articuler deux phrases cohérentes semblait lui coûter un effort ; il n'avait pas l'air d'une crapule mais pas non plus d'un honnête homme. Onofre commença par le traiter avec cordialité ; cette cordialité qu'il n'attendait pas déconcerta le prétendant ; son père lui avait dit :

— Quoi qu'il arrive, ne perds pas contenance, s'il t'insulte ou dit du mal de la famille, fais comme si tu ne remarquais pas.

A présent, il ne savait que faire ni que dire devant une telle amabilité. Onofre aussi allait à la dérive. Peu après le départ d'Efrén Castells, il avait reçu la visite de son beau-père. Don Humbert Figa i Morera avait répété les arguments qu'avait déjà fait valoir le géant de Calella.

— Le mieux est de s'armer de patience, avait-il recommandé. Considère cette parenthèse comme des vacances bien méritées, consacre-toi à la vie de famille et aux plaisirs du foyer et de la bonne chère.

Onofre Bouvila lui avait promis de tenir compte de ses conseils. Puis étaient entrées sa fille et sa femme.

— Mon père m'a mise au courant de la situation, lui avait dit sa femme, je me réjouis que tu aies décidé de prendre la chose avec calme.

Dans sa voix, il avait perçu une nuance de satisfaction : Si ces revers permettent que nous te récupérions, moi et mes filles, qu'ils soient les bienvenus, paraissait donner à entendre son expression. Sa fille avait été droit au but :

— Sois bienveillant avec lui, papa, lui avait-elle demandé, je l'aime de toute mon âme ; mon bonheur dépend maintenant entièrement de toi.

En regardant le prétendant, il se souvenait de ces paroles. Il sera un pantin dans les mains de ma fille, pensait-il, un chien-chien dans ses jupes, peut-être est-ce ça qu'elle veut, elle a l'âge de savoir ces choses ; bien, je lui donnerai mon consentement et je me gagnerai la reconnaissance de toute la famille, sous peu la maison sera envahie de petits enfants, peut-être mon beau-père a-t-il raison, l'heure est-elle venue des joies du foyer, se dit-il. Puis il dit à haute voix :

— Non seulement je m'oppose absolument à ce mariage absurde mais je vous interdis de revoir ma fille ; si vous essayez d'une façon ou d'une autre de vous mettre en contact avec elle ou une personne quelconque de cette maison, je vous ferai suivre par mes hommes et briser tous les os dans une ruelle obscure.

Le sort lui offrait une victime sur laquelle déverser la colère accumulée pendant tout le jour ; il ne laissait jamais passer ces occasions. Que Dieu perde ma famille, pensa-t-il. Puis, s'adressant au prétendant, qui n'en croyait pas ses oreilles, il continua ainsi :

— Cette interdiction que je formule là est irrévocable ; n'espérez pas que je changerai d'avis avec le temps : c'est quelque chose que je n'ai jamais fait et ne ferai jamais. Si en dépit de tous mes avertissements vous vous obstiniez à voir ma fille ou à lui faire parvenir quelque message, je me verrais dans la pénible obligation de vous faire mettre une balle dans la nuque. Il me semble m'être exprimé avec assez de clarté. Le majordome va vous raccompagner à la porte.

Cette entrevue lui fit récupérer une partie de sa bonne humeur perdue ; il eut même plus tard un geste d'apaisement pour sa femme :

— Ne t'inquiète pas, lui dit-il, s'ils s'aiment vraiment et qu'il la mérite réellement, il viendra la chercher en dépit de mes menaces ; dans ce cas, je ne mettrai pas à exécution ce que j'ai dit ; au contraire, on ferait une grande noce et je veillerais à ce qu'il ne leur manque jamais rien ; mais je crois que nous n'entendrons plus parler de ce jeune homme ; crois-moi, femme, c'est une chiffe molle, il n'aurait pas rendu la petite heureuse. Il en viendra d'autres. Allez, cesse de pleurer et va la consoler ; tu verras comme elle aura vite oublié son chagrin.

Mais, en dehors de ces divertissements occasionnels, la vie de famille n'avait aucun attrait pour lui.

Il consacrait désormais tout son temps à poursuivre la reconstruction de la demeure, que son départ avait interrompue. L'achèvement de cette œuvre gigantesque eut lieu par hasard à la mi-décembre 1924, peu de jours après le cinquantième anniversaire d'Onofre. Le jardin avait maintenant perdu son aspect sylvestre et retrouvé son ancienne harmonie ; les yoles récemment vernies se balançaient sur le canal, plusieurs couples de cygnes reflétaient leurs formes graciles dans l'eau cristalline du lac ; dans la maison, les portes s'ouvraient et se fermaient avec douceur, les lampes flamboyaient dans les miroirs, on pouvait voir aux plafonds des nymphes et des chérubins récemment peints, les tapis étouffaient le bruit des pas, et la surface luisante des meubles absorbait la lumière tamisée que laissaient filtrer les rideaux. Le moment était venu de faire le déménagement. Ses filles essayèrent de s'y opposer : elles refusaient d'abandonner la ville.

— Qui viendra nous voir dans cet endroit oublié de Dieu ? objectaient-elles.

— Tant que je serai riche, on viendra nous voir en enfer si besoin est, répondait-il.

En réalité, aussi bien sa femme que ses filles avaient peur de se trouver isolées avec cet homme qui les tyrannisait et paraissait se divertir à les faire souffrir. La demeure aussi leur inspirait crainte et ennui. Bien qu'on pût considérer la reconstruction comme parfaite, il y avait quelque chose d'inquiétant dans cette copie absolument fidèle, de pompeux dans cette ornementation excessive, de dément dans ce désir de calquer une existence anachronique et étrangère, quelque chose de grossier dans ces tableaux, ces vases, pendules et formes d'imitation qui n'étaient ni des cadeaux ni des legs, dont la présence n'était pas le résultat de découvertes ou de caprices successifs, qui ne perpétuaient pas la mémoire du moment où ils avaient été acquis, de l'occasion qui les avait fait s'intégrer à la maison : ici tout répondait à une volonté rigoureuse, tout était faux et oppressif. Lorsque se furent tus les bruits du chantier, qu'eurent disparu les maçons, manœuvres, plâtriers et peintres, qu'eurent été rétablis l'ordre et la propreté, la demeure prit une solennité funéraire. Même les cygnes du lac avaient un air d'idiotie qui n'était qu'à eux. L'aube qui se levait jetait sur la demeure une lumière sinistre et particulière. Ces caractéristiques étaient du goût d'Onofre Bouvila. Il pouvait vivre là à sa guise, sans voir ni entendre sa femme ni ses filles pendant des semaines entières. Il ne se promenait jamais dans le jardin et pendant le jour sortait rarement des pièces qu'il avait réservées à son usage exclusif. Il ne recevait pas de visites et, contrairement à ses prédictions, personne ne leur en rendait de sa propre initiative. Quelques mois après que le déménagement eut eu lieu, ses filles abandonnèrent définitivement le foyer. La cadette fut la première à partir. Avec l'aide de son grand-père don Humbert Figa i Morera, qui l'adorait au point d'oser, en dépit de son âge et de ses infirmités, encourir la possible colère de son gendre, elle s'établit à Paris ; au bout d'un moment, elle y contracta mariage avec un pianiste hongrois de médiocre réputation qui avait deux fois son âge ; dès lors, tous deux errèrent de ville en ville, poursuivis par les créanciers. La fille aînée ne tarda pas à suivre l'exemple de sa cadette. Quoiqu'elle reconnût ouvertement n'éprouver pour cela aucune inclination, elle entra dans une congrégation de missionnaires laïques qui pratiquaient l'enseignement et la médecine dans des lieux reculés et arriérés. Après avoir passé plusieurs années sur l'Amazone, près d'Iquitos, essayant tant bien que mal de concilier la pratique de l'obstétrique avec la consommation immodérée de whisky, elle fut rapatriée par les autorités péruviennes ; il fallut pour cela soudoyer plusieurs fonctionnaires gouvernementaux et indemniser les victimes de sa négligence, de son vice et de son ignorance. Elle vécut ensuite paisiblement, environnée des vapeurs de l'alcool, dans une *suite* * de l'hôtel Ritz de Madrid jusqu'à sa mort en 1981.

Onofre Bouvila vit sa famille se disperser avec autant d'indifférence qu'il l'avait vue se former après la mort de son second fils : une famille faite de restes et de déceptions. Sa femme passait la journée entière et une partie de la nuit dans la chapelle du premier étage : elle s'y faisait porter les boîtes de truffes glacées et de bonbons à la liqueur qu'elle consommait compulsivement à toute heure cependant qu'elle essayait de s'orienter dans le labyrinthe de neuvaines, triduums, chemins de croix, adorations, heures, octaves et veillées au sein duquel elle vivait enfermée. La maison à présent paraissait véritablement déserte. Si, au début, meubles et objets manquaient de vie affective, ils acquirent vite une vie fantasmagorique : on entendait des bruits la nuit dans les pièces vides et, le lendemain matin, les armoires apparaissaient déplacées et les tapis roulés, comme si tous ces objets énormes et très lourds avaient déambulé dans les salons à la faveur de l'obscurité. Il n'y avait en réalité rien de surnaturel là-dedans : c'étaient les domestiques qui manifestaient de cette façon leur mécontentement et leur lassitude. On va voir si on finit par rendre Madame dingue, se disaient-ils. Aussitôt, ils s'employaient à taper sur des casseroles, à traîner les meubles et à frapper les murs avec des chaînes. Onofre Bouvila faisait comme s'il ne remarquait rien de tout cela : pour se délivrer de l'ambiance lugubre qui régnait dans la maison, il avait pris l'habitude de sortir toutes les nuits. En compagnie de son chauffeur et garde du corps, il fréquentait les antres les plus infâmes ; fuyant l'élégance et la propreté, il cherchait la camaraderie des rufians, des malfrats et des putes : ainsi croyait-il retrouver cette Barcelone au-dessus de laquelle il avait réussi à s'élever mais dans laquelle il croyait à présent avoir été assez heureux. En réalité, ce qu'il regrettait c'était sa jeunesse perdue. Il essayait de se convaincre qu'il se trouvait comme chez lui dans ces ambiances qui respiraient l'ignominie et la misère ; au fond, il savait qu'il exécrait ces bouges immondes, mal aérés, ces lits puants et trempés de sueur dans lesquels il se réveillait en sursaut. Le vin pousse-au-crime, le champagne frelaté et la cocaïne qu'il consommait pour rester gai pendant toute la nuit lui réussissaient mal : il vomissait souvent dans la rue ou dans la voiture quand il revenait chez lui à la pointe du jour. Il savait aussi que ces escrocs, ces contrebandiers et ces tapineuses en voulaient désespérément à son argent. Quand le chauffeur le sortait, presque dans ses bras, d'un bordel, les putes qui l'avaient accueilli avec d'extravagantes démonstrations de sympathie changeaient d'humeur en un clin d'œil, leurs macs les frappaient pour leur arracher l'argent qu'il leur avait donné sans compter, l'euphorie et la luxure s'évanouissaient : c'étaient désormais la cupidité, la violence et la rancœur qui régnaient. Il savait tout ça, mais il se laissait duper ; ce n'était pas l'argent qu'il gaspillait, mais cette duperie qui lui paraissait le prix à payer pour avoir le droit de respirer de nouveau l'air du port, l'odeur de salpêtre et de pétrole et de fruits mûrs pourrissant dans les cales des bateaux, comme s'il appartenait encore à ce monde qu'il avait perdu pour toujours il y avait de cela bien des années.

Une nuit, il se réveilla dans une chambre minuscule ; les murs étaient recouverts d'un papier sale qui avait été à l'origine de couleur orange ; une tremblotante ampoule à filament pendait au bout d'un fil électrique. Il avait les pieds et les mains gelés et un fourmillement désagréable lui parcourait le côté gauche. Il sut qu'il était en train de mourir et s'étonna de la précision avec laquelle il pouvait encore enregistrer d'infimes détails. A son côté, il entendit crier une fille dont il ne se souvenait pas avoir jamais vu le visage auparavant. Au prix d'un grand effort, il parvint à lui saisir le poignet : il savait que, si elle arrivait à se libérer, elle lui prendrait tout ce qu'il avait sur lui et s'enfuirait sans rien dire à personne. Elle le laisserait mourir ici. Je vais lui promettre monts et merveilles si elle m'aide, pensa-t-il, mais les mots l'étouffaient, ne le laissaient pas respirer. Ce n'est pas un mauvais endroit pour mourir, pensa-t-il, joli scandale en perspective. Mais qu'est-ce que je dis ? Je ne veux pas mourir ici ni dans aucun autre endroit. D'une saccade, la fille s'était libérée : elle ramassait les vêtements répandus sur le sol de la chambre et sortait dans le couloir, les vêtements sur les bras. Se voyant seul, il lutta pour ne pas se laisser vaincre par la panique. C'est la fin, pensa-t-il. Il entendit des cris et des courses dans le couloir avant de perdre connaissance.

En réalité, tous agirent avec à-propos. Aussitôt vêtue, la fille courut chercher le chauffeur et celui-ci, de peur de la responsabilité qui pourrait être la sienne si l'affaire finissait mal, alla à son tour chercher Efrén Castells. Quand ils se présentèrent tous les deux à la maison de tolérance, les pensionnaires et leurs macs avaient réussi à lui passer tant bien que mal ses vêtements ; ils n'avaient pas réussi en revanche à lui faire boire une rasade de cognac, quelques efforts qu'ils eussent faits avec le manche d'une cuiller. Efrén Castells distribua des gratifications ; même le veilleur de nuit et l'agent de police, qui étaient présents, reçurent leur part ; tous furent contents et jurèrent de garder le silence. Quatre heures sonnaient quand ils le mirent dans son lit et prévinrent sa femme. Elle fut à la hauteur des circonstances, elle se comporta comme une dame : elle accepta sèchement les explications improvisées et invraisemblables que lui donnait maladroitement Efrén Castells et mit en branle tout le personnel. En conséquence, au bout de quelques heures, la demeure était une fourmilière : y étaient accourus des médecins spécialistes et des infirmières et aussi, en prévision d'un dénouement fatal, des avocats et des notaires avec leurs clercs, des agents de change et des cambistes, des conservateurs des hypothèques et des fonctionnaires des Finances, des consuls et des attachés commerciaux, des truands et des hommes politiques (qui essayaient de passer inaperçus), des journalistes et des correspondants et de nombreux prêtres munis du nécessaire pour administrer les sacrements requis : confession, eucharistie et extrême-onction. Cette multitude errait dans le jardin et la maison, entrait dans toutes les dépendances, fouinait dans les armoires, ouvrait les tiroirs, retournait les habits, tripotait les œuvres d'art et, par mégarde ou à dessein, abîmait certains objets ; les reporters photographes installaient trépieds et appareils au milieu des salons, blessaient les yeux de tout le monde avec les éclairs des lampes à magnésium et gaspillaient des plaques à faire des portraits dont le sens se perdait au développement. Les domestiques se laissaient soudoyer et révélaient des secrets réels ou imaginaires au plus offrant. Il ne manquait pas d'escrocs qui se faisaient passer pour des amis de la famille ou de proches collaborateurs du malade : journalistes et hommes d'affaires débutants obtenaient d'eux, moyennant paiement, l'information la plus dénaturée et confuse qui soit. Le résultat fut que la Bourse baissa sur presque tous les marchés. Lui ne se rendait pas compte de tout cela, ou s'en rendait compte vaguement : la médication qu'on lui avait donnée paraissait l'avoir laissé suspendu en l'air : il n'avait mal nulle part ni ne sentait son propre corps, hormis le froid persistant dans les extrémités. S'il n'y avait pas ce froid, je serais mieux que jamais, pensait-il. Quelque chose dans ce bien-être le ramenait à une enfance antérieure à ses plus anciens souvenirs. Il avait perdu la notion du temps : en dépit de son immobilité absolue, les heures ne lui paraissaient pas longues, pas plus que ne lui pesait l'inactivité. Les personnes qui entraient dans la chambre et en sortaient, les médecins qui l'examinaient sans cesse, les infirmières qui l'alimentaient et lui administraient médicaments et calmants, qui lui faisaient des piqûres et des prises de sang, s'occupaient de ses besoins naturels qu'il ne contrôlait plus, le lavaient et le parfumaient, sa femme qui passait à pleurer près du lit les rares moments où on la laissait seule avec lui, les intrus qui, grâce à un subterfuge quelconque, avaient réussi à pénétrer jusque dans sa chambre pour solliciter de lui une faveur posthume, le presser de mettre son âme en paix avec Dieu, lui demander un renseignement essentiel sur une entreprise ou une opération commerciale d'envergure, ou peut-être pour apprendre de ses lèvres, en guise de testament, la clef de son succès, tous lui paraissaient des figures fictives, des personnages échappés d'une image d'enfant, qui se mouvaient sur quelques plans fixes de l'espace qui l'entourait et avec lesquels ils se confondaient. Les murmures et chuchotements, le ronronnement de voix et de pas qui lui parvenait à travers les cloisons, augmentait quand une porte s'ouvrait, et s'apaisait lorsqu'elle se fermait le déconcertaient aussi : il ne pouvait établir une distinction claire entre les sons, les odeurs, les formes et les sensations : les uns et les autres se prêtaient à des interprétations compliquées et pas toujours univoques ou cohérentes. Le toucher de la main d'un médecin ou d'une infirmière, l'odeur de quinquina, la blancheur d'une blouse, un visage inquisiteur près du sien pouvaient former un tout dont il avait du mal à démêler le sens. Qu'est-ce que cela signifie ? se disait-il. Que font à côté de moi ces choses hétérogènes ? Pourquoi sont-elles ici ? Et son imagination libérée au contact de ces stimulations le transportait un moment vertigineux à travers un espace sans limites pour le déposer ensuite au bord d'un moment perdu de son passé, qu'il revivait alors avec une précision telle que sa vision lui causait trouble et douleur. Puis tout s'évanouissait lentement comme la fumée des cigarettes dans l'air chauffé d'un salon, et ne demeurait plus dans sa conscience que la terreur que lui inspirait la certitude de la mort. Dans ces occasions, il aurait offert n'importe quoi pour continuer à vivre encore un peu, de n'importe quelle façon ; il savait que dans ces extrémités il n'y avait aucune transaction qui valût, et cela le désespérait. Comment est-il possible que je ne puisse absolument rien faire pour éviter une chose aussi horrible ? se disait-il. Convaincu que sa vie était sur le point de s'éteindre comme s'éteint la lumière quand on presse un interrupteur, et que d'un moment à l'autre il allait disparaître pour toujours et sans recours, il éclatait en sanglots avec le désespoir d'un nouveau-né ; personne ne s'en rendait compte, parce que sa physionomie restait inaltérable, exprimant seulement la sérénité et la force.

Il ne manquait pas non plus d'occasions où ces vertiges, souvenirs et terreurs cédaient le pas à des visions irréelles et agréables. Au cours de l'une de ces visions, il crut se trouver en un lieu incertain qu'éclairait une clarté monotone, comme d'un midi voilé. Se trouvant là sans savoir dans quel propos, il vit venir vers lui un individu qu'il crut reconnaître quand il était encore loin. Quand il fut plus près, il bénit la circonstance qui avait rendu possibles ces retrouvailles.

— Père, dit-il, ça fait si longtemps qu'on ne s'est vus. » L'Américain sourit : physiquement, il avait peu changé depuis ce jour où il était revenu de Cuba avec son costume de coutil, le panama et la cage du singe, si ce n'est qu'à présent il portait une barbe longue et soignée. « Et cette barbe, père, d'où vient-elle ? lui demanda-t-il.

L'Américain haussa les épaules. Je ne sais pas, fils, paraissait-il vouloir signifier par là. Puis il ouvrit la bouche, bougea lentement les lèvres, comme s'il allait dire quelque chose, mais il demeura ainsi, sans proférer aucun son. Onofre retenait sa respiration ; il espérait que son père lui révélerait d'un moment à l'autre quelque chose de capital. Mais il restait muet ; finalement, il ferma la bouche et recommença à sourire : son sourire était maintenant empreint de mélancolie. Peut-être est-ce ça en réalité être mort, pensa Onofre en frissonnant, cette immutabilité ; quand on est mort, on ne va plus vraiment nulle part, pensa-t-il, tout est permanence ; là où il n'y a pas de changement, il n'y a pas de douleur, mais pas non plus de joie, seulement cette ignorance embarrassante que je vois maintenant écrite sur le visage de mon père. Lui est vraiment mort, cela se voit sans le moindre doute, continua-t-il a penser, c'est pour cela que sa compagnie, qui au début m'a paru si agréable, ne fait à présent que m'emplir de tristesse ; tout cela montre que je ne suis pas mort, se dit-il ensuite, ou je ne penserais pas comme je suis en train de le faire. Mais je ne dois pas non plus être vivant, ou alors je n'aurais pas eu cette vision. Il n'y a pas de doute, je suis dans un état transitoire, un pied de chaque côté de la ligne de démarcation, comme on dit dans le monde que je suis sur le point de quitter. Que ne donnerais-je pas pour revivre, pensait-il ; je ne demande pas à repartir du début : c'est impossible et d'autre part il est certain que je recommencerais à vivre comme j'ai vécu. Non, je demande seulement à continuer à vivre, je me contenterais de ça. Hélas, si je revivais je verrais tout avec des yeux différents.

5

— Je ne sais pas s'il est raisonnable de vous laisser la voir, dit la religieuse. Je veux dire de la laisser vous voir.

— Alors, vous savez qui je suis ? demanda-t-il.

La religieuse fronça les lèvres ; cela n'atténua pas la froideur avec laquelle elle étudiait son interlocuteur. Il n'y avait pas dans cette froideur trace de réprobation : seulement de la curiosité et de la prudence en parties égales.

— Tout le monde sait qui vous êtes, señor Bouvila », dit-elle très bas, presque avec coquetterie. Chacun de ses traits révélait une qualité de son caractère : générosité, douceur, patience, force, etc. Tout son visage était un emblème. « La pauvre a beaucoup souffert, ajouta-t-elle en changeant de ton. Maintenant elle est presque toujours calme ; elle ne rechute que de temps en temps, et encore pour peu de jours. Dans ces occasions elle recommence à se prendre pour une reine et une sainte.

Onofre Bouvila inclina la tête en signe d'assentiment :

— Je suis au courant de la situation, dit-il.

En réalité, cela faisait très peu de temps qu'il l'avait appris. Pendant les interminables mois de convalescence, la période où sa vie arrachée *in extremis* des griffes de la mort paraissait retenue par les liens fragiles d'une toile d'araignée, on lui avait caché la vérité : « N'importe quel souci peut lui être fatal », avaient dit les médecins. Mais on ne put empêcher qu'il finisse par l'apprendre indirectement. Un jour d'automne qu'il combattait l'ennui en feuilletant des revues, dans un coin du salon, près de la fenêtre fermée, les jambes recouvertes par une couverture d'alpaga, il lut l'annonce du mariage. Au début, la signification lui en échappa : cela faisait un certain temps que presque tout lui échappait. Une femme de chambre enleva les revues qu'il avait laissé tomber par terre et tira les rideaux pour que le soleil de l'après-midi qui commençait à passer à travers les vitres ne lui frappe pas le visage. Quand la femme de chambre fut partie, il appuya la joue sur la têtière : elle venait d'être repassée et conservait encore l'odeur du basilic frais. Il se laissa ainsi envahir par la somnolence. Pour la première fois dans sa vie, il dormait maintenant de longues heures ; l'activité la plus simple le fatiguait ; par chance, ces sommes étaient toujours agréables. Cette fois, pourtant, il se réveilla en sursaut. Il ne savait pas combien de temps il avait dormi, peu à en juger par la position de la ligne que dessinait le soleil sur les dalles de marbre. Pendant quelques minutes, il essaya d'identifier les raisons de son inquiétude. Est-ce que c'est quelque chose que j'ai lu dans les revues ? se demandait-il. Il fit tinter la clochette qu'il avait toujours à son côté : la femme de chambre et l'infirmière accoururent, l'air effrayé.

— Il ne m'arrive rien, merde, leur dit-il irrité par cette démonstration importune de sollicitude. Je veux seulement que vous m'apportiez les revues que j'étais en train de lire il y a un moment.

Pendant que la femme de chambre allait les chercher, l'infirmière lui prit le pouls : c'était une femme sèche et acariâtre. « Ma femme me punit avec ces viragos, disait-il à Efrén Castells quand celui-ci venait le visiter. — Qu'est-ce que tu veux ? répliquait le géant avec sévérité, un tendron pour te redonner une syncope ? » Il regardait de tous côtés pour s'assurer que personne ne les entendait et ajoutait : « Si tu t'étais vu comme je t'ai vu quand j'ai été te récupérer au bordel, tu ne parlerais pas comme ça. »

— Bah, arrêtez de regarder si je suis vivant ou mort et nettoyez-moi mes lunettes avec cette gaze qui sort de votre poche, ronchonna-t-il en retirant sa main.

L'infirmière et lui se regardèrent un instant d'un air de défi. Voilà où j'en suis, pensa-t-il, à me disputer avec des vieilles filles. Puis il ordonna qu'on ouvre les rideaux et qu'on le laisse en paix. Il chercha fébrilement l'annonce du mariage. « Je suis très heureuse, avait déclaré la star au correspondant de la revue. James et moi passerons la majeure partie de l'année en Écosse. » James y avait un château. James était un aristocrate anglais élégant et fortuné. Ils s'étaient connus à bord d'un luxueux transatlantique. Oui, ç'avait été le coup de foudre, avouèrent-ils tous deux ensuite ; pendant quelques mois, ils avaient préféré garder secrètes leurs fiançailles pour éviter d'être harcelés par la presse ; pendant ces mois-là, il lui envoyait tous les jours une orchidée : c'était la première chose qu'elle voyait en ouvrant les yeux. Le mariage serait célébré avant l'hiver en un lieu qu'ils ne voulaient pas révéler. « Ensuite nous attend une longue lune de miel dans des pays exotiques, précisait-elle. Je suis très heureuse », répétait-elle. Elle profitait de l'occasion pour annoncer sa retraite définitive du cinéma.

— Où est-elle ? demanda-t-il à brûle-pourpoint à Efrén Castells ce même après-midi.

Le géant en resta déconcerté.

— Elle est aussi bien qu'elle peut l'être, crois-moi, lui dit-il. L'endroit est très agréable ; on ne dirait pas un asile. » Puis, se sentant implicitement accusé par le silence renfrogné de son ami, il se défendit en se mettant en colère : « Ne me fais pas cette tête, Onofre, pour l'amour de Dieu : tu aurais fait la même chose, quelle autre issue nous restait-il ? Depuis le début tu savais mieux que personne que cette aventure devait se terminer ainsi, l'histoire ne date pas d'hier.

Il lui raconta comment les choses avaient été de mal en pis depuis qu'il lui avait cédé les studios cinématographiques. Ils comprirent vite qu'Honesta Labroux n'était disposée à obéir aux ordres de personne, en dehors de lui ; mais lui était parti pour ne pas revenir. Un film qui se tournait avant en quatre ou cinq jours exigeait maintenant plusieurs semaines de tournage : les problèmes se multipliaient. A la fin, elle avait essayé de tuer Zuckermann. Un jour où il l'avait traitée avec plus de cruauté que d'habitude, elle sortit un pistolet de son sac et tira sur le réalisateur. Le pistolet était une antiquité, Dieu sait où elle l'avait trouvé ; il lui avait éclaté dans la main : ce fut miracle s'il ne lui emporta pas la tête. Après cet incident, tous convinrent qu'il ne restait plus qu'à l'enfermer. Onofre acquiesça sombrement. Honesta Labroux disparue, l'industrie cinématographique qu'il avait créée commença à péricliter. Ils essayèrent d'autres actrices, mais toutes échouèrent ; les films étaient maintenant difficiles à amortir alors qu'avant ils engendraient des bénéfices énormes. Sans l'ombre d'un doute, le public préférait les films qui venaient des États-Unis : Efrén Castells lui-même parlait avec enthousiasme de Mary Pickford et de Charles Chaplin. Ils avaient décidé de fermer les studios, de liquider la société et de se consacrer à l'importation de films étrangers.

— Laisse-les, eux, se creuser la cervelle et risquer leur argent, dit Efrén Castells.

Onofre Bouvila se remonta la couverture d'alpaga jusqu'à la poitrine et haussa les épaules : tout lui était égal.

— Venez, dit subitement la religieuse.

Elle avait réfléchi, et cette décision était le résultat de ses réflexions : à sa façon de parler, on voyait qu'elle avait habituellement affaire à des gens dont la compréhension ne lui était pas nécessaire. A sa suite, il déboucha dans une salle de dimensions régulières ; elle était meublée avec simplicité et paraissait propre et confortable, mais dégageait une odeur de maladie et de décadence. La clarté grêle d'un midi d'hiver entrait par la fenêtre. Il y faisait assez froid. Trois hommes d'âge indéfini jouaient aux cartes autour d'une table ; deux de ces hommes portaient des bérets et tous les trois des écharpes enroulées autour du cou. Sur une autre table adossée au mur et couverte d'une nappe bleue qui pendait jusqu'au sol, il y avait une crèche : les montagnes étaient en liège ; la rivière, de papier d'étain ; quelques plaques de mousse faisaient la végétation ; les santons de terre cuite n'étaient pas très proportionnés entre eux. A côté de la table, il y avait un piano droit couvert par une housse de toile.

— Ce sont les patients eux-mêmes qui ont fait cette crèche », dit la religieuse. Entendant ces mots, les trois hommes interrompirent leur jeu et sourirent à Onofre Bouvila. « La nuit de Noël, après la messe de minuit, il y a un dîner communautaire ; je veux dire que peuvent y assister également les parents et proches qui le désirent. Je me figure que ce n'est pas votre cas, mais je vous le dis quand même.

Onofre remarqua que toutes les fenêtres avaient des grilles. Ils sortirent de la salle par une autre porte, qui donnait sur un autre couloir. La religieuse s'arrêta au bout de ce second couloir.

— A présent vous allez devoir attendre ici un moment, dit-elle. Les hommes ne peuvent entrer dans l'aile des femmes et vice versa : on ne sait jamais dans quel état on va les trouver.

La religieuse le laissa seul. Il fouilla dans toutes ses poches, bien qu'il sût l'inutilité de ce geste ; les médecins lui avaient interdit de fumer et il ne portait jamais de cigarettes sur lui. Il songea à revenir à la salle et à demander une cigarette aux joueurs de cartes. Ils en auront bien une et ils n'avaient pas l'air dangereux, se dit-il. Après tout, que peuvent-ils me faire ? Tout en se faisant cette réflexion, il scruta d'un œil critique le reflet de sa silhouette dans la vitre de la fenêtre du couloir. Il y vit un petit vieux, voûté et pâle, revêtu d'un pardessus noir à col d'astrakan et appuyé sur une canne à pommeau d'ivoire. De la main qui ne reposait pas sur le pommeau de la canne, il tenait le chapeau mou et les gants. Tout cela lui donnait un air de filigrane non dépourvu de comique. L'arrivée de la religieuse interrompit cette affligeante contemplation.

— Vous pouvez venir, lui dit-elle.

Delfina aussi avait beaucoup vieilli ; en plus de cela, elle avait maigri de façon alarmante : elle avait retrouvé la nature décharnée qui lui était propre. A présent, personne n'aurait reconnu en elle la célèbre actrice qui éblouissait le monde, lui seul pouvait reconnaître dans ce vestige la soubrette revêche du temps jadis. Elle portait une robe de chambre de grosse laine sur une chemise de nuit de flanelle, des chaussettes de laine également et des pantoufles fourrées en poil de lapin.

— Regardez qui est venu vous voir, señora Delfina, dit la religieuse.

Elle ne réagit ni à ces paroles ni à sa présence ; elle regardait un point lointain, au-delà des murs du couloir : cela entraîna un silence gênant pour lui. La religieuse suggéra qu'ils aillent faire un tour tous les deux seuls.

— Il fait frisquet aujourd'hui, mais au soleil elle ne sera pas mal, dit-elle. Sortez au jardin : l'exercice vous fera du bien à l'un et à l'autre.

Aux yeux de la religieuse, une actrice de cinéma devait être à peine mieux qu'une prostituée si ce n'était pas la même chose ; si elle les laissait sortir seuls, c'était parce que leur décrépitude à tous deux leur conférait un regain d'innocence, pensa Onofre cependant qu'il conduisait Delfina au jardin par le couloir. Cette opération s'avéra très ardue et longue ; elle marchait avec beaucoup de raideur et une lenteur extrême ; chacun de ses mouvements semblait être le résultat d'un calcul très compliqué, une décision mûrie et non exempte de risque. J'ai déjà fait un demi-pas, paraissait-elle dire chaque fois, maintenant je vais en faire un autre. Grâce à cette parcimonie, le jardin, qui n'était pas très étendu, paraissait énorme. Elle n'a pas tort, pensait Onofre. Si elle ne passe jamais plus le mur du jardin, pourquoi se dépêcher ? C'était lui que cette lenteur exaspérante fatiguait.

— Viens, Delfina, finit-il par dire, allons nous asseoir un peu sur ce banc. Ici nous serons très bien, dit-il quand ils se furent assis côte à côte sur le banc de pierre.

Désormais, la nécessité d'entretenir une conversation se faisait impérieuse. Les arbres avaient perdu leurs feuilles, des ciboulettes croissaient contre le mur de l'asile. Il lui demanda comment elle se portait. Avait-elle mal quelque part ? A l'asile, on la traitait bien ? Avait-elle besoin de quelque chose qu'il pût lui fournir ? Elle ne répondait pas, elle continuait à regarder devant elle avec la même expression impassible ; elle ne semblait même pas remarquer où elle se trouvait ni avec qui. Ce silence oppressa Onofre plus qu'il n'aurait pu l'imaginer.

— Tant de choses se sont passées, dit-il à demi-voix, et pourtant rien n'a changé ; tous les deux nous restons les mêmes, tu ne crois pas ? Si ce n'est que maintenant la vie a gâché le peu que nous avions.

Un oiseau noir se posa sur le gravier du jardin, y demeura un peu puis reprit son vol. Onofre recommença à parler quand l'oiseau fut parti.

— Tu te souviens de quand nous nous sommes connus, Delfina ? Je ne parle pas du moment où nous nous sommes connus, mais de l'époque. C'était l'année 1887, l'autre siècle, tu te rends compte : Barcelone était un village, il n'y avait ni lumière électrique, ni tramways, ni téléphone ; c'était l'époque de l'Exposition universelle. Tu sais qu'on parle déjà d'en faire une autre ? Peut-être ce serait l'occasion de recommencer nos folies, qu'en dis-tu ? Misère, je me sentais bien seul en ce temps-là, j'étais très angoissé ; en cela, tu vois, je n'ai pas changé. Pourtant, alors, je t'avais, toi ; on ne s'est jamais bien entendus, mais je savais que tu étais là et avec ça j'avais ce qu'il me fallait même si à l'époque je ne le savais pas encore.

Comme elle restait immobile, il craignit qu'elle ne se fût congelée, bien que l'air fût tiède et que le soleil combattît l'humidité. Une statue de glace, pensa-t-il, elle a toujours été une statue de glace sauf cette nuit où je l'ai tenue dans mes bras. Il lui prit une main et vit qu'elle était froide, mais non gelée comme il l'avait craint.

— Tu vas prendre froid, lui dit-il, tiens, mets mes gants.

Il ôta ses gants et les passa à Delfina sans qu'elle fît rien pour l'aider ou lui résister. Il remarqua avec surprise que les gants lui allaient bien : il se souvint alors qu'elle avait toujours eu de très grandes mains. Avec ces mains, elle s'accrochait désespérément à mes épaules, pensa-t-il.

— Tu peux les garder, dit-il à haute voix, tu vois qu'ils te vont à merveille.

En levant la tête, il vit à la fenêtre de la salle les trois hommes qui un moment avant jouaient aux cartes ; ils épiaient le couple du banc sans se cacher le moins du monde, avec un air de concentration et de sérieux. Ils avaient beau être loin et n'être que trois malades, Onofre lâcha la main de Delfina qu'il avait gardée entre les siennes. Elle joignit les deux mains et les posa sur ses genoux.

— Ça ne sert pourtant plus à rien de penser à cela, continua-t-il. Si j'en parle c'est parce que j'ai été aux portes de la mort et que j'ai peur. A toi, ça ne me gêne pas de le dire : j'ai toujours su que tu étais la seule personne qui m'ait compris. Tu as toujours compris le pourquoi de mes actes. Les autres ne me comprennent pas, pas même ceux qui me haïssent. Ils ont leur idéologie et leurs privilèges : avec ces deux choses, ils expliquent tout ; grâce à cela, ils justifient tout, succès comme échec ; je suis une aberration dans le système, la conjonction fortuite et rarissime de nombre d'impondérables. Ce ne sont pas mes actes qu'ils me reprochent, ce n'est pas mon ambition ni les moyens dont j'ai usé pour la satisfaire, pour grimper et m'enrichir, qui est ce que nous voulons tous ; ils auraient agi de la même façon si la nécessité les y avait poussés ou si la peur ne les avait pas retenus. En réalité, c'est moi qui ai perdu. Je croyais qu'à force de dureté je tiendrais le monde entre mes mains, et pourtant je me trompais : le monde est pire que moi.

Le printemps était bien avancé lorsqu'il reçut une lettre ; elle était signée d'une religieuse, celle-là même peut-être qui l'avait accueilli le jour où il avait été à l'asile. La religieuse lui faisait savoir le décès de Delfina. *La mort est venue pendant qu'elle dormait,* disait la lettre. On l'informait de ce triste événement, lui dont on savait qu'il n'était ni un parent ni un proche, *étant donné la relation affective particulière qui l'avait uni à la défunte.* Bien que, depuis le jour où il avait été la visiter, Delfina n'eût recouvré ni la voix ni la conscience, il n'était pas excessif d'affirmer qu'*elle était morte, pour ainsi dire, avec votre nom sur les lèvres,* disait la lettre. Dans la chambre de la défunte, on avait trouvé quelques feuilles manuscrites, probablement une missive à lui adressée, avec *d'autres écrits d'un contenu intime et scabreux que nous avons estimé opportun de détruire,* concluait la lettre. La missive de Delfina était ainsi rédigée : *La réalité qui nous enveloppe n'est qu'un rideau peint, de l'autre côté de ce rideau il n'y a pas d'autre vie, c'est la même vie, l'au-delà n'est que ce côté du rideau, à fixer les yeux sur le rideau nous ne voyons pas l'autre côté, qui est le même, quand nous comprendrons que la réalité n'est qu'un phénomène optique, nous pourrons traverser ce rideau peint, en traversant ce rideau peint nous nous trouverons dans un autre monde qui est comme celui-ci, dans ce monde-là sont aussi ceux qui sont morts et ceux qui ne sont pas encore nés, mais à présent nous ne les voyons pas parce que le rideau peint que nous confondons avec la réalité les tient séparés, une fois le rideau traversé dans un sens il est toujours facile de le traverser dans ce même sens et aussi dans le sens opposé, on peut vivre en même temps de ce côté et de l'autre pas en même temps, le moment indiqué pour traverser le rideau peint est l'heure du crépuscule vers là-bas, l'heure de l'aube vers ici, ainsi obtient-on mieux tout l'effet, le reste est inutile, inutile de faire des invocations ou de payer, de l'autre côté du rideau peint n'existe pas la ridicule division de la matière en trois dimensions, de ce côté-ci chaque dimension a quelque chose de ridicule à nos propres yeux, ceux qui sont de l'autre côté du rideau le savent et rient, ceux qui ne sont pas encore nés croient que les morts sont leurs papas.* Puis la lettre devenait inintelligible.

Chapitre 7

1

Sans être aussi gros que le Cullinam ou l'Excelsior, ni aussi fameux que le Koh-i-Noor (dont il est fait mention dans le *Mahâbhârata*), le Grand Mogol (propriété du shah de Perse) ou l'Orlov (qui orne le sceptre impérial russe), le Régent était considéré comme le diamant le plus parfait. Il provenait des légendaires mines de Golconde et avait appartenu au duc d'Orléans, qui dut le mettre en gage à Berlin durant la Révolution française. Sauvé des mains du prêteur, il fut monté sur le pommeau de l'épée de Napoléon Bonaparte. Onofre Bouvila le tenait dans la paume de la main le soir où Santiago Belltall vint le voir ; il admirait à l'aide d'une loupe sa pureté et sa luminosité. Mis en retraite de la vie active par la dictature, il avait décidé d'investir sa fortune, l'argent qu'Efrén Castells lui avait versé en Suisse, sur le marché international des diamants ; ses agents s'enfonçaient désormais dans les montagnes du Dekkan et les forêts de Bornéo, ils rôdaient dans les tavernes et les lupanars de Kimberley et du Minas Gerais. Sans le chercher, il était en train de redevenir un des hommes les plus riches du monde. Il aurait pu facilement renverser Primo de Rivera, se venger de l'offense qu'il lui avait faite, mais il n'en éprouvait aucun désir : il avait toujours considéré la politique avec mépris, comme une jungle de compromissions auxquelles il ne lui semblait pas nécessaire de se prêter. En réalité, l'apathie le possédait. Le temps qui passe ne m'apporte que des idées de mort, pensait-il en regardant le diamant. La mort de Delfina en 1925 avait été suivie de celle de son beau-père, don Humbert Figa i Morera, au début de 1927, puis de celle de son frère Joan, dans des circonstances peu claires, à la fin de cette même année. Chacune de ces morts lui paraissait un funeste présage. Il n'éprouvait pas non plus la nécessité de lutter contre une dictature qui coulait toute seule. Suivant l'exemple de Mussolini, Primo de Rivera avait créé un parti unique dit d'union patriotique ; en le fondant, il avait pensé que des personnalités de tendances diverses viendraient grossir ses rangs, qu'il réconcilierait en son sein la fine fleur du pays ; il n'avait pourtant réussi à attirer à lui que les sangsues de l'ancien régime et une poignée de jeunes arrivistes ; l'armée avait fini par prendre ses distances d'avec le dictateur qu'elle avait acclamé quelques années auparavant et le roi lui-même cherchait désespérément une manière de s'en débarrasser. Les complots contre lui se succédaient en Espagne et hors d'Espagne ; il y répondait par des emprisonnements et des déportations, mais il n'était pas sanguinaire et ne voulut tuer personne. Seules l'incapacité de l'opposition, la censure de fer qu'il imposait, la corruption administrative et la crainte populaire justifiée du changement en général assuraient la survie d'un pouvoir auquel il se cramponnait comme un dément : il ne comprenait pas qu'il devait ce pouvoir à la coïncidence éphémère de son idiosyncrasie avec le point d'oscillation maximal du pendule de l'Histoire. Il n'avait pas gouverné mal, mais de façon excentrique : il avait immédiatement encouragé les travaux publics ; grâce à quoi, il avait remédié au chômage massif et modernisé le pays. Il avait été bon pour le peuple. Le bilan positif de son action rendait plus incompréhensible à ses yeux la solitude dans laquelle il se trouvait à présent. Quand il vit qu'il avait perdu aussi l'appui de la Couronne, il voulut chercher celui d'Onofre Bouvila : par l'entremise du marquis d'Ut, qui lui était encore fidèle, il tenta une manœuvre de rapprochement alors qu'il était déjà trop tard.

Santiago Belltall, dont le nom devait être uni pour toujours à celui d'Onofre Bouvila, était âgé de quarante-trois ans le soir où il alla le voir. La médiocrité de sa mise ne l'avait pas empêché de s'être lavé, baigné et rasé ce jour-là, et quelqu'un lui avait coupé les cheveux avec plus de bonne volonté que de succès. Cet astiquage soulignait son allure de tapeur ; seuls les yeux colériques dans le visage exténué le sauvaient du ridicule. Quand le majordome l'informa que Monsieur ne recevait personne s'il n'avait pas lui-même envoyé l'invitation correspondante, il sortit de sa poche une carte jaunie et froissée et la montra au majordome.

— Le señor Bouvila en personne me l'a donnée, dit-il, je crois que c'est comme s'il s'agissait d'une invitation en règle.

Le majordome examina la carte avec une expression de perplexité.

— Quand est-ce que Monsieur vous a donné cette carte ? demanda-t-il.

— Il y a quatorze ans, dit Santiago Belltall impavide.

— Pour un invité, vous vous faites prier, commenta le majordome. Vous m'avez dit que votre nom était ?

Santiago Belltall donna son nom.

— Bien que je ne croie pas qu'il se souvienne de moi, ajouta-t-il.

Le majordome se passa une main dubitative sur le front ; finalement, il décida d'informer Monsieur de la présence de cet individu d'apparence indésirable : quelle que fût sa crainte de l'importuner, il connaissait bien son goût pour les personnages extravagants. Ses suppositions se trouvèrent vérifiées dans ce cas.

— Fais-le entrer, dit Onofre Bouvila.

Bien que la soirée fût tiède, des bûches brûlaient dans la cheminée de la bibliothèque. Santiago Belltall sentit que la chaleur l'asphyxiait.

— Je ne pense pas que vous vous souveniez de moi, répéta-t-il à peine introduit en sa présence.

Il y avait dans son ton un accent de flatterie : Un homme aussi important que vous ne peut se souvenir de quelqu'un d'aussi insignifiant que moi, semblaient laisser entendre ses paroles et son attitude. Onofre Bouvila sourit avec dédain.

— Si j'avais aussi mauvaise mémoire que vous et d'autres idiots le croyez, je ne serais pas qui je suis, dit-il en levant le poing droit.

Un instant, Santiago Belltall craignit qu'il ne lui flanquât un coup de poing, mais ce n'était pas un geste de menace.

— Nous nous sommes connus il y a quatorze ans, reprit-il pour justifier sa conjecture.

— Pas quatorze ans, dit Bouvila, mais quinze. En 1912, à Bassora, vous vous appelez Santiago Belltall et vous êtes inventeur, vous avez une fille qui s'appelle María, une gamine indocile. Qu'est-ce que vous venez me vendre ?

Santiago Belltall resta muet : par cette froideur, son interlocuteur prévenait ce qu'il allait dire, privait de sens le discours qu'il avait préparé et répété seul pendant des heures. Il rougit malgré lui.

— Je vois que j'ai commis une erreur en venant, murmura-t-il plus pour lui que pour être entendu. Excusez-moi, dit-il.

Le sourire sarcastique d'Onofre Bouvila fit que son inhibition se transforma en colère : il se leva vivement de son fauteuil et se dirigea vers la porte.

— Vous le regretterez, dit-il à haute voix.

— Qu'est-ce que je regretterai ? demanda Onofre Bouvila avec un calme sardonique.

L'inventeur revint sur ses pas et dévisagea le puissant financier : à présent, ils se parlaient d'égal à égal.

— Une véritable merveille, dit-il.

Onofre Bouvila ouvrit le poing qu'il avait tenu serré jusqu'alors. Les yeux de l'inventeur furent attirés par les facettes du Régent, dont les éclats irisaient la robe de chambre de soie damassée que portait Onofre.

— Quelle merveille peut se comparer à celle-ci ? murmura-t-il.

— Voler, répondit aussitôt l'inventeur.

Dans la seconde décennie du XXe siècle, l'aviation avait sans discussion atteint ce que la presse de l'époque appelait *sa majorité.* Personne, alors, ne doutait déjà plus de la supériorité de ces appareils, plus lourds que l'air, sur toute autre forme de transport aérien. Il ne se passait pas non plus de jour sans que quelque nouvelle prouesse ne vînt jalonner le progrès dans ce domaine. Pourtant, certains problèmes restaient encore à résoudre. Aussi étrange que cela puisse paraître aujourd'hui, le moins grave de ces problèmes était celui de la sécurité des vols : il arrivait peu d'accidents et, parmi eux, un très petit nombre était grave ou mortel ; qui plus est, une bonne partie de ces accidents ne pouvaient en toute justice être attribués à des causes mécaniques, dus qu'ils étaient généralement au puéril entêtement des pilotes à démontrer la stabilité des appareils et leur propre adresse en volant tête en bas ou en décrivant des circonférences et des spirales, en faisant des loopings et du vol plané. La rapidité de réflexe et les conditions athlétiques qui devaient être celles des pilotes dans cette étape primitive de l'aviation faisaient qu'ils étaient nécessairement très jeunes (on estimait que quinze ans était l'âge convenable pour faire des vols d'essai), ce qui entraînait une certaine inconscience de leur part. Ainsi pouvons-nous lire ce qui suit dans un journal barcelonais de 1925 : *Attendu qu'à Paris et à Londres ceux qu'une certaine presse sensationnaliste surnomme « as de l'air » rivalisent entre eux en exécutant ce tour : faire passer leurs appareils en rase-mottes sous les ponts de la Seine et de la Tamise respectivement, avec la suite consécutive de frayeurs et de plongeons, et attendu que Barcelone, manquant de fleuve, manque aussi de ponts, nos pilotes, en dépit de l'interdiction expresse de l'Excellentissime Conseil municipal de la cité comtale, ont inventé une pirouette similaire à la susdite et plus risquée encore : placer les ailes de l'avion dans une ligne perpendiculaire au sol et le faire passer ainsi, comme qui enfile une aiguille, entre les tours du temple expiatoire de la Sagrada Familia.* Dans ces occasions, rapportait ensuite la chronique, on voyait habituellement apparaître en haut des tours un vieillard d'aspect famélique et négligé qui agitait le poing comme s'il essayait ingénument de descendre d'une baffe l'avion irrévérencieux tout en couvrant d'insultes le pilote.

Le protagoniste de cette scène pittoresque (qui, des années plus tard, devait inspirer une scène identique, aujourd'hui classique, du film *King Kong*) n'était autre qu'Antonio Gaudi i Cornet, alors dans les derniers mois de sa vie, et cet affrontement inégal avait quelque chose d'allégorique : au *modern style* représenté par le célébrissime architecte avait succédé à l'époque, en Catalogne, un mouvement de tendance absolument différente appelé *noucentisme* ; le premier de ces mouvements avait les yeux tournés vers le passé, de préférence le Moyen Age ; le second, vers le futur ; celui-là était idéaliste et romantique ; celui-ci, matérialiste et sceptique. Les dévots du *noucentisme* se gaussaient de Gaudi et de son œuvre, qu'ils raillaient dans des caricatures et des articles cinglants. Le vieux génie souffrait, mais pas en silence ; avec les années, son caractère était devenu plus aigre et bizarre : il vivait désormais seul dans la crypte de la Sagrada Familia provisoirement transformée en atelier, entouré de statues colossales, de fleurons de pierre et d'ornements qui, faute de fonds, ne pouvaient être installés à l'endroit prévu, il dormait là sans ôter ses habits de tous les jours, qu'il portait ensuite à l'état de guenilles ; il respirait cet air imprégné de ciment et de plâtre. Le matin, il faisait de la gymnastique suédoise ; puis il écoutait la messe et communiait, mangeait une poignée de noisettes, une botte de luzerne ou quelques baies, et se plongeait dans cette œuvre anachronique et impossible. Quand quelqu'un venait la visiter, il sautait de l'échafaudage avec une agilité qui n'était pas de son âge et courait à sa rencontre chapeau à la main : il demandait l'aumône comme un mendigot pour pouvoir continuer son œuvre ne serait-ce que quelques jours de plus. Dans ce rêve, il brûlait ses derniers jours. Pour une peseta, il lançait en l'air une de ces noisettes qui constituaient sa principale nourriture et, faisant un prodigieux saut en arrière, le dos arqué et les genoux fléchis, il la rattrapait dans sa bouche. Son visage se transformait, son enthousiasme était contagieux. Parfois on devait le sortir d'une flaque de mortier frais. En privé, entre amis, il ne pouvait dissimuler son découragement. « Le progrès et moi nous sommes en guerre, leur disait-il, et j'ai bien peur d'être celui qui va être battu. » Finalement, il fut écrasé par un tramway électrique à l'angle de la calle Bailén avec la Gran Vía. Il mourut des suites de cet accident absurde à l'hôpital de la Santa Cruz.

Un autre des problèmes qui préoccupaient les ingénieurs aéronautiques était ce qu'on appela ensuite l'autonomie de vol. A quoi sert de voler si en volant on ne peut aller nulle part ? se disaient-ils. Pour résoudre ce problème, on faisait des réservoirs de carburant si grands que leur poids lestait les avions, leur interdisant de décoller ; ce défaut à son tour était compensé en allégeant le fuselage : à la fin, les pilotes volaient littéralement assis sur des réservoirs de produit hautement inflammable. Désormais, ils ne craignaient plus les coups sur la tête et les fractures, mais les brûlures douloureuses et irréversibles. La qualité du carburant s'améliorait aussi à pas de géant : on raffinait l'essence et on faisait des mélanges qui augmentaient son rendement. Ces expérimentations n'étaient pas stériles : le 27 mai 1927, Charles Lindbergh, un aviateur américain, accomplit en solitaire et sans escale le vol New York-Paris. Les possibilités ouvertes par cet exploit étaient illimitées. Peu après, le 9 mars 1928, une femme, Lady Bailey, partit de Croydon, en Angleterre, aux commandes d'une avionnette de Havilland Moth équipée d'un moteur de cent chevaux ; passant par Paris, Naples, Malte, Le Caire, Khartoum, Tabora, Livingstone et Bloemfontein, elle parvint au Cap le 30 avril ; là, elle se reposa quelques jours et prit le chemin du retour le 12 mai ; après avoir touché Bandundo, Niamey, Gao, Dakar, Casablanca, Malaga, Barcelone et de nouveau Paris, elle atterrit à Croydon, d'où elle était partie dix mois avant, le 10 janvier 1929. En Espagne non plus, l'industrie aéronautique n'était pas restée à la traîne : la guerre du Maroc avait stimulé son développement comme la Grande Guerre l'avait fait auparavant dans les pays belligérants. En 1926, Franco, Ruiz de Alda, Durán et Rada couvrirent à bord du *Plus Ultra* la distance de Palos de Moguer à Buenos Aires entre le 22 janvier et le 10 février ; cette même année, Lóriga et Gallarza reliaient sur un sesquiplan [1] Madrid à Manille entre le 5 avril et le 13 mai, et la patrouille Atlántida, commandée par Llorente, faisait l'aller et retour de Melilla à la Guinée espagnole en quinze jours, du 10 au 25 décembre. Chaque vol représentait un pas de géant vers un lendemain plein de promesses, mais à chaque pas surgissaient aussi des problèmes nouveaux : les boussoles devenaient folles en changeant sans transition d'hémisphère, la cartographie traditionnelle ne répondait pas aux nécessités de la navigation aérienne ; il fallait continuellement perfectionner les altimètres, cathétomètres, baromètres, anémomètres, radiogoniomètres, etc. Il fallait adapter non seulement les instruments, mais l'habillement, l'alimentation et beaucoup d'autres choses aux conditions nouvelles. De même était-il maintenant nécessaire de pouvoir pronostiquer avec exactitude les variations atmosphériques : une tempête ou une trombe pouvaient être fatales à un avion et

1. Cet appareil, qui n'est pas spécifiquement catalan, est un biplan dont l'aile inférieure est moitié moins longue que l'aile supérieure.

son équipage. Si un train ou une automobile étaient surpris par ces accidents météorologiques, ils pouvaient suspendre leur marche, un bateau pouvait mettre à la cape dans la tempête, mais un avion en plein vol, à des centaines de lieues de l'aérodrome le plus proche, et avec un volume de carburant limité, que pouvait-il faire, face à une circonstance de ce type ? Les savants se creusaient les méninges à essayer de contrecarrer l'impondérable. Ils mettaient un intérêt renouvelé à étudier l'anatomie de certains insectes volants, dont ils enviaient l'habileté à se poser sans complication majeure sur la surface minuscule d'un pistil : un avion au contraire avait besoin d'une grande surface, horizontale et lisse, pour atterrir sans s'écraser. Cela était dû au fait que l'atterrissage ne pouvait se faire à une vitesse inférieure à cent kilomètres à l'heure : dans ces avions, translation et sustentation n'étaient pas deux choses indépendantes.

Onofre Bouvila finit d'écouter distraitement les explications de l'inventeur ; puis il pressa la sonnette. Quand le majordome se présenta dans la bibliothèque, il lui dit d'ajouter quelques bûches à celles qui brûlaient dans la cheminée. Enfermé en lui-même, il suivait les mouvements du majordome.

— Je vois que ma proposition ne vous a pas entièrement convaincu, dit Santiago Belltall une fois que le majordome les eut de nouveau laissés seuls.

Ce commentaire banal parut tirer brusquement Onofre Bouvila de sa méditation. Il regarda l'inventeur comme s'il le voyait pour la première fois.

— Elle ne m'intéresse pas, tout simplement », dit-il froidement. Son soliloque intérieur l'avait entraîné très loin; à présent, il désirait seulement se débarrasser de la présence de l'inventeur. « Je ne dis pas que l'idée ne soit pas intéressante », ajouta-t-il lorsqu'il lut le désarroi sur son visage : son apparente attention initiale lui avait fait concevoir de faux espoirs. « Il est d'ailleurs possible que dans le futur moi-même… ajouta-t-il mécaniquement, sans même se donner la peine de terminer sa phrase.

Pendant les semaines qui suivirent cette entrevue, il eut à plusieurs reprises des nouvelles de Santiago Belltall. L'inventeur avait proposé son projet à d'autres personnes; il avait également été voir des entreprises et des organismes d'État. Nulle part il n'obtint plus que des bonnes paroles et de vagues promesses. Nous étudierons l'affaire avec l'intérêt qu'elle mérite sans aucun doute, lui disait-on. Il sut par ses hommes que les deux Belltall, le père et la fille, vivaient dans un appartement sous-loué de la calle Sepúlveda. On disait d'eux dans le voisinage qu'ils n'avaient pas toute leur tête, que c'étaient des inutiles et qu'ils n'avaient pas un réal. Sachant que quelque chose arriverait tôt ou tard, il décida d'attendre. Finalement, une après-midi plombée, le majordome lui annonça une visite ; au loin roulait l'écho du tonnerre.

— C'est une demoiselle et elle dit qu'elle désire parler avec Monsieur en particulier, dit le majordome sur un ton neutre.

Ce ton n'empêcha pas qu'un frisson lui parcourût l'épine dorsale.

— Fais-la entrer et veille à ce que personne ne me dérange », dit-il en tournant le dos à la porte, comme s'il voulait cacher son trouble. « Attends, ajouta-t-il alors que le majordome se retirait pour exécuter ses instructions, dis aussi au chauffeur de ne pas se coucher tant que je ne l'y autorise pas et de tenir une voiture prête pour le cas où j'en aurais besoin à n'importe quelle heure.

Voyant qu'on n'allait pas lui donner d'autres ordres, le majordome sortit de la bibliothèque, ferma la porte derrière lui et se dirigea vers l'entrée.

— Si vous voulez bien m'accompagner, dit-il, Monsieur va vous recevoir à l'instant.

Elle non plus ne put éviter un tressaillement. Je sais ce qui va arriver, pensa-t-elle tout en suivant le majordome. Dieu veuille qu'il n'arrive rien d'autre.

Il la reconnut au moment même où il la vit entrer dans la bibliothèque précédée du majordome, il se souvint d'elle avec une précision alarmante, comme si, par l'effet de sa présence, les années qui séparaient cette première et très fugitive rencontre des retrouvailles d'aujourd'hui se fussent télescopiquement comprimées, comme si seulement quelques minutes eussent passé, le laps de temps nécessaire pour qu'il ait eu à l'instant ce sentiment rétroactif d'une absence douloureuse, à peine plus qu'un léger songe, ce qu'en ce moment, pensa-t-il, ma vie entière semble avoir été.

Elle dit :

— Je suis María Belltall.

— Je sais très bien qui vous êtes, lui dit-il. Il fait chaud dans cette pièce, ajouta-t-il pour combattre le silence, je garde toujours la cheminée allumée ; j'ai été malade il y a quelques mois, et les médecins m'obligent à me surveiller excessivement. Asseyez-vous et dites-moi à quoi je dois votre visite.

Elle choisit une chaise après une brève hésitation : comme elle portait une jupe très courte, dans l'un des fauteuils de la bibliothèque elle aurait dû adopter une posture artificielle et même ridicule. A cette époque, l'ourlet de la jupe, qui avait décollé en 1916 de l'empeigne de la chaussure pour entreprendre, avec la régularité d'un escargot, l'ascension du mollet, arrivait au genou; il devait y rester fixé jusqu'aux années soixante. Cette diminution de la longueur des jupes avait entraîné une certaine panique dans l'industrie textile, épine dorsale de la Catalogne. Ces craintes, cependant, se révélèrent infondées : si les vêtements requéraient à présent moins de toile pour leur confection, la garde-robe féminine s'était démesurément gonflée en conséquence de la participation croissante de la femme à la vie publique, au travail, au sport, etc. Tout dans la mode avait changé : les sacs, les gants, les chaussures, les chapeaux, les bas et la coiffure. Les bijoux se portaient peu, les éventails avaient été momentanément proscrits. Quand elle croisa les jambes, il ne put s'empêcher de remarquer les bas de gaze transparente, ni de s'interroger sur la signification de ce geste.

— Ne croyez pas, commença María Belltall, que je viens sur les pas de mon père; nous ne formons pas un tandem, comme on dit des personnes qui agissent de cette façon. Je sais qu'il est venu vous voir, simplement, je suppose que c'est pour vous proposer sa dernière invention. Je viens seulement vous dire ceci : que mon père n'est pas un escroc, ni un charlatan, ni un idiot, comme son apparence aurait pu vous inciter à le croire. En réalité, c'est un vrai savant, avec une formation d'autodidacte mais solide et véritable, un travailleur infatigable et honnête et un homme de talent. Ses inventions ne sont pas des fantaisies ni des exagérations. Je sais qu'une chose est de dire ça, autre chose de le démontrer; et venant de moi, qui suis sa fille, ce que je dis ne vous paraîtra pas digne de foi. En réalité, je suis ici contre toute logique, simplement parce que les choses ne vont pas bien pour nous; elles n'ont jamais été bien, mais ces derniers temps notre situation est quasi désespérée. Nous n'avons pas de quoi payer le logement ni la nourriture, pas de quoi subsister, tout simplement. Je ne vais pas dissimuler : je suis venue vous supplier. Mon père prend de l'âge; ce n'est pas vraiment cela qui me préoccupe : je peux travailler, de fait, il m'est arrivé de travailler; je peux gagner notre subsistance à tous deux. Mais je crois qu'il est temps qu'il ait une chance dans sa vie, qu'il n'ait pas à affronter la vieillesse en sachant que sa vie a été inutile. Ne me regardez pas ironiquement : je ne sais que trop que c'est le destin de tout le monde, mais ne me permettez-vous pas de me rebeller au nom de mon père?

A ces mots, elle se leva de sa chaise et fit quelques petits pas sur le tapis ; de son fauteuil, il voyait brûler les bûches de la cheminée à travers ses jambes. Finalement, elle s'assit et continua à parler sur un ton plus calme :

— Je suis venue vous voir parce que je sais que vous êtes la seule personne qui puisse à l'heure actuelle sortir mon père du gouffre dans lequel il se débat depuis trop longtemps. Je ne dis pas ceci dans le dessein de vous flatter : simplement, je sais que vous ne refusez pas les risques ; le fait qu'il y a des années vous lui ayez vous-même donné votre carte démontre ce que je dis : que l'inconnu ni le nouveau ne vous effraient. Depuis ce jour, ajouta-t-elle en rougissant légèrement, je me suis toujours souvenue de votre geste. En réalité, je ne vous demande rien : seulement que vous reconsidériez votre décision. Ne repoussez pas d'entrée ce que mon père a pu vous proposer : prenez-le en considération, faites examiner les plans par un spécialiste, consultez des techniciens en la matière, demandez-leur une expertise ; qu'ils disent si la chose vaut la peine ou non.

Elle se tut brusquement et resta immobile, raide, la respiration agitée. Cette agitation était due à l'anxiété dans laquelle la plongeait la supputation des réactions possibles de son interlocuteur : elle craignait qu'il ne la mette à la porte avec pertes et fracas, mais plus encore qu'il ne lui propose sans transition une reddition humiliante. Elle n'ignorait pas le risque qu'impliquait cette visite ; elle l'avait délibérément assumé. Ce qui l'effrayait, c'était la façon dont les choses devaient arriver. Bien que depuis des années elle fût convaincue que les circonstances l'avaient prédestinée à cette fin, elle ne savait comment elle devrait agir le moment venu ni comment ses sentiments interviendraient dans cette situation. En vérité, elle luttait pour éloigner de son esprit une image obsessionnelle : sa mère avait abandonné le foyer il y avait bien longtemps, elle ne gardait aucun souvenir d'elle. Depuis lors, cette mère inexistante avait été une présence continuelle dans son imagination ; toute sa vie s'était déroulée en compagnie d'une personne inexistante. Mais, à présent, lui se contentait de la regarder fixement. Elle se souvenait d'avoir déjà vu ce regard lorsqu'elle était enfant ; elle s'était sentie honteuse de tout : de son physique dégingandé, de ses vêtements loqueteux, des conditions pathétiques dans lesquelles ils vivaient. Néanmoins, elle avait remarqué ce regard. Lui, de son côté, se disait : Je me souvenais de ces yeux couleur de caramel, et je vois maintenant qu'ils sont gris.

2

Une légende récente raconte ceci : dans les premières années de ce siècle, le diable enleva un beau jour un financier barcelonais à son bureau et le porta à travers les airs jusqu'au promontoire de Montjuich ; comme le jour était clair, il vit de là tout Barcelone, du port à la sierra de Collcerola et du Prat au Besós ; la majeure partie des 13 989 942 mètres carrés que comprenait le plan Cerdá avaient alors été construits : l'*Ensanche* léchait à présent les lisières des villages voisins (ces villages dont les habitants se divertissaient autrefois à regarder les Barcelonais fourmiller dans les ruelles de leur minuscule cité, coincés par les murailles et surveillés par la masse lugubre de la Citadelle) ; la fumée des usines formait un rideau de tulle que faisait onduler la brise : à travers ce rideau, on pouvait entrevoir les champs du Maresme, de couleur émeraude, les plages dorées et la mer bleue et paisible, piquetée de barques de pêche. Le diable commença à dire :

— Je te donnerai tout ça si, en te prosternant à mes pieds...

Le financier ne le laissa pas terminer : habitué aux transactions qu'il faisait tous les jours à la Lonja, ce marché lui parut très avantageux et il n'hésita pas à le conclure sur-le-champ. Ce financier devait être obtus, myope ou sourd, parce qu'il ne comprit pas bien ce que le diable lui offrait en échange de son âme ; il crut que l'objet du troc était précisément le promontoire sur lequel ils se trouvaient ; dès que la vision cessa ou qu'il s'éveilla de son rêve, il commença à songer à la façon de tirer un profit de la colline. Elle était et est toujours abrupte, mais en général plaisante et ombragée ; y poussaient alors l'oranger, le laurier et le jasmin ; quand le château infâme qui la couronnait ne crachait pas sur la ville, pour une raison ou pour une autre, le feu, la mitraille et les bombes, les Barcelonais s'y rendaient en foule : autour de ses sources et fontaines, familles ouvrières, bonnes et soldats faisaient des repas champêtres. A force de penser, le financier finit par avoir une idée qu'il trouva géniale : Faisons une Exposition universelle à Montjuich, se dit-il. Une Exposition universelle qui ait autant de succès et rapporte autant de bénéfices que celle de 1888. On achevait alors d'éponger à force de sacrifices le déficit laissé par cette manifestation, et la ville gardait seulement le souvenir de la splendeur et des fêtes. L'*alcalde* accueillit l'initiative avec un enthousiasme non dénué de jalousie. *Caramba,* fichue bonne idée, pourquoi n'ai-je pas été le premier à l'avoir? pensait-il cependant que le financier lui exposait son plan. Un crédit fut aussitôt voté. La montagne de Montjuich fut fermée au public; les bois furent coupés, les sources canalisées ou obstruées à la dynamite; on fit des talus et on creusa les fondations de ce qui devait être les palais et les pavillons. Comme la fois d'avant, les écueils ne se firent pas attendre : le déclenchement de la Grande Guerre, d'abord, puis l'éternelle réticence du gouvernement de Madrid paralysèrent les travaux. A l'article de la mort, le financier put récupérer son âme d'entre les griffes du Malin grâce à l'intercession de saint Antoine, mais l'Exposition ne s'en releva pas. Il fallut attendre vingt années pour que la politique de travaux publics du général Primo de Rivera donne à l'idée un nouveau souffle. A présent, non seulement Montjuich mais la ville entière serviraient de scène à des projets colossaux : beaucoup d'édifices furent abattus, on dépava les rues pour y faire passer les voies du métro. L'aspect de Barcelone rappelait les tranchées de cette Grande Guerre qui avait fait avorter l'Exposition. Des milliers et des milliers d'ouvriers travaillaient sur ces chantiers : manœuvres et maçons venus de toutes les parties de la Péninsule, surtout du Sud. Ils arrivaient dans des trains surchargés sur les quais de la gare de France, récemment agrandie et rénovée. Comme toujours, la ville n'avait pas la capacité d'absorber cette crue. Faute de maisons, les immigrants se logeaient dans des taudis, appelés *barracas.* Les faubourgs de baraques poussaient du jour au lendemain dans les environs de la ville, sur les pentes de Montjuich, sur la rive du Besós, faubourgs immondes baptisés « la Mina », « el Campo de la Bota » ou « Pekín »[1]. L'inquiétant dans ce phénomène, le pire du *barraquismo,* c'était son caractère de permanence : la volonté des « baraquistes » de s'installer, de se sédentariser, sautait aux yeux. Aux fenêtres des baraques les plus misérables, on voyait des rideaux de guenilles; avec des pierres passées à la chaux, ils délimitaient des jardins où ils plantaient des tomates, avec des bidons de pétrole vides, ils faisaient des pots de fleurs dans lesquels poussaient géraniums rouges et blancs, persil et basilic. Pour remédier à cette situation, les autorités encourageaient et subventionnaient la construction de grands blocs de logements appelés « maisons bon marché ». Dans ce type de maison, il n'y avait pas que le loyer qui fût bon marché : les matériaux utilisés pour la construction étaient de piètre qualité, le ciment mélangé avec du sable ou des détritus, les poutres étaient parfois des traverses pourries mises au rebut par les chemins de fer, les cloisons étaient en carton ou en

1. « La Mine », « le Champ-de-la-Botte », « Pékin ».

papier mâché. Ces logements formaient des cités satellites où ne parvenaient pas l'eau courante, l'électricité, le téléphone ni le gaz ; il n'y avait pas non plus d'écoles, de centres d'assistance ni de loisirs, ni de végétation quelconque. Comme les transports publics n'y passaient pas, les habitants se déplaçaient à bicyclette. La pente prononcée des rues de Barcelone était exténuante pour les cyclistes, qui arrivaient épuisés au travail, où parfois ils mouraient. Les femmes et les nains préféraient le tricycle, plus confortable et sûr, mais moins léger et pratique. Dans les maisons bon marché, les installations étaient si déficientes qu'incendies et inondations était le lot de tous les jours. La presse quotidienne de l'époque abonde en nouvelles révélatrices, comme celle-ci : *Dans l'après-midi d'hier, mardi, Pantagruel Criado y Chopo, natif de Mula, province de Murcia, âgé de vingt-trois ans, aide maçon actuellement employé sur le chantier du pavillon d'Allemagne de l'Exposition universelle, exaspéré à la suite d'une discussion avec sa femme et sa belle-mère, donna un coup de poing dans le mur de la salle à manger-living de sa maison, qui s'écroula, le nommé Pantagruel Criado se retrouvant dans la chambre à coucher de ses voisins, Juan de la Cruz Marqués y López et Nicéfora García de Marqués, à qui il adressa des phrases inconvenantes. Dans le cours de la querelle qui s'ensuivit, toutes les cloisons de l'étage tombèrent successivement, les autres voisins intervinrent et ce fut la fin des haricots !* Plus brève est la manchette d'une chronique de faits divers de 1926 : *WC mortels : l'enfant tire la chaîne et prend le voisin du dessus sur la tête.* A ceux qui habitaient des baraques ou des maisons bon marché dans des conditions déplorables, il faut ajouter les sous-locataires. C'étaient les gens à qui les locataires légaux d'un logement permettaient d'en occuper une pièce (toujours la pire) et de faire un usage réduit de la cuisine et de la salle de bains moyennant l'acquittement d'une sous-location. Les sous-locataires, qui étaient plus de cent mille en 1927 à Barcelone, étaient probablement, de tous, ceux qui vivaient dans les meilleures conditions, mais aussi ceux qui, hormis de rares exceptions, souffraient le plus d'humiliations et d'avanies. C'était sur ces fondations de souffrance, d'appauvrissement et de rancœur que Barcelone construisait l'Exposition qui devait surprendre le monde.

Loin de Montjuich, dans sa chapelle noircie par la fumée des cierges, sainte Eulalie contemplait le panorama et pensait : quelle ville que celle-là, mon Dieu ! En effet, on ne pouvait dire que Barcelone eût été généreuse avec sainte Eulalie. Au IVe siècle de notre ère, alors qu'elle n'avait que douze ans et qu'elle se refusait à révérer les dieux païens, elle fut torturée d'abord et ensuite brûlée. Prudence nous rapporte qu'au moment où la sainte mourait une colombe blanche sortit de sa bouche et qu'une épaisse chute de neige couvrit subitement son corps. Pour cette raison, elle fut pendant de nombreuses années la patronne de la ville ; puis elle dut céder ce titre à la vierge de la Merced qui le porte encore. Comme si cette dégradation ne suffisait pas, on décida, plus tard, qu'en réalité la sainte Eulalie vierge et martyre, sous l'invocation de laquelle Barcelone était restée pendant plusieurs siècles, n'avait pas existé : elle n'était qu'une copie, une falsification d'une autre sainte Eulalie née à Merida en 304 et brûlée avec d'autres chrétiens pendant la persécution décrétée par Maximien. Les saints se paient notre tête, se dirent les Barcelonais, c'est comme ça. Finalement, même l'existence de la sainte Eulalie de Merida, l'authentique, dont nous célébrons la fête le 10 décembre, fut mise en doute. La statue de la sainte discréditée occupait à présent une chapelle latérale de la cathédrale de Barcelone, d'où elle méditait sur ce qui arrivait autour d'elle. Cela ne peut continuer ainsi, se dit-elle un jour. Aussi vrai que je m'appelle Eulalie, il faut que je fasse quelque chose. Elle demanda à sainte Lucie et au Christ de Lépante de cacher miraculeusement son absence, descendit de son piédestal, sortit dans la rue et se dirigea résolument vers l'*ayuntamiento,* où l'*alcalde* la reçut avec des sentiments mêlés : d'un côté, il se réjouissait de voir qu'il pouvait compter sur la solidarité de la sainte, mais, d'un autre, il craignait le jugement que pouvait lui valoir son administration.

— *Ay,* Darius, vous allez en faire, des bêtises, à vous tous, lui sortit sainte Eulalie.

Darius Rumeu i Freixa, baron de Viver, était *alcalde* depuis 1924.

— Le bazar était déjà engagé quand j'ai pris possession de la charge, dit-il en guise d'excuse. S'il n'avait tenu qu'à moi, il n'y aurait pas eu d'Exposition. » Cet *alcalde* n'était ni ne pouvait être un homme impétueux comme l'avait été Rius y Taulet, son illustre prédécesseur : Barcelone était à présent une ville énorme et complexe. « Ç'a été Primo et sa manie d'encourager les travaux publics, continua-t-il, une politique populaire que nous devons payer après, nous autres, que ça nous plaise ou pas. Par sa faute, la ville est pleine d'immigrants, infestée de gens du Sud. » Il se rappela soudain que, selon les spécialistes, la sainte elle-même venait du Sud, et il ajouta précipitamment : « Ne le prends pas mal, Eulalie, je n'ai rien contre personne ; pour moi, nous sommes tous égaux aux yeux de Dieu ; c'est que ça me fend l'âme quand je vois les conditions misérables dans lesquelles vivent ces infortunés, mais que puis-je faire ?

Sainte Eulalie secoua lentement la tête d'un air découragé.

— Je ne sais pas, dit-elle enfin, je ne sais pas. » Elle soupira profondément et ajouta : « Si au moins nous pouvions compter sur Onofre Bouvila !

Mais on ne pouvait pas compter sur lui pour le moment.

— Peut-être conviendrait-il que j'accompagne Monsieur, suggéra le chauffeur.

La calle Sepúlveda débouchait sur la plaza de España transformée pour l'heure en un épouvantable cratère : c'était là que commençaient les travaux de l'Exposition universelle ; de là partait l'avenida de la Reina María Cristina, bordée de palais et pavillons à demi-construits ; au centre de la place, on édifiait une fontaine monumentale et, à côté de la fontaine, la nouvelle station de métro. Des milliers d'ouvriers travaillaient sur ces chantiers. La nuit, ils revenaient à leurs baraques, à leurs maisons bon marché, à leurs sinistres appartements en sous-location. Certains d'entre eux, ceux qui n'avaient pas de foyer, passaient la nuit dans les rues proches de la place, à la belle étoile, enveloppés dans des couvertures pour les plus heureux, dans des feuilles de journaux pour les autres ; les enfants dormaient dans les bras de leurs pères ou de leurs frères ; les malades avaient été appuyés contre les murs des maisons dans l'attente de l'incertain soulagement qu'un jour nouveau pouvait apporter. On distinguait au loin le flamboiement d'un brasier, les ombres de ceux qui s'étaient regroupés autour. Une fumée basse portait l'odeur de la friture, en imprégnait vêtements et cheveux ; une guitare résonnait dans un coin. Onofre Bouvila dit au chauffeur de rester près de la voiture.

— Il ne m'arrivera rien, dit-il.

Il savait que ces parias n'étaient pas violents. Drapé dans un manteau noir à col de fourrure, en haut-de-forme et gants de chevreau, il déambulait tranquillement au milieu de la rue. Les parias l'observaient avec plus de curiosité que d'hostilité, comme s'il s'agissait d'un spectacle. Finalement, il s'arrêta devant une des maisons de la rue, une maison banale totalement dépourvue d'ornementation ; puis il frappa sur la porte des coups répétés avec le heurtoir. Montrant une pièce à la personne qui scrutait à travers le judas, il obtint qu'elle lui ouvre sans tarder. Une fois sous le porche, il resta quelques instants à chuchoter avec la vieille qui l'avait fait entrer. Elle n'avait pas une seule dent sur les gencives, que découvrait un rire silencieux. Il commença à monter cependant que la vieille, reconnaissante, se répandait en révérences et levait une lampe à huile pour lui permettre de distinguer les marches. A partir du premier tournant, il dut continuer à monter à tâtons, mais cela ne le ralentit ni ne le désorienta : il gardait encore ses vieilles habitudes de rôdeur nocturne. Il s'arrêta finalement à un palier et gratta une allumette ; à la lumière rapide de la petite flamme, il lut un numéro et frappa à une porte que ne tarda pas à ouvrir un homme malingre et mal rasé, vêtu d'une veste d'intérieur râpée sur un pyjama sale et fripé.

— Je viens voir don Santiago Belltall, dit-il avant que l'homme pût l'interroger sur la raison de sa présence.

— Ce ne sont pas des heures de visite, répliqua l'autre.

Il commençait à fermer la porte, mais Onofre l'ouvrit d'un énergique coup de pied ; de l'embout de sa canne, il frappa l'homme dans les côtes, le projeta contre le porte-parapluies de faïence qui se brisa en miettes en se renversant.

— Je ne vous ai pas demandé votre opinion et je n'ai pas envie de l'entendre, dit-il sans élever la voix. Allez dire à don Santiago Belltall qu'il vienne et, après, filez hors de ma vue.

Le petit homme se releva avec difficulté ; il cherchait en même temps dans son dos les extrémités de la ceinture de sa veste, qui s'était dénouée dans sa chute ; puis il disparut sans rien dire derrière un rideau qui séparait cette entrée du reste du logement. Au bout d'un très court instant parut Santiago Belltall, qui se confondit en excuses : il n'attendait aucune visite, dit-il, moins encore une visite d'une telle importance. Les conditions dans lesquelles il vivait... ajouta-t-il, laissant sa phrase en suspens. Onofre Bouvila suivit l'inventeur au long d'un couloir obscur jusqu'à une chambre de dimensions réduites. Cette chambre n'était aérée que par un vasistas donnant sur une cour intérieure couverte : l'atmosphère était épaisse. Il y avait deux grabats métalliques, une petite table avec deux chaises et un lampadaire ; les sous-locataires rangeaient leurs vêtements et leurs affaires dans plusieurs caisses de carton poussées contre les murs. Ces murs étaient couverts de plans que l'inventeur y avait fixés avec des punaises. María Belltall était assise à la table ; à la mauvaise lumière du lampadaire, elle raccommodait une chaussette à l'aide d'un œuf de bois. Pour se défendre du froid et de l'humidité qui régnaient dans toute la maison, elle avait jeté un fichu sur une robe de laine ordinaire et démodée ; des chaussettes de tricot et des chaussons de feutre complétaient son misérable vêtement. Cette mise faisait ressortir la maigreur de sa complexion, la couleur céruléenne de sa peau, que le maquillage avait cachée au cours de l'entrevue qu'ils avaient eue peu de jours auparavant. Sur cette pâleur tranchait la rougeur du nez, due à un rhume, le rhume chronique des Barcelonais. Comme il entrait dans la pièce, elle leva un instant les yeux de son ouvrage puis les baissa de nouveau ; cette fois, ils avaient retrouvé la couleur de caramel dont il croyait se souvenir.

— Pardonnez ce terrible désordre », dit l'inventeur, circulant nerveusement au milieu du mobilier et contribuant par ses gestes véhéments et son agitation à augmenter la sensation générale de chaos qu'on éprouvait ici. « Si nous avions su à l'avance que vous pensiez nous faire cet honneur, nous aurions au moins enlevé ces paperasses du mur. Oh, mais où ai-je la tête ! Je ne vous ai pas encore présenté ma fille, que vous ne connaissez pas. Ma fille María, monsieur. María, ce monsieur est don Onofre Bouvila, dont je t'ai déjà parlé ; il y a quelques jours, j'ai été chez lui lui faire des propositions qu'il a eu la bonté de considérer avec bienveillance.

Tous deux échangèrent un regard furtif qui aurait éveillé les soupçons de n'importe qui, mais qui passa inaperçu de l'inventeur. Celui-ci, étranger à tout, recueillait le chapeau, la canne, les gants et le pardessus de son visiteur et les disposait soigneusement sur un des grabats. Puis il approcha une des caisses de la table, offrit la chaise libre à Onofre Bouvila, s'assit aussitôt sur la caisse et entrecroisa ses doigts, prêt à entendre ce que l'autre pouvait avoir à leur dire. Lui, comme c'était son habitude, s'en fut droit au but, sans circonlocutions.

— J'ai décidé, commença-t-il, d'accepter cette proposition dont vous venez de parler. » D'un geste, il coupa court aux marques de reconnaissance et d'enthousiasme que l'inventeur, passé le premier moment de stupeur, s'apprêtait à exprimer. « Je veux simplement dire par là que je considère pour l'instant comme un risque raisonnable de mettre à votre disposition une somme déterminée qui vous permette de mener à bien les expériences que vous m'avez dites. Naturellement, cet accord n'est pas exempt de conditions. C'est précisément de ces conditions que je suis venu vous parler.

— Je suis tout ouïe, dit l'inventeur.

Si le baron de Viver, qui était monarchiste, recevait la visite de sainte Eulalie, le général Primo de Rivera, qui avait cessé de l'être par dépit, voyait de temps en temps apparaître un crabe en chapeau tyrolien. Abandonné de tous, mais réticent à l'idée de laisser le pouvoir en des mains étrangères, le dictateur plaçait à présent son espoir dans l'Exposition universelle de Barcelone.

— Quand j'ai pris en charge le gouvernement de l'Espagne, c'était une pétaudière, un pays de terroristes et de voleurs ; en quelques années, je l'ai transformée en une nation prospère et respectable ; nous avons du travail et la paix, et ceci se verra de façon irrécusable à l'Exposition universelle, là ceux qui me critiquent aujourd'hui devront baisser la tête, dit-il.

Le ministre des Travaux publics se permit de faire une observation :

— Ce plan de Votre Excellence, qui est magnifique, exige malheureusement des dépenses qui excéderaient nos possibilités, dit-il.

La chose était certaine : l'économie nationale s'était détériorée de façon effrayante pendant les dernières années, les réserves étaient épuisées et la cotation de la peseta sur les marchés extérieurs était un sujet de rigolade. Le dictateur se gratta le nez.

— Diantre, marmonna-t-il, je croyais que les frais de l'Exposition étaient à la charge des Catalans. Race d'avares ! ajouta-t-il entre ses dents, comme pour lui-même.

Avec un tact exquis, le ministre des Travaux publics lui fit comprendre que les Catalans, indépendamment de leurs qualités ou défauts, refusaient de dépenser un liard pour la plus grande gloire de qui n'avait de cesse de les maltraiter.

— Morbleu ! s'exclama Primo de Rivera, voilà une question épineuse ! Et si on déportait ceux qui renâclent ?

— Ils sont plusieurs millions, mon général, dit le ministre de l'Intérieur.

Le ministre des Travaux publics se réjouit de ce que le poids de la discussion retombe sur les épaules de son collègue de cabinet. Primo de Rivera frappa la table de ses poings.

— Je chie sur tous les portefeuilles ministériels ! », dit-il. Mais il n'était pas en colère, parce qu'il venait d'avoir une idée salvatrice : « C'est bien, voici ce que nous allons faire : nous subventionnerons une autre Exposition universelle dans une autre ville d'Espagne : Burgos, Pampelune, n'importe laquelle, c'est égal. » Voyant que les ministres le regardaient avec stupeur, il sourit d'un air malin et ajouta : « Nous n'aurons pas besoin de dépenser beaucoup pour ça : quand les Catalans s'en rendront compte, ils mettront les petits plats dans les grands, ils dépenseront sans compter pour que l'Exposition de Barcelone soit la plus belle.

Les ministres durent convenir que l'idée était bonne. Seul le ministre de l'Agriculture osa objecter quelque chose :

— Il y aura quelqu'un pour nous démasquer, pour mettre la manœuvre en évidence, dit-il.

— Celui-là, on le déportera, rugit le dictateur.

Les travaux de l'Exposition universelle de Barcelone avançaient désormais à toute vapeur ; une fois de plus, la dette rongeait les finances municipales. Montjuich était la blessure par laquelle l'économie de la ville perdait son sang. L'*alcalde* et tous ceux qui se montrèrent réticents à l'idée, tous ceux qui s'opposèrent au gaspillage, furent mis à l'écart sans ménagements et leurs attributions confiées à des fidèles de Primo de Rivera. Parmi eux, il y avait quelques spéculateurs qui profitèrent de l'absence de contrôle pour faire leur beurre. Les journaux ne pouvaient publier que des informations favorables et des commentaires positifs sur ce qui était en train de se faire ; sinon, ils étaient censurés, retirés des kiosques, leurs directeurs condamnés à de sévères amendes. Moyennant quoi, Montjuich se transformait peu à peu en une montagne magique. A présent s'y élevaient le palais de l'Électricité et de la Force motrice, celui du Vêtement et de l'Art textile, ceux des Arts industriels et appliqués, des Projections, des Arts graphiques, de l'Industrie de la Construction (appelé palais Alphonse XIII), du Travail, des Communications et des Transports, etc. Les débuts de leur construction remontaient à plusieurs dizaines d'années, à l'époque du *modern style;* leur aspect était maintenant choquant aux yeux des connaisseurs, ils faisaient mièvres et maniérés, de mauvais goût. A côté d'eux, par contraste, apparaissaient peu à peu les pavillons étrangers ; récemment conçus, ils reflétaient les tendances contemporaines de l'architecture et de l'esthétique. *Si d'autres Expositions ont été dédiées à un objet déterminé, comme l'Industrie, l'Énergie électrique ou les Transports, celle-ci pourrait bien être dédiée entièrement à la Vulgarité,* écrit un journaliste en 1927, peu de temps avant d'être déporté à la Gomera[1]. *Non contents d'être ruinés, nous allons passer pour des barbares mal dégrossis aux yeux de l'opinion mondiale,* concluait-il. Pourtant, ces fausses notes n'impressionnaient pas les promoteurs de la manifestation.

Pendant que ces événements se déroulaient autour de l'Exposition universelle, sur une autre colline, séparée de Montjuich par l'étendue de la ville entière, Onofre Bouvila était confronté à lui-même dans le jardin de sa demeure. Comment ? se disait-il, amoureux, moi ? Et à mon âge ! Non, non, c'est impossible... Et pourtant, si, c'est possible, et le fait même que ce soit possible m'emplit d'euphorie. Ah, qui me l'eût dit ! En pensant cela, il riait sous cape ; pour la première fois de sa vie, il se voyait lui-même avec tendresse : cela lui permettait de rire de ses propres tribulations. Puis le sourire s'effaçait de ses lèvres et il fronçait les sourcils : il ne comprenait pas comment cela avait pu lui

1. Ile volcanique du groupe occidental des Canaries.

arriver, le miracle qui semblait s'être produit dans son âme le plongeait dans la perplexité. Quelle influence irrésistible a bien pu exercer sur moi cette petite bonne femme ? se demandait-il. Ce n'est pas que physiquement elle ne soit pas attirante, continuait-il à argumenter avec un interlocuteur invisible, mais enfin je dois avouer franchement qu'elle n'en jette pas non plus tellement. Et, quand ça serait le cas, pourquoi devrais-je aller m'enflammer comme ça ? Dans ma vie n'ont pas manqué les femmes fracassantes, les véritables femelles qui faisaient s'arrêter la circulation sur leur passage ; avec mon argent, ça ne m'a jamais été difficile d'acheter la beauté, d'obtenir le fin du fin. Pourtant, je n'ai jamais senti au fond pour ces femmes autre chose que du mépris. Celle-ci, au contraire, m'inspire un sentiment d'humilité qui me surprend moi-même, que je ne m'explique pas : quand elle me parle, me sourit ou me regarde, je suis si heureux que ce que j'éprouve pour elle est plus de la gratitude qu'autre chose. Quand il se faisait ces considérations, il croyait que cette humilité le rachetait de tout son égoïsme. Il est certain, pensait-il en passant sa vie en revue, qu'il y a eu des occasions où j'ai agi de façon peu catholique ; Dieu sait qu'il y a des pages de ma vie à propos desquelles je devrai rendre des comptes détaillés, et, si personne ne peut dire que j'ai tué un être humain de mes propres mains, certaines personnes sont mortes directement ou indirectement de mon fait. D'autres ont été malheureuses et pourraient peut-être m'imputer leur malheur. Oh, comme il est terrible de piger cela maintenant, quand il est déjà trop tard pour le repentir et la réconciliation ! Prenant subitement conscience de cela, il tomba au sol, comme foudroyé par un éclair. L'air était tranquille, le soleil étincelait sur la surface immobile du lac artificiel, et ce flamboiement donnait au plumage blanc des cygnes une luminosité aveuglante. L'esprit troublé, il était prêt à voir dans ces cygnes fluorescents des émissaires du Très-Haut envoyés pour lui transmettre un message de miséricorde et d'espérance. Il y aura plus de joie dans le ciel pour un seul pécheur qui se convertit que pour quatre-vingt-dix-neuf justes qui n'ont pas besoin de conversion, semblaient-ils venus lui rappeler. Ébranlé par cette idée, il se plongea le front dans le gazon et murmura : « Pardon, pardon. J'ai été stupide et cruel et je n'ai pas d'excuse, rien n'atténue ma culpabilité. » Devant les yeux de sa conscience, comme s'il feuilletait un album de portraits, défilaient les visages accusateurs d'Odón Mostaza, de don Alexandre Canals i Formiga et de son fils, le pauvre Nicolau Canals i Rataplán, de Joan Sicart et d'Arnau Puncella, du général Osorio, ex-gouverneur de Luçon, et aussi ceux de sa femme et de ses filles, de Delfina et du señor Braulio, de son père et de sa mère et même celui de son frère Joan : toutes ces personnes et énormément d'autres dont il n'avait jamais vu ni ne verrait les visages, il les avait sacrifiées à son ambition et à sa vésanie, toutes avaient été victimes de sa soif injustifiée de vengeance, avaient souffert sans nécessité pour lui procurer un moment la saveur aigre-douce de la victoire. Y aura-t-il dans tout le ciel assez de magnanimité pour pardonner au monstre que j'ai été toutes ces années ? pensa-t-il en sentant les larmes lutter pour jaillir à torrents entre ses paupières fermées. A peine venait-il de formuler cette pensée qu'il sentit des petits coups sur l'épaule. Sachant qu'il était seul dans le jardin, il sursauta à ce contact : il n'osait pas décoller les paupières, il craignait, s'il le faisait, de se trouver en présence d'un ange majestueux, un ange avec une épée de feu. Quand finalement il ouvrit les yeux, il vit que c'était en réalité un cygne qui lui donnait ces petits coups avec son bec ; étonné par la présence de cet individu inconnu qui gisait roulé en boule et immobile au bord du lac, le cygne était sorti de l'eau et s'était approché, peut-être délégué par les autres, pour voir de quoi il s'agissait. Onofre Bouvila se releva brusquement et le cygne, effrayé, battit en retraite. Vue de derrière, sa démarche ne pouvait être plus grotesque ; les cris qu'il poussait étaient aussi aigres et désagréables. Indigné de s'être laissé impressionner par un animal si peu gracieux, il atteignit le cygne avant que celui-ci pût se réfugier dans son élément et lui allongea un coup de pied de toutes ses forces. Le cygne décrivit une parabole et tomba dans l'eau où il resta tête et cou immergés et croupion à flot, cependant que la surface, agitée par l'impact, retrouvait peu à peu son immobilité et que des plumes blanches venaient s'y poser. Onofre Bouvila secoua les brins d'herbe qui s'étaient accrochés à ses habits et, sans s'attarder à chercher si le cygne revivait ou s'il avait succombé, il continua son chemin. L'incident l'avait fait revenir à la réalité ; la vision douloureuse de ses fautes s'était évanouie, à sa place régnait de nouveau la logique implacable et partisane qu'il avait toujours appliquée à toutes choses. Bah, se dit-il, pourquoi est-ce que je me culpabilise ? Si quelqu'un pouvait m'entendre, il penserait qu'il n'y a pas au monde d'autre cause de chagrin que moi. Allons donc, rien de plus faux, dit-il à son adversaire imaginaire, les gens étaient malheureux avant que je naisse et ils continueront à l'être quand je serai mort. Il est vrai que j'ai causé le malheur de certains, mais est-ce que j'ai été la véritable cause de ce malheur, ou bien un simple agent de la fatalité ? Si je n'avais pas croisé le chemin d'Odón Mostaza, ce barbeau assassin aurait-il eu une fin moins tragique ? Il n'était peut-être pas déjà du gibier de potence alors que je n'étais pas né ? Et Delfina, qu'est-ce que le destin lui aurait réservé si je n'étais pas apparu un beau jour dans la pension de ses parents ? Elle aurait sans doute fait la souillon tous les jours de sa vie, elle se serait mariée dans le meilleur des cas avec un fainéant brutal et alcoolisé qui aurait passé son temps à la frapper et l'aurait fait crever à force de travail et d'enfants. Bon Dieu ! Au moins, avec moi, tous ces rats d'égout ont eu leur chance, ils ont pu jouir à mes frais d'un moment de gloire. Une explosion étouffée mais proche interrompit le cours de ses pensées. Elle fut suivie d'autres explosions en chaîne. Les oiseaux qui nichaient dans les arbres du bois s'envolèrent : mêlés en une bande hétérogène, ils décrivaient des cercles en altitude, menant grand tapage. Onofre Bouvila sourit de nouveau : « Comme ce pauvre malheureux, sans aller plus loin », ajouta-t-il à mi-voix. Son sourire eut bientôt perdu la béatitude qui le caractérisait un instant avant.

Laissant le lac derrière lui, il marcha en direction du lieu d'où provenaient les explosions. Il quitta délibérément le pré agréable et bien entretenu pour s'enfoncer dans le bois, dont les arbres lui permettaient d'avancer à couvert. Arrivé à la lisière du bois, il s'arrêta pour observer sans être vu l'activité qui se déroulait à peu de distance de sa cachette : il y avait là un chapiteau de cirque où entraient et d'où sortaient continuellement des individus ayant la tenue et l'apparence de mécaniciens. A l'entrée du tunnel de bâches qui donnait accès au chapiteau, et où l'on pouvait voir encore des restes de banderoles et d'oriflammes, deux gardes armés contrôlaient les entrées et sorties de ces mécaniciens. Quoique le chapiteau les lui cachât, il savait que de l'autre côté se dressaient des hangars abritant une machinerie très compliquée. Cette machinerie n'avait d'autre objet que de fournir l'énergie motrice pour l'outillage électrique qui bourdonnait et grinçait à l'intérieur de la tente. Naturellement, il eût été plus simple et beaucoup moins coûteux d'obtenir cette énergie de la compagnie pourvoyeuse de fluide électrique, mais cela eût interdit de garder secrets les travaux qui s'accomplissaient ici. C'est pour cela qu'avaient été construits les hangars protégeant de la curiosité extérieure les générateurs achetés dans différents pays par l'entremise de sociétés anonymes constituées à cette seule fin, introduits en contrebande en Catalogne et acheminés à bon port en cachette et pièce par pièce. De même le charbon qui les alimentait, et dont les réserves étaient stockées dans des silos creusés sous le pré, le bois et le lac, avait-il été transporté par petites quantités. C'est ainsi enfin qu'avaient été réunis l'outillage et les matériaux nécessaires au projet. Plus délicat avait été le recrutement du personnel. Si le flot d'immigrants avait permis de sélectionner et d'embaucher les ouvriers de la façon la plus cachée et discrète, les spécialistes, techniciens et ingénieurs, dont la disparition soudaine de leur travail, et de la vie publique en général, eût été très difficile à expliquer, avaient posé des problèmes qu'on avait dû résoudre spécifiquement cas par cas. Certains avaient été embauchés à l'étranger ; d'autres, tirés de la retraite à laquelle diverses circonstances les avaient contraints ; à d'autres, enfin, on avait envoyé de fausses propositions d'universités américaines. Ceux qui acceptaient ces propositions recevaient peu de temps après un billet de première classe sur un paquebot. Quand le bateau sur lequel ils voyageaient franchissait la limite des eaux territoriales espagnoles, ces prestigieux ingénieurs étaient tirés de leur cabine à la pointe d'un canon de pistolet et embarqués dans une vedette rapide qui les ramenait à terre. Là une automobile les menait au domaine, où ils étaient informés du motif de la mystification et de l'enlèvement, de la nature du travail auquel on les avait destinés, du caractère transitoire de cette situation anormale et des émoluments considérables qui rétribueraient leur collaboration et les dédommageraient des tracas encourus. Ils se montraient tous enchantés par ce dénouement heureux de l'aventure. La méthode, néanmoins, se révélait lente, compliquée et chère. Mais on n'avait pas lésiné sur les frais pour mener à bien le projet. Il n'y avait que le chapiteau qu'on avait pu acheter à un prix intéressant à un cirque dont les membres avaient été décimés, dans le sud de l'Italie, par une épidémie de choléra. Cette hécatombe avait obligé les seuls survivants, une femme à barbe, une *écuyère** et un plieur de fer, à dissoudre la compagnie et à brader le matériel. A présent, ces trois personnages fantastiques, qu'il avait fallu embaucher et faire venir pour qu'ils montrent comment monter et assurer le chapiteau, erraient aussi dans le domaine, accoutrés de maillots et de slips pailletés, exerçant comme ils le pouvaient leurs talents et répandant parmi tous le désarroi et parfois la frayeur.

Il évoquait dans sa mémoire cette suite d'anecdotes pittoresques lorsqu'il la vit sortir du chapiteau. Elle portait une jupe rose, ample et si courte qu'en marchant elle découvrait le genou ; plus haut, les plis du tissu dessinaient le contour des cuisses, attirant le regard des mécaniciens et rendant frénétique Onofre Bouvila. Le reste de son habillement était simple et sage. Je devrais lui faire une observation à ce propos, pensa-t-il le cœur battant, épiant tantôt elle et tantôt les mécaniciens. Éblouie par la lumière du soleil, elle s'arrêta quelques instants, les yeux mi-clos, à l'entrée du chapiteau ; de ses doigts, elle arrangeait sa chevelure, elle se mit un feutre à larges bords. Puis elle se dirigea vers le bois où il se trouvait sans raison apparente. Ciel, pensa-t-il en se cachant entièrement derrière le tronc d'un chêne, pourvu qu'elle ne me voie pas. Depuis plusieurs mois que María Belltall et son père étaient installés au domaine, il n'avait pas échangé avec elle plus de deux ou trois phrases protocolaires. Il prétendait ainsi montrer clairement que tout son intérêt tournait autour du projet de l'inventeur, sur les indications de qui s'était développé ce complexe industriel très particulier, et avec qui en revanche il avait d'interminables conversations. Depuis le début, Santiago Belltall et sa fille avaient occupé un des pavillons de chasse anciennement construits dans le jardin, complètement séparés de la maison. On y avait aménagé pour eux un logement indépendant, muni de toutes les commodités, mais sans le luxe qui eût pu dévoiler les mobiles occultes d'Onofre Bouvila, la raison véritable qui l'avait décidé à s'embarquer aussi résolument dans un projet insensé. Il n'avait plus mis les pieds dans ce logement (dont il avait choisi lui-même, avec le soin le plus attentif, la décoration et le mobilier) depuis que Santiago et María Belltall l'occupaient : un messager convoquait l'inventeur à la bibliothèque lorsqu'ils devaient se voir tous les deux. Le caractère secret du projet interdisait que ceux qui y travaillaient quittassent la maison : grâce à quoi, il savait qu'elle était toujours là, que, pour inexistante que fût leur relation, elle n'appartenait à personne d'autre ; ils partageaient tous les deux un terrain commun, ils cohabitaient sur un domaine qui était sa propriété. Cela suffisait pour lui faire sentir qu'elle aussi était à lui, avec ça il était heureux pour le moment. En cachette, comme pour l'instant, il épiait tous ses mouvements. Comme c'est étrange ! pensait-il, blotti derrière le chêne, admirant sa démarche gracieuse, sa sveltesse et son allure, quand j'étais jeune j'avais la vie entière devant moi ; tout, alors, me semblait urgent. Maintenant, en revanche, alors que le temps s'en va à tire-d'aile, je ne suis pas pressé. J'ai appris à attendre, pensa-t-il, maintenant seulement je trouve du sens à l'attente. Et pourtant c'est maintenant que les choses se précipitent. Il regarda le ciel et le vit paradoxalement bleu, sans nuages. Il se souvint que la veille il avait visité les chantiers de l'Exposition universelle. Il y était tombé par hasard sur le marquis d'Ut, qu'il n'avait pas vu depuis longtemps. Le marquis était membre du Conseil de l'Exposition et l'homme de confiance de Primo de Rivera à Barcelone. C'était lui qui recevait des instructions de Madrid et les exécutait dans le dos de l'*alcalde*. En échange de cette loyauté, il se livrait à des trafics peu clairs dans l'impunité la plus absolue. Le marquis fit la grimace quand il vit apparaître Onofre Bouvila dans l'enceinte : l'amitié qui avait existé en d'autres temps entre Onofre et lui s'était transformée en ressentiment de la part du premier et en défiance réciproque. Néanmoins, extérieurement, ils respectaient les apparences.

— *Chico,* quelle bonne mine tu as ! s'exclama le marquis en l'étreignant. J'ai su que tu avais été patraque, mais je vois avec plaisir que tu es complètement remis. Et aussi jeune que toujours !

— Tu as l'air très bien aussi, dit Onofre Bouvila.

— On croit ça, on croit ça... dit le marquis.

Ils marchaient tous les deux se tenant par le bras, évitant les fossés et les tas de gravats, traversant les excavations sur des planches qui ployaient sous leur poids. Pendant cette promenade, le marquis faisait remarquer à son compagnon les caractéristiques les plus remarquables de tout cela : palais, pavillons, restaurants et services, etc. Sans dissimuler son orgueil, il lui montra aussi les travaux du stade. Cette construction, ajoutée après coup au plan général, avait une surface de 46 225 mètres carrés et était destinée aux manifestations sportives, expliqua le marquis. Depuis que l'idéologie fasciste s'était répandue en Europe, tous les gouvernements encourageaient la pratique du sport et l'assistance massive aux compétitions sportives. Avec cette mode, les nations essayaient d'imiter l'empire romain, dont elles prenaient les usages pour anachronique modèle. C'étaient maintenant les victoires sportives qui symbolisaient la grandeur des peuples. Le sport n'était plus dorénavant une activité des classes oisives ni un privilège des riches, mais le mode naturel de détente de la population urbaine ; politiciens et penseurs y voyaient un moyen d'améliorer la race.

— L'athlète est l'idole de notre temps, le miroir dans lequel se regarde la jeunesse, dit le marquis.

Onofre Bouvila se montra d'accord avec cette théorie :

— J'en suis convaincu, dit-il suavement. Puis ils visitèrent le théâtre grec, le village espagnol et la trame très compliquée de tuyaux et de câbles, de dynamos et de tuyères qui devaient alimenter et mouvoir le jet d'eau lumineux. Ce jet d'eau devait être l'attraction principale, la curiosité la plus remarquée et commentée de l'Exposition, comme la Fontaine magique l'avait été de l'Exposition précédente. Il était situé sur une butte, si bien qu'on pouvait le voir de n'importe quelle partie de l'enceinte ; il consistait en un bassin de cinquante mètres de diamètre, d'une capacité de 3 200 mètres cubes, et en plusieurs jets d'eau proprement dits : 3 000 litres d'eau actionnés par cinq pompes de 1 175 chevaux et éclairés par 1 300 kilowatts d'énergie électrique, qui rendaient possibles de continuels changements de forme et de couleur. Le jet d'eau et les fontaines alignées de chaque côté de la promenade centrale de l'Exposition utilisaient en deux heures autant d'eau qu'il s'en consommait en un jour entier dans tout Barcelone, dit le marquis.

— Quand et où a-t-on vu chose si grande ? demanda-t-il.

Onofre Bouvila fut d'accord sans la moindre réserve avec le marquis d'Ut. Tant d'inconditionnelle approbation et tant d'intérêt éveillèrent les soupçons de ce dernier. Qu'est-ce que ce vieux renard est vraiment venu faire ? se demandait-il en lui-même. Et à quoi est dû véritablement ce soudain enthousiasme ? Mais, il avait beau réfléchir, il ne trouvait pas la clef de ce mystère. Il ne pouvait savoir que, deux semaines auparavant, une étrange délégation s'était présentée à l'un des bureaux de l'organisation de l'Exposition. Cette délégation était composée d'un homme et d'une dame vêtus avec une discrète élégance, qui agissaient avec circonspection et parlaient avec un accent étranger. Ils dirent à l'employé qui les reçut qu'ils représentaient une entreprise manufacturière de grande envergure, un consortium international dont l'employé n'avait jamais entendu le nom, mais de l'existence duquel les documents qu'ils lui présentèrent sans attendre sa demande ne lui permettaient pas de douter. Ceci ne l'empêcha pas de remarquer avec étonnement qu'une barbe fournie dépassait de la voilette sous laquelle la dame avait tenu caché son visage durant toute l'entrevue. Naturellement, il s'abstint de commenter le fait. De son côté, l'homme, qui avait à peine desserré les lèvres, n'avait pas cessé en revanche d'observer avec une expression de férocité les mouvements et réactions de l'employé. Celui-ci devait se souvenir ensuite qu'il était d'une complexion robuste, attestant une force extraordinaire. Cette suite de détails ne provoqua aucun soupçon chez l'employé : depuis qu'il avait été affecté à ce poste, il avait traité avec beaucoup d'étrangers et il s'était habitué aux physionomies jamais vues et aux comportements étranges. S'acquittant strictement de ses fonctions, il leur demanda en quoi il pouvait leur être utile ; ils répondirent qu'ils venaient demander les autorisations nécessaires pour installer un pavillon dans l'enceinte de l'Exposition universelle.

— Notre entreprise se propose de présenter dans ce pavillon ses machines et ses fabrications, dit la dame. Il y aura aussi des panneaux de bois ou des portes coulissantes sur lesquels notre organigramme sera détaillé au public, ajouta-t-elle.

L'employé leur indiqua que les entreprises étrangères ne pouvaient participer à la rencontre que dans les pavillons de leurs pays respectifs.

— Si nous accordions une autorisation à une entreprise, dit l'employé, il faudrait aussi en accorder à toutes celles qui en feraient la demande ; l'organisation d'une Exposition universelle revêt une extrême complexité qui ne permet ni exceptions ni privilèges, conclut-il.

Pour qu'ils voient qu'il ne parlait pas pour parler, il montra un livre qu'il avait sur sa table ; c'était le catalogue des exposants, et il comptait neuf cent quatre-vingt-quatre pages. L'homme prit le livre entre ses mains et le déchira en deux sans effort apparent.

— Je suis sûre que nous pourrons finalement aplanir toutes les difficultés, dit la dame en même temps.

D'une main, elle se lissait la barbe et, de l'autre, elle ouvrit puis ferma son sac noir. L'employé vit qu'il était plein de billets de banque et comprit qu'il ferait bien de se taire. A présent, le pavillon de cette entreprise inconnue dressait sa charpente sur un des côtés de l'enceinte, initialement assigné au pavillon des Missions, qu'il avait fallu déplacer. Ce nouveau pavillon, dont la forme, à mesure que les travaux avançaient, ressemblait de plus en plus à celle d'un chapiteau de cirque, était situé sur la place de l'Univers, juste à côté de l'avenida Rius y Taulet. Le lieu était excellent, car il permettait, en empruntant un terrassement (qui est maintenant la calle Lérida), d'entrer et sortir par-derrière, dans le plus grand secret. Des individus à la mine torve rôdaient à toute heure dans les alentours du pavillon ; leur fonction était d'empêcher quiconque d'en approcher ; leur aspect menaçant éloignait les curieux et dissuadait même les inspecteurs de l'Exposition de remplir leur mission. Ces faits cependant échappaient au marquis d'Ut, qui les ignorait, ou les connaissait mais ne les mettait pas en rapport avec Onofre Bouvila ni avec sa visite à l'Exposition. Caché derrière le chêne, il réfléchissait à ces choses. Oui, tout doit se passer comme j'ai décidé que ça se passe, se disait-il ; c'est impossible qu'une erreur fasse échouer mes plans admirables : elle est trop belle et moi trop malin et puissant, tout doit nécessairement réussir. *Ay,* et avec quelle grâce elle se déplace, quelle élégance spontanée ! Il saute aux yeux qu'elle est née pour être une reine. Oui, oui, tout ira pour le mieux, il ne peut en être autrement. Cependant qu'il disait cela, il lançait un regard superstitieux vers le ciel : en dépit de son optimisme, il croyait voir dans cette voûte bleue que ne tachait pas un seul nuage un commentaire sarcastique à ses expectatives insensées.

En effet, tout paraissait destiné à mal finir. En janvier 1929, le déficit occasionné par l'Exposition universelle de Barcelone se montait à cent quarante millions de pesetas ; le baron de Viver voyait s'ouvrir devant ses pieds un abîme insondable. Cette situation exigeait une solution désespérée, s'exclama-t-il. Il avait aspergé son bureau d'essence et se disposait à gratter une allumette quand les portes s'ouvrirent à deux battants laissant entrer sainte Eulalie, sainte Inès, sainte Marguerite et sainte Catherine. Cette fois, elles étaient sorties toutes les quatre d'un retable roman qu'on peut encore voir dans le musée diocésain de Solsona ; elles étaient toutes quatre mortes de mort violente, elles s'y connaissaient : elles arrachèrent les allumettes des mains de l'infortuné *alcalde* et l'obligèrent à retrouver ses esprits. Sainte Inès allait accompagnée d'un agneau et sainte Marguerite d'un dragon portatif. Elles lui ôtèrent de la tête les idées absurdes que sa tristesse avait nourries : en plus de son suicide, il avait envisagé la possibilité de déclencher une révolte populaire, sans s'arrêter au fait que les deux choses étaient incompatibles.

— Les jours de Primo de Rivera sont comptés, lui dirent-elles.

Ces fastes, c'étaient les derniers râles de la bête, lui firent-elles voir. Elles lui rappelèrent la fable du crapaud qui se gonfle jusqu'à éclater.

— Au demeurant, les révoltes populaires ont ceci qu'on sait comment elles commencent, mais pas comment elles finissent, dit sainte Marguerite dont la fête se célèbre le 20 juillet.

— Assieds-toi à la porte de ta maison et tu verras passer le cadavre de ton ennemi, dit sainte Inès dont la fête se célèbre le 21 janvier.

L'*alcalde* leur promit d'attendre et de ne pas faire d'autres bêtises. Cette attitude était la plus indiquée : personne ne croyait plus en l'État corporatif qu'avait voulu implanter le dictateur, ni ne voulait plus de la dictature, qui menaçait d'engendrer le chaos, de déboucher sur une révolution. Les travaux publics s'étaient arrêtés, déclenchant une inflation insoutenable, la peseta ne cessait de se dévaluer. Seule l'inexistence d'un général pourvu d'ambition empêchait que se produisît un *pronunciamiento*. En plus de cela, le 6 février, trois mois avant que l'Exposition universelle n'ouvre ses portes, la reine María Cristina mourut d'angine de poitrine. C'était elle qui avait inauguré, du temps qu'elle était régente, l'Exposition de 1888, dont tous à présent se souvenaient avec nostalgie ; sa mort fut considérée comme un mauvais présage. On disait aussi à Madrid que, sur son lit de mort, la reine avait conseillé à son fils de se débarrasser rapidement de Primo de Rivera. Cela ne pouvait faire moins que d'impressionner le monarque. C'est dans cette atmosphère raréfiée que survint la date de l'inauguration.

3

— Vous devriez aller dormir, père. Demain nous attend un jour très agité : vous aurez besoin de toute votre énergie, dit María Belltall.

L'inventeur se leva du fauteuil où il avait fumé la pipe après avoir dîné. Au lieu de se diriger vers sa chambre, comme sa fille lui suggérait de faire, il allait vers la porte.

— Père, où allez-vous ? lui demanda-t-elle.

Sans répondre, Santiago Belltall sortit du pavillon de chasse. Bien que, cette nuit précisément, il fût logique qu'il se montrât absorbé, elle décida de l'accompagner : au long de nombreuses années, elle avait pris l'habitude de ne pas le perdre de vue. Avant de sortir, elle alla chercher un châle pour se protéger de la fraîcheur nocturne. Dans le jardin, le vent soufflant en rafales laissait présager la pluie. Pas ça, pensa-t-elle, n'importe quoi mais pas la pluie. Elle le vit marcher machinalement jusqu'au chapiteau ; toutes les nuits, il avait fait ce même chemin, jamais il n'était allé dormir sans une visite préalable au chapiteau. Après, il fallait insister pour qu'il revienne au pavillon de chasse, le réprimander pour qu'il ne passe pas là des nuits blanches. Cette fois, pourtant, la visite était purement symbolique, parce que les machines et le carburant avaient été transférés dans le pavillon de Montjuich, et l'appareil totalement reconstruit là-bas. L'homme qui, par inertie ou excès de précaution, continuait à monter la garde à l'entrée du chapiteau le salua avec affabilité en le voyant paraître.

— Bonne nuit, professeur Santiago.

L'inventeur lui rendit son salut sans faire attention à ce qu'il faisait.

— C'est demain le grand jour, eh, professeur ? ajouta le garde.

A ces mots, l'inventeur secoua la tête :

— Comment dites-vous ? demanda-t-il.

Le garde appuya la crosse du mousqueton sur le gazon et sourit :

— Le grand jour, répéta-t-il avec enthousiasme. Dieu veuille que tout aille bien, ajouta-t-il à mi-voix.

L'inventeur acquiesça de la tête. Comme c'est curieux, pensa-t-il, cependant qu'il entrait dans le chapiteau, tous sont excités à la veille de l'événement, tous se sentent partie prenante, même cet homme de main, dont la participation ne pourrait avoir été moins scientifique, plus éloignée du sens même de notre entreprise ; néanmoins, on dirait maintenant que son bonheur dépend de la réussite de cette entreprise.

De son côté, le garde pensait : Il a un caractère difficile, mais c'est sans aucun doute un authentique savant ; il est naturel que cette nuit il soit accablé par les soucis ; et sa fille, qu'est-ce qu'elle est bien ! A l'intérieur du chapiteau, il ne restait que des déchets, outils dispersés çà et là, résidus du boisage utilisé pour l'emballage, caisses vides et le surplus des quatre-vingt-douze tonnes de copeaux avec lesquels on avait protégé des chocs les pièces les plus délicates. L'aspect de désolation qui émanait de ce désordre, de cet énorme espace vide, n'aurait pu être plus déprimant. Et moi, en revanche, qui ai réussi à réaliser le rêve de ma vie, je ne sens que nostalgie et tristesse, pensa Santiago Belltall. Le vide qui l'entourait sous le chapiteau lui paraissait la traduction exacte de son état d'âme. Les interminables années de lutte lui semblaient maintenant, en comparaison, des années heureuses : Alors, je vivais d'illusions, pensa-t-il un instant. Puis il comprit que cette idée ne pouvait être plus fausse. J'ai sacrifié ma vie entière à ces illusions, se dit-il. Et il se demandait si en réalité ce sacrifice en avait valu la peine. La voix du garde interrompit cette réflexion. « Bonne nuit, mademoiselle », l'entendit-il dire. C'est María qui vient me chercher, pensa-t-il. Ç'a été elle la principale victime de ma folie, j'ai toujours fait passer mes délires de grandeur avant son bien-être ; au lieu que je lui donne ce qu'elle était en droit d'espérer de moi, c'est elle qui a dû me prodiguer ses attentions. Par ma faute, sa vie a été un renoncement permanent et une humiliation sans fin. Il aperçut du coin de l'œil l'ombre de sa fille à la lueur blafarde des lampes à pétrole qui éclairaient l'intérieur du chapiteau. Même maintenant, en ce moment même, elle est ici pour moi, elle est venue me chercher parce qu'elle croit que je dois me reposer, pensa-t-il. Peut-être serait-ce l'occasion convenable de lui dire ces choses ; ça ne réglera rien, je ne réparerai pas comme ça le mal que j'ai fait, pas plus que nous ne récupérerons le temps perdu, mais peut-être cela lui sera-t-il une consolation de savoir que je n'ai pas ignoré sa détresse.

— Père, vous devriez aller dormir. Il est tard et ici nous n'avons plus rien à faire, dit María Belltall. Voyez, tout est à Montjuich. Même les ingénieurs sont partis. Ils sont tous de retour chez eux.

Ce qu'elle disait était vrai : à mesure que s'achevait leur travail, ouvriers et techniciens avaient été licenciés ; Onofre Bouvila renvoyait à leurs lieux d'origine les experts en aérodynamique moderne, avec la promesse d'une gratification considérable s'ils gardaient le secret sur ce qu'ils avaient fait et vu faire à d'autres ici. Ne restaient plus désormais affectés au projet que Santiago Belltall et un ingénieur militaire prussien, un expert en balistique à qui Onofre avait eu fréquemment affaire durant la Grande Guerre et dont la présence était indispensable pour pouvoir mener le projet à terme.

— Ma fille, il y a une chose que je voudrais te dire, dit Santiago Belltall.

— Il est tard aujourd'hui, père. Vous me la direz demain, dit-elle.

— Non, c'est demain qui serait vraiment tard, dit l'inventeur.

Ce dialogue fut interrompu par l'entrée d'un homme sous le chapiteau. C'était le majordome de la demeure : sur ordre d'Onofre Bouvila il était allé au pavillon de chasse et l'avait trouvé vide. L'idée lui était alors venue de passer par le chapiteau.

— Monsieur attend dans la bibliothèque, dit-il.

Santiago Belltall soupira : Je ne dois pas faire attendre notre bienfaiteur.

— Je vous rejoins dans un instant, dit-il au majordome.

Le majordome secoua la tête.

— Pardonnez, ce n'est pas vous que Monsieur attend, mais Mademoiselle, dit-il sèchement.

L'inventeur et sa fille se regardèrent avec surprise.

— Va, fille, dit finalement Santiago Belltall, je vais aller dormir tout de suite, ne t'en fais pas.

Peut-être devrais-je passer me changer au pavillon de chasse, pensa María Belltall.

Il ne dit rien ni même ne leva les yeux de la table quand le majordome lui annonça la présence de María Belltall.

— Fais-la entrer, ferme la porte et retire-toi, dit-il à mi-voix. Je n'aurai plus besoin de toi cette nuit.

Seule avec lui et sans savoir ce qu'il attendait d'elle, elle s'approcha de la table. Quand elle fut près de lui, Onofre dit :

— Regarde, tu sais ce que c'est que ça ?

Jamais auparavant il ne l'avait tutoyée et ce détail n'échappa pas à son attention. Le vent fouettait les vitres. Pleuvra-t-il demain ? pensa-t-elle.

Il dit :

— C'est le Régent, le diamant le plus parfait qui existe. Il est à moi ; avec lui je pourrais acheter des pays entiers. Pourtant, il tient dans la paume de la main, regarde.

Il mit le diamant dans la main de María Belltall et l'obligea à fermer les doigts. Pendant un instant, elle vit le flamboiement que lançaient les facettes du diamant ; c'était comme s'il y avait à l'intérieur un filament incandescent.

— Tout a un prix, dit-il.

Elle ouvrit la main ; il prit le diamant, l'enveloppa dans un mouchoir blanc et mit le paquet dans la poche de sa veste d'intérieur. Le léger tremblement qu'on pouvait percevoir sur ses lèvres cessa subitement.

— Je voudrais savoir la nature de tes sentiments, dit-il sans transition. Si je t'inspire seulement de la gratitude ou de la crainte, ne dis rien, ajouta-t-il.

María Belltall ferma les yeux.

— Cela fait vingt ans que je ne vis que pour ce moment, dit-elle dans un souffle.

Lui se leva brusquement.

— N'aie pas peur, dit-il, tout ira bien.

Santiago Belltall se réveilla trempé de sueur. Il avait rêvé qu'il perdait sa fille pour toujours, qu'il ne la reverrait plus jamais. C'est absurde, pensa-t-il tout en allumant la lumière sur la table de nuit, il y a nécessairement une autre raison qui justifie mon désarroi. Il regarda la pendule et vit qu'il était quatre heures du matin. Le vent était tombé et le ciel était dégagé ; il faisait encore nuit noire, mais à l'horizon commençait à se dessiner une ligne grise qui faisait graduellement pâlir les étoiles. La journée va être belle, Dieu merci, pensa-t-il, mais cette perspective ne suffit pas pour dissiper entièrement son malaise. Il y a quelque chose qui ne va pas, répéta-t-il en lui-même. Il se leva et sortit de la chambre en pyjama et pieds nus. Le pavillon de chasse était silencieux. Il vit que la porte de la chambre de sa fille était entrouverte et il passa précautionneusement la tête. Quand ses yeux se furent accoutumés à l'obscurité, il remarqua que le lit n'avait pas été défait et que María était absente. Comment est-ce possible ? se dit-il, elle n'est pas encore revenue de l'entrevue avec Bouvila ? De quoi peuvent-ils parler ? Il s'approcha de la fenêtre et regarda vers la maison ; on n'y voyait briller aucune lumière. Qu'est-ce qui peut bien être en train de se passer dans cette maison ? pensa-t-il. Sans perdre une seconde à se chausser ou à se couvrir, il sortit du pavillon de chasse. Dans le jardin, trois hommes lui barrèrent le passage : l'un de ces hommes était le garde qui, quelques heures avant, l'avait salué à l'entrée du chapiteau ; l'autre était le costaud qui avait été livré avec la tente du cirque ; le troisième, qu'il ne se souvenait pas avoir vu avant, était un vieux à peau rougeâtre et yeux bleus qu'accompagnait un petit chien aux mouvements maladroits. C'était ce vieux qui semblait mener la danse.

— Ayez la bonté de nous suivre, señor Belltall, lui dit-il, et, s'il vous plaît, n'élevez pas la voix : nous devons agir avec discrétion et rapidité.

— Eh ? s'exclama l'inventeur. Qui diable êtes-vous, pour oser me donner des ordres ? Et que signifie cette agression ?

— Ne vous emballez pas, señor Belltall, répliqua l'homme au petit chien ; nous ne faisons que ce que nous a dit le señor Bouvila. Votre fille n'a nullement été maltraitée.

— Ma fille ! s'étrangla l'inventeur en serrant les dents et en montrant des poings menaçants au vieux au petit chien. Que dites-vous ? Pourquoi devrait-on maltraiter ma fille, vieux croûton, avorton ?

Ce disant, il cherchait à l'agresser, mais l'Hercule de foire, anticipant le mouvement, s'était placé derrière lui et lui tenait fermement les bras. Il criait à présent à pleins poumons :

— A moi, police ! Au secours, on m'enlève !

— Ici, personne ne peut vous entendre, dit le vieux au petit chien, mais dans la maison il faudra vous taire si vous ne voulez pas réveiller tout le monde. Ne nous obligez pas à recourir au chloroforme.

Cet avertissement lui rendit son bon sens ; il choisit de garder le silence. Serait-il possible que tout ait été une illusion ? se demandait-il, que ma fille et moi ayons été de simples pions dans un jeu dont nous ignorons absolument les règles ? Les réponses les plus terribles se bousculaient dans sa tête, mais son esprit les rejetait avec le désespoir de qui, au réveil d'un rêve merveilleux, rejette la brutale réalité. Non, non, quelle raison y aurait-il que tout soit mensonge éhonté ? se disait-il. Entre-temps, le ciel était devenu iridescent ; au-dessus de la ville apparaissaient des franges cramoisies, dans un éclat d'incendie. Qu'est-ce que c'est ? se demanda-t-il. Barcelone brûle par tous les bouts ? Cette aube spectaculaire et grandiose était aussi contemplée, au même moment, par María Belltall.

— On dirait que l'horizon est en flammes, murmura-t-elle. L'enfer est venu nous visiter.

Elle était debout près de la fenêtre de la bibliothèque ; elle s'était enveloppée dans le rideau de velours grenat. En tournant son regard vers l'intérieur, elle vit de nouveau les habits répandus sur le tapis ; avec un frisson, elle contempla encore ce ciel lourd de présages. Que va-t-il m'arriver à présent ? pensa-t-elle. Un cri vint la tirer à l'improviste de cette réflexion.

— C'était quoi ? demanda-t-elle.

Onofre Bouvila avait fini de s'habiller et allumait un cigare avec un calme délibéré. Avant de répondre, il souffla l'allumette, la posa dans le cendrier et tira plusieurs bouffées.

— Je ne sais pas, dit-il, un domestique, un charretier qui fouette ses mules, quelle importance ?

On entendit une autre fois le cri et María Belltall tressaillit de nouveau.

— C'est mon père, dit-elle sans hausser la voix.

— Bah, que dis-tu ? répliqua-t-il. Tu te fais des idées ; tu es nerveuse.

Elle ne prêtait pas attention à ses paroles.

— S'il te plaît, passe-moi mes vêtements : je dois aller voir ce qui se passe, supplia-t-elle.

Lui ne bougeait pas. A travers la fumée de son cigare il la regardait, les yeux mi-clos ; il s'attendrissait à la vue des épaules et du cou que découvrait le rideau, de son apparente fragilité, de sa chevelure défaite, du halètement qui soulevait les plis du velours.

— Jamais je ne te laisserai partir, dit-il enfin.

Je ne permettrai pas que tu m'abandonnes, pensa-t-il. Je t'aime, María, depuis le premier moment, je t'ai aimée follement. Cela fait vingt ans que, sans le savoir, je souffre par ton amour.

— Et mon père, l'entendit-il demander, que vas-tu lui faire ?

— Aucun mal, dit-il.

— Où est-il en ce moment ? Que lui font tes acolytes ? insista María Belltall.

— Ils l'emmènent en lieu sûr, ne t'en fais pas. Me crois-tu capable de faire quelque chose qui puisse te contrarier ? », dit-il, le visage écarquillé par un sourire tranquille. Au même moment, des coups retentirent à la porte. « Couvre-toi bien, lui dit-il, je ne veux pas qu'ils te voient. » Puis, élevant la voix, il ordonna : « Entrez. » La porte s'entrouvrit et le vieux au petit chien passa la tête par la fente. « Tout est en ordre ? », lui demanda-t-il. Le vieux au petit chien fit signe que oui sans proférer aucun son. « C'est bien, dit Onofre Bouvila, allons-y tout de suite.

Lorsque le vieux eut disparu et que la porte se fut fermée, il se dirigea à grandes enjambées vers la table.

— Tu peux sortir, dit-il. Allons-y, habille-toi, nous n'avons pas de temps à perdre. » Puis, voyant qu'elle donnait des signes d'hésitation, il ajouta avec réticence : « Oh, c'est bien, c'est bien, je ne regarderai pas. A quoi peuvent bien rimer maintenant ces scrupules ?

Il lui tourna le dos cependant qu'elle récupérait ses habits dispersés par terre ; il ne cessait pas pour autant d'observer ses mouvements du coin de l'œil : il craignait qu'elle ne profite d'un moment de distraction pour tenter de fuir ou de l'agresser avec un objet quelconque, mais elle n'en fit rien. Pendant ce temps, il avait sorti d'un tiroir de la table une lettre manuscrite qu'il signa, plia et mit dans une enveloppe. Ensuite, il griffonna quelque chose sur l'enveloppe, la ferma en léchant les bords encollés, la laissa sur la table où sa présence ne pourrait manquer d'être remarquée, et se tourna vers elle, qui achevait d'attacher les rubans des jarretelles lui ceignant les cuisses.

— Prête ? », dit-il. Elle inclina la tête affirmativement. « Alors, en route ! s'exclama Onofre Bouvila.

Se tenant par la main, ils sortirent dans le couloir. En commençant à descendre l'escalier qui conduisait aux étages inférieurs, il mit son doigt sur ses lèvres et fit tout bas :

— Chut ! Il ne faut pas que ma femme se réveille.

Sur la pointe des pieds, ils arrivèrent à la porte d'entrée de la maison. Le majordome les y attendait, un veston sur le bras. Onofre Bouvila ôta sa veste d'intérieur et mit le veston que lui tendait le majordome. Puis il glissa la main dans la poche de la veste d'intérieur et sortit le mouchoir qui enveloppait le diamant, il mit le paquet dans la poche du veston et donna une claque sur l'épaule du majordome.

— Tu sais ce que tu as à faire, lui dit-il.

Le majordome dit que oui.

— Faites attention, Monsieur, dit-il ensuite de sa voix neutre qui ne laissait percer aucune émotion.

Sans répondre, Onofre Bouvila reprit la main de María Belltall. Ils sortirent tous les deux dans le jardin ; l'herbe était humide de rosée. De l'autre côté du pont, contre le rouge rideau de l'aube, on voyait une automobile. Onofre Bouvila et María Belltall y montèrent.

— Tu sais où tu dois aller, dit-il au chauffeur.

Trouant le brouillard de ses phares, l'automobile se mit en marche.

Quelques cajoleries que lui prodigassent les autorités locales, à quelque excès dans la gaudriole que se risquassent les notables de la ville, bien qu'il eût été décrété que l'occasion était festive, Sa Majesté Alphonse XIII se refusait à abandonner son air taciturne. Installé dans le palais de Pedralbes, il se souvenait de cet événement terrible survenu vingt-trois ans auparavant. Il était alors très jeune et venait de se marier avec la princesse Victoria Eugenia de Battenberg. En dépit de la bruine, la foule se bousculait dans les rues de Madrid pour voir passer le cortège ; le couple auguste avait quitté l'église de San Jerónimo, où avait eu lieu la cérémonie nuptiale, et se dirigeait à présent dans le carrosse royal vers le palais d'Orient. Alors qu'il passait dans la calle Mayor, une bombe, lancée d'un étage, tomba devant le carrosse : elle fit aussitôt explosion. Ils eurent une frousse terrible mais ils ne furent pas blessés ; se voyant indemne, il se tourna vers son épouse :

— Ça va ? lui dit-il.

La robe de mariée était teinte de rouge, éclaboussée par le sang des spectateurs et des soldats de l'escorte. La princesse Victoria Eugenia inclina la tête avec sérénité.

— *Yes,* dit-elle simplement.

Entre vingt et trente personnes étaient mortes dans l'attentat. Arrivés au palais, les monarques coururent se changer. Alphonse XIII trouva un doigt entre les plis de sa cape ; pour qu'elle ne le voie pas, il le mit d'un geste rapide dans la poche de son pantalon. Plus tard, pendant la réception, il le passa en douce au comte de Romanones.

— Prends, lui dit-il, jette ça aux cabinets.

— Majesté, s'exclama le comte, se sont les restes d'un chrétien.

— Alors, qu'on les enterre à la Almudena[1], mais que je ne les revoie pas, répliqua le roi.

Cependant que la noblesse et le corps diplomatique dansaient, plusieurs milliers de policiers cherchaient le magnicide dans tous les coins de Madrid. Au bout de quelques jours, ils trouvèrent son cadavre à Torrejón de Ardoz. Il avait été arrêté par le garde d'un domaine ; se voyant perdu, le fugitif avait d'abord tué le garde puis il s'était suicidé. Cette version péchait par quelques incongruités, mais tout le monde voulait oublier rapidement l'affaire et elle fut acceptée sans discussion. Le magnicide fut rapidement identifié : il s'appelait Mateo Morral, était fils d'un fabricant de Sabadell et avait été professeur ou chargé de cours à l'École moderne de Ferrer Guardia. Depuis lors, Alphonse XIII considérait les Catalans comme des gens hostiles, au comportement violent et imprévisible. Dans le palais de Pedralbes, il avait placé ses fusils de chasse à la tête du lit royal.

— Au cas où, dit-il à sa femme.

Avec ces fusils, il était sans rival. Quand il allait à la chasse, chose qu'il faisait très fréquemment, il portait toujours trois fusils chargés. Avec eux, il pouvait tuer en vol deux perdrix devant lui, deux au-dessus de sa tête et encore deux dans son dos. Seul George V pouvait lui faire concurrence sur ce terrain. Malgré tout, il avait mal dormi cette nuit. Il s'était levé avant qu'on vînt le réveiller et il contemplait l'aube depuis la fenêtre : le ciel semblait un bûcher. Spectacle magnifique, pensa le roi, mais est-ce un bon présage ? Dieu seul le sait !

Dans un autre endroit de la même ville, le général Primo de Rivera scrutait aussi le ciel pour y trouver des signes. Pas de doute, se disait-il, c'est une aurore boréale : des calamités s'approchent. Et moi, ici,

1. Cimetière de Madrid.

comme un pantin, pensa-t-il. Lui non plus n'avait pas bien dormi et il avait les idées peu claires. Il appela son ordonnance et lui commanda d'aller lui chercher un café. Lorsque l'ordonnance revint, il trouva le dictateur s'escrimant avec ses bottes à haute tige.

— Permettez-moi, mon général, dit l'ordonnance en s'agenouillant.

Primo de Rivera se versa une tasse de café et l'approcha de ses lèvres.

— Une après-midi, dit-il, il y a déjà longtemps, à Tanger, je suis entré dans un bistrot... comme ça, tu sais, pour boire un coup, et, en entrant, sur qui je tombe, à ton avis ? Voyons, à ton avis ?

L'ordonnance haussa les épaules.

— Aucune idée, mon général.

— *Hombre,* dis un nom, dit le dictateur.

L'ordonnance se gratta la tête.

— J'ai beau réfléchir, je ne trouve pas, mon général, dit-il enfin.

— Mais dis quelqu'un, le premier nom qui te vienne, insista le dictateur. Tu auras beau faire, tu ne trouveras pas », ajouta-t-il en souriant. Il but une gorgée de café et soupira bruyamment. « Rien ne vaut un café bien tassé pour commencer la journée ! s'exclama-t-il.

Au loin retentirent un clairon enroué, puis un roulement de tambours, et enfin une fanfare militaire qui essayait une marche.

— *Ay,* ronchonna le dictateur, ils jouent toujours la même chose et toujours mal. Où sont mes médailles ?

L'ordonnance lui présenta une cassette de bois sombre ; cette cassette, qui portait une couronne gravée sur le couvercle, avait appartenu à son oncle, le premier marquis de Estella. Primo de Rivera l'ouvrit et examina les médailles avec un mélange d'orgueil et de nostalgie.

— Bien, tu ne dis pas sur qui je suis tombé dans ce bistrot de Tanger ? demanda-t-il.

L'ordonnance se mit au garde-à-vous avant de parler :

— Buffalo Bill, mon général, dit-il.

Primo de Rivera resta médusé à le regarder.

— Con ! Comment tu as deviné ?

— Pardonnez-moi, mon général, s'excusa l'ordonnance en rougissant, ç'a été pur coup de bol, je vous le jure par ma mère.

— Tu n'as pas à t'excuser, fils, le tranquillisa le dictateur, tu n'as rien fait de mal.

Le baron de Viver aussi se disposait à la même heure à remplir ses obligations, quoique, intérieurement, il bouillît de colère : la veille, il avait reçu dans son bureau de l'*ayuntamiento* le chef du protocole de la

Maison royale, qui lui avait montré des plans incompréhensibles et donné des instructions formelles avec la plus grande désinvolture. « Quel culot ! braillait à présent l'*alcalde* seul chez lui. Me dire à moi ce que je dois faire et où, quand et comment ! Il s'est vu ? Mais où est-ce qu'ils se croient ? Ici c'est ma ville, mes petits messieurs ! » Et, en disant cela, il haussait la voix, gesticulait en levant et agitant les mains au-dessus de son haut-de-forme, et marchait en rond dans le vestibule. « Et cette organisation, qui est-ce qui a pu avoir l'idée de ça ? demandait-il dans le vide. D'abord Sa Majesté, puis la famille royale, puis Primo de Rivera et ses ministres, après le commissaire royal de l'Exposition, monseigneur l'évêque, messieurs les ambassadeurs et légats... et moi, bon sang, où est-ce que je dois me mettre ? Dans le fourgon de queue ? » Il se précipitait vers la porte, posait la main sur la poignée, comme s'il se disposait à sortir, s'immobilisait dans cette position, lâchait la poignée et recommençait à parcourir la pièce dans l'autre sens. Non, se disait-il, subitement calmé, une chose si évidente ne peut être le fait du hasard ni être due à l'ignorance ni à l'incompétence. C'est nécessairement une insulte préméditée faite à ma personne et à ma fonction ; et, à travers ma fonction, à Barcelone tout entière. Cette réflexion l'échauffait de nouveau et son soliloque prenait des accents délirants. « Je me vengerai, par Dieu Tout-Puissant je me vengerai, disait-il à mi-voix, les dents serrées. En pleine cérémonie inaugurale, je baisserai mes pantalons, je pisserai sur ses bottes, et qu'il me fasse fusiller sur place s'il ose ! » Ces accès duraient peu ; il tombait aussitôt après dans un état de prostration qui lui faisait voir tout sombre et confus. Les choses sont-elles vraiment comme je les vois ? pensait-il alors, ou tout est-il le fruit de ma mégalomanie ? De quel droit puis-je affirmer que la ville est représentée en ma personne ? Ne suis-je pas plutôt le dernier de ses serviteurs, le plus humble des fonctionnaires ? Je n'ai même pas eu à faire mes preuves ; c'est Primo de Rivera lui-même qui m'a nommé. Et maintenant, avec cette attitude, est-ce que je ne vais pas nuire au bien commun ? Hélas, je ne sais que penser ; j'en ai la tête qui tourne ; en fin de compte, le soleil s'est ouvert un passage entre les nuages, c'en est fini de cette aube grandiose : voici que les embrasements se dissipent dans l'atmosphère et qu'à leur place resplendit le bleu pur et serein d'un matin d'été. Qu'est-ce que la vie ? se demandait-il avec un soupir amer.

Sa Majesté Alphonse XIII mettait ses gants en traversant les salons et couloirs du palais de Pedralbes vers la sortie duquel le conduisait un chambellan. Quel cirque ! pensait-il, un palais aussi grand pour que nous y passions deux nuits. Les enjambées qu'il faisait obligeaient sa suite à aller au petit trot ; seule la reine, qui était anglaise, pouvait suivre son rythme sans effort apparent, et même continuer à parler avec lui tout en marchant.

— Tu te rends compte ? lui disait-il sans ralentir, c'est la seconde Exposition universelle que j'inaugure à Barcelone. Au moment de la précédente, j'étais un morveux de deux ans ; naturellement, je ne me souviens d'absolument rien, mais ma mère avait l'habitude de me raconter ces choses.

Ses souvenirs d'enfance étaient toujours des souvenirs officiels ; son père, Alphonse XII, était mort avant même sa naissance. « Je suis né roi d'Espagne », avait-il coutume de dire. Au moment de l'accouchement, les sages-femmes et les infirmières qui assistaient sa mère avaient fait le salut avant de lui cingler les fesses pour provoquer le premier cri. Cela l'avait rendu très attaché à sa mère depuis le début. A présent, elle venait de mourir.

— A quarante-quatre ans, on revit toujours les choses au moins pour la seconde fois, dit-il en montant dans la berline blindée qui devait le conduire à Montjuich.

— Tu peux toujours me chanter tout ce que tu veux, estimait Primo de Rivera, moi je t'assure que celui que tu as vu était un faux et le spectacle, un attrape-couillons.

— Si vous le dites, c'est que ça doit être vrai, mon général, dit l'ordonnance, mais l'affiche l'affirmait en toutes lettres. Il me semble la voir encore : Buffalo Bill, le seul, le vrai.

— Foutaises ! répliqua le dictateur. Buffalo Bill est mort en 17, je te le garantis. On va bien voir, dit-il d'un air narquois, dans ce spectacle que tu as vu, il y avait des Indiens ?

L'automobile dans laquelle ils se déplaçaient traversait Barcelone à toute vitesse. Il se faisait tard et ils devaient se dépêcher pour arriver dans l'enceinte de l'Exposition avant les souverains. Si ceux-ci avaient dû attendre le dictateur, cela aurait pu modifier le très subtil équilibre dans lequel se trouvaient les pièces du puzzle politique national, les conséquences de cet incident banal auraient pu être incommensurables. Le visage de l'ordonnance s'illumina.

— Des Indiens ? Je crois bien, mon général ! Comment ils glapissaient, les fils de putes !

— Bon, et les cow-boys ?

— Aussi, mon général.

— Tu es sûr ? Des cow-boys qui lançaient le lasso ?

— Comme des dieux, mon général.

Au long du parcours, il y avait une rangée de curieux ininterrompue mais pas très dense. Des passants s'y agglutinaient au dernier moment, attirés par les sirènes des motocyclistes qui ouvraient la route au cortège du dictateur. Personne, pourtant, n'applaudissait ni n'agitait de mouchoir et beaucoup, qui avaient cru par erreur que c'était le roi qui devait passer par là, ne s'abstenaient de manifester leur déception qu'à cause de l'omniprésence de la police.

— Et une diligence ?

La stupeur se peignit sur le visage de l'ordonnance.

— Une diligence ? Quelle diligence, mon général ?

— Tu vois, je te le disais bien ! », s'exclama le dictateur. Un brusque coup de frein faillit l'envoyer rouler sur le tapis de sol de l'automobile. « Holà, que se passe-t-il ? » Il regarda par la vitre et la vit couverte de visages souriants. « Ah, nous sommes arrivés. Grâce à Dieu, Sa Majesté est encore en chemin. Allez, descends, qu'attends-tu ? lança-t-il à son ordonnance.

Il fut accueilli avec des révérences et des applaudissements à sa descente d'automobile. Clairons et tambours résonnaient. Perdu au sein de la foule de personnalités qui s'entassaient autour de lui, dressé sur la pointe des pieds et s'étirant le cou, le baron de Viver fixait sur son ennemi mortel ses yeux rougis par la veille et la colère. Il a mauvaise mine, observa-t-il, je jurerais qu'il est malade. Cette idée fit se dissiper à l'instant toute son animosité à l'endroit du dictateur. Au même moment retentit un coup de canon. Il fut suivi d'un autre puis d'un autre puis d'un autre jusqu'à l'achèvement des salves de rigueur. Les batteries du château saluaient ainsi la présence du roi à Montjuich. Le baron de Viver se vit entraîné par la foule vers le palais national, dont le salon d'apparat devait être le théâtre de la cérémonie d'ouverture. Une multitude innombrable remplissait l'enceinte. Du palais, on pouvait voir cette mer de têtes qui submergeait tout. La cérémonie terminée, les souverains parurent au balcon et la foule les acclama un bon moment. Certains, se croyant protégés par l'anonymat que leur assurait le nombre, conspuaient Primo de Rivera. Le marquis d'Ut, présageant à ces symptômes la chute imminente de son protecteur, était parvenu à se placer près du roi, dont il prétendait regagner la faveur.

— Regardez, Majesté, ce que peut vous offrir la Catalogne : ses hommes, son génie et son travail, dit-il d'une voix pompeuse.

— Et ses bombes, répondit le roi qui venait de se souvenir de Mateo Morral.

Le marquis voulut répondre, mais il ne parvint pas à trouver les mots. D'ailleurs, un phénomène inattendu accaparait en cet instant l'attention du monarque et de toute l'assistance. A la droite du balcon, au fond de la place de l'Univers, près de l'avenida Rius y Taulet, il y avait un pavillon de forme circulaire rappelant étrangement un chapiteau de cirque. A la différence des autres pavillons, ne flottait sur celui-ci ni drapeau ni bannière quelconque. Ce détail comme les particularités qui avaient entouré son installation étaient passés inaperçus jusqu'alors. A présent s'en échappait un vrombissement persistant, un bruit comme celui d'un moteur d'avion, qui allait augmentant. Ce bruit devint vite un fracas qui fit taire les murmures de la multitude. Les responsables de l'Exposition ne savaient à quoi s'en tenir : ils étaient si nombreux qu'aucun ne connaissait la nature de ses fonctions, moins encore l'étendue de ses responsabilités. Ils s'interrogeaient nerveusement du regard et la plupart cherchaient à se défiler. Finalement, voyant que le grondement ne cessait pas et que personne ne prenait à cet égard la moindre disposition, Primo de Rivera commença à donner lui-même des ordres péremptoires aux militaires qui l'entouraient ; ceux-ci, à leur tour, les transmettaient aux officiers de leurs unités respectives. Au bout d'un moment, les forces suivantes firent mouvement vers le pavillon : un détachement de la police urbaine sous le commandement du lieutenant don Alvaro Planas Gasulla, un peloton du régiment d'infanterie de Badajoz sous les ordres du capitaine don Agustín Merino del Cordoncillo, une compagnie de la garde civile sous les ordres du capitaine don Angel del Olmo Méndez, un escadron de cavalerie des forces de sécurité sous les ordres du lieutenant don José María Perales Faura, un escadron du régiment de cavalerie de Montesa aux ordres du commandant don Manuel Jiménez Santamaría, un détachement de conscrits sous les ordres du sergent don Tomás Piñol i Mallofré et un nombre indéterminé de policiers en bourgeois. Au total, c'étaient plus de deux mille hommes qui essayaient maintenant de s'ouvrir un passage à travers la foule, au sein de laquelle commençait à se répandre la panique ; beaucoup se souvenaient des sanglants attentats des années passées, des bombes de la procession du Corpus, ils croyaient se trouver dans des circonstances similaires et cherchaient à se mettre à l'abri par tous les moyens. En certains endroits se produisaient des bousculades plus dangereuses que les bombes elles-mêmes. Pour une raison inexplicable, un coup de feu retentit, suivi des hurlements infernaux qui précèdent d'habitude les désastres fameux. Sur les balcons du palais national, où s'entassaient les autorités, les yeux ne pouvaient plus se détacher de ce pavillon dont les murs avaient commencé à vibrer comme si tout l'édifice était en réalité un engin explosif de grande dimension. Les troupes qui avançaient dans cette direction voyaient leur mouvement empêché par la multitude qui, cherchant frénétiquement à s'éloigner du pavillon, allait dans une direction opposée à celle que suivaient les policiers, les gardes et les soldats. « Quel scandale ! s'exclamaient à l'unisson les responsables de la manifestation, et quel discrédit pour la ville ! » Ils imaginaient déjà en leur for intérieur ce que diraient les journaux du monde entier le lendemain matin, ou peut-être ce jour même, dans des éditions spéciales : *Barcelone en deuil,* lisaient-ils avec les yeux de l'imagination. Et plus bas : *La tragédie est due à une négligence dans les mesures de sécurité ; cette erreur est imputable à...* et là chacun lisait son nom en lettres d'imprimerie. Mais les événements qui se précipitaient ne leur permettaient pas de perdre leur temps à ces considérations : à présent, le toit du pavillon, actionné par un mécanisme hydraulique, s'ouvrait comme s'il avait été formé de deux portes coulissantes dont les bords se fussent encastrés dans des mortaises pratiquées sur les parois latérales. Par cette ouverture sortait un ouragan brûlant formant une colonne que la réverbération rendait visible dans l'air ; cette colonne montait jusqu'à perte de vue. Finalement, les deux moitiés du toit disparurent complètement dans les parois et le pavillon fut ainsi transformé en un cylindre ouvert à l'une de ses extrémités, ce qui lui donnait l'aspect d'une bombarde. Personne ne doutait plus que dût d'un moment à l'autre sortir de là une machine jamais vue. Au bout de quelques secondes, cette machine commença effectivement à sortir ; elle fut vite entièrement en dehors du pavillon, se sustentant d'elle-même dans l'espace comme si c'eût été une planète. On pouvait la voir désormais de tous les points de l'enceinte et même au-delà. La foule, qui, la panique passée, était restée muette, éclata en exclamations de surprise et d'émerveillement. Il y avait de quoi : la machine avait une forme ovale ; sa longueur devait être d'environ dix mètres et sa largeur maximale, de quatre. Ces dimensions furent calculées sur le moment, à vue d'œil, et sont encore aujourd'hui un objet de controverses : elles ne purent jamais être vérifiées, car personne ne revit plus ni la machine ni les plans à partir desquels elle avait été construite. La moitié arrière était de métal lisse, brillant ; la moitié avant, de verre, protégée par des nervures d'acier ou de bois flexible. Les deux moitiés étaient apparemment unies par un cerclage d'un demi-mètre de largeur, du genre de ceux utilisés dans la fabrication des tonneaux. Il y avait sur ce cerclage plusieurs centaines d'ampoules allumées qui enveloppaient la machine d'un halo de lumière. Il était évident que la moitié postérieure contenait le moteur et que l'autre était destinée aux passagers dont on pouvait confusément distinguer les silhouettes à travers le nuage de poussière qui accompagnait la machine dans son ascension. La multitude était éblouie à la vue de cet engin prodigieux, et même Sa Majesté le Roi, quittant l'attitude de dédain et de somnolence qu'il avait adoptée ce jour-là, émit un sifflement d'admiration et murmura tout bas : « Par Dieu ! » Tous se demandaient ce que cette chose pouvait être, et certains, au moment de trouver une réponse à cette question, laissaient libre cours à leur imagination. Il n'y a pas de doute, se disaient-ils. Ce sont les Martiens, qui ont choisi précisément Barcelone pour montrer au monde les réalisations de pointe de leur technique sans égale. Ce choix ne manquerait pas de faire grincer les dents de Paris, Berlin, New York et autres villes prétentieuses, pensaient-ils avec une joie maligne. Dans ces années-là, l'existence d'habitants d'autres planètes n'était mise en question par personne. Les affabulations les plus insolites circulaient à ce sujet, sans que les savants parussent soucieux d'y mettre un terme. Ces êtres, ces extraterrestres, comme on devait les appeler plus tard, dont la représentation graphique semblait avoir été confiée exclusivement aux illustrateurs de bandes dessinées, étaient invariablement figurés avec un corps d'homme et une tête de poisson. La plupart du temps, ils allaient nus, ce qui n'attentait pas à la pudeur, étant donné que les organes de la reproduction ne se remarquaient pas chez eux, et que leur épiderme, par surcroît, était écailleux ; s'ils portaient quelque chose, c'était un pourpoint et des chausses. Le détail du nez en forme de cornet acoustique ne fut pas incorporé à l'iconographie courante avant les années quarante, quand le cinématographe, allié au microscope, permit de montrer des images agrandies de moustiques et autres insectes. On tenait pour acquis que l'intelligence des visiteurs des autres mondes, que le vulgaire appelait alors génériquement « Martiens », était très supérieure à celle des Terriens ; leurs intentions étaient supposées pacifiques et leur caractère, plutôt flemmard. Toutes ces conjectures, cependant, durèrent une petite minute, parce qu'après s'être élevée au-dessus des coupoles du palais national la machine décrivit un demi-cercle et commença à descendre lentement sur le réservoir de la Fontaine magique. On vit alors que son équipage était formé de personnes de chair et d'os, et qu'il s'agissait d'une variante de ce qu'on appelait alors hélicoplane, orthoptère, ornithoptère ou hélicoptère, c'est-à-dire des avions à décollage et atterrissage verticaux. On avait expérimenté ces engins ces dernières années, bien qu'avec des résultats jusqu'alors peu prometteurs. Le 18 avril 1924, le marquis de Pescara avait réussi à décoller et à atterrir verticalement à

Issy-les-Moulineaux, mais la distance parcourue avait été faible : cent trente mètres seulement. De son côté, l'ingénieur espagnol Juan de la Cierva avait inventé l'année d'avant, c'est-à-dire en 1923, un appareil moins ambitieux mais plus efficace. Il reçut le nom d'autogire et c'était un avion conventionnel en tout (ailes, queue, ailerons et fuselage), auquel avait été ajoutée une hélice libre à plusieurs pales ; cette hélice tournait autour d'un axe monté sur la partie supérieure de l'avion et était mue par le vent déplacé par l'avion en vol ; ensuite, quand l'avion stoppait son moteur et tombait verticalement, la masse d'air déplacée cette fois par la chute engendrait une turbulence qui faisait tourner avec une grande force les croix de Saint-André de cette hélice libre ; en tournant, elles freinaient la vitesse de descente de l'appareil. Une fois résolus certains problèmes complémentaires, comme celui du frottement, celui de la stabilité et d'autres, l'autogire se révéla une invention sûre et viable : dans les années trente, il faisait périodiquement le vol Madrid-Lisbonne sans escale. Mais de là au décollage vertical et à la possibilité d'immobiliser l'appareil en l'air, il y avait un abîme. Cet abîme avait été franchi sans difficulté par la machine qui survolait maintenant l'enceinte de l'Exposition universelle. Elle montait et descendait au gré de son pilote, restait stationnaire à n'importe quelle altitude comme s'il se fût agi d'une lampe à suspension et se déplaçait horizontalement sans secousses ni à-coups. Voilà qui était un prodige, et plus encore le fait qu'elle effectuât ces manœuvres et d'autres encore sans hélices pour la propulser.

4

Dans les terrains vagues contigus à l'enceinte de l'Exposition avait poussé toute une ville de baraques ; des milliers d'immigrants vivaient tant bien que mal dans ce ghetto. Personne ne savait qui avait disposé les baraques de telle sorte qu'elles forment des rues, ni aligné ces rues pour qu'elles se croisent à angle droit. A la porte de certaines des baraques, il y avait des caisses en bois à l'intérieur desquelles on élevait des lapins ou des poussins ; le couvercle avait été remplacé par un bout de toile métallique ; ainsi pouvait-on voir les animaux entassés. A la porte d'autres baraques dormaient des chiens faméliques au regard trouble L'automobile s'arrêta devant une de ces portes et Onofre

Bouvila et María Belltall en descendirent. Le chien poussa un grognement quand ils passèrent à côté de lui, puis continua à dormir. A l'intérieur, avisée de leur présence par le bruit de l'automobile, une femme échevelée, couverte de haillons, écarta le rideau de serpillière qui pendait du linteau. La baraque n'était que quatre panneaux de bois cloué plantés en terre ; un toit de roseaux et de palmes sèches laissait filtrer la lumière de l'aube par ses interstices. Lorsqu'ils furent entrés tous les deux, la femme échevelée laissa retomber le rideau. Puis elle resta à regarder Onofre Bouvila avec une expression abrutie. On voyait qu'elle venait de s'éveiller d'un sommeil tranquille.

— Et ton mari ? dit-il, pourquoi n'est-il pas ici ?

La femme mit les poings sur les hanches et rejeta la tête en arrière, mais il n'y avait ni agressivité ni impudence dans cette attitude.

— Il est parti hier après-midi et n'est pas encore revenu », répondit-elle. On eût dit qu'elle allait éclater d'un rire dédaigneux. « L'argent que tu lui donnes, il le dépense en eau-de-vie et en putasseries, ajouta-t-elle en regardant María Belltall du coin de l'œil.

— C'est son affaire, dit Onofre Bouvila sans remarquer ce regard. Je n'ai pas à gérer ses dépenses.

Le rideau de serpillière bougea quand le chien entra dans la baraque. De son museau humide, il reniflait les mollets de María Belltall et de temps en temps éternuait bruyamment.

— Bon, qu'est-ce qu'on attend ? reprit Onofre en s'adressant sans raison à María Belltall, dont il continuait à tenir la main entre les siennes.

La femme se mit à genoux ; du tranchant de la main, elle écarta la terre jusqu'à découvrir une trappe. Elle chassa le chien, qui reniflait à présent la trappe, et la leva en tirant sur un anneau. De l'ouverture ainsi dégagée partaient des marches taillées à même la terre. Onofre Bouvila tira des pièces de sa poche et les tendit à la femme.

— Cache-les dans un endroit où ton mari ne les trouve pas, lui conseilla-t-il.

La femme sourit du bout des lèvres :

— Et où donc ? demanda-t-elle en embrassant du regard la boîte à chaussures dans laquelle ils se trouvaient.

Il ne prêtait déjà plus attention à ses propos : il avait commencé à descendre cet escalier en tirant derrière lui María Belltall. Il éclairait avec une lanterne sourde la galerie dans laquelle ils marchèrent une centaine de mètres avant de buter sur un escalier analogue au précédent. Au bout de cet escalier, il y avait encore une trappe qui s'ouvrit lorsqu'il y frappa trois coups avec l'anse de la lanterne. Ils se trouvaient maintenant à l'intérieur du pavillon. C'était une construction en béton armé semblable en tout point au chapiteau à l'intérieur duquel ils avaient travaillé jusqu'à ces derniers jours, le chapiteau qui s'élevait encore, vide, dans le jardin de la demeure. A la différence de celui-ci, cependant, le pavillon n'avait ni portes ni fenêtres : on ne pouvait entrer et sortir que par la trappe.

L'homme qui lui avait ouvert était d'âge avancé et de teint rosé ; sur son costume de ville, il portait une blouse blanche de chirurgien. En voyant Onofre Bouvila, il fronça les sourcils et désigna sa montre-bracelet de l'index, comme pour dire : Est-ce que ce sont des heures ? Onofre Bouvila l'avait connu pendant les années de la Grande Guerre ; c'était alors un ingénieur militaire renommé, un expert en balistique. La défaite des empires centraux l'avait laissé sans travail ; pendant dix ans, il avait survécu en donnant des cours de physique et de géométrie à Tübingen, dans un collège de frères maristes. C'est là qu'il avait reçu, au début de 1928, une lettre d'Onofre Bouvila par laquelle il l'invitait à se transporter à Barcelone *pour participer à un projet en rapport avec votre spécialité.* Une banque de Tübingen mettrait à sa disposition l'argent nécessaire pour subvenir aux frais du voyage. *Je regrette de ne pouvoir être plus précis du fait de la nature même du projet et d'autres raisons de poids,* concluait la lettre en question. Ce langage rappela le bon vieux temps à l'ingénieur prussien. Il prit le train à Tübingen et arriva à Barcelone au bout de quatre jours et cinq nuits de voyage ininterrompu. Tout au long du trajet, son habituelle mauvaise humeur était allée s'exacerbant. Quand Onofre Bouvila lui exposa finalement l'affaire, lui montra les plans et lui apprit ce qu'il attendait de lui, il jeta ses propres lunettes sur le sol de la bibliothèque, où se déroulait l'entrevue, et les piétina.

— Le projet est stupide, dit-il, celui qui l'a conçu est stupide et vous êtes plus stupide encore ; vous êtes réellement l'homme le plus stupide que j'aie connu.

Onofre Bouvila sourit et le laissa se calmer. Il savait que sa vie au collège de Tübingen était un calvaire continu : les élèves le surnommaient « Général Boum-Boum » et en faisaient la cible des plaisanteries les plus sanglantes. A présent, grâce à lui, les idées disparates de Santiago Belltall avaient évolué jusqu'à devenir quelque chose de scientifique. Il avait transformé un bricolage de génie en une machine capable de voler. Onofre Bouvila, de son côté, avait dû recourir à toute sa patience et son autorité pour apaiser les disputes féroces qui s'élevaient à toute heure entre l'inventeur catalan et l'ingénieur prussien ; lui seul avait permis que la collaboration entre les deux fût féconde. La machine occupait maintenant le centre du pavillon, soutenue par un échafaudage compliqué comme une mantille de dentelle.

— Une pièce unique, s'exclama-t-il, splendide !

L'ingénieur soupira : cela le peinait qu'on eût consacré tant de talent, tant d'efforts et tant d'argent à un appareil purement récréatif. Onofre Bouvila, qui connaissait par cœur la raison de cette affliction, se désintéressa de lui : ce n'était pas le moment de s'embarquer dans des discussions académiques. Dehors retentissaient les coups de canon annonçant l'arrivée des souverains.

— En route, dit-il.

Dans le pavillon s'agitaient des hommes en combinaison bleue, enduits de graisse ; chacun accomplissait sa tâche sans faire attention à ce que faisaient les autres ; personne ne parlait ni n'interrompait son travail pour fumer une cigarette ou boire un coup : l'ingénieur prussien avait réussi à inculquer sa discipline à cette équipe ; c'était l'élite des mécanos, ceux qui ne levaient pas les yeux de leurs outils, même quand María Belltall passait à côté. Elle comprenait maintenant pourquoi il l'avait amenée ici et elle fit le geste de s'échapper. Il la retint avec force, mais sans violence. Dans ses yeux, il lut la terreur. Elle n'a pas confiance dans l'invention de son père, pensa-t-il, et moi elle me prend pour un fou. Peut-être n'a-t-elle pas tort.

A présent, il voyait à ses pieds l'enceinte de l'Exposition universelle. Comme c'est curieux, pensait-il, vu d'ici tout paraît irréel ; peut-être la pauvre Delfina avait-elle raison : en réalité, le monde est comme le cinématographe. Allons, je vais descendre un peu plus pour voir la tête des gens, pensa-t-il ensuite. Actionnant les leviers du tableau de bord, il fit perdre de l'altitude à la machine. La foule avait retrouvé son calme et suivait ces évolutions sans en perdre un détail. « Regarde, regarde, c'est Onofre Bouvila ! », se disaient-ils les uns aux autres dès que la distance qui les séparait de la machine permettait de reconnaître son équipage. « Oui, c'est lui, c'est lui ; et cette fille qui l'accompagne, qui ça peut-il être ? Elle paraît jeune et jolie ; eh, elle porte une jupe bien courte, la garce ! » Ces commentaires et d'autres semblables étaient inspirés par une affection proche de la dévotion. Les histoires qui circulaient sur sa fortune fabuleuse et les moyens qu'il avait employés pour la gagner en avaient fait un personnage populaire : quand il marchait dans la rue, les gens s'arrêtaient pour l'observer en cachette, mais avec insistance et intensité ; ils essayaient de lire sur son visage la confirmation ou l'infirmation des bruits qu'ils avaient entendus. Tous se demandaient, en voyant sa figure discrète, légèrement vulgaire : Est-ce que c'est vrai que dans sa jeunesse il a été anarchiste, voleur et gangster ? Que, pendant la guerre, il faisait du trafic d'armes ? Qu'il a appointé plusieurs hommes politiques célèbres, des cabinets ministériels entiers ? Et que, tout ça, il y est arrivé seul et sans aide, en partant de zéro, à force de courage et de volonté ? Au fond, tous étaient disposés à croire qu'il en était ainsi : en lui se réalisaient les rêves de chacun, par sa médiation s'accomplissait une vengeance collective. Et si ça a effectivement été un malfaiteur, qu'est-ce que ça peut faire ? disaient-ils : parce qu'il y a, peut-être, une autre issue, par les temps qui courent, dans ce pays ? C'est pourquoi, en le reconnaissant, ils l'acclamaient ; ils reportaient sur lui l'ovation qu'ils avaient d'abord adressée au roi.

— Regarde, regarde comme ils m'acclament, dit-il en s'adressant à María Belltall qui osait à peine ouvrir les yeux. Les gens sont très gentils, tu sais ? ajouta-t-il en haussant beaucoup la voix pour couvrir le bruit des moteurs, très gentils, il n'y a qu'à voir la quantité de choses qu'ils laissent faire sans protester !

Tout en disant cela, il pressa un bouton et un panneau situé sur la partie arrière de la machine s'ouvrit automatiquement, laissant s'envoler plusieurs douzaines de colombes. Se voyant libres, et effrayées par la proximité de la machine, les colombes s'éloignèrent en formation serrée. A la vue de ce spectacle, personne, pas même le roi, ne put retenir une exclamation de joie. Satisfait de l'effet obtenu, Onofre Bouvila fit avancer la machine avec lenteur jusqu'à quelques mètres des balcons du palais national, qui menaçaient de s'effondrer sous le poids des personnalités qui y étaient réunies. Il pouvait à présent voir avec précision leurs visages à tous, comme eux pouvaient voir le sien.

— Regarde, regarde, dit-il, c'est le roi. Vive le roi ! Vive la reine ! Vive Alphonse XIII ! cria-t-il bien qu'il sût que personne ne pouvait l'entendre à part María Belltall. Oh, voilà Primo de Rivera ! continua-t-il. Eh, va te faire cuire un œuf ! ivrogne ! » Ainsi identifiait-il des visages connus, qu'il s'amusait à montrer à son accompagnatrice : « Tu vois cet individu si grand qu'il dépasse au-dessus des autres têtes ? dit-il finalement. C'est Efrén Castells : l'unique ami sincère que j'aie eu dans ma vie. Bon, j'en ai peut-être eu plus d'un, mais tous les autres ont maintenant disparu. Bah, ajouta-t-il en changeant de ton, ne cédons pas à la tristesse, viens, partons d'ici, on a tout vu. Il déplaça une des manettes jusqu'à ce que la poignée vienne en butée, et la machine partit comme une flèche vers le haut et en arrière. Ils voyaient à présent à leurs pieds la ville entière, la sierra de Collcerola, le Llobregat et le Besós et la mer immense et lumineuse.

— *Ay,* Barcelone, dit-il la voix brisée par l'émotion, comme elle est belle ! Et dire que, quand je l'ai vue pour la première fois, il n'y avait presque rien de tout ce que nous voyons en ce moment ! La campagne commençait ici même, les maisons étaient minuscules et ces quartiers populeux étaient des villages, continuait-il avec volubilité, les vaches paissaient sur l'étendue de l'*Ensanche;* tu dois croire que j'invente. Je vivais là-bas, dans une ruelle qui reste comme elle était, dans une pension qui a fermé il y a des siècles. Les gens qui y vivaient étaient pittoresques, aussi. Je me souviens qu'il y avait en ce temps-là une pythonisse qui, une nuit, m'a lu l'avenir. Je ne me souviens plus de rien de tout ce qu'elle m'a dit, naturellement.

Et même si je m'en souvenais, pensa-t-il, quelle importance ? A présent, l'avenir c'est déjà le passé.

Ceux qui suivaient les évolutions de la machine volante depuis Montjuich et ceux qui, alertés par le bruit des moteurs, étaient sortis sur les balcons ou montés sur les terrasses virent comment elle infléchissait sa trajectoire vers la mer, comme si un soudain vent d'ouest la poussait. Loin de la côte, elle perdit de l'altitude, puis remonta quelques instants et finalement s'abattit dans la mer. Les pêcheurs qui se trouvaient à ce moment-là dans les environs racontèrent qu'ils avaient vu avec effroi la machine venir sur eux. Ils ne savaient pas ce que ça pouvait bien être. Certains pensèrent que ce qui leur tombait dessus était une météorite, une boule de feu ; ils ne purent pourtant vérifier si la machine était effectivement enveloppée de flammes ou si c'était le reflet du soleil sur la surface de métal et de verre qui produisait cette impression. Tous, en revanche, furent d'accord sur le fait que, lorsqu'elle était arrivée à la verticale de son point de chute, ses moteurs s'étaient brusquement arrêtés. Le bruit avait cessé et le murmure des vagues avait restauré sur la mer la sensation d'éternité, dirent-ils. Tout paraissait immuable ; c'était comme si le temps se fût arrêté, déclarèrent-ils à la presse. Puis la machine s'était précipitée dans l'eau comme un obus tiré par un canon, rapportèrent-ils. Ceux qui s'étaient rendus à l'endroit où ils croyaient l'avoir vue tomber n'avaient pas trouvé trace de la machine. Pas même une tache d'huile ou de pétrole flottant sur l'eau, dirent-ils. Ils divergeaient entre eux quant au point exact où s'était produit l'impact : il n'y avait d'instrument pour faire le point à bord d'aucune de ces barques rudimentaires. Le commandement naval dépêcha aussitôt plusieurs bateaux. Plusieurs pays offrirent leur aide, désireux de participer aux opérations de sauvetage. En réalité, tous souhaitaient récupérer la machine volante afin de s'approprier le secret de son fonctionnement, mais les efforts conjoints n'aboutirent à aucun résultat. Les scaphandriers remontaient les mains vides, les sondes ramenaient du fond du sable et des algues. Finalement une tempête obligea à interrompre les opérations, qui ne reprirent pas une fois le calme revenu. Les cadavres de l'équipage de la machine n'ayant pas reparu, on dit un répons pour eux à la cathédrale. Puis on jeta des couronnes de fleurs dans l'eau sombre du port ; le courant les emporta au large. Les journaux publièrent les notices nécrologiques habituelles dans ces cas-là, des textes enflés de rhétorique. Des biographies convenablement expurgées d'Onofre Bouvila parurent aussi, destinées à l'édification des lecteurs. Tous s'accordaient à dire que c'était un grand homme qui avait disparu. *La ville a contracté auprès de lui une dette de reconnaissance éternelle,* dit un journal d'alors. *Il a symbolisé mieux que quiconque l'esprit d'une époque qui aujourd'hui est un peu morte avec lui,* dit un autre. *Sa vie active commença avec l'Exposition universelle de 1888 et s'est éclipsée avec celle de 1929,* observa un troisième. *Comment devons-nous interpréter cette coïncidence?* concluait-il avec une malice évidente. La manifestation dont les extravagances d'Onofre Bouvila avaient animé l'inauguration menaçait en effet de tourner au désastre retentissant. En octobre de cette année, à quatre mois de l'inauguration, eut lieu le naufrage de la Bourse de New York. Du jour au lendemain, sans crier gare, le système capitaliste chancelait. Cet événement fut suivi de la faillite de milliers d'entreprises. Leurs représentants se précipitaient affolés dans les pavillons et palais de l'Exposition pour emmener le matériel exposé avant l'apparition des agents judiciaires nantis d'ordres de saisie. Nombre d'exposants s'étaient suicidés : pour échapper au chagrin et au déshonneur de la ruine, ils sautaient par les fenêtres de leurs bureaux, situés aux étages les plus élevés des gratte-ciel de Wall Street. Pour que les pavillons ne se trouvent pas soudain vides, ce qui eût causé une pénible impression aux visiteurs, le gouvernement espagnol remplaçait les articles retirés par la première chose qui lui tombait sous la main. Il y eut bientôt des pavillons où l'on n'exposait plus que des choses absurdes.

Ces circonstances pathétiques reléguèrent au second plan les rumeurs infondées qui couraient alors Barcelone, disant qu'en réalité Onofre Bouvila n'était pas mort, que l'accident avait été simulé et qu'il vivait désormais confortablement installé dans un lieu lointain en compagnie de María Belltall, aux côtés de qui il avait enfin connu l'amour véritable et à l'adoration de qui il consacrait toutes les heures du jour et de la nuit. On alléguait plusieurs faits à l'appui de cette thèse romantique. En effet, Bouvila lui-même avait, avant l'accident, arrangé les choses de façon qu'il fût impossible non seulement de localiser la machine, comme on le vit par la suite, mais même de trouver les plans de celle-ci ou les techniciens qui avaient participé à sa construction. Quand les sapeurs de l'armée parvinrent enfin à entrer dans le pavillon en ouvrant un trou dans le mur, ils y trouvèrent seulement les planches qui avaient formé l'échafaudage supportant la machine. En fin de compte, on découvrit la trappe, mais la galerie à laquelle elle donnait accès ne menait qu'à une baraque abandonnée. Pas moins suspect que ce qui précède était le fait qu'Onofre Bouvila eût emmené avec lui le Régent, le merveilleux diamant. Cette circonstance, jointe aux événements de cette année-là, fit hasarder à certains la théorie qu'Onofre Bouvila était derrière l'effondrement de l'économie mondiale, bien que personne ne sût trouver les raisons qui auraient pu l'inciter à agir ainsi. Tous les yeux se tournèrent alors vers sa veuve, mais il ne fut possible d'obtenir d'elle aucune déclaration. La demeure fut vendue à la députation provinciale de Barcelone, qui s'en désintéressa et par négligence la laissa se détériorer jusqu'à redevenir la ruine qu'elle avait été. Cependant, la veuve s'était retirée dans un chalet de Llavaneras qui avait appartenu autrefois à l'ex-gouverneur de Luçon, le général Osorio y Clemente. Elle y mena désormais la vie la plus retirée qui soit jusqu'à sa mort, survenue le 4 août 1940. En mourant, elle laissa des papiers, parmi lesquels ne se trouvait pas la lettre qu'Onofre Bouvila avait laissée sur la table de son bureau avant de partir pour Montjuich onze ans auparavant. Ces rumeurs et d'autres semblables se turent petit à petit, à mesure que le temps passait sans qu'aucun fait vînt les étayer, et que d'autres problèmes plus pressants accaparaient l'attention des Barcelonais. Pendant ce temps, l'Exposition universelle se mourait. L'opinion publique se moquait ouvertement des organisateurs et indirectement, à travers eux, du gouvernement de Primo de Rivera. Ce prétexte servait à manifester le rejet du dictateur. En dépit de la censure, personne ne se privait de comparer l'Exposition de 29 à celle de 88 : sur la première retombaient les critiques les plus acerbes ; de la seconde en revanche tout le monde faisait six caisses ; personne ne voulait se souvenir des problèmes qu'elle avait suscités en son temps, des disputes et des animosités d'alors, du déficit dont elle avait accablé la ville. Le baron de Viver se repentait à présent de pas s'être montré plus intransigeant. « Pour en arriver à cette pantalonnade, dont le ridicule rejaillira sur nous tous, nous avons hypothéqué notre ville », avait-il l'habitude de dire d'un ton larmoyant. Il ne tarda pas à cesser ses fonctions. Primo de Rivera aussi, qui avait été le principal instigateur de l'Exposition, sur le succès de laquelle il avait tant misé, se vit obligé de reconnaître ce qu'avait d'intenable sa position, d'admettre son impopularité. En janvier 1930, il présenta sa démission au roi, qui l'accepta sans dissimuler sa satisfaction. Le dictateur déposé s'exila immédiatement à Paris, où il vécut seulement quelques mois : il y mourut le 16 mai 1930, à quelques jours du premier anniversaire de l'inauguration de l'Exposition universelle de Barcelone. Quatre années plus tard, Alphonse XIII lui-même abdiquait la couronne d'Espagne et partait en exil. Ces événements furent suivis d'autres également importants. Certains furent joyeux, d'autres funestes ; puis les uns et les autres furent amalgamés par la mémoire collective, ils finirent par y former une seule chose, une chaîne ou une pente qui menait inéluctablement à la guerre et à l'hécatombe. Quand les gens, ensuite, faisaient l'historique de l'époque, ils étaient d'avis qu'en réalité, l'année où Onofre Bouvila avait disparu de Barcelone, la ville avait commencé à entrer en décadence.

IMPRIMERIE S.E.P.C. À SAINT-AMAND (CHER).
DÉPÔT LÉGAL : SEPTEMBRE 1988. N° 10295 (4605-1032)